A-Z LIVERPOOL Atlas

C000175765

CONTENTS

REFERENCE

Motorway	**M62**
A Road	**A57**
Under Construction	
Proposed	
B Road	**B540**
Dual Carriageway	
One Way A Roads	→
Traffic flow is indicated by a heavy line on the Drivers left	
Pedestrianized Road	
Restricted Access	
Railway	Level Crossing ✕ Station ▭
Built Up Area	HALE ST.
Map Continuation	▲ **68**

County Boundary	+ · + · +
District Boundary	— · — · —
Posttown Boundary By arrangement with the Post Office	——
Postcode Boundary Within Posttown	— — —
Ambulance Station	✚
Car Park	**P**
Church or Chapel	†
Fire Station	■
Hospital	**H**
House Numbers A & B Roads only	113 98
Information Centre	**i**
Police Station	▲
Post Office	★
Toilet With Facilities for the Disabled	▽ ♿

SCALE

Approx. 6 inches to 1 mile

0   ¼   ½ Mile

0   250   500   750 Metres

1:10,775

Geographers' A-Z Map Co. Ltd.

Head Office :
Fairfield Road, Borough Green,
Sevenoaks, Kent. TN15 8PP
Telephone 01732 781000

Showrooms :
44 Gray's Inn Road, London, WC1X 8HX
Telephone 0171 242 9246

© Edition 2 1995

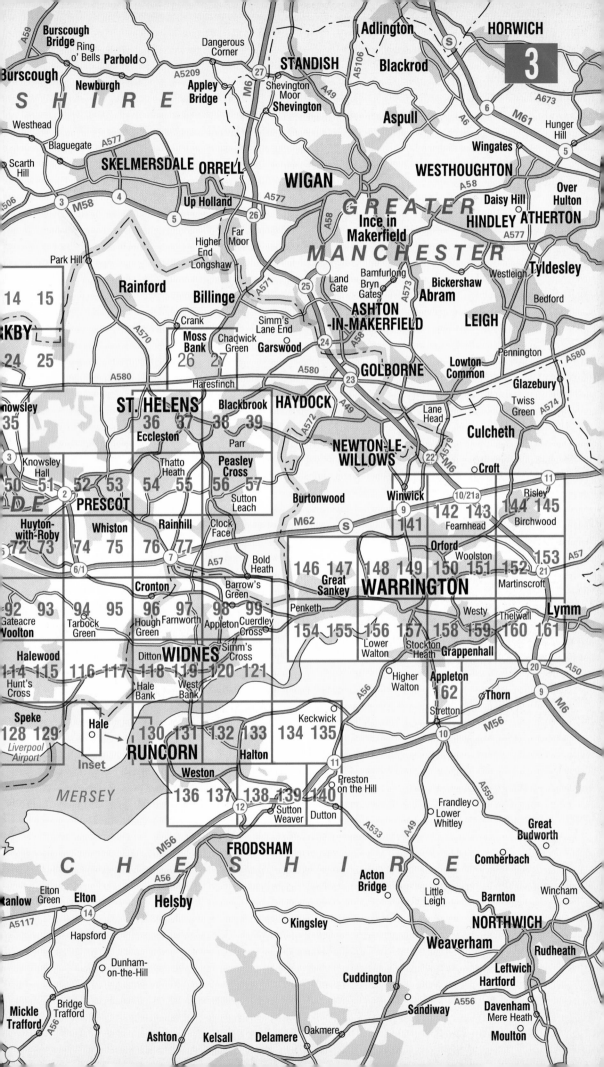

A59 Burscough Bridge
Ring o' Bells
Parbold
Newburgh
Burscough
SHIRE
Westhead
Blaguegate
A577
Scarth Hill
SKELMERSDALE
ORRELL
M58
Up Holland
A577
Park Hill
Rainford
Billinge
RKBY
14 15
24 25
nowsley
35
A570
Crank
Moss Bank
26 27
Chadwick Green
Garswood
A580
Haresfinch
ST. HELENS
36 37 38 39
Eccleston
Blackbrook
Parr
HAYDOCK
A572
Thatto Heath
Peasley Cross
Sutton Leach
Knowsley Hall
50 51 52 53 54 55 56 57
DE
A2
PRESCOT
Huyton-with-Roby
Whiston
Rainhill
72 73 74 75 76 77
6/1
A57
Clock Face
Bold Heath
Cronton
Barrow's Green
92 93 94 95 96 97 98 99
Gateacre
Woolton
Tarbock Green
Hough Green
Farnworth
Appleton
Cuerdley Cross
Ditton
WIDNES
Simm's Cross
Halewood
114 115 116 117 118 119 120 121
Hunt's Cross
Hale Bank
West Bank
Speke
128 129
Liverpool Airport
Hale
Inset
RUNCORN
130 131 132 133 134 135
Keckwick
Halton
Weston
136 137 138 139 140
MERSEY
Sutton Weaver
Dutton

Dangerous Corner
STANDISH
M6
27
Shevington Moor
Shevington
A49
Appley Bridge
A5209
Blackrod
Aspull
A6
Wingates
HORWICH
A673
6
M61
Hunger Hill
5
WIGAN
A5106
WESTHOUGHTON
A58
Daisy Hill
Over Hulton
GREATER
Ince in Makerfield
HINDLEY
ATHERTON
A577
MANCHESTER
Land Gate
Bamfurlong
Bryn Gates
A573
Bickershaw
Abram
Bedford
Westleigh
Tyldesley
25
ASHTON-IN-MAKERFIELD
LEIGH
24
Pennington
A580
23
GOLBORNE
Lowton Common
Glazebury
Twiss Green
A574
Lane Head
Culcheth
NEWTON-LE-WILLOWS
22
M6
Croft
A49
Winwick
Risley
11
9
141
142 143
144 145
Fearnhead
Birchwood
10/21a
M62
S
Orford
Woolston
1.53
A57
146 147
Great Sankey
148 149 150 151 152
21
WARRINGTON
Martinscroft
Penketh
Westy
Thelwall
Lymm
154 155 156 157 158 159 160 161
Lower Walton
Stockton Heath
Grappenhall
20
A50
Higher Walton
Appleton
162
Thorn
9
M6
Stretton
10
M56
11
Preston on the Hill
A559
Frandley
Lower Whitley
Great Budworth
12
FRODSHAM
A56
A533
Acton Bridge
Comberbach
Wincham
CHESHIRE
anlow
Elton Green
Elton
14
Helsby
Kingsley
Little Leigh
Barnton
NORTHWICH
A5117
Hapsford
Weaverham
Rudheath
Dunham-on-the-Hill
Cuddington
Leftwich
Hartford
Mickle Trafford
Bridge Trafford
A56
Ashton
Kelsall
Delamere
Oakmere
Sandiway
A556
Davenham
Mere Heath
Moulton

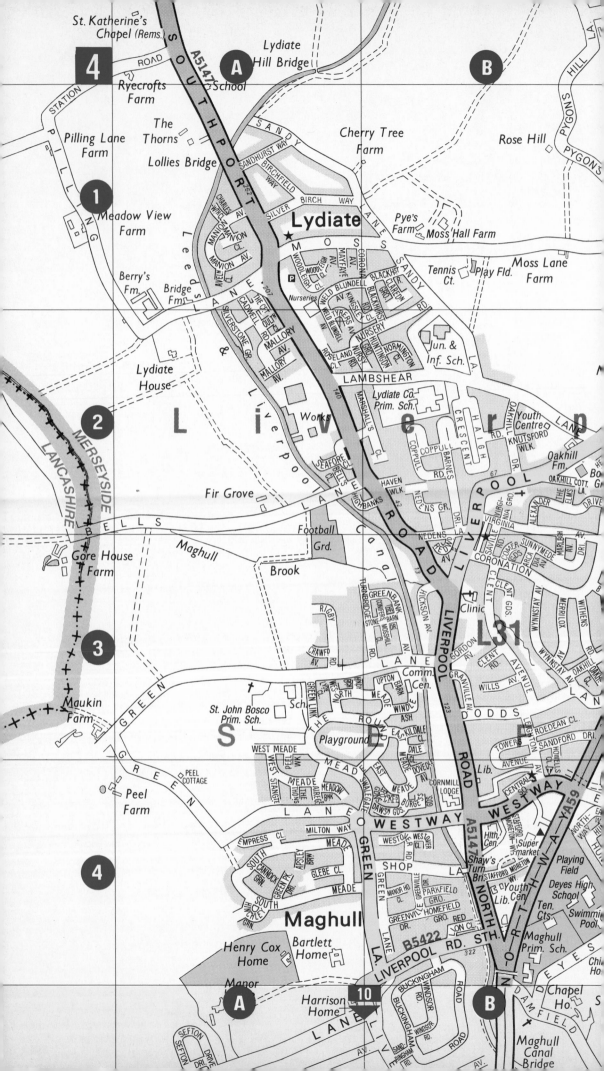

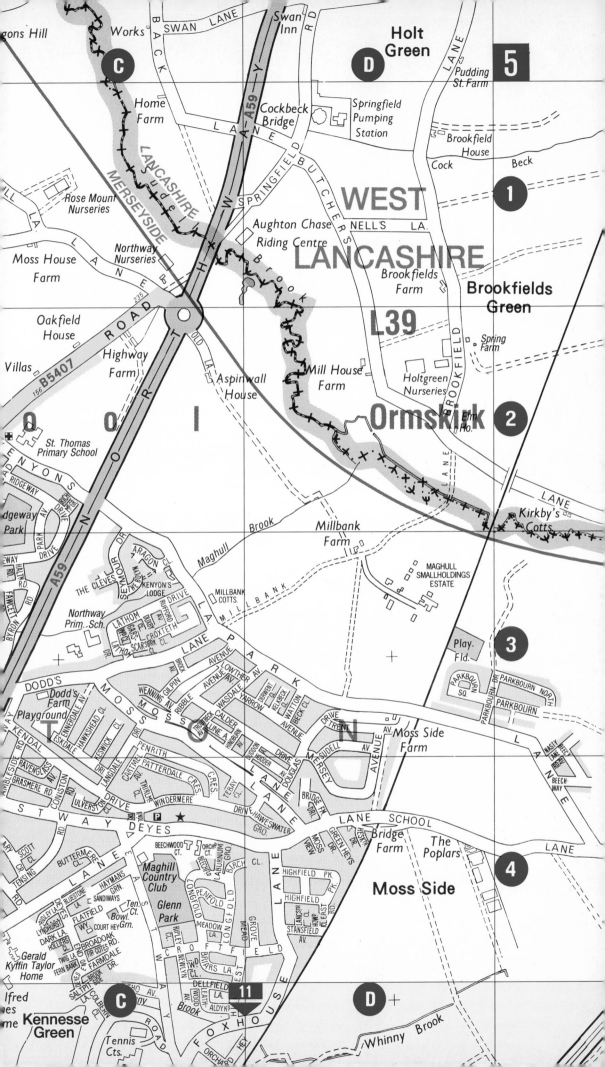

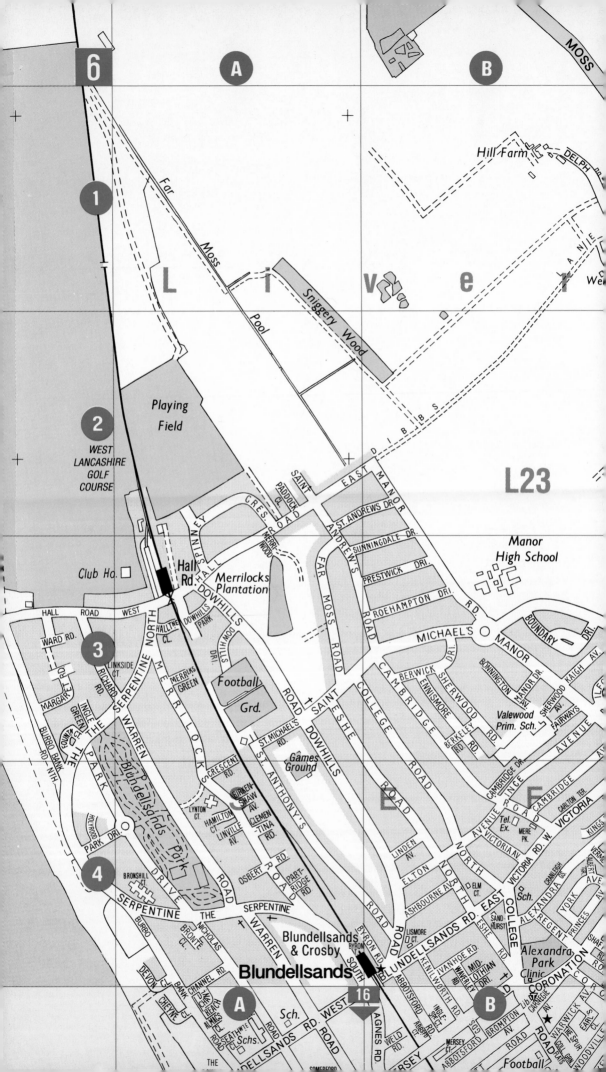

6 **A** **B**

1

Hill Farm

MOSS

DELPH RD.

Far Moss Rd.

Pool

Sniggery Wood

L i v e r

We...

NILE

DIBS

2

Playing Field

WEST LANCASHIRE GOLF COURSE

L23

Manor High School

SAINT

PADDOCK ROAD

CRES. ROAD

EAST

ANDREW'S

MERRI-WOOD

FAR MOSS ROAD

MANOR

ST. ANDREWS DROR

SUNNINGDALE DR.

PRESTWICK DRI.

ROEHAMPTON DRI.

RD.

MANOR DRI.

BOUNDARY

Club Ho.

Hall Rd.

Merrilocks Plantation

SPINNEY

HALL

DOWHILLS

DOWHILLS PARK

DRI.

3

HALL ROAD WEST

HALLME CL.

DOWHILLS CL.

SERPENTINE NORTH

MERRILOCKS

MICHAELS

BONNINGTON AV.

MANOR DR.

MANOR

KAIGH AV.

SHERWOOD AV.

FAIRWAYS

AVENUE

WARD RD.

LINKSIDE CT.

MERRLKS GREEN

Football Grd.

CAMBRIDGE

BERWICK

ENNISMORE

SHERWOOD

BERKELEY RD.

Valewood Prim. Sch.

MARGARET RD.

RICHARD RD.

INGLE GREEN

FOUNT...

THE

WARREN

PARK

Blundellsands Park

ST. MICHAEL'S RD.

ST. ESHE ROAD

ROAD

COLLEGE

ROAD

Games Ground

INGE

CAMBRIDGE DRI.

CARLTON TER.

F

BURBO BANK RD. NTH.

SCRESCENT RD.

CRESCENT RD.

DOWHILLS ROAD

SAINT ST. ANTHONY'S

Tel. Ex.

MERE PK.

VICTORIA RD. W.

VICTORIA

KINGS...

LYNTON CT.

HAMILTON CT.

LINVILLE AV.

BIRKEN SHAW AV.

CLEMEN-TINA RD.

LINDEN AV.

AVENUE

VICTORIA AV.

Sch.

REGENT

YORK

4

HOLYROOD

PARK DRI.

BRONSHILL CT.

DRIVE

ROAD

OSBERT ROAD

PART-RIDGE RD.

ELTON AV.

NORTH

ASHBOURNE AV.TH

ELM CT.

CORONATION

ALEXANDRA

PRINCES

SERPENTINE

BURBO

BRONTE CL.

NICHOLAS

THE SERPENTINE

WARREN

ROAD

Blundellsands & Crosby

LISMORE CT.

BLUNDELLSANDS RD. EAST

SAND-HURST

Alexandra Park Clinic

Blundellsands

BYRON SOUTH

BYRON RD.

IVANHOE RD.

MID-LOTHIAN DRI.

Sch.

BROMPTON AV.

VERNON

A

DEVON RD.

CHANNEL RD.

BANK

CHERYL

16

AGNES RD.

ABBOTSFORD

KENILWORTH RD.

WAVERLEY RD.

WELD RD.

ROAD

B

CORONATION ROAD

WARWICK AV.

EARLE...

SHAF...

Sch.

Schs.

SEATH...

CL.

BLUNDELLSANDS RD. WEST

ROAD

AGNES RD.

MERSEY CT.

ABBOTSFORD

MERSEY ROAD

Football

SOMERFORD

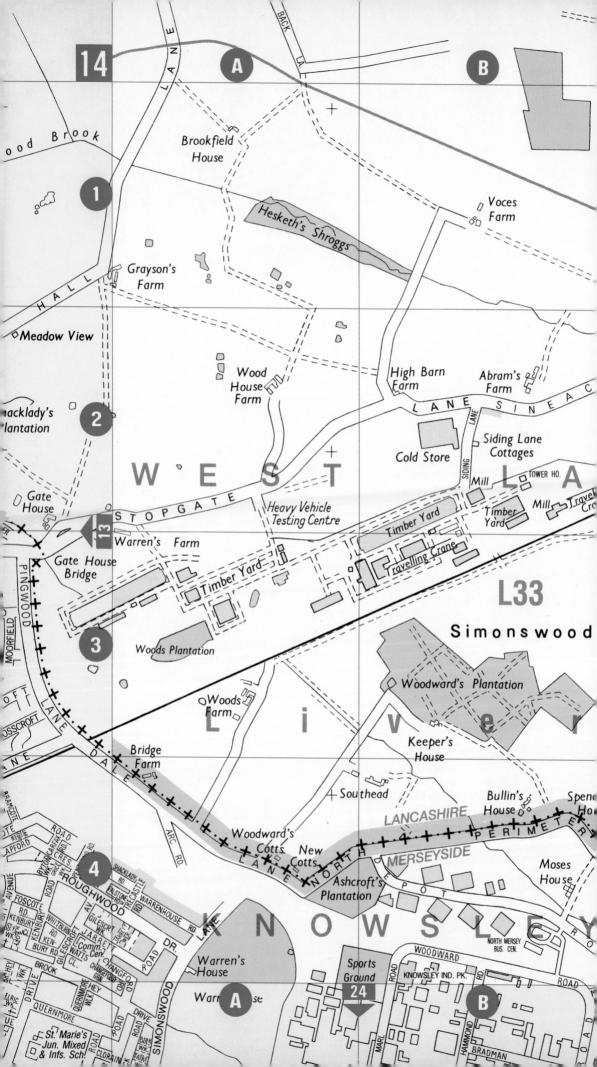

Moss Side

C

Pimbley's Wood

O r m s k i r k

New Bridge

Barrow Nook Farm

New Bridge Farm

Webster's House

N C A S H I R E

p o o l

Works

END WAY

C

LANE

SINEACRE

LANE

Moss House Farm

D

COACH

Walkden's House

15

Rigby's Wood

1

Bridge Farm

Moss Farm

L39

Simonswood Brook

2

Coach Road Farm

Wild Goose Slack

Old Farm House

Simonswood

3

DAIRY FARM RD.

ROAD

Brook

SIMONSWOOD MOSS

PERIMETER RD.

ROAD

25

D

4

LANCASHIRE

MERSEYSIDE

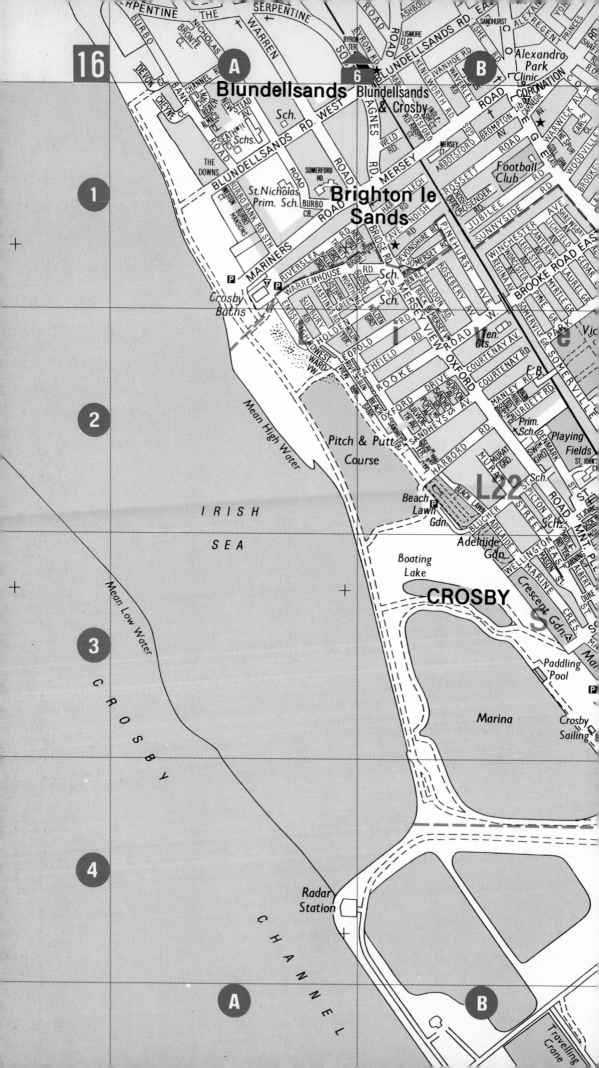

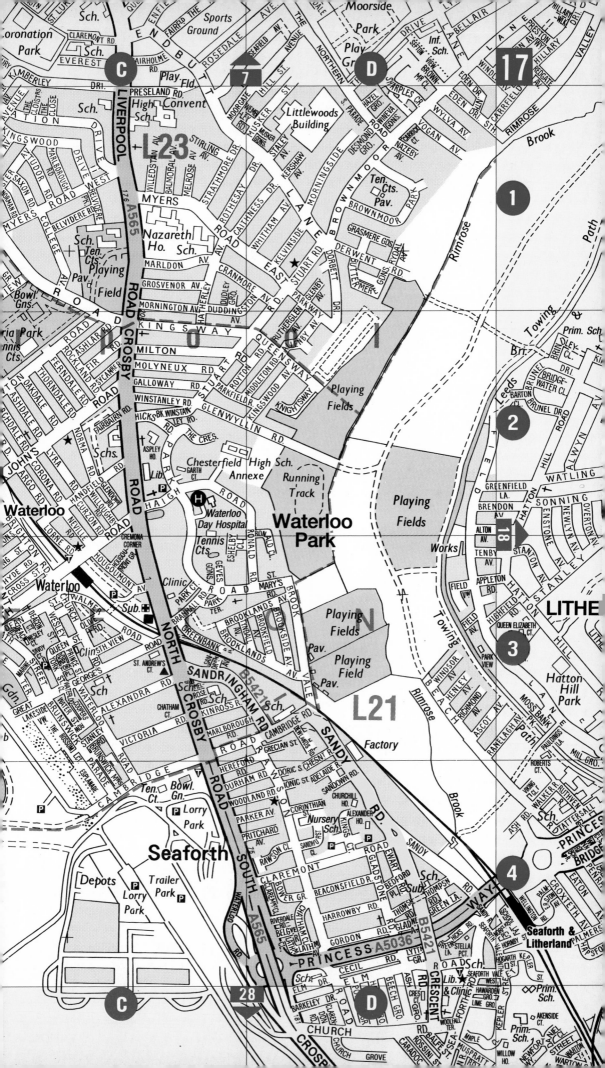

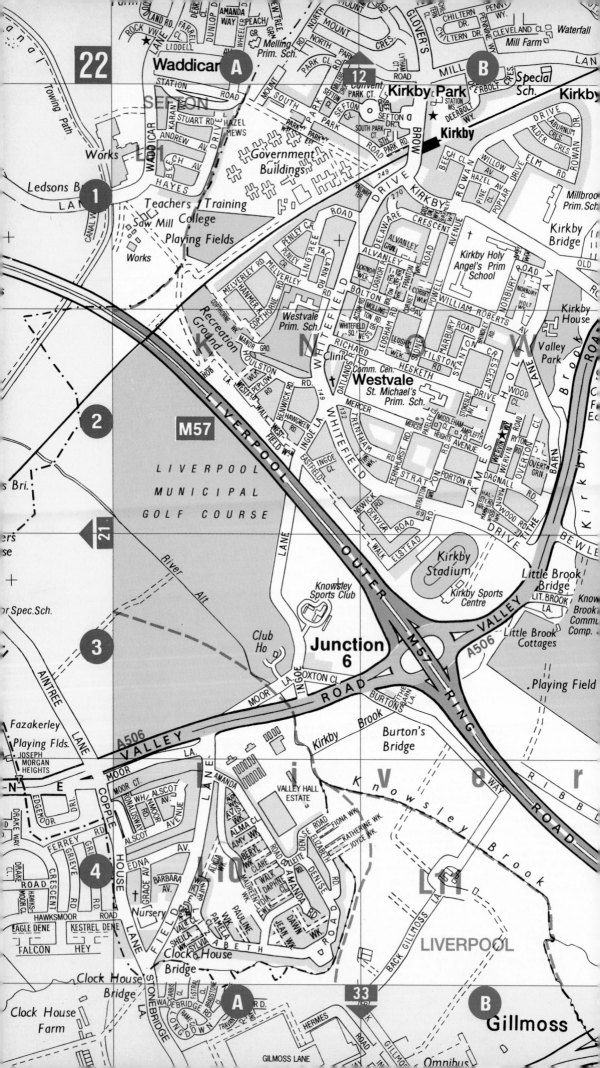

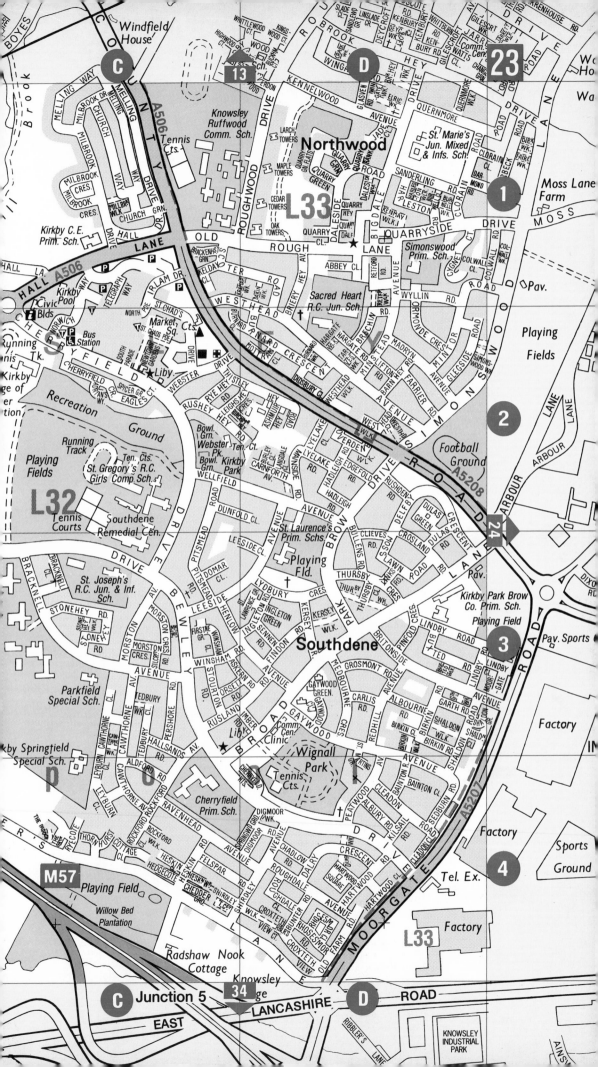

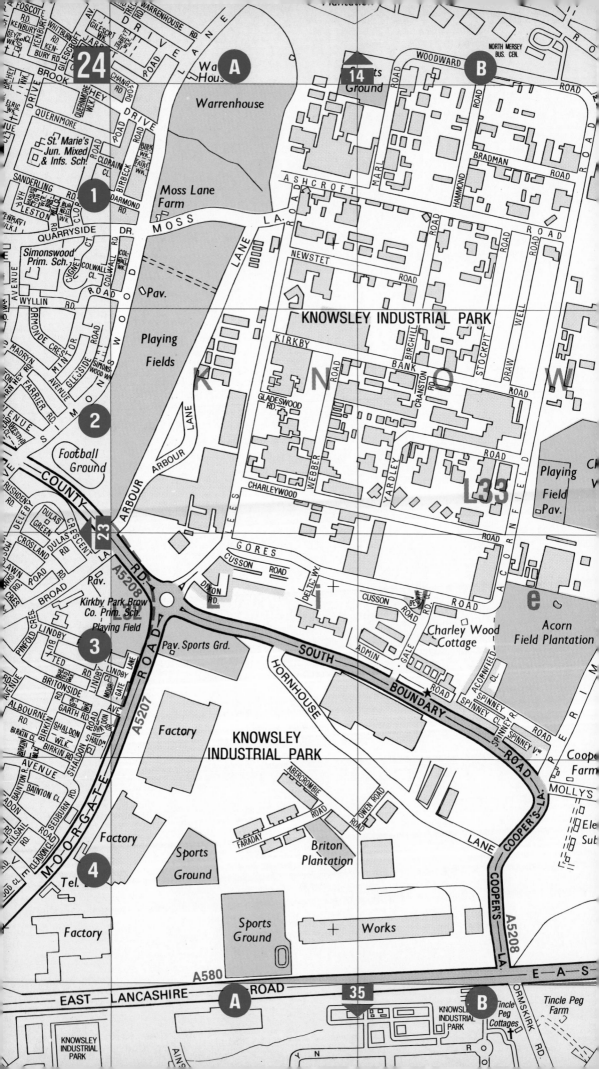

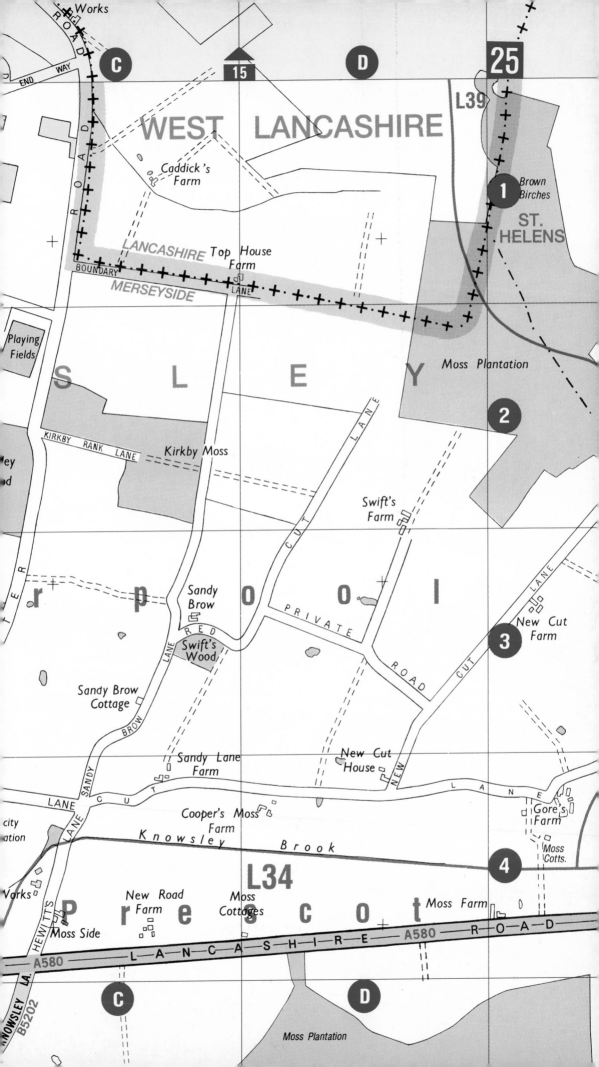

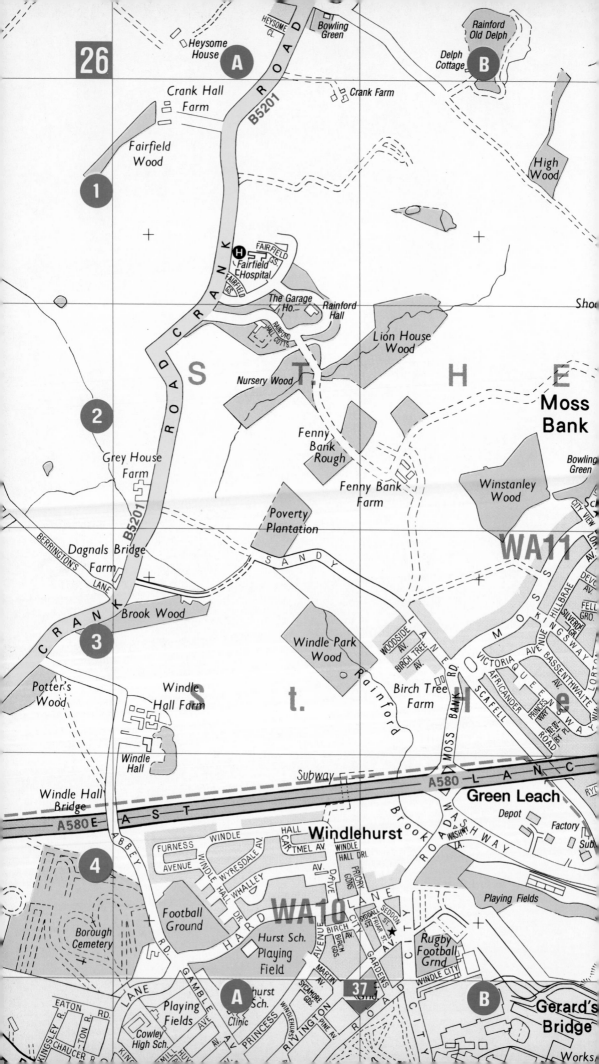

26

A

Heysome House

Crank Hall Farm

Bowling Green

Crank Farm

Rainford Old Delph

B

Delph Cottage

HEYSOME CL.

B5201

ROAD

High Wood

Fairfield Wood

1

CRANK

Fairfield G.S.

H Fairfield Hospital

Fairfield G.S.

The Garage Ho.

Rainford Hall

Rainford Hall Cotts.

Lion House Wood

Shoo

Nursery Wood

S

T.

H

E

Moss Bank

2

Grey House Farm

Fenny Bank Rough

Fenny Bank Farm

Winstanley Wood

Bowling Green

ROAD

B5201

Poverty Plantation

SANDY

WA11

City View

DEVO AV.

FELL GRO.

Hillbrae

SILVERDE

KINGSWAY

BERRINGTON'S LANE

Dagnals Bridge Farm

CRANK

Brook Wood

3

LANE

Rainford

Woodside AV.

Birch Tree AV.

Birch Tree Farm

MOKING

VICTORIA

AFRICANDER

SCAFELL

AVENUE

QUEENSWAY

BASSENTHWAITE

AV.

PRINCESS WAY

Potter's Wood

S

Windle Hall Farm

t.

Windle Park Wood

H

e

Moss Bank Rd.

ROAD

Windle Hall

Windle Hall Bridge

Subway

A580

LANE

Green Leach

RY

A580

E

EAST

Brook

ROAD

WASHWAY

Depot

Factory

Sub

4

ABBEY

FURNESS AVENUE

WINDLE

WINDLE HALL

WYRESDALE AV.

WHALLEY

HALL

CARMEL AV.

Windlehurst

WINDLE HALL DRI.

AV.

DRIVE

PRIORY GDNS.

LANE

WASHY. LA.

Playing Fields

Football Ground

WINDLE HALL DR.

WA10

BIRCH

BIRCH GDS.

AVENUE

CITY

SODALL ST.

SEDDON ST.

FRIAR ST.

Rugby Football Grnd

Windle City

Borough Cemetery

HARD

RD.

Hurst Sch.

Playing Field

GARDENS

MARTIN

SYCAMORE GDS.

PINE AV.

37

A

Playing Fields

Clinic

GAMBLE

Hurst Sch.

Cowley High Sch.

PRINCESS

WINDLEHURST AV.

RIVINGTON

AV.

B

Gerard's Bridge

Works

EATON RD.

KINGSLEY R.

CHAUCER R.

LANE

MILL

HUY

CITY

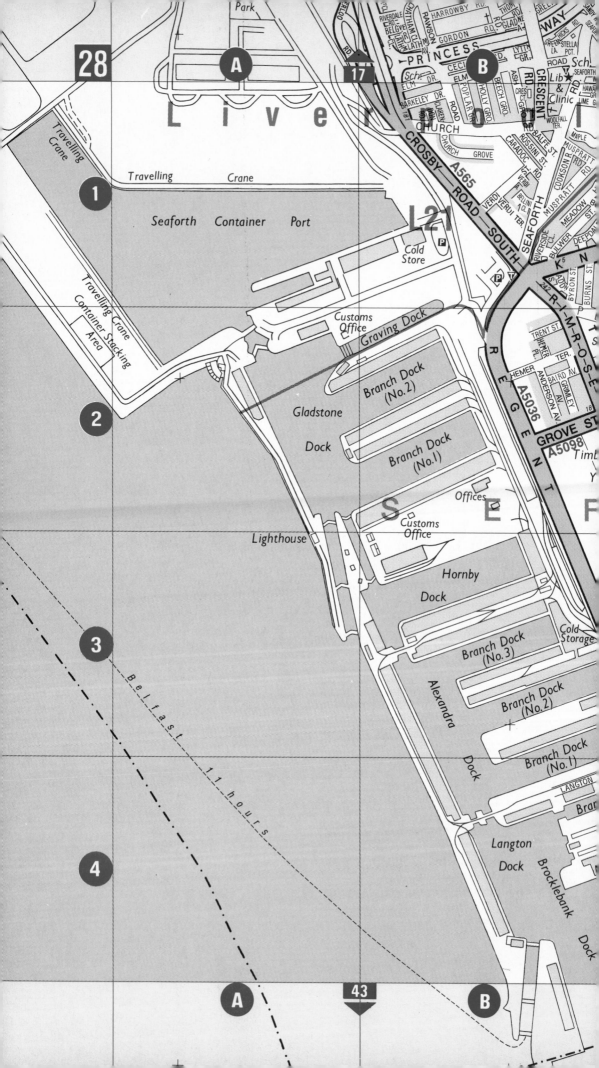

A

17

B

L i v e r p o o l

1

Travelling Crane

Travelling Crane

Seaforth Container Port

L21

P

Cold Store

Travelling Crane

Container Stacking

Area

Customs Office

Graving Dock

2

Gladstone

Dock

Branch Dock (No. 2)

Branch Dock (No.1)

Offices

S   E   F

Customs Office

Lighthouse

Hornby

Dock

3

Cold Storage

Branch Dock (No.3)

Alexandra

Dock

Branch Dock (No. 2)

Branch Dock (No. 1)

LANGTON

Belfast 11 hours

4

Langton

Dock

Brockelbank

Dock

Bran

Dock

A

43

B

PRINCESS

HARROWBY   RD.

WAY

Sch

Lib & Clinic

CROSBY   ROAD   A565   SOUTH

CHURCH

SEAFORTH

R-I-M-R-O-S-E

REGENT

A5036

GROVE ST.

A5098

Timb

Y

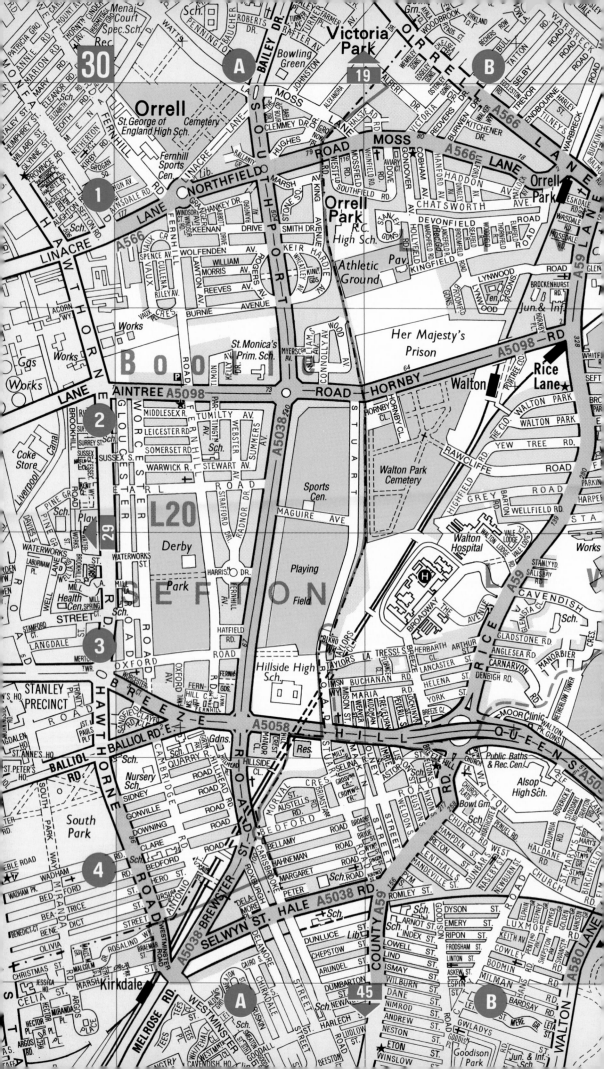

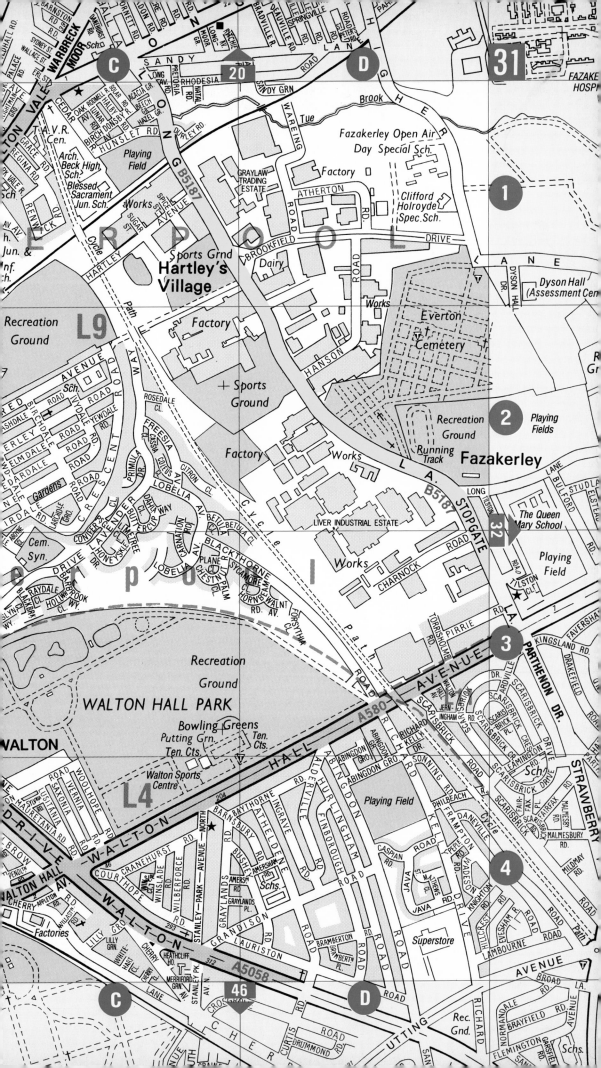

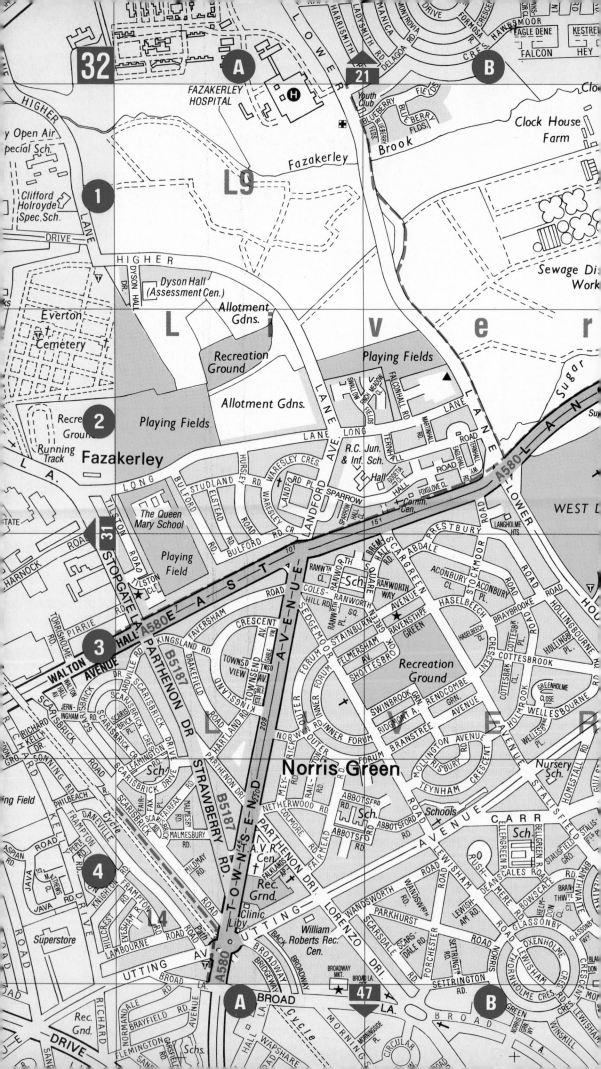

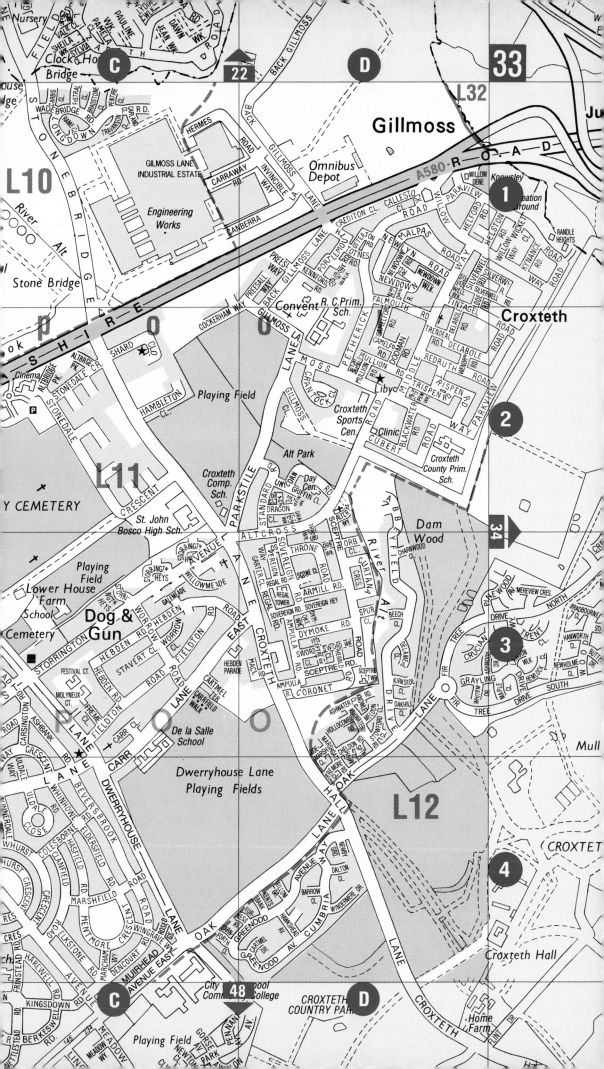

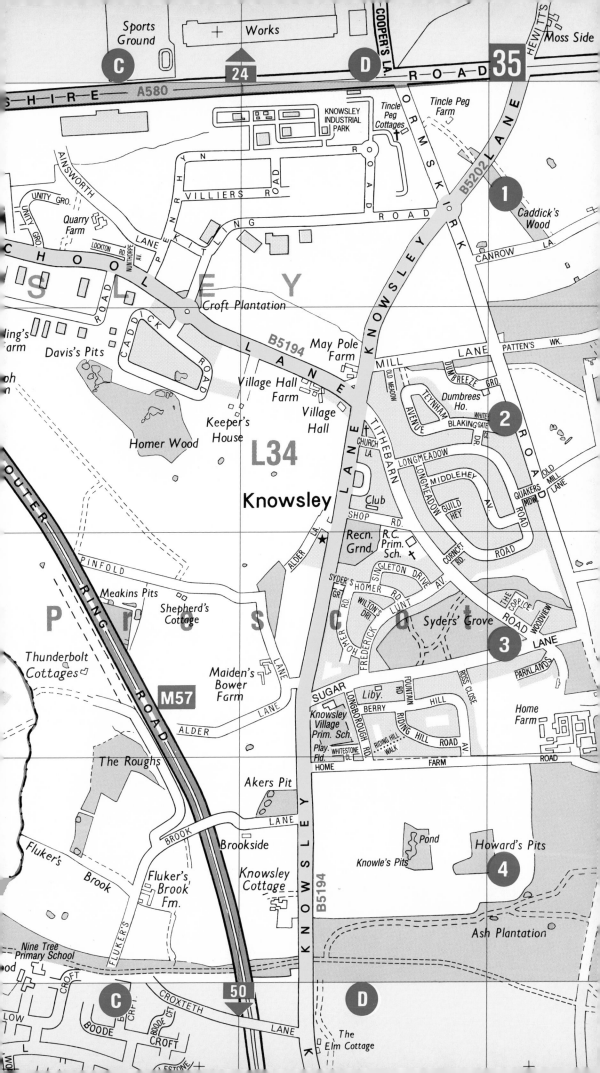

Sports Ground

Works

C

24

D

COOPER'S LA.

ROAD

HEWITT'S

Moss Side

35

SHIRE A580

KNOWSLEY INDUSTRIAL PARK

Tincle Peg Cottages

Tincle Peg Farm

ORMSKIRK

B5202 LANE

1

Caddick's Wood

AINSWORTH

UNITY GRO.

UNITY GRO.

Quarry Farm

KITLING

HENRY

VILLIERS ROAD

ROAD

LANE

KNOWSLEY

CANROW LA.

LOCKTON RD.

NUNTHORPE AV.

CHOLEY

ROAD

Croft Plantation

B5194

May Pole Farm

LANE

MILL

PATTEN'S WK.

DUMBREEZE GRO.

ing's arm

Davis's Pits

CADDICK ROAD

LANE

Village Hall Farm

Village Hall

TITHEBARN

OLD MEADOW

TEYNHAM AVENUE

Dumbrees Ho.

WHITE BLAKING GATE

DR.

CL.

2

ROAD

Keeper's House

CHURCH LA.

LONGMEADOW

LONGMEADOW

MIDDLEHEY

GUILD HEY

AV.

QUAKERS MDW.

OLD MILL LANE

ROAD

Homer Wood

L34

Knowsley

Club

SHOP RD.

CORNCFT RD.

OUTER

PINFOLD

Recn. Grnd.

R.C. Prim. Sch.

ALDER LA.

★

SYDER'S GR.

HOMER RD.

SINGLETON DRIVE

WILTON'S DRI.

LUNT AV.

THE COPPICE

WOODVIEW

Meakins Pits

Shepherd's Cottage

FREDERICK

Syders' Grove

THE ROAD

3

LANE

PARKLANDS

RING

Thunderbolt Cottages

M57

Maiden's Bower Farm

LANE

SUGAR

LANE

ALDER

LANE

LIBY.

LONGBOROUGH RD.

BERRY

FOUNTAIN RD.

RIDING HILL

ROSS CLOSE

HILL

RIDING HILL ROAD

AV.

Home Farm

ROAD

ROAD

Knowsley Village Prim. Sch.

Play. Fld.

WHITESTONE CL.

HOME

WALK

FARM

The Roughs

Akers Pit

LANE

KNOWSLEY

Pond

Knowle's Pits

Howard's Pits

4

Fluker's Brook

BROOK

Brookside

Knowsley Cottage

B5194

Fluker's Brook Fm.

FLUKER'S

Nine Tree Primary School

CROFT

CROXTETH

LANE

50

Ash Plantation

C

BOODE

BOODE CFT

CROFT

D

The Elm Cottage

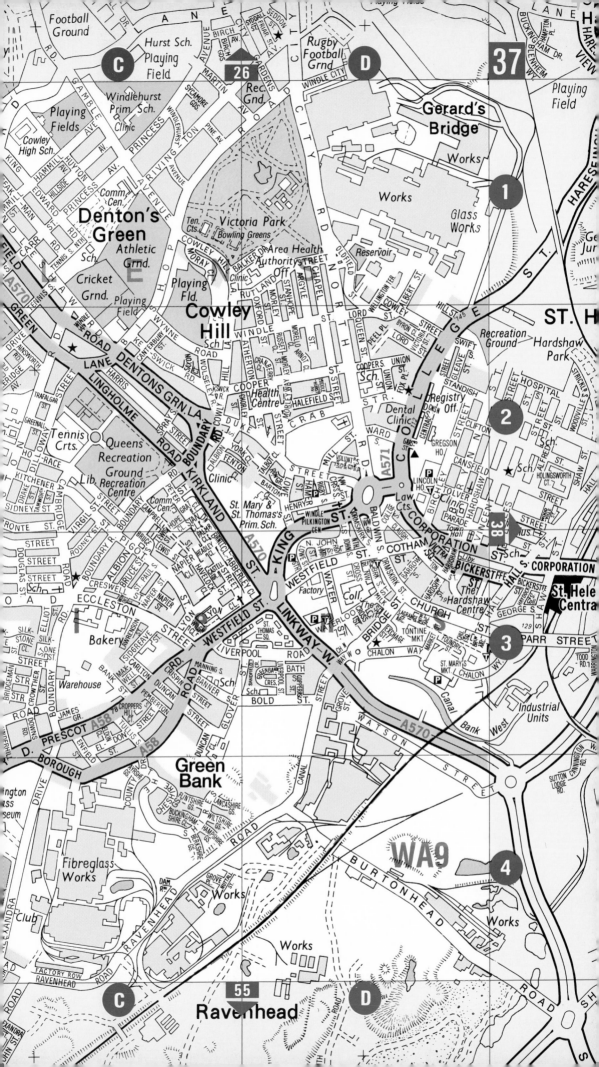

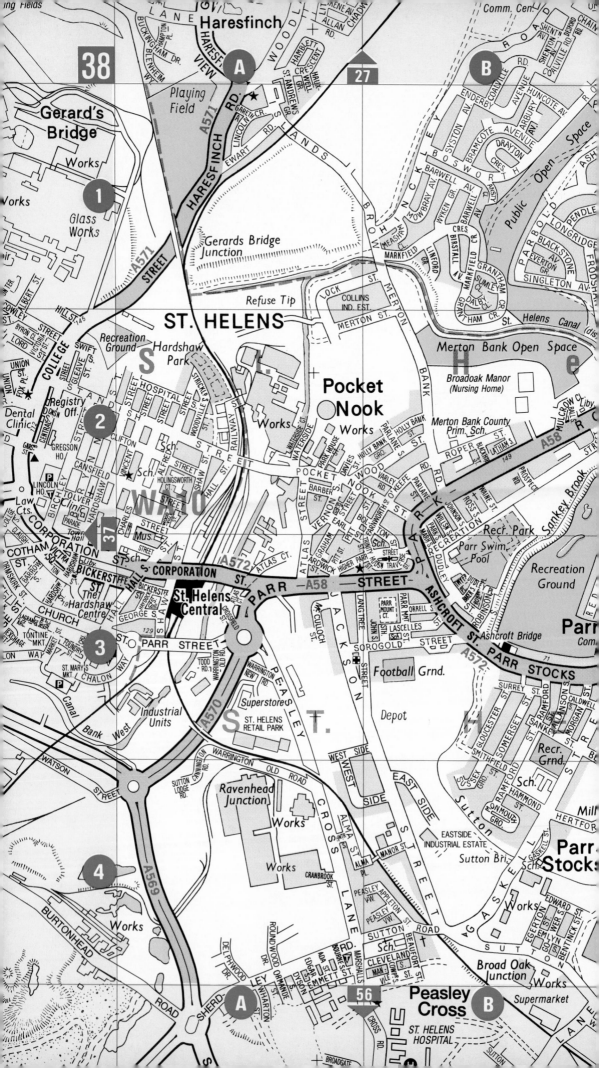

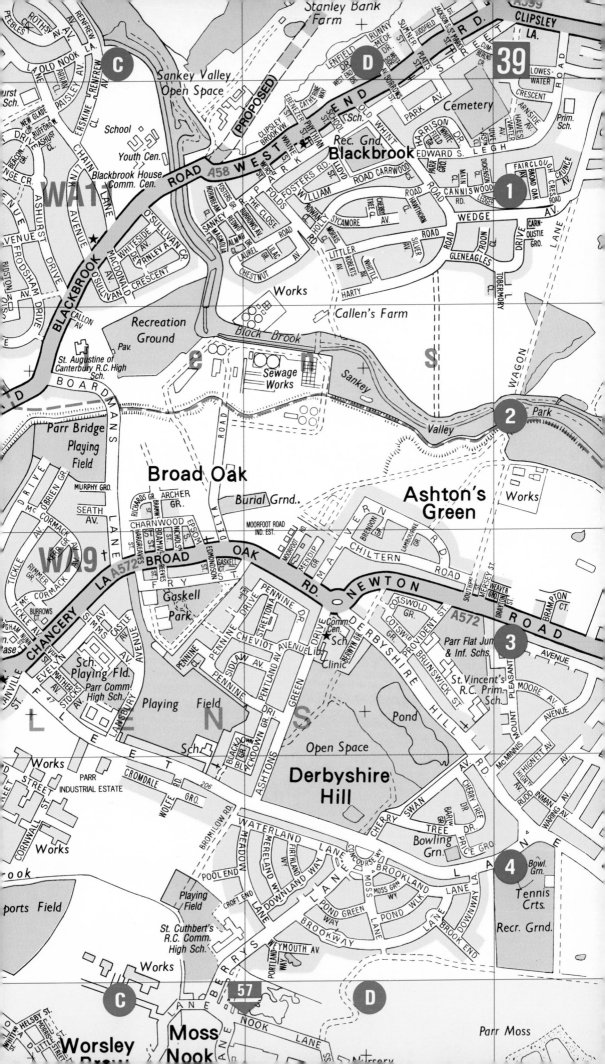

40 **A** **B**

1

I R I S H

S E A

LIVERPOOL   BAY

COASTAL

P

Miniature Golf

P

2

W

Mockbeggar

North Wirral Coastal Park

W A L L A S E Y   Club Ho.

G O L F

C O U R S E

A554

BAYSWATER

BAINS

ASBURY

BEAUMARIS   RD.

BAYSWATER

RD.

REDCAR RD.

ST. M

SALTBURN

GREENLEAS   ROAD

Sch.

R

3

P

W   I

G   R   E   E   N

TELEGRAPH   LA.

A55

CHORLTON GR.

NORTH — WALLASEY — APP.

LIDDELL

CT.

SANDHILLS

VW.

CROSS

Gun Site

Picnic Area

P

P

Club Ho.

LEASOWE   GOLF   COURSE

L46

L   E   A   S   O   W   E

NORTH — WALLASEY — APPROACH

A554

LANE

4

A551

MEADOWSIDE

GARDENSIDE

SHACKLETON

Our Lady of

Lourdes R.C.

Prim. Sch.

K E Y E S   D R I V E

St. Marys

R. C. Coll.

Dogs'

Home

Playing

Fields

LEASOWESIDE

ROAD

COOK RD.

Playing

Field

Leasowe

Leasowe

Prim. Sch.

62

GRANT

RD.

ROSS

AV.

GRANT   ROAD

Wirral

FROBISHER

RALEIGH

HUDSON

RD.

DRAKE

DRAKE

RD.

RD.

DRAKE

RD.

DRIVE

Playing

Fields

Sch.

CASTLEWAY

NORTH

FRANKLIN

LIVINGSTONE

BAFFIN

CL.

Comm.

Cen.

RD.

Clinic   Lib.

Nursery

Sch.

A

★▽

CAMERON

KELLETT

BORESBY

T W I C K E N H A M

B

Junction 1

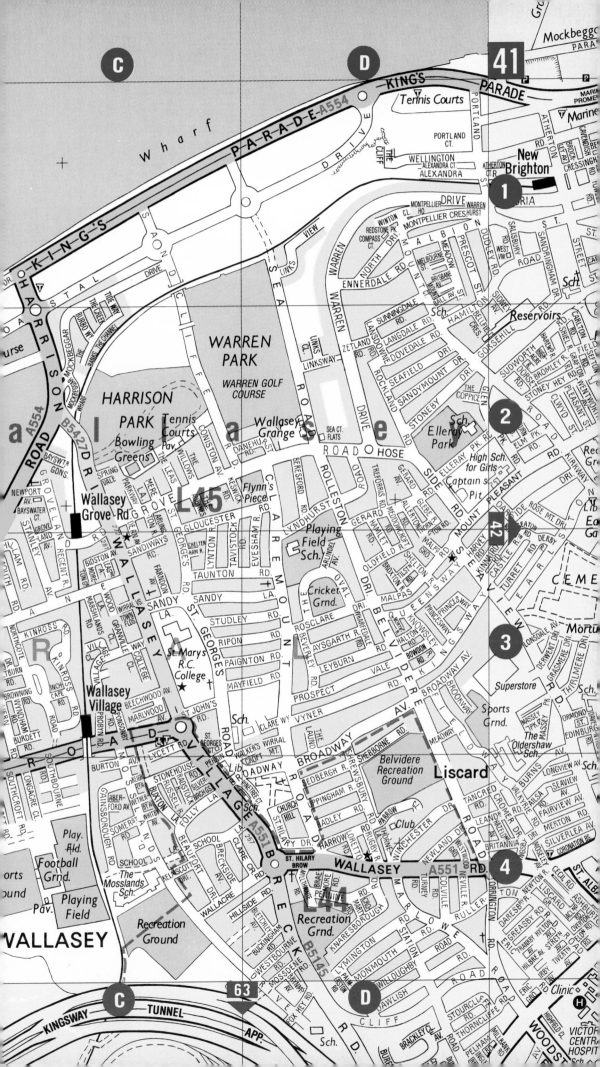

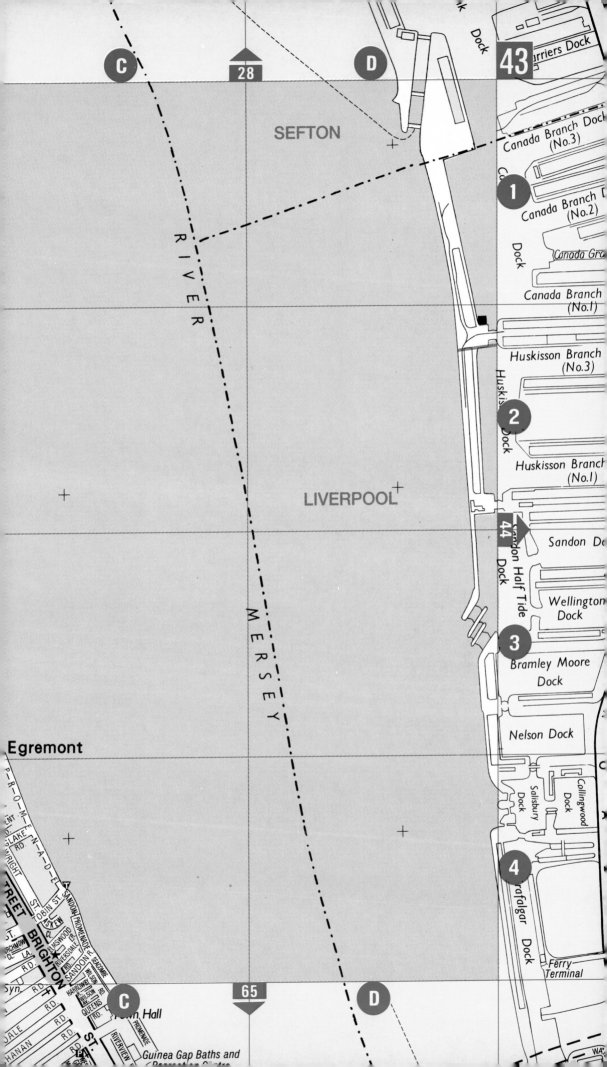

arriers Dock

Canada Branch Dock (No.3)

1

Canada Branch D (No.2)

Canada Dock

Canada Gra

Canada Branch (No.1)

SEFTON

Huskisson Branch (No.3)

2

Huskisson Dock

Huskisson Branch (No.1)

RIVER

LIVERPOOL

44

Sandon Do

Sandon Half Tide Dock

Wellington Dock

MERSEY

3

Bramley Moore Dock

Nelson Dock

Egremont

Salisbury Dock

Collingwood Dock

4

Trafalgar Dock

P R O M E N A D E

ST.

STREET

BRIGHTON

Ferry Terminal

Town Hall

Guinea Gap Baths and Recreation Centre

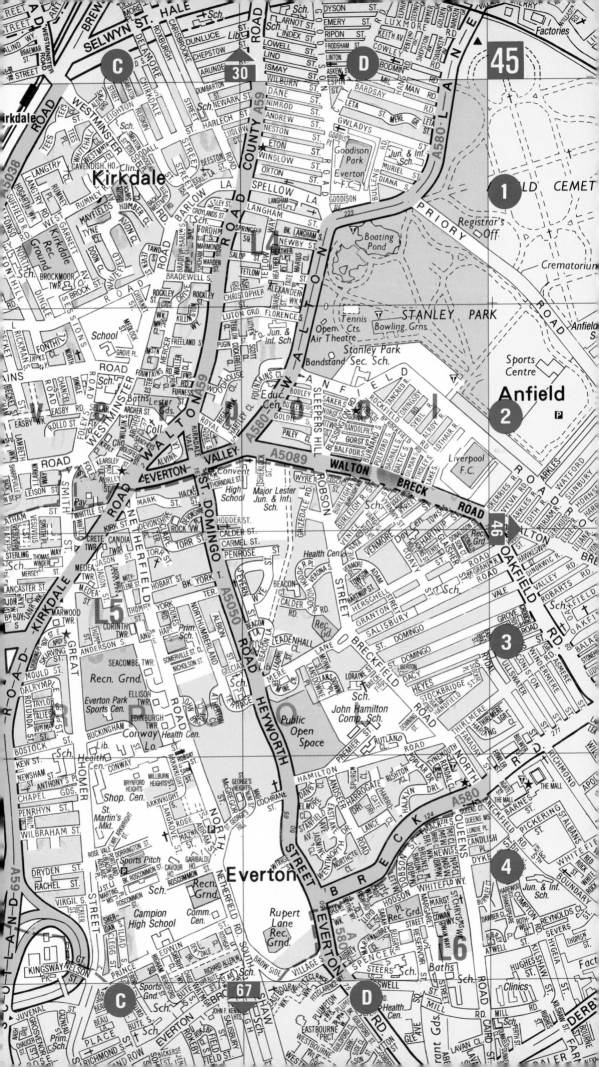

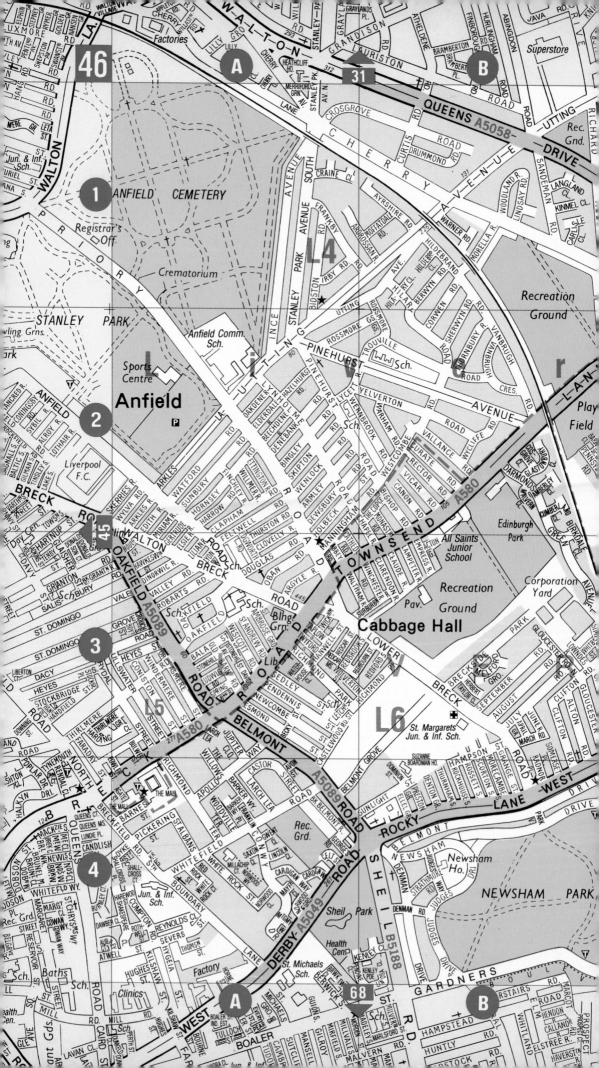

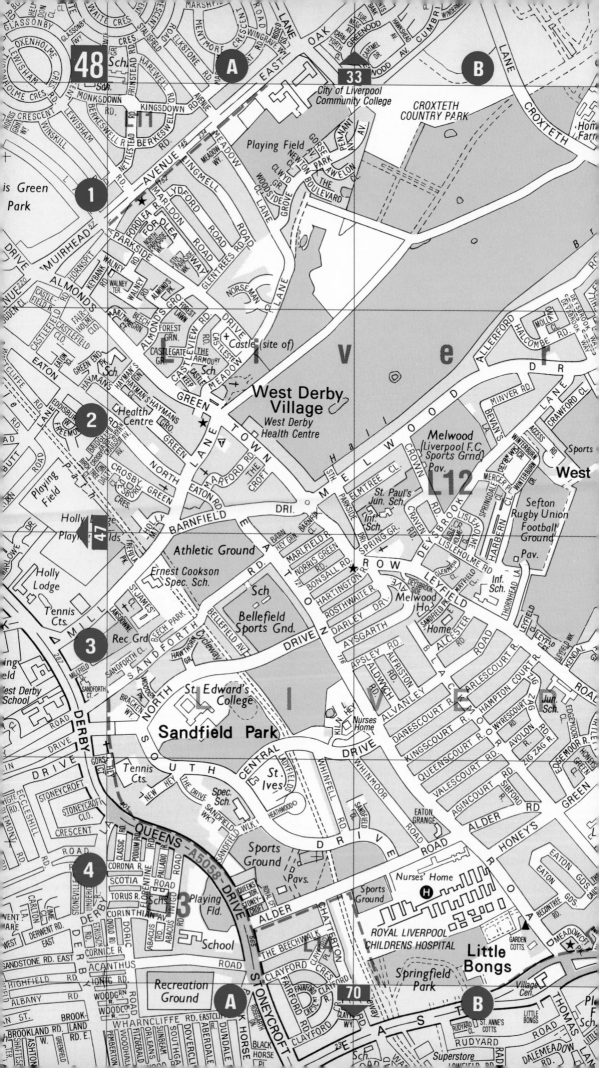

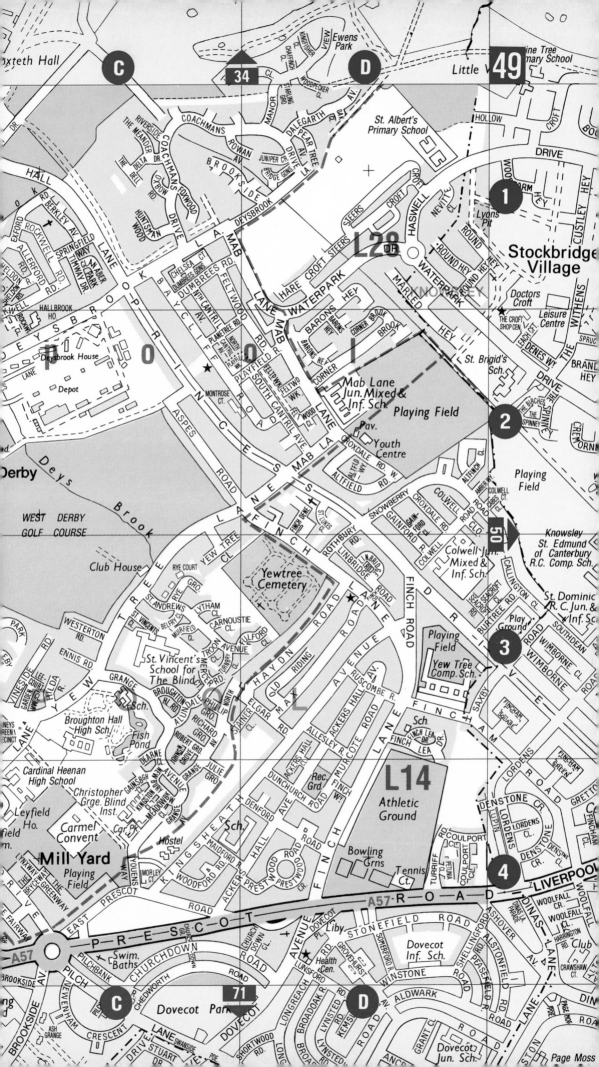

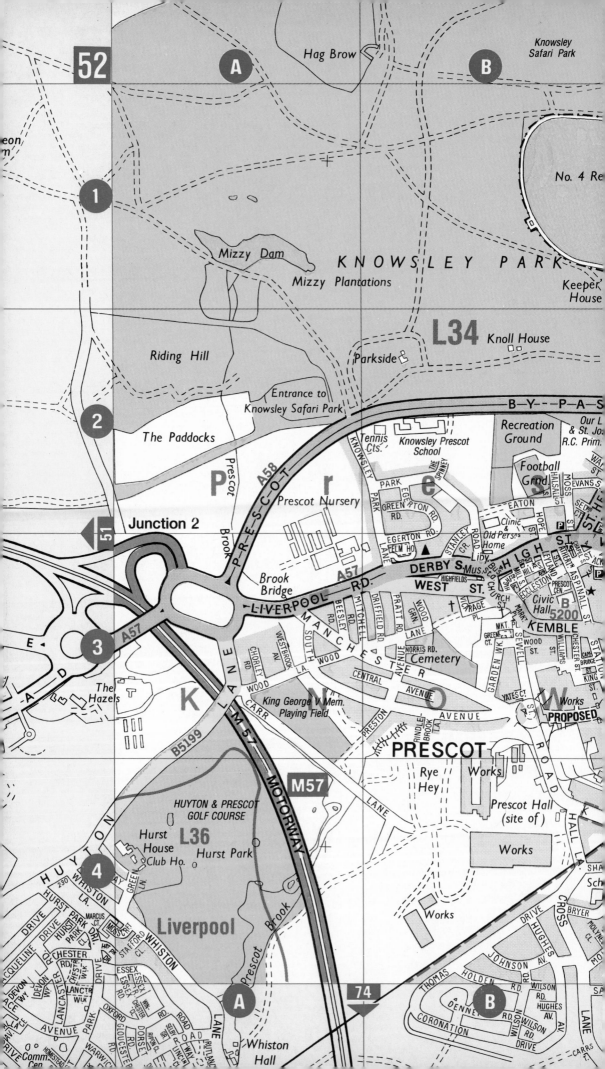

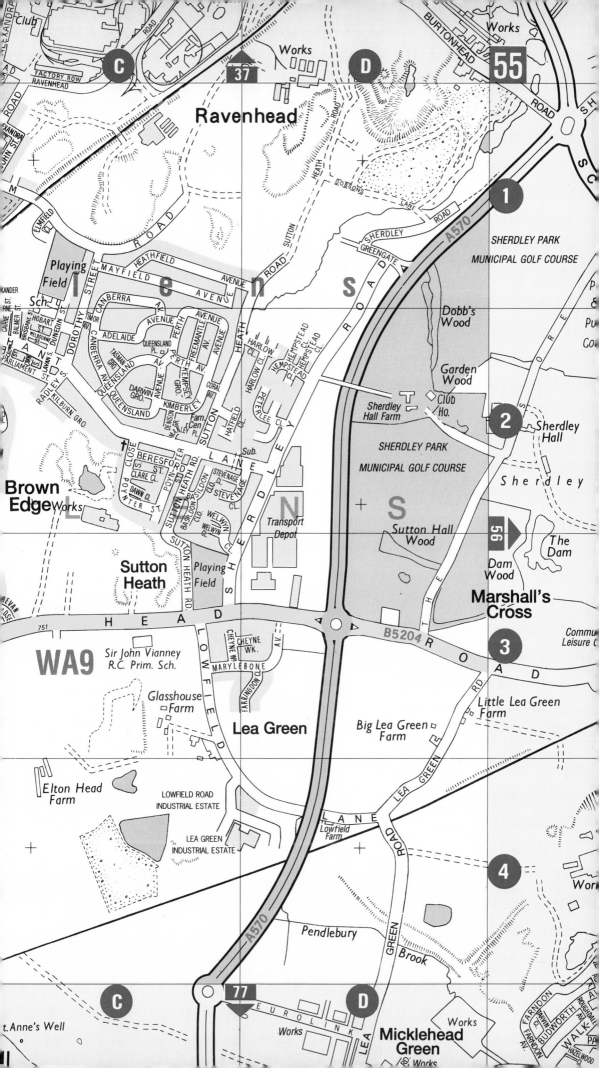

Works

Club

FACTORY ROW
RAVENHEAD

Ravenhead

Works

BURTONHEAD ROAD

Works

1

SHERDLEY PARK
MUNICIPAL GOLF COURSE

Playing
Field

MAYFIELD AVENUE

HEATHFIELD AVENUE

Sch.

Dobb's
Wood

CANBERRA AV.

ADELAIDE AVENUE

QUEENSLAND PL.

HOBART

MELBOURNE

PERTH AV.

FREEMANTLE AVENUE

HARLOW CL.

HEMPSTEAD CL.

HEMPSTEAD CL.

Garden
Wood

CLUB
HO.

QUEENSLAND

PARLIAMENT ST.

RADLEY ST.

KILBURN GRO.

TASMAN

DARWIN GRO.

KIMBERLEY

CORAL AV.

PETERLEE CL.

Fam
Cen

HARLOW CL.

Sherdley
Hall Farm

2

Sherdley
Hall

**Brown
Edge**

BERESFORD ST.

CLARE CL.

DAWN CL.

POYNTER ST.

STEVENAGE CL.

STEVENAGE

Sub.

SHERDLEY

S h e r d l e y

SHERDLEY PARK
MUNICIPAL GOLF COURSE

Works

SUTTON HEATH RD.

BASILDON CL.

WELWYN CL.

WELWYN CL.

Transport
Depot

Sutton Hall
Wood

56

The
Dam

**Sutton
Heath**

SUTTON HEATH RD.

Playing
Field

Dam
Wood

**Marshall's
Cross**

HEAD

751

LOWFIELD

CHEYNE
WK.

CHEYNE AV.

MARYLEBONE

FARRINGDON CL.

B5204 ROAD

THE

3

Commu
Leisure C

WA9

Sir John Vianney
R.C. Prim. Sch.

Glasshouse
Farm

Lea Green

Big Lea Green
Farm

LEA GREEN RD.

Little Lea Green
Farm

Elton Head
Farm

LOWFIELD ROAD
INDUSTRIAL ESTATE

LEA GREEN
INDUSTRIAL ESTATE

LANE

Lowfield
Farm

LEA GREEN LANE

4

Wor

A570

Pendlebury

GREEN

Brook

t. Anne's Well

EUROLINK

LEA

**Micklehead
Green**

Works

Works

FARNDON WALK

BUDWORTH

FARNDON AV.

WOOD

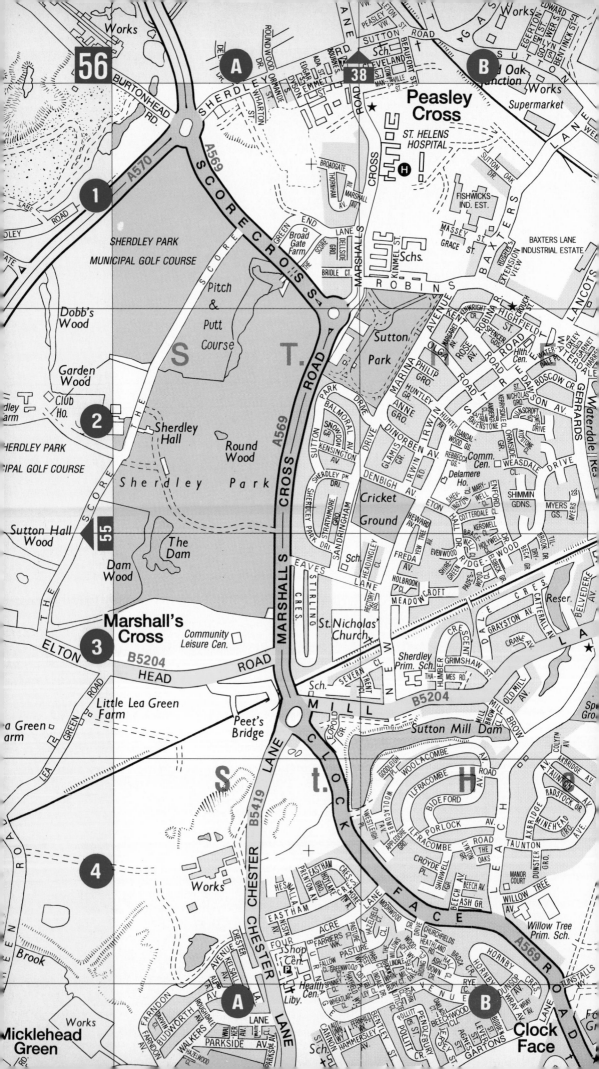

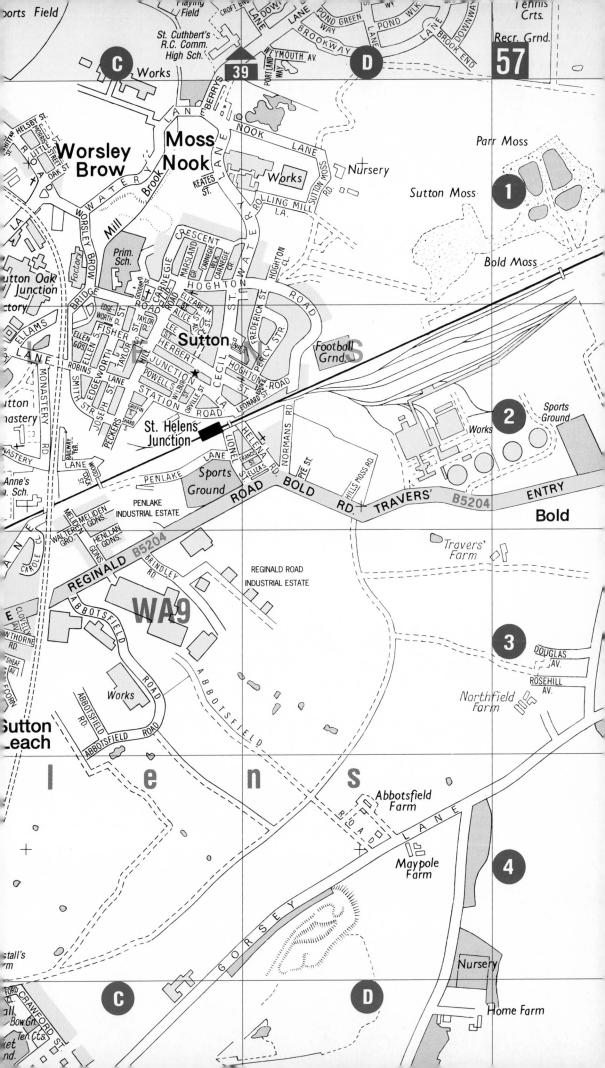

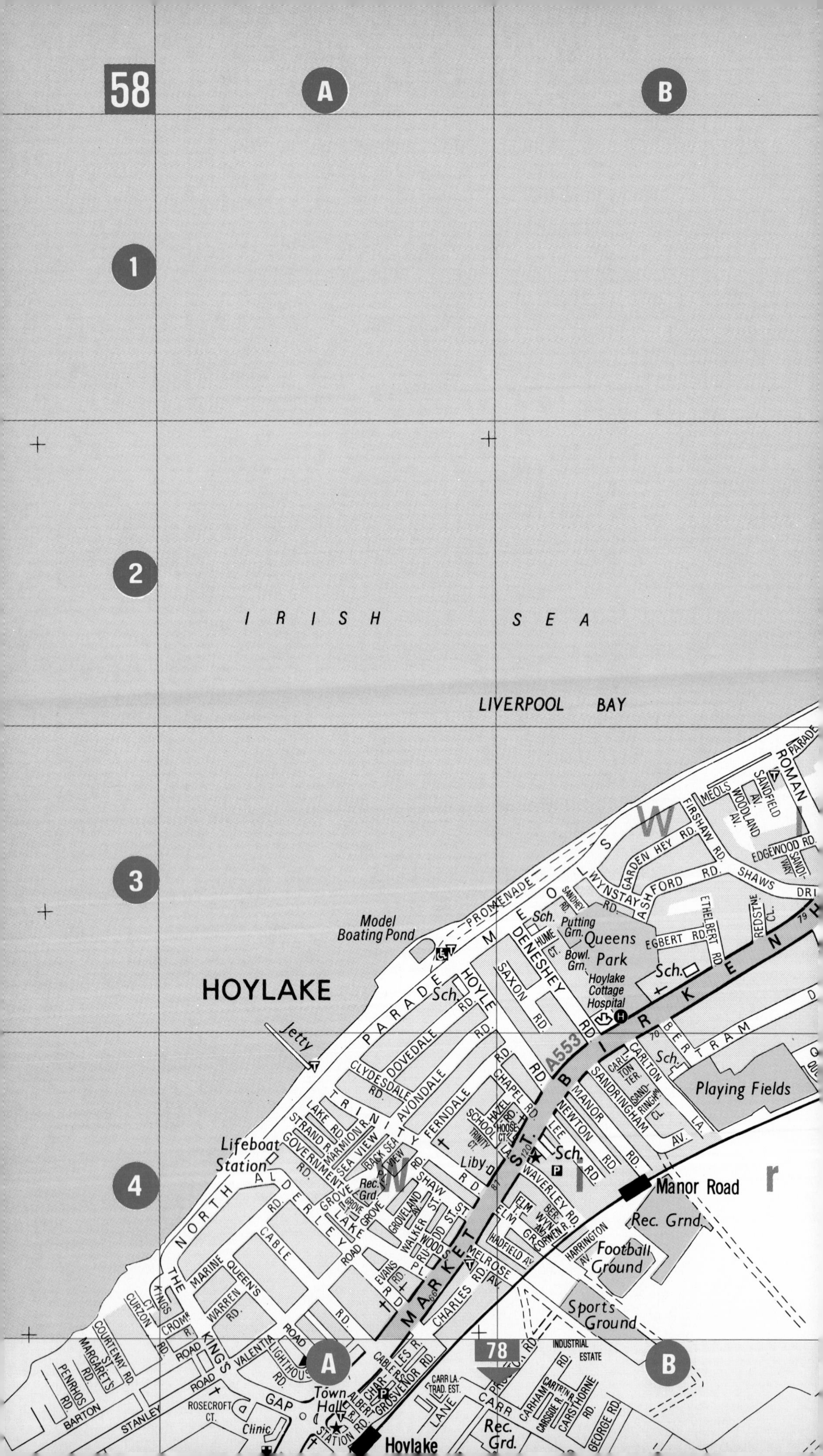

A   B

1

2

I R I S H   S E A

LIVERPOOL BAY

3

Model
Boating Pond

HOYLAKE

Jetty

Lifeboat
Station

4

PROMENADE

M E O L S

PARADE

TRINITY

NORTH

ALDERLEY

ROAD

CABLE

THE

KINGS

MARINE

QUEEN'S

COURTENAY RD.

MARGARET'S RD.

PENRHOS RD.

BARTON

STANLEY

KINGS RD.

CURZON CT.

CROMER RD.

WARREN'S
RD.

ROSECROFT
CT.

Clinic

LIGHTHOUSE RD.

VALENTIA RD.

GAP.

ALBERT RD.

Town
Hall

CHAR-
TER RD.

GROSVENOR RD.

CABLE RD.

CHARLES RD.

A   78   B

CARR LA.
TRAD. EST.

LANE

CARR

PROSPECT RD.

INDUSTRIAL
ESTATE

GEORGE RD.

CARHAM RD.

CARSIDE RD.

CARSTHORNE
RD.

CARNTON RD.

Rec.
Grd.

Hoylake

CLYDESDALE RD.

DOVEDALE

AVONDALE

LAKE RD.

MARMION R.

SEA VIEW

GOVERNMENT RD.

STRAND RD.

GROVE RD.

LAKE
GROVE

Rec.
Grd.

W

GROVELAND RD.

SHAW ST.

WALKER ST.

EVANS RD.

WOOD ST.

MELROSE AV.

HADFIELD AV.

MARKET ST.

FERNDALE

HAZEL RD.

CHAPEL RD.

SCHOOL
TRINITY

Liby

RD.

HOYLE RD.

Sch.

DENESHEY

SAXON RD.

HUME CT.

Sch.

Putting
Grn.

Bowl.
Grn.

**Queens
Park**

Hoylake
Cottage
Hospital

H

A553

MANOR RD.

SANDRINGHAM RD.

CARLTON TER.

CARLTON AV.

SAND-
RINGHAM
CT.

Sch.

NEWTON RD.

WAVERLEY RD.

P

Sch.

ELM WYN.

GROSVENOR R.

HARRINGTON AV.

Manor Road

Rec. Grnd.

**Football
Ground**

**Sports
Ground**

Playing Fields

BIRKENHEAD

BERTRAM RD.

SCHOOL RD.

Sch.

EGBERT RD.

ETHELBERT RD.

REDSTNE CT.

BERTRAM

79

70

ROMAN
PARADE

MEOLS

SANDFIELD AV.

WOODLAND AV.

SANDY TWRT.

EDGEWOOD RD.

SHAWS DRI.

WYNSTAY RD.

GARDEN HEY RD.

ASHFORD RD.

FIRSHAW RD.

Sch.

W

r

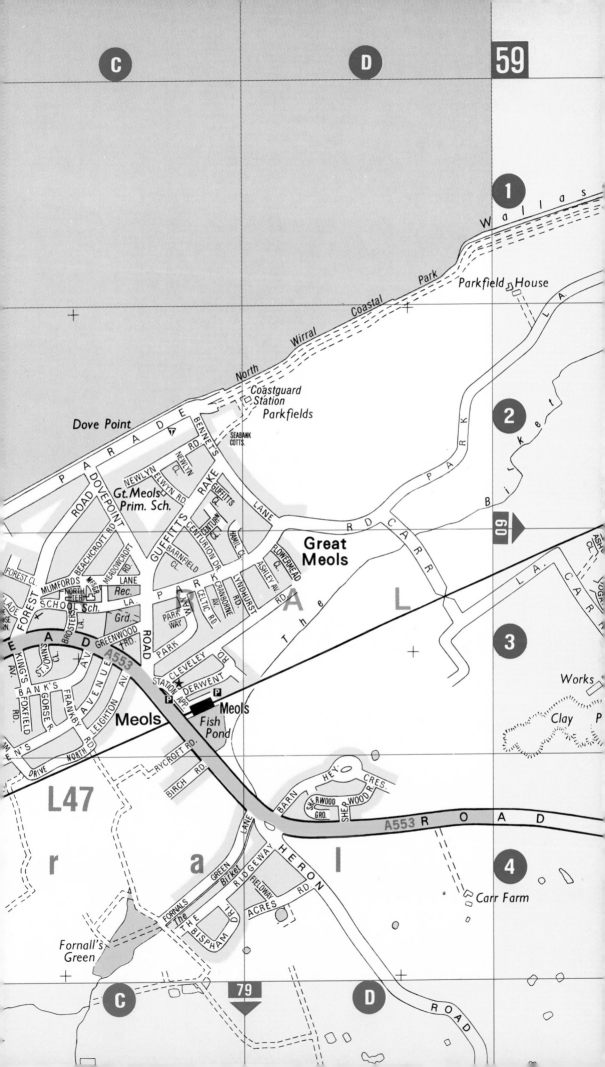

1

Wallas

Wirral Coastal Park

Parkfield House

P A R K   L A.

2

B i r k e t

Parkfields

Coastguard
Station

Dove Point

SEABANK
COTTS.

PARADE

ROAD

DOVEPOINT

BENNETS RD.

NEWLYN CL.

ELWYN RD.

NEWLYN RD.

RAKE LANE

GUFFITTS CL.

**Gt. Meols
Prim. Sch.**

CENTURION DR.

CENTURION CL.

HAMIL CL.

BARNFIELD CL.

FLOWERMEAD CL.

ASHLEY AV.

**Great
Meols**

C A R R   R D

The   CARR   LANE

60 ▶

CARR LA.

ASH CL.

YUGA CL.

CARR RD

FOREST CL.

BEACHCROFT RD.

MEADOWCROFT RD.

MUMFORDS LANE

MISR Rec.

NORTH TER.

SCHOOL LA.

Grd.

Sch.

PARK LANE

PARADE

CELTIC RD.

CRANBORNE RD.

LYNDHURST RD.

W I R R A L

BROSTERS LA.

GREENWOOD RD.

A553

ROAD

KING'S AV.

ST. JOHN'S CL.

BANK'S AV.

FOXFIELD RD.

GORSE R.

FRANKBY R.

LEIGHTON RD.

AVENUE

Park Way

CLEVELEY RD.

STATION APP.

DERWENT RD.

P   P

★

3

Works

Clay P

NORTH DRIVE

RYCROFT RD.

BIRCH RD.

Meols

Meols

Fish
Pond

L47

r

a

Birket

THE GREEN

FORNALS DRI.

THE BISPHAM

RIDGEWAY

FIELDWAY

ACRES

HERON RD.

BARN LANE

SHERWOOD GRO.

SHERWOOD

HEY: CRES.

A553 R O A D

l

4

Carr Farm

Fornall's
Green

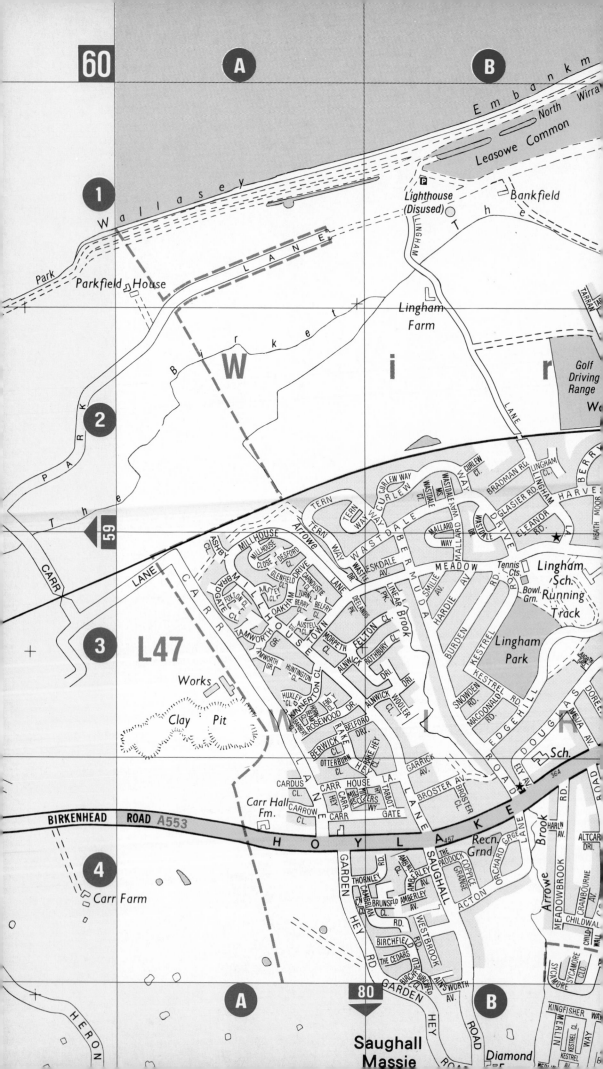

A

B

E m b a n k m

North Wirra

Leasowe Common

1

P

Lighthouse
(Disused)

Bankfield

T h e

W a l l a s e y

Lingham

Park

Parkfield House

L A N E

Lingham
Farm

M a r k e t

B i

W

i

r

Golf
Driving
Range

TARRAN

HEATH MOOR

2

P a r k

59

T h e

CARR

MILLHOUSE
CLOSE

GESFORD
CL.

ASHBY
CL.

CURLEW WAY

TERN

CURLEW

WAY

WASTDALE

WASTDALE AVM.

CURLEW
CT.

MS.

BRADMAN RD.

LINGHAM
CL.

GLASIER RD.

ELEANOR
RD.

HARVE

BERRY

3

L47

LANE

CARR

MBRA
DGATE

GLENFIELD
CL.

MILLHOUSE

FOXTON
CL.

OAKHAM
CL.

ANSTEY
GR.

TAMWORTH
GR.

AMWORTH
GR.

HUNTINGTON
CL.

HUXLEY
CL.

KINNERTON CL.

CARNOUSTIE
TURN.

DESFORD
DRIVE

BERRY
CL.

BELFRY
CL.

AUSTELL
CL.

ST.
CL.

MORBETH
CL.

ALNWICK
CL.

ROTHBURY
CL.

FELTON CL.

TERN
WAY

TERN

WAY

TERN
WAY

WASTDALE
LANE

WASTE
CL.

WASTE

DELAMERE
PK.

MEESKDALE
AV.

BERMUDA

DR.

WASTDALE

WASTDALE
CL.

Linear Brook

MALLARD
WAY

MALLARD
WAY

SMILLIE
CL.

MEADOW

HARDIE
AV.

DRIVE

RD.

Tennis
Cts.

Bowl.
Grn.

Lingham
Sch.

Running
Track

**Lingham
Sch.**

Lingham
Park

Works

UPTON
CL.

AMBERRY
CL.

ROSEWOOD
DR.

WOOLER
CL.

ALNWICK
DRI.

BURDEN

SNOWDEN
RD.

MACDONALD
RD.

KESTREL

KESTREL
RD.

EDGEHILL

ROAD

DOUGLAS

Clay Pit

W

L A N E

BERWICK
CL.

OTTERBURN
CL.

RAKE
HEY

BELFORD
DRI.

ALNWICK
DRI.

RAKE HEY

GARRICK
AV.

BROSTER AV.

BROSTER
CL.

R

Sch.

364

DORE.

NEVA

CARDUS
CL.

CARR HOUSE
HEY

CARROW
CL.

MILL
CL.

CARR

BECKERS
WY.

TARBOT
GATE

LA.

CARR HOUSE LA.

L A N E

ROAD

ELY

HARLN
AV.

ALTCAR
DRI.

Carr Hall
Fm.

4

Carr Farm

BIRKENHEAD ROAD A553

H O Y L A 457

Recn.
Grnd

THE
PADDOCK

COPPICE
GRANGE

ORCHARD

GRGE

LANE

Arrowe
Brook

MEADOWBROOK

CRAINBOURNE
AV.

CHILDWAL

GARDEN

HEY

THORNLEY
RD.

CAMBRIAN
CL.

BRUNSFLD.
CL.

AMBERLEY
RD.

RODMEY
AV.

AMBERLEY
AV.

SAIGHALL

ACTON

WESTBROOK

BIRCHFIELD

THE CEDARS

BIRCH
RD.

AINSWORTH
AV.

CHILDWALL

SYCAMORE
CLO.

SYCAMORE
CLO.

MEALIN

KINGFISHER
WAY

KESTREL
CL.

A

80

GARDEN

ROAD

Diamond

Saughall
Massie

HERON

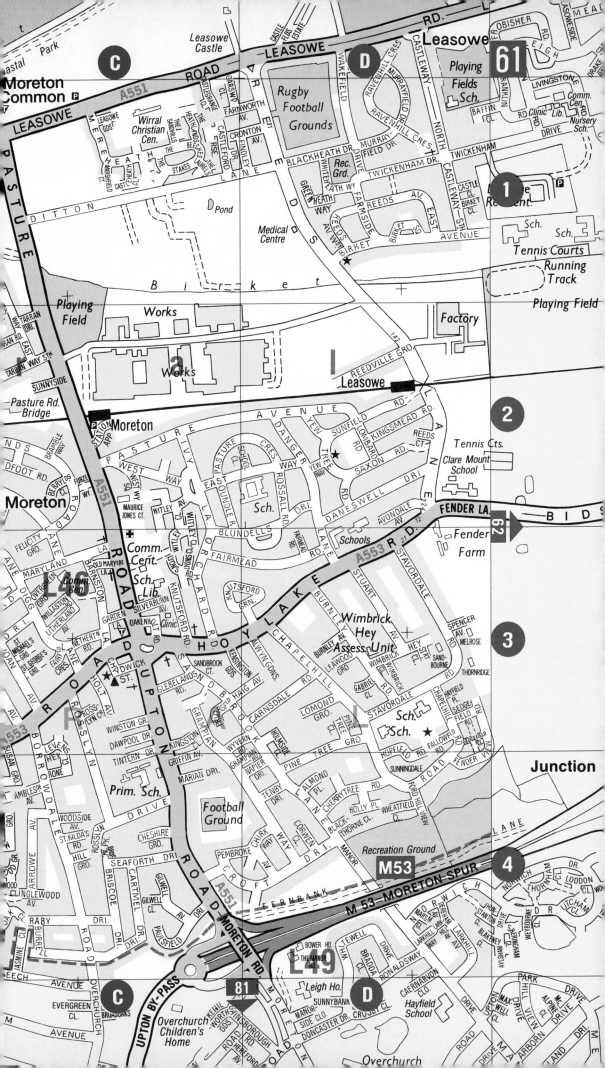

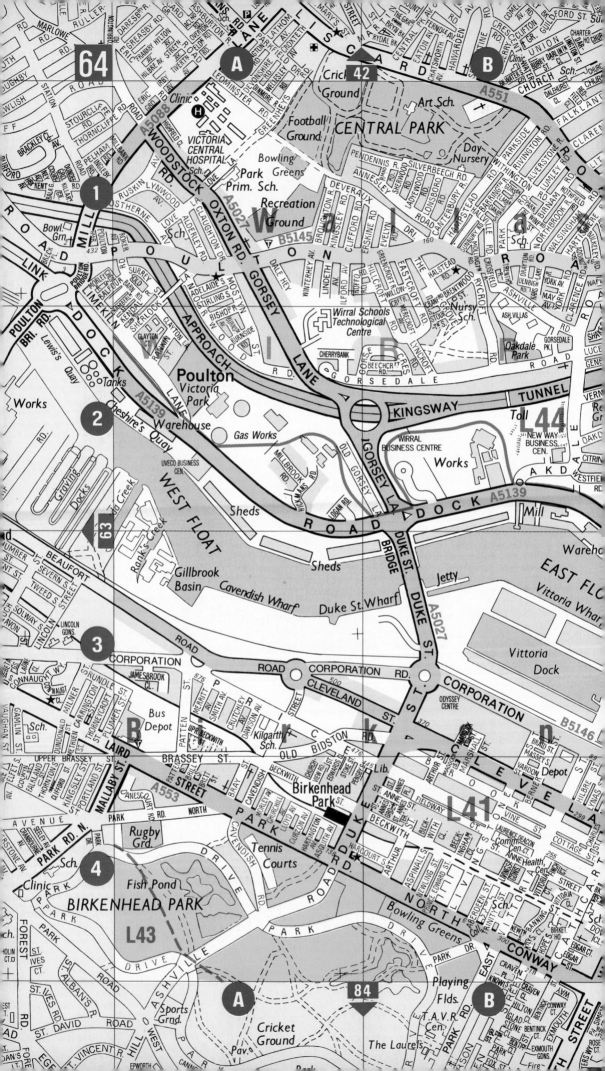

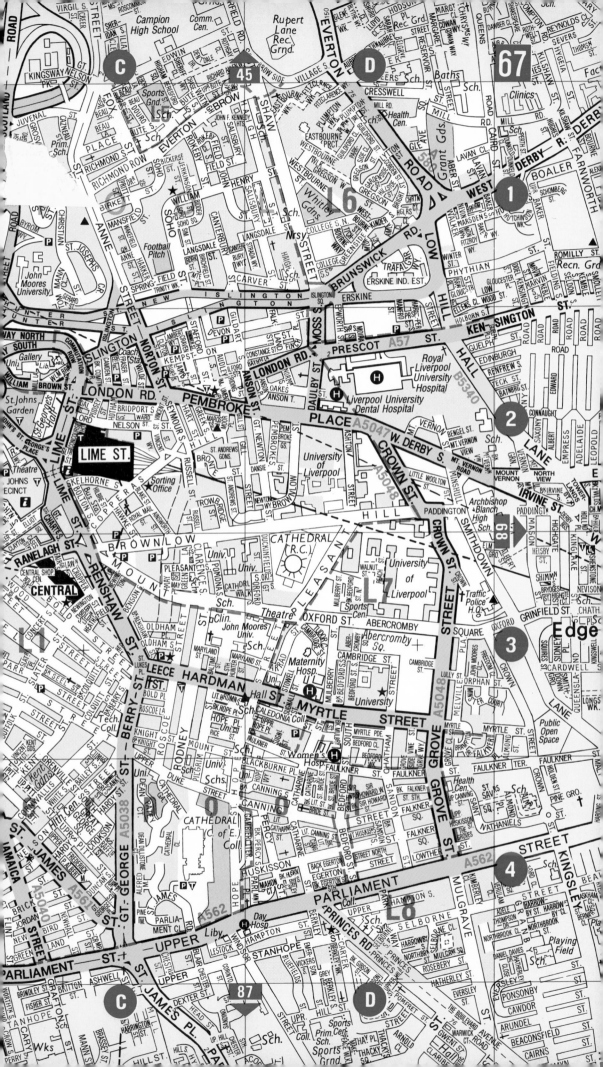

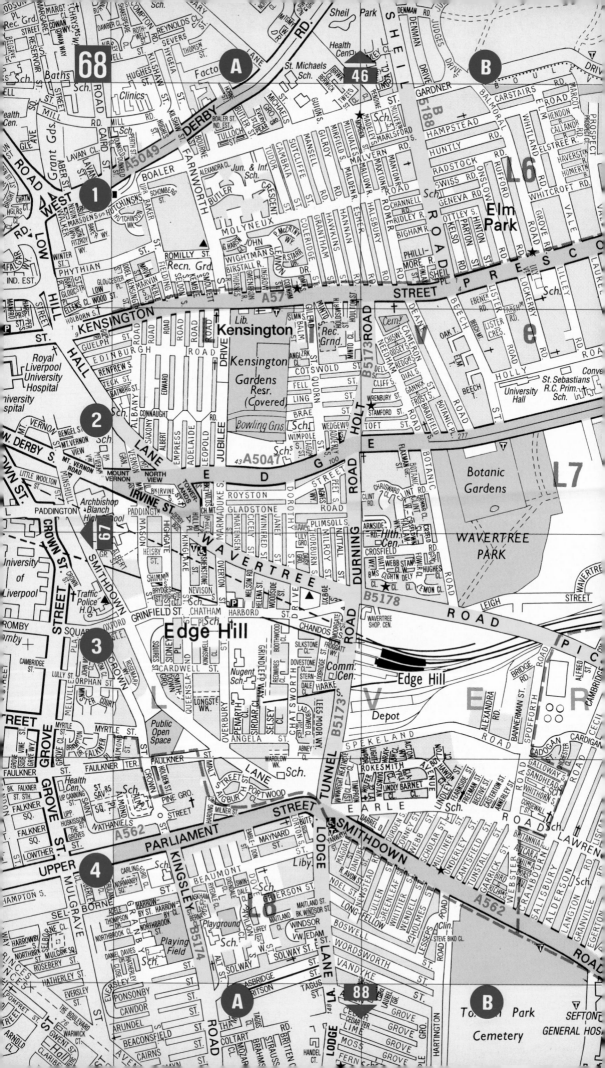

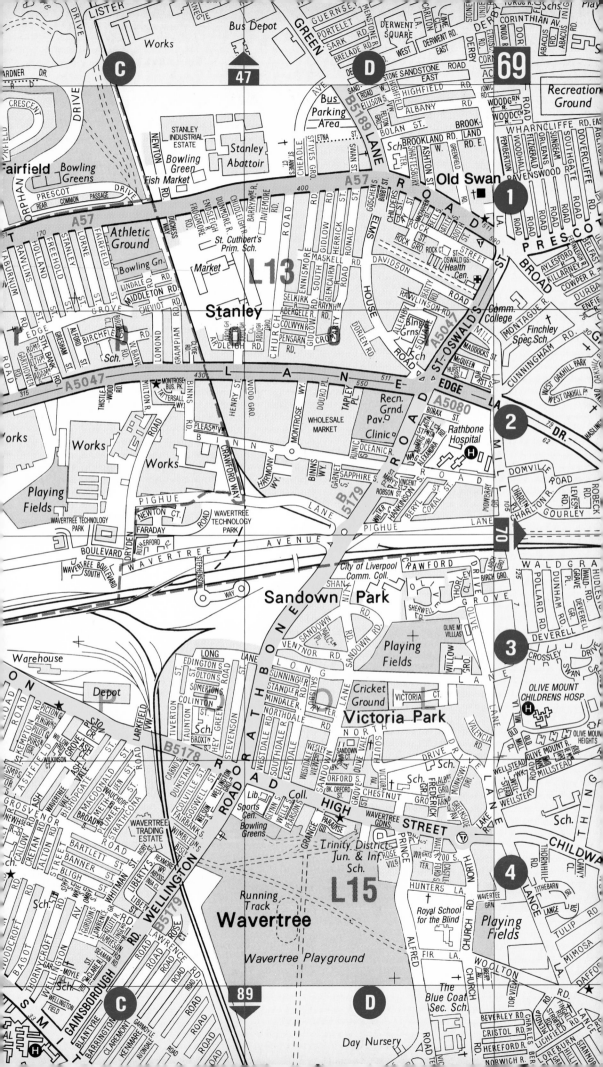

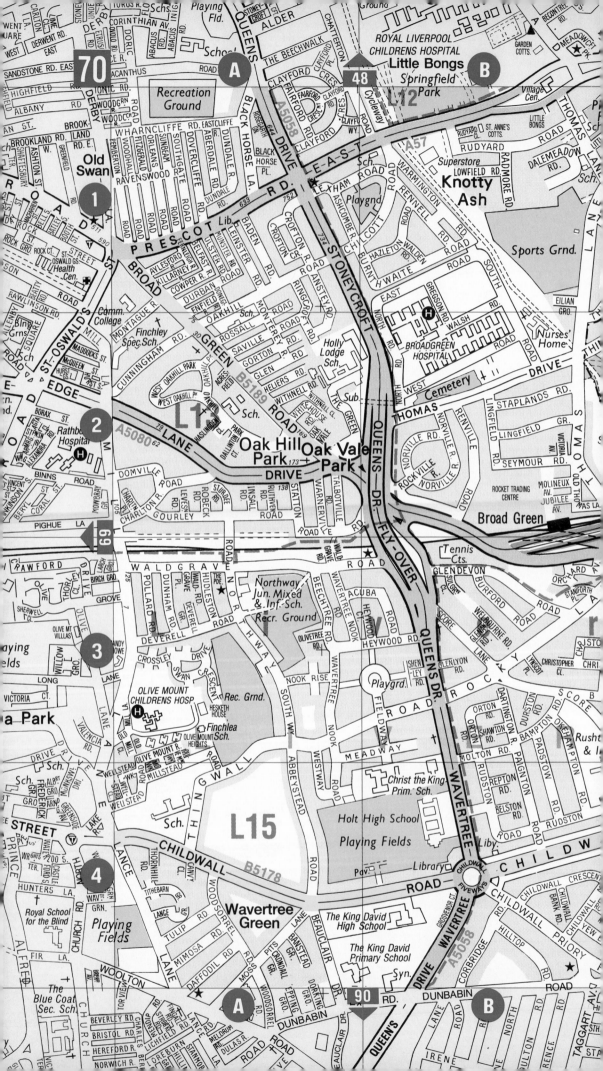

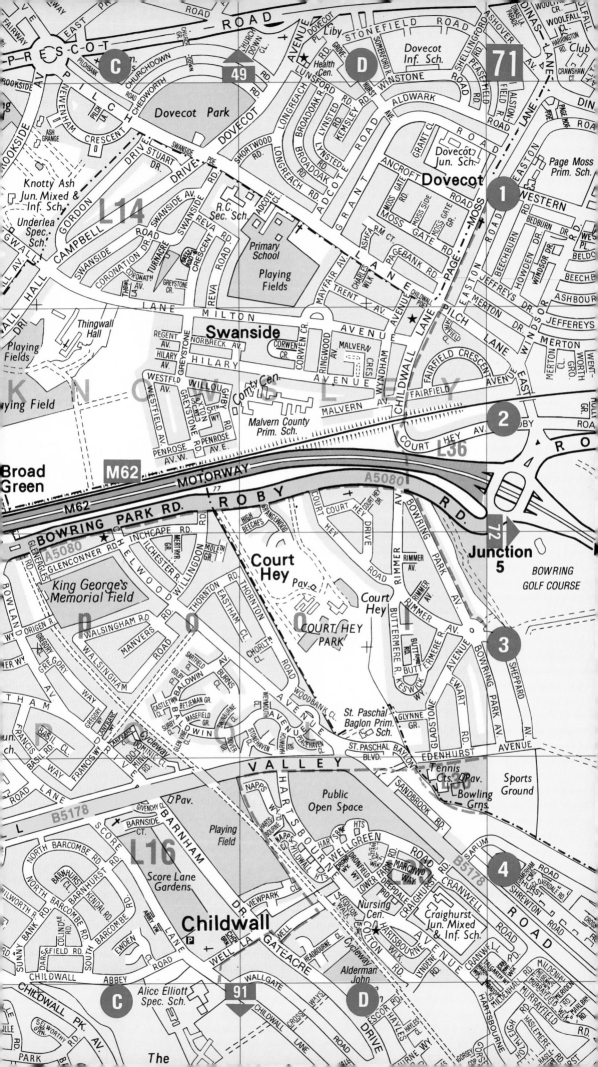

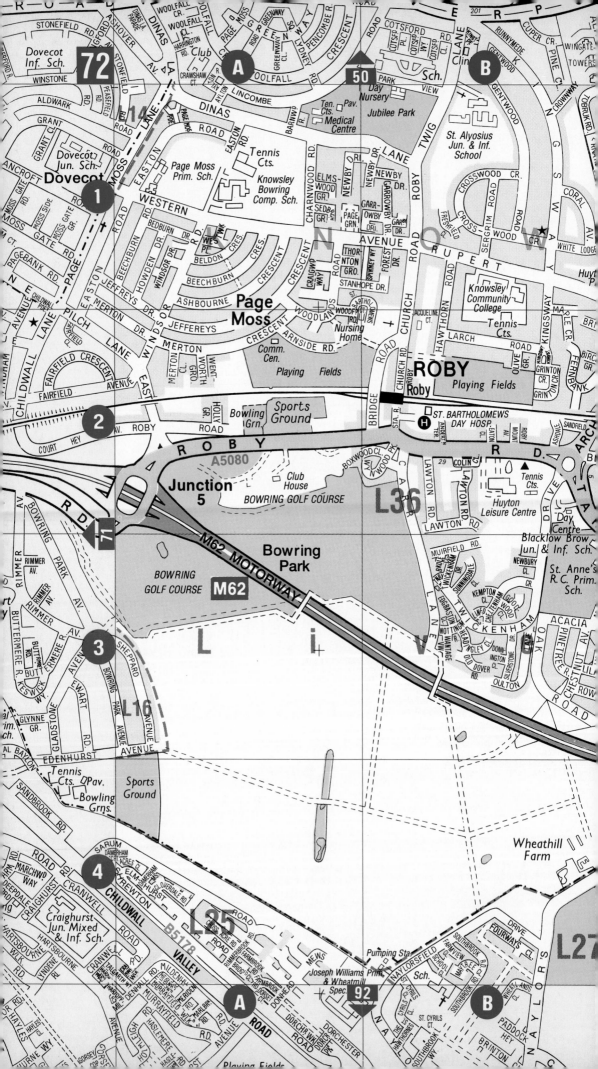

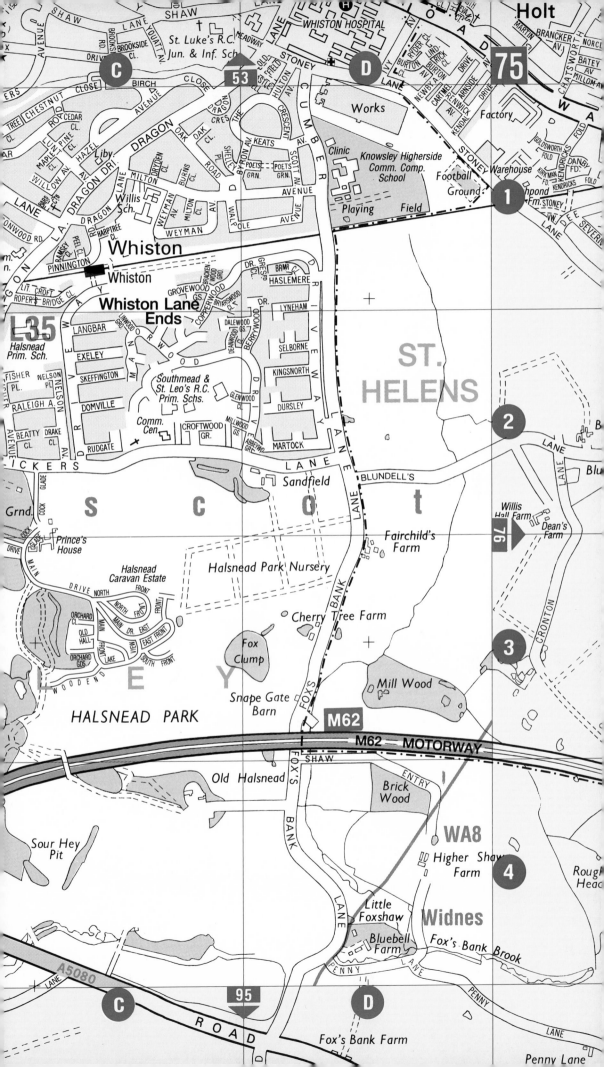

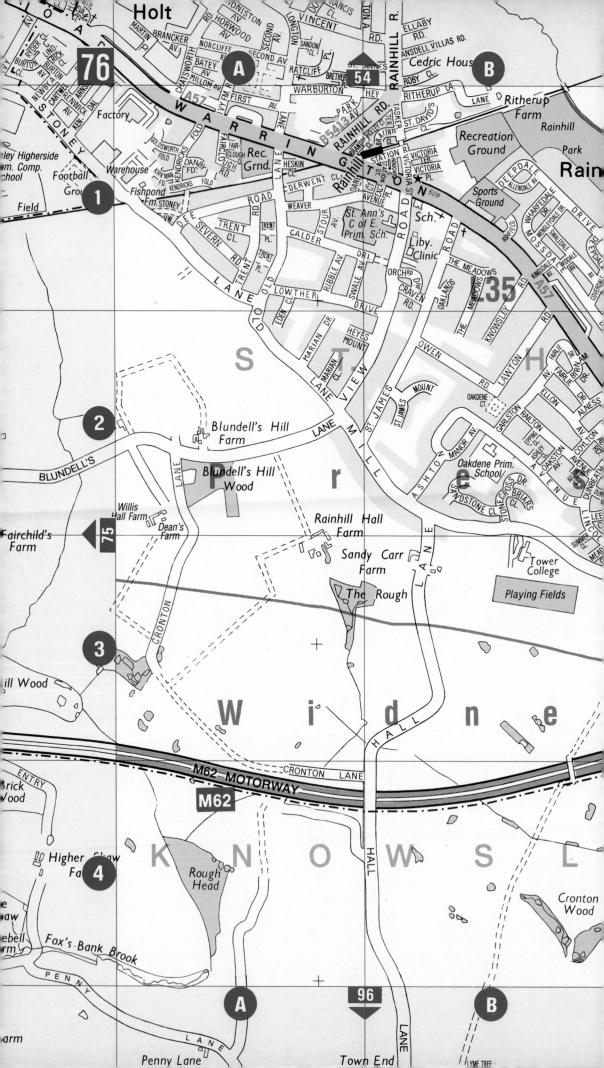

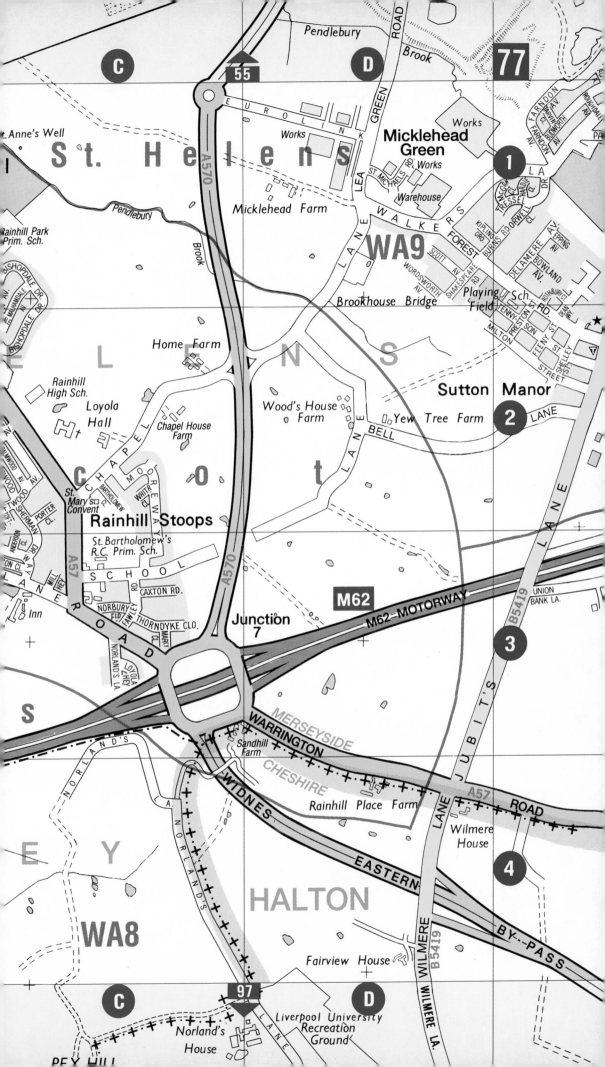

Pendlebury
Brook

St. Anne's Well

ROAD
GREEN

Works

Micklehead
Green

Works

St. Helens

Micklehead Farm

Pendlebury

Rainhill Park
Prim. Sch.

Brook

Warehouse

WALKE   FOREST

St. MICHAEL'S RD.

LEA   LANE

RS
RD.

WA9

SCOTT AV.
WORDSWORTH
AV.
SHAKESPEARE RD.

Playing
Field

Sch.

DELAMERE AV.

BOWLAND
AV.

EPPING
AV.

BURNS RD.
KIPLING
GRO.
ORWELL
CL.

TRESSEL

McGOU..
HARDI..

FARNDON
AV.
FARNDON
AV.

MAVWORTH
BUSWORTH
AV.

FROGHDALE
AV.

1

Brookhouse Bridge

TENNYSON
PRESTON ST. RD.
FEENY ST.
SHELLEY
STREET

ROTHBURY.
DEAN

MILTON

BISHOPDALE DR.

BISHOPDALE DR.

MANSHEAD
AV.

E L E N S

Home Farm

Rainhill
High Sch.

Loyola
Hall

Chapel House
Farm

Wood's House
Farm

Yew Tree Farm

Sutton Manor

2

LANE

CHAPEL

C o t

BELL

LANE

St. Mary's
Convent

BARTHOLOMEW
WHITB
CL.

MOORE WAY

Rainhill Stoops

LANE

WOOD AV.
NUMWOOD AV.
WOOD
SHERMAN
SHERMAN CL.
PORTER
CL.
ANDERSON DR.

St. Bartholomew's
R.C. Prim. Sch.

SCHOOL

CAXTON RD.

A57   ROAD

NORBURY
FLD.
THORNDYKE CLO.
FAWLEY
RD.

LOYOLA
LHEY
MARY

JUBIT'S   LANE

UNION
BANK LA.

B5419

3

Inn

NORLAND'S LA.

Junction
7

M62   M62-MOTORWAY

S

MERSEYSIDE

WARRINGTON

Sandhill
Farm

CHESHIRE

WIDNES

Rainhill Place Farm

A57   ROAD

Wilmere
House

4

E Y

NORLAND'S   LA.

WA8

HALTON

Fairview House

EASTERN

WILMERE

WILMERE LA.

B5419

BY--PASS

Norland's
House

Liverpool University
Recreation
Ground

PEY HILL

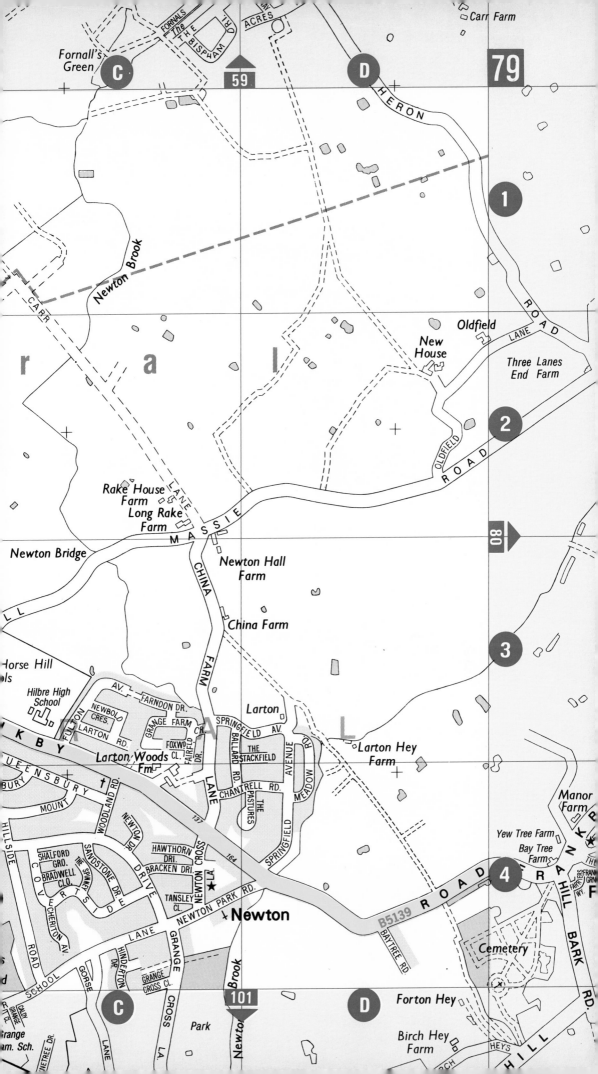

Carr Farm

Fornall's Green

THE BISPHAM DRI
FORNALS
ACRES

HERON

Newton Brook

CARR

1

Oldfield

New House

LANE

ROAD

Three Lanes End Farm

r   a   l

2

Rake House Farm

Long Rake Farm

LANE

MASSIE

CHINA

OLDFIELD

ROAD

80

Newton Bridge

Newton Hall Farm

China Farm

FARM

3

LL

Horse Hill ...ls

Hilbre High School

AV.
FARNDON DR.

NEWBOL CRES.

FULTON

LARTON RD.

GRANGE FARM

FOXWD CL.

SPRINGFIELD CR.

BALLARD

FAIRFIELD DR.

SPRINGFIELD AV.

Larton

R   A   L

Larton Hey Farm

Larton Woods Fm

KBY

QUEENSBURY

MOUNT

HILLSIDE

WOODLAND RD.

SANDSTONE DRE

NEWTON DR

HAWTHORN DRI.

BRACKEN DRI.

LANE

CHANTRELL RD.

THE PASTURES

THE STACKFIELD

MEADOW RD.

AVENUE

SPRINGFIELD

L

Manor Farm

Yew Tree Farm

Bay Tree Farm

SHALFORD GRO.

BRADWELL CLO.

COVE

CHERITON AV.

THE SPINNEY

TANSLEY CL.

137

164

NEWTON CROSS LA.

NEWTON PARK RD.

★ Newton

4

ROAD

B5139

BAYTREE RD.

FRANKBY

HILL BARK RD.

FRANK...

THE FARS...

Cemetery

SCHOOL ROAD

GORSE

LANE

HINDERTON DRI.

GRANGE CROSS CL.

GRANGE CROSS LA.

Newton Brook

Forton Hey

Park

Birch Hey Farm

HILL

HEYS

...NETREE DR.

Grange ...am. Sch.

CALDY GRANGE CL.

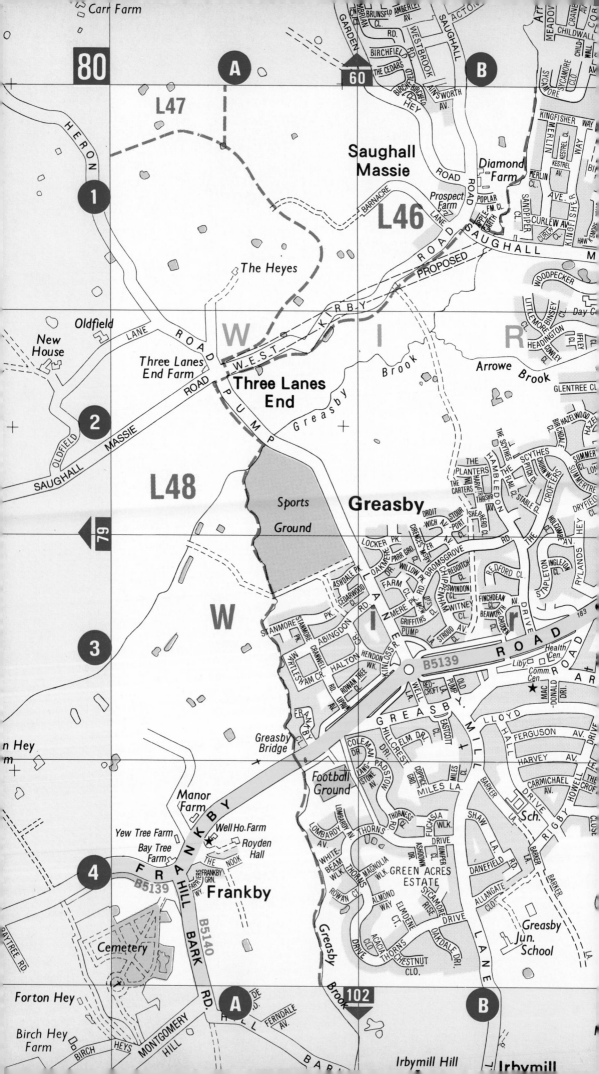

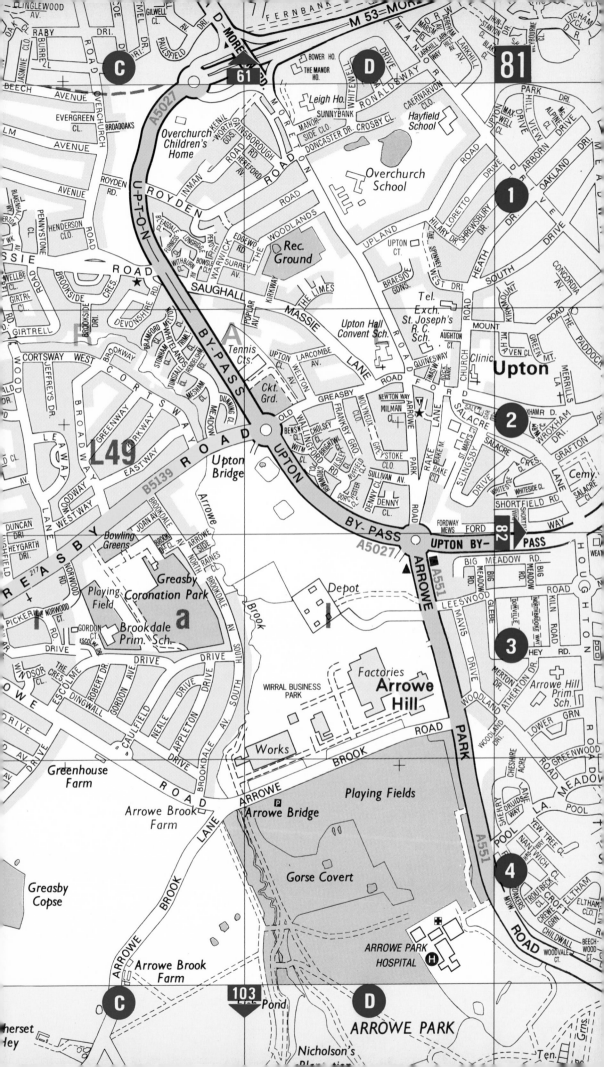

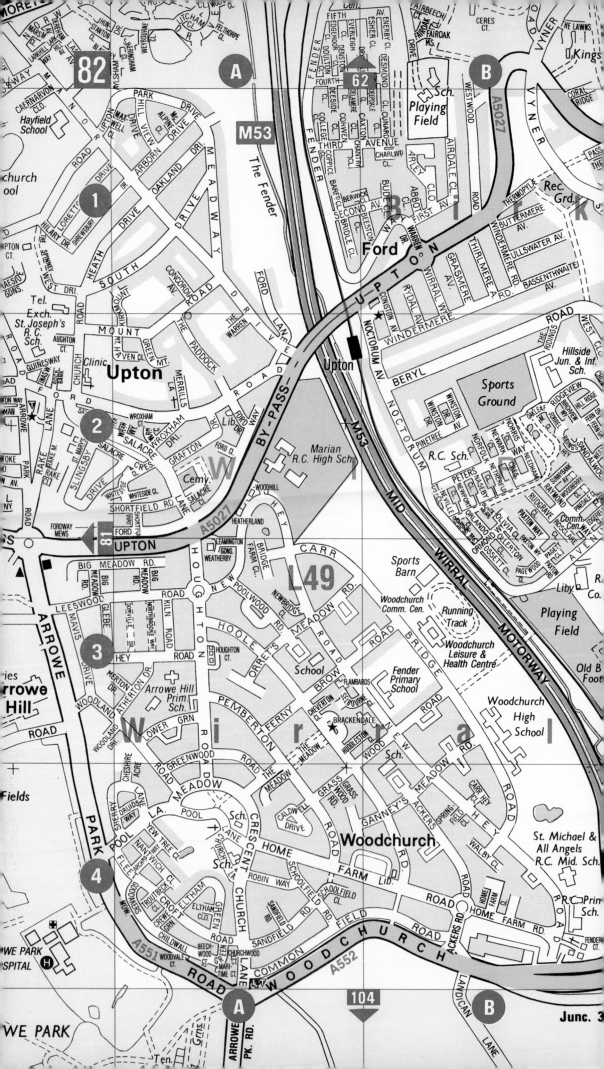

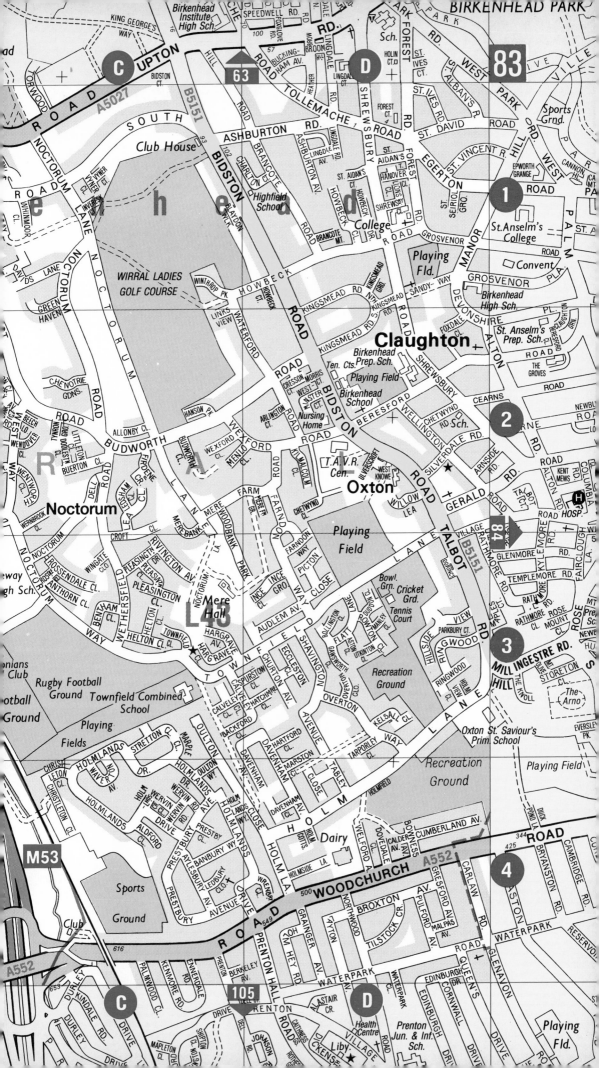

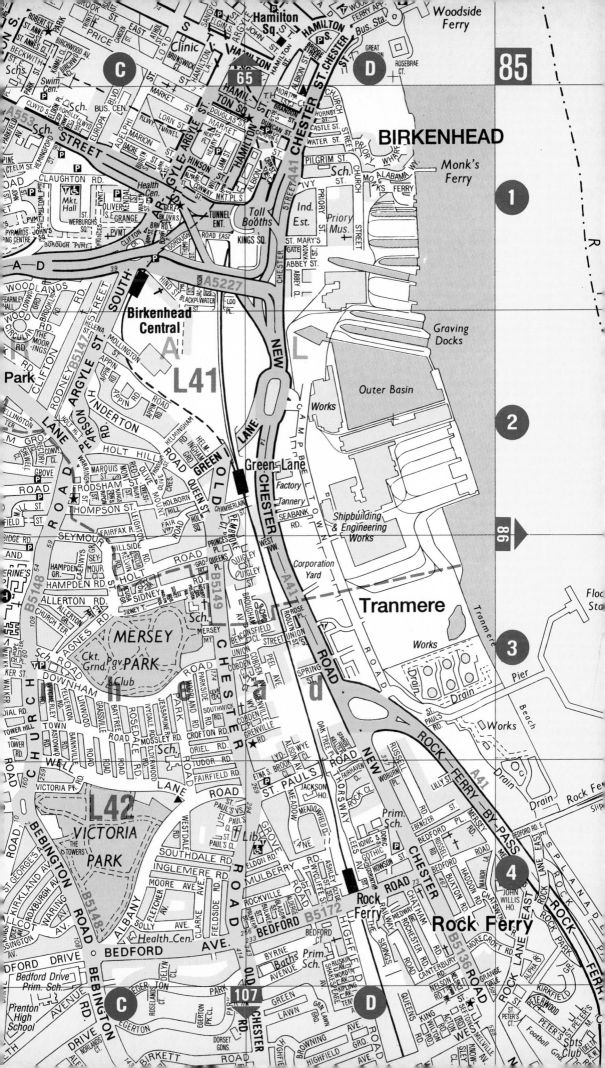

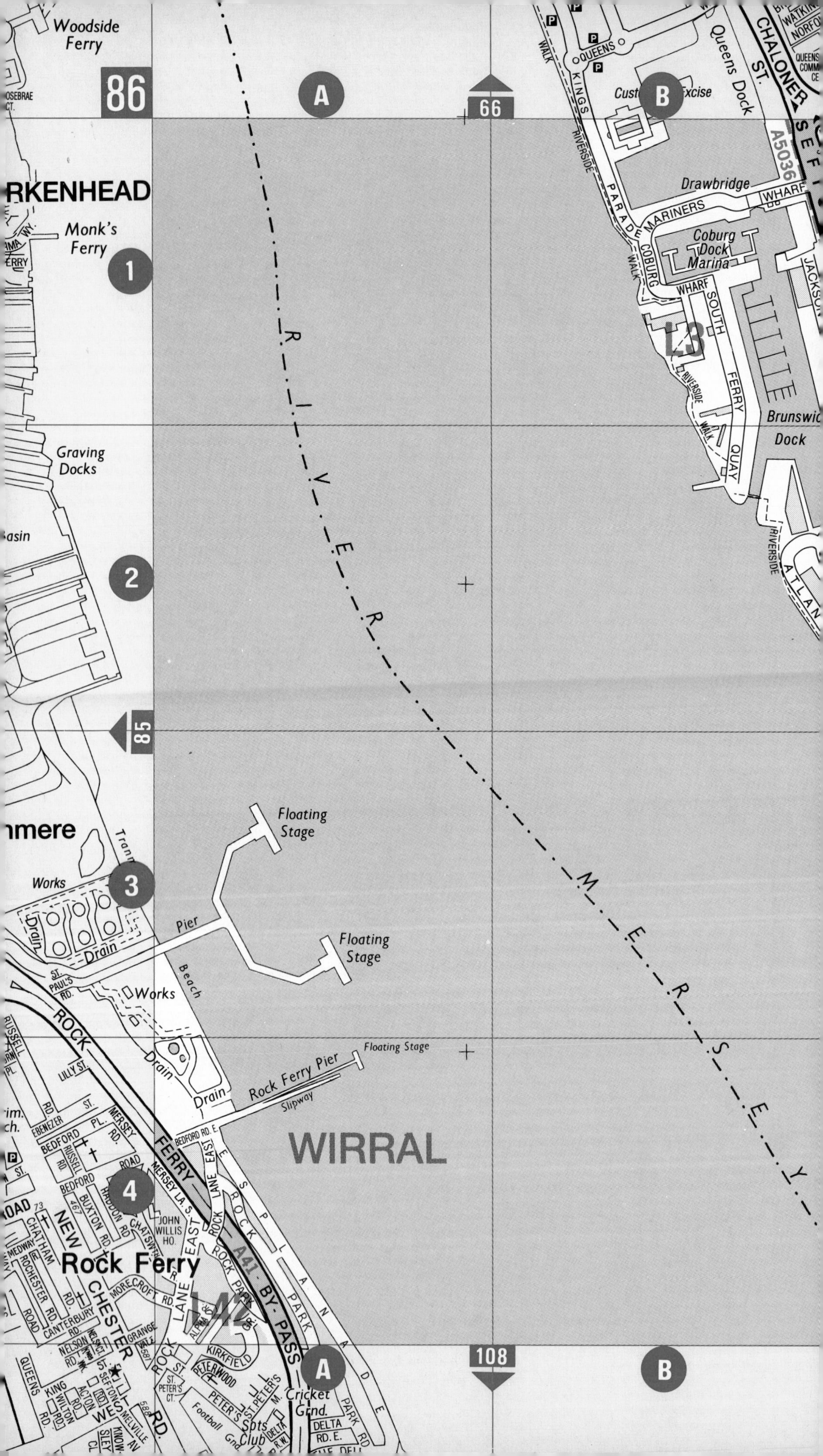

Woodside
Ferry

ROSEBRAE
CT.

RKENHEAD

Monk's
Ferry

A

1

Graving
Docks

asin

2

mere

Works

3

Drain

Drain

Tranmere

Pier

Beach

Floating
Stage

Floating
Stage

Floating Stage

Rock Ferry Pier

Slipway

Drain

Works

ST.
PAUL'S
RD.

RUSSELL
ARM

RM

LILLY ST.

EBENEZER
PL.

BEDFORD
ST.

RUSSELL
ST.

BEDFORD

RHUDDON
RD.

MERSEY LA. S.

BUXTON RD.

ROAD

CHATHAM
RD.

MEDWAY
RD.

ROCHESTER
RD.

P

73

4

NEW

JOHN
WILLIS
HO.

CHESTER

NELSON
RD.

CANTERBURY
RD.

GRANGE
RD.

MORECROFT RD.

KIRKFIELD
RD.

ALDER RD.

582

Rock Ferry

ROCK

ROCK

FERRY

ROCK LANE EAST

MERSEY LA. S.

ROCK PARK

A41 BY-PASS

PARK RD.

PARK

BY-PASS

A

Cricket
Grnd.

W.2

WEST

KING

WILTON
RD.

ROAD

ROCHESTER
RD.

SEFTON
CT.

MELVILLE
SILEY
AV.

KNOW

RD.

ST. PETER'S
CT.

PETER'S
Sports
Club

Football
Grnd.

ST. PETER'S

DELTA
RD. W.

M.

DELTA
RD. E.

RIVER

66

QUEENS

WALK

P

KINGS

QUEENS
ST.

P

CHALONER
ST.

WATKIN
NORFOLK

QUEENS
COMMERCE

B

Custom & Excise

Queens Dock

A5036

RIVERSIDE

PARADE

COBURG

WALK

MARINERS

WHARF

Drawbridge

Coburg
Dock
Marina

SEF

JACKSON

L3

WHARF

SOUTH

FERRY

QUAY

RIVERSIDE
WALK

Brunswick
Dock

RIVERSIDE

ATLAN

MERSEY

108

B

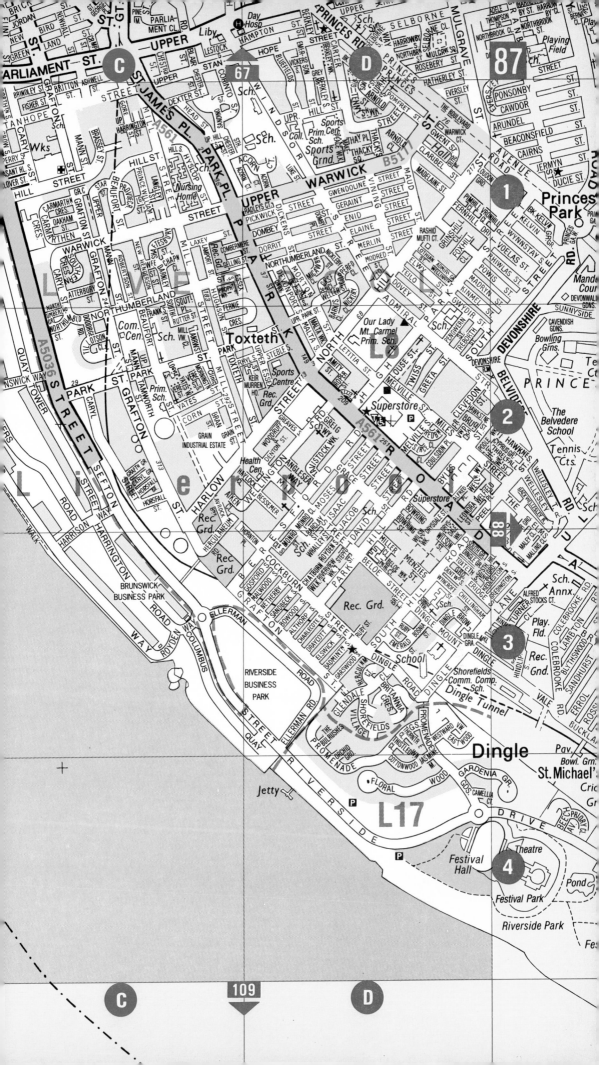

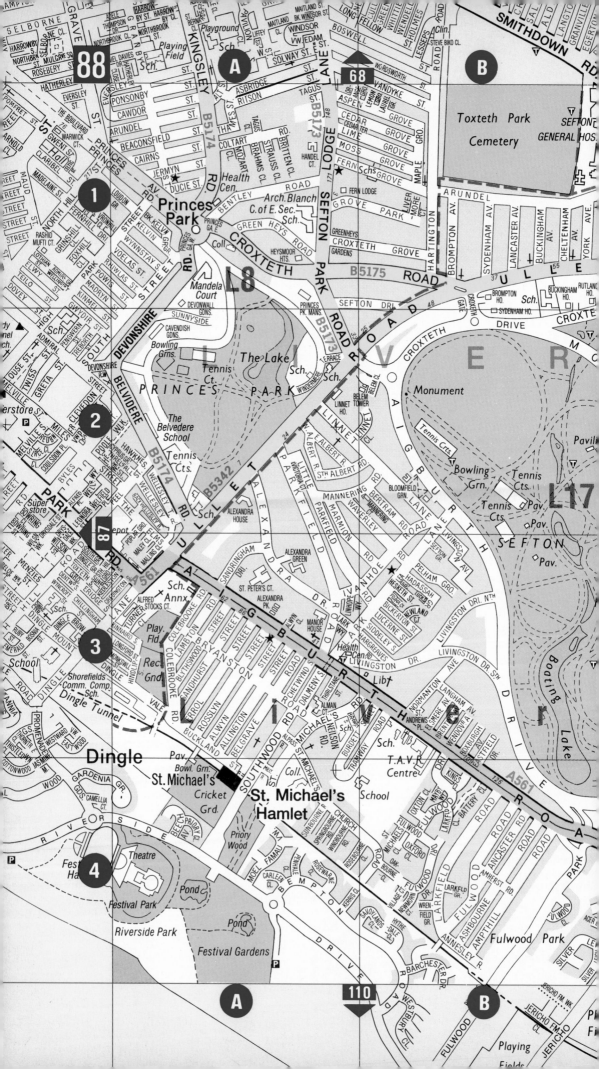

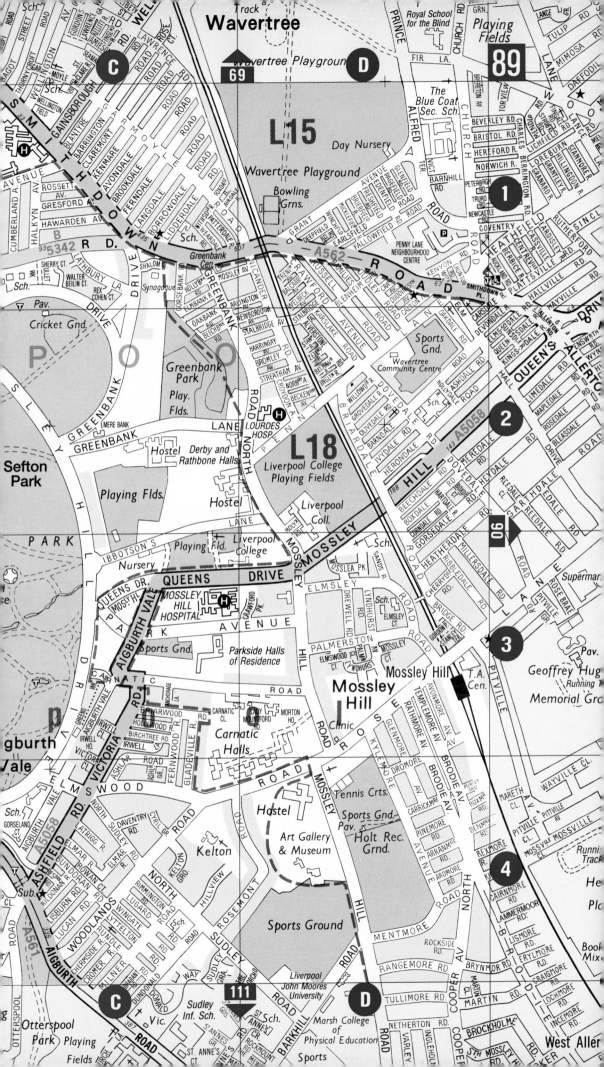

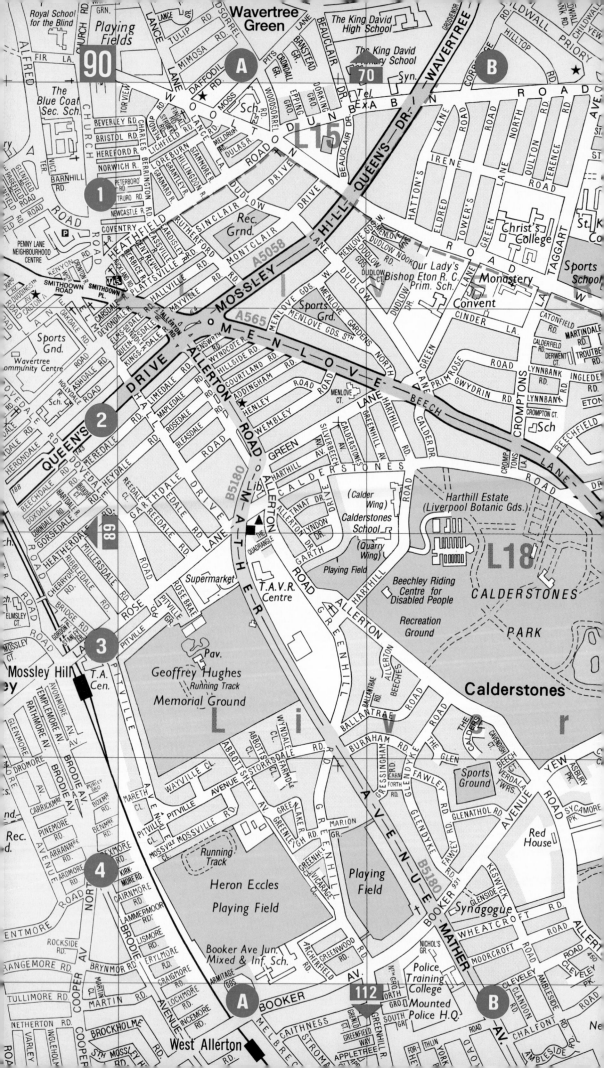

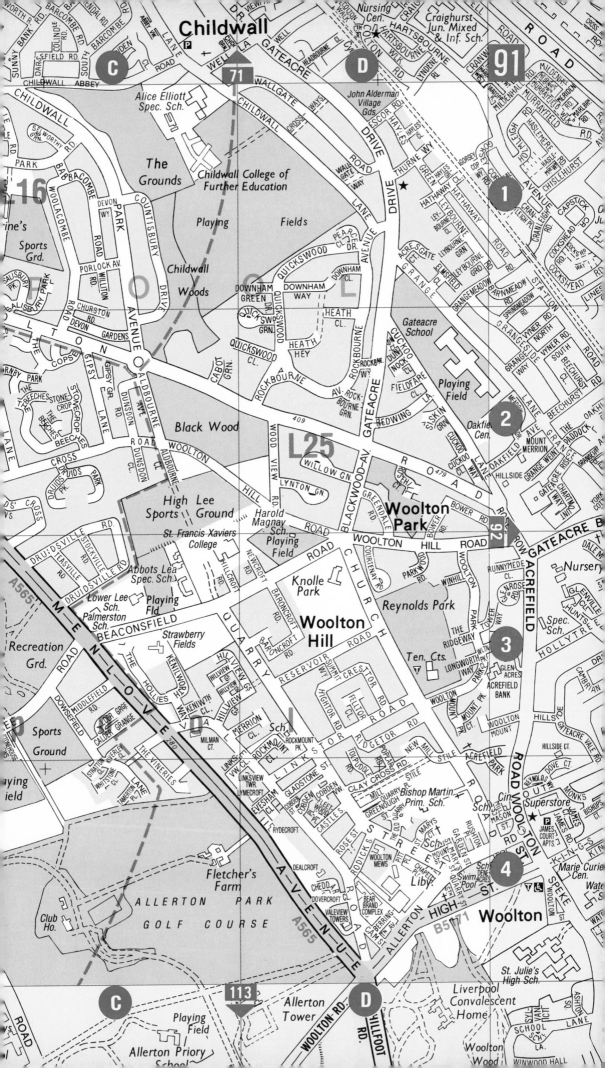

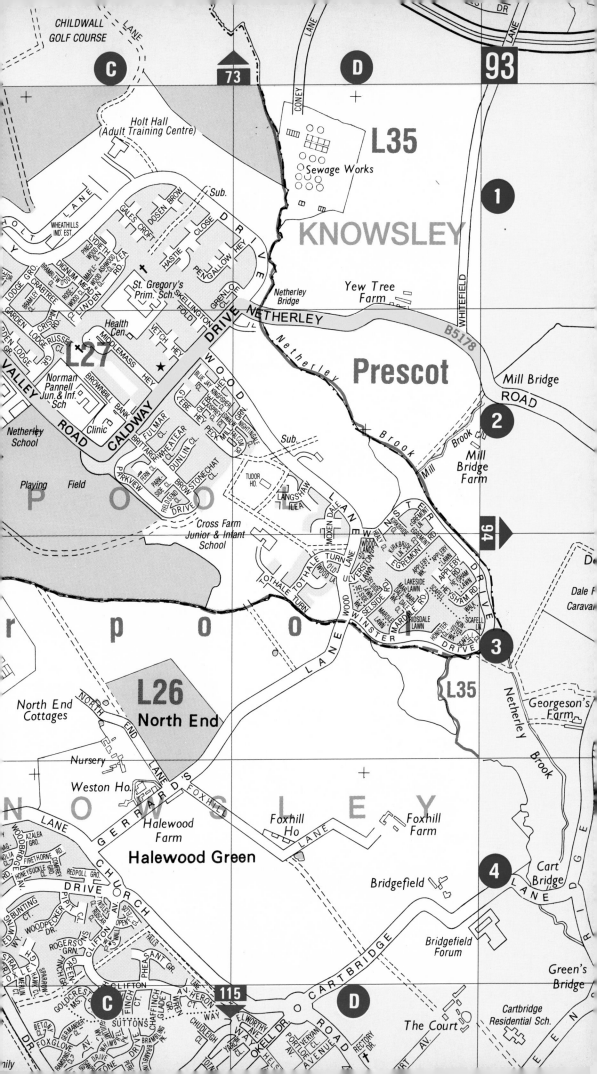

CHILDWALL GOLF COURSE

LANE

CONEY LANE

Holt Hall
(Adult Training Centre)

L35

Sewage Works

WHEATHILLS IND. EST.

St. Gregory's Prim. Sch.

Health Cen.

KNOWSLEY

Netherley Bridge

Yew Tree Farm

1

WHITEFIELD

L27

Norman Pannell Jun. & Inf. Sch.

Netherley School

Clinic

NETHERLEY

Netherley Brook

Prescot

Mill Bridge

ROAD

2

Mill Bridge Farm

Mill Brook

DRIVE

CALDWAY

ROAD

VALLEY

WOOD

Playing Field

Sub.

POO

Cross Farm Junior & Infant School

TUDOR HO.

LANGSHAW LEA

Sub.

MOXEN DALE LANE

TURN OLD WOOD LA.

TOTHALE TURN

TOTHALE

WOOD LANE

WINSTER DRIVE

94

Lakeside

EGREMONT

3

L35

Netherley Brook

Georgeson's Farm

Dale
Caravan

r p o o

L26

North End

North End Cottages

Nursery

NORTH END LANE

Weston Ho.

Halewood Farm

GERRARDS LANE

FOXHILL

Halewood Green

Foxhill Ho.

Foxhill Farm

FOXHILL LANE

N O W S L E Y

Bridgefield

4

Cart Bridge

CARTBRIDGE LANE

CHURCH DRIVE

Bridgefield Forum

Green's Bridge

OKELL DR.

CARTBRIDGE ROAD

PORTLOE AVENUE

The Court

Cartbridge Residential Sch.

94

A

74

B Junc. 6 Dagger's Bri

DR

Wood

M 62

DACRES BRI. LA.

CR

Dagger's Bri

DACRE'S

DACRE'S BRID

Higher Park Farm

A5300

Yew Tree

1

WHITEFIELD LANE

P r e s c o

Tree Farm

NETHER

Brook

LANE

Ochre Brook

(Opening Late 1995)

Tarbock Hall

Mill Bridge

B5178

2

Brook

Mill Bridge Farm

Brook

Mill

HERLEY

LANE

K N O W

Brick Wall Covert

Brewery Farm

The Coppice

Water Lane Bridge

WATER

W

Marklands

93

KINGBRIDGE LA.
WINSTER RD.
GREMONT RD.
EGREMONT
KIRKBRIDE LA.
GREMONT WK.
APPLEBY WK.
APPLEBY RD.
LAKESIDE
MARDALE LAWN
MARBL.
LAWN
MARDALE RD.
RIDSDALE LAWN
MARDALE LAWN
HONISTER WK.
SCAFELL WK.
SCAFELL LN.
HEYSHAM RD.
HEYSHAM LAWN
LAWN
APPLEBY LAWN
HESTON
DRIVE

DALE FARM

Dale Farm

Dale Farm Caravan Site

LANE

L35

Tarbock Green

3

Netherley Brook

Georgeson's Farm

Green's Bridge Farm

B51

Wood Lane Farm

Foxhill Farm

BRIDGE

LANE

Bridgefield

4

Cart Bridge

CARTBRIDGE

L26

Bridgefield Forum

Green's Bridge

GREENS

NE

Green's Bridge Plantation

A

Cartbridge Residential Sch.

116

B

The Court

RT. AV.

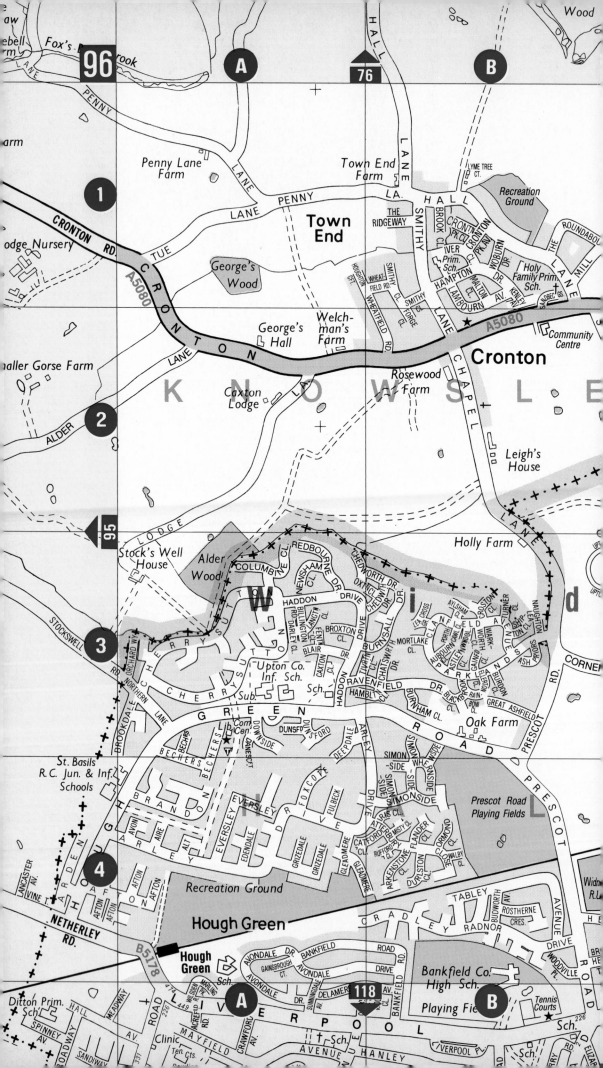

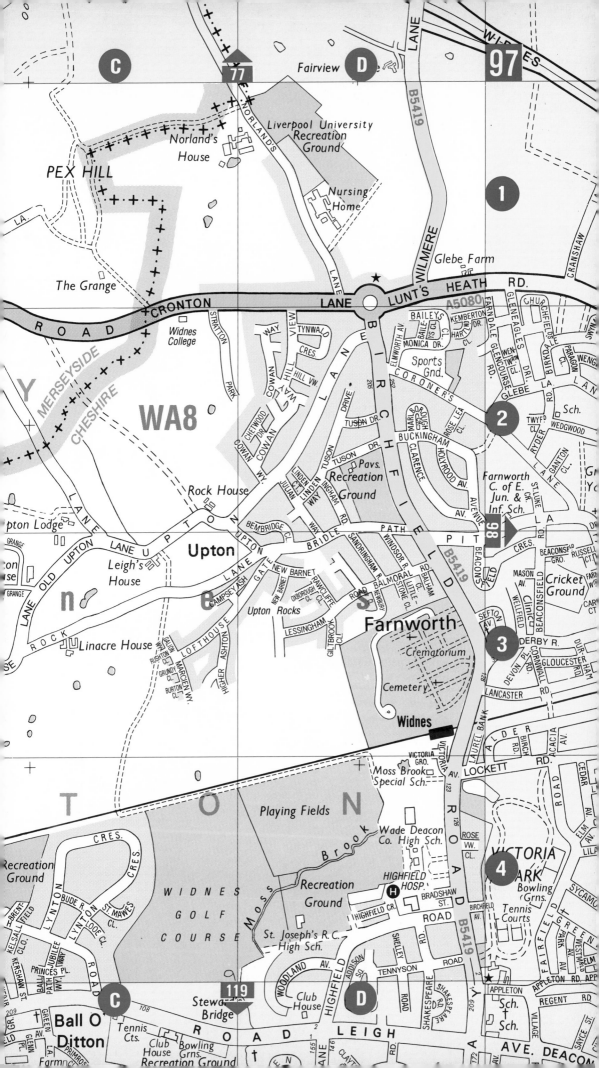

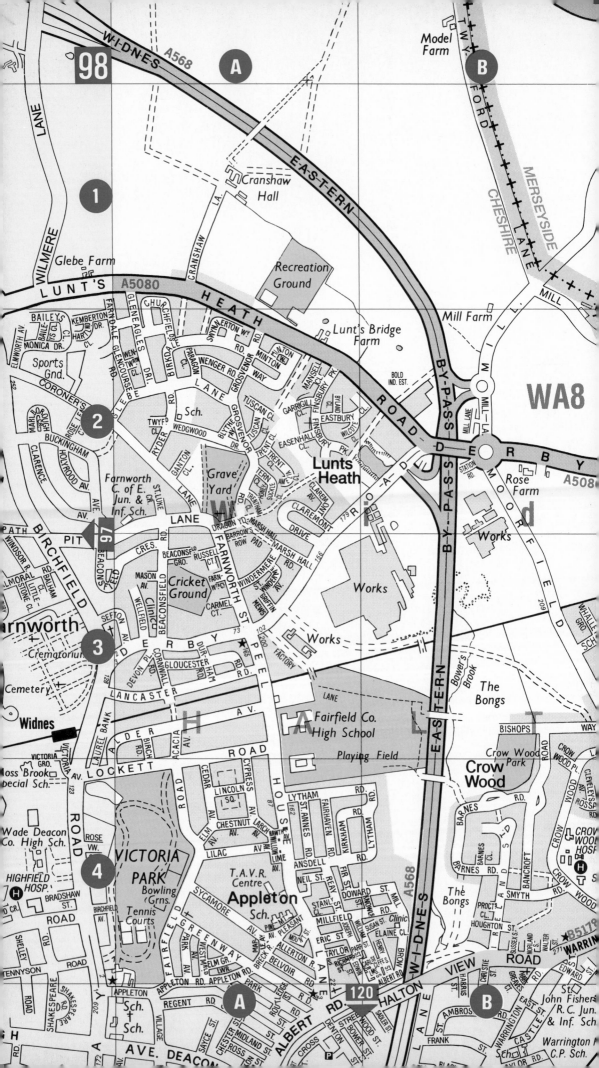

WARRINGTON

Bold
Heath

C

Bold Heath
Farm

D

ROAD

FERNDALE
CL.

LANE

ENTRY

LANE

SANDY
LANE

Hayfield
Farm

1

S T. H E L E N S

Green
Farm

GREEN

MILL GREEN LA.

SOUTH

SOUTH LANE

FARNWORTH

South Lane
Farm

SOUTH

2

RD.

RD.

Boundary
Farm

Pendlebury
Farm

ROAD

Sunny Bank
Cottages

KNIGHTS
HOUSE
PK.

Abbey Farm

A5080

arrow's
Green

e

LANE

203

s

DAFFODIL
CL.

SNOWBERRY
CL.

WEATES

GREEN

137

WOOD
END
FARM

DYKIN CL.

DYKIN
RD.

122

ELTHAM
CL.

MITHRIL
SHEVINGTON CL.

RAMSEY
CL.

LAMPORT
CL.

SKM.

ELTHAM
CL.

FAIRBURN
CL.

BELGRAVE CL.

SNWBY.
CLOSE

RIBBLE
CL.

RIBBLE
CL.

HUMBER
CL.

CROSS
CL. GATES

AVEBURY
CL.

HUMBER
CLOSE

3

CLOCK

MOWCROFT
LANE

Moorfield
Co. Prim.
Sch.

RSERY

Youth
Club

DYKIN

SELWYN
CL.

HILARY
CL.

CHORLEY'S
LA.

GUERNSEY
CL.

GUERNSEY

RATHB.

SHEVT.

SKYE CL.

HAMPTN
RD.

CLTN.

BARNSTON

DOUGLAS CL.

CALDER
CL.

SEVERN

CL.

WA5

BACK
LA.

Clock Lane
Farm

CUERDLEY
GRN.

SWT.

Cuerdley
Cross

Rosetree
Farm

ELKAN
CL.

ELKAN
RD.

ROMNEY CL.

BELMONT
RD.

FIELDWAY

MOORE
CL.

FIELDWAY

BARROWS

KILSBY
DR.

KILSBY
DR.

BILTON
CL.

ORKNEY
CL.

SWINFORD
CL.

EGOON

SHWT
CT.

RONALDSHAY

RONALDSHAY

WEATES

WEATES

SWERD

Whitfield's
Cross

ROAD

WRIGHTS
LANE

Curdley Farm

WIDNES

TAYLOR'S
LANE

ROAD

A562

RD.

A562

DAN'S

GORSEY
LANE

RABY CL.

HADFD.

MELVILLE
CL.

WLSBY.

NSGM

Works

Castle View
Farm

WARRINGTON

Cooling
Towers

4

A562

Warrington

Power Station

RIDDLERS FERRY RD.

Shell
Green
House

C

Shell
Green

BENNETTS
LANE

D

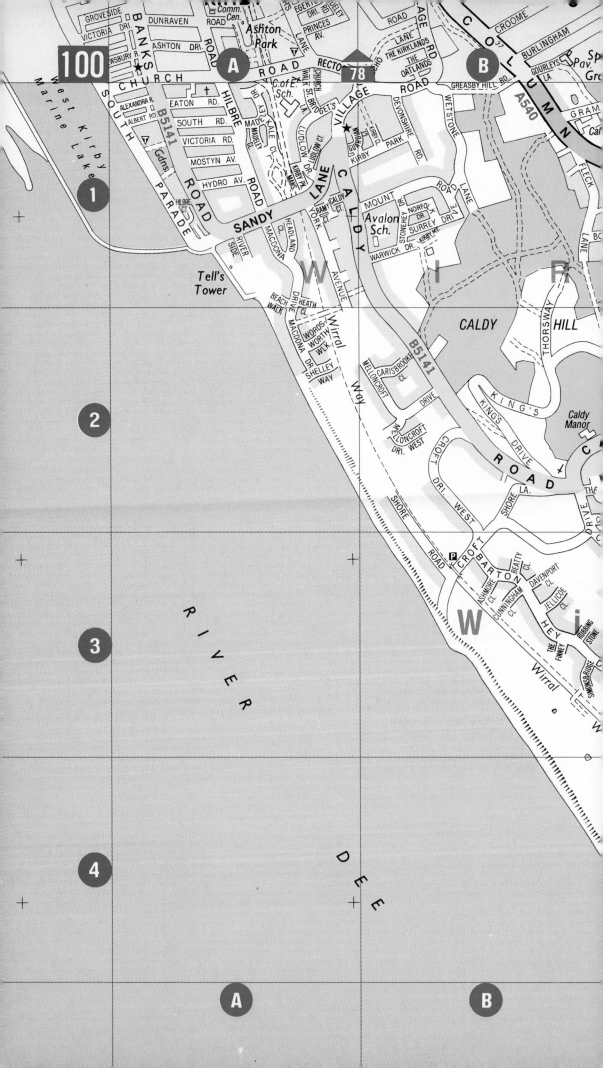

West Kirby Marine Lake

1

GROVESIDE
VICTORIA
DUNRAVEN
ASHTON DRI.
BANKS ROAD
CHURCH ROAD
SOUTH PARADE
B5141
Gdns)
HILBRE CT.
HILBRE ROAD
Alexandra R.
ALBERT RD.
EATON RD.
SOUTH RD.
VICTORIA RD.
MOSTYN AV.
HYDRO AV.
SANDY LANE
RIVER SIDE
MACDONA
HEADLAND
Comm. Cen.
Ashton Park
C.of E. Sch.
WALK ST.
LUDLOW CT.
CALDY CT.
YORK CT.
KIRBY PK. MANS.
MADELEY CL.
KIRBY DR.
ST. BRIDGET'S LA.
St. BRIDGET'S
RECTORY
CHURCH RD.
EGERTON DRI. RD.
PRINCES AV.
JELLEY LANE
THE KIRKLANDS
THE OATLANDS
LANE
GREASBY HILL
WETSTONE LANE
COLUMN
CROOME
BURLINGHAM
GOURLEYS LA.
Pav. Gr
GRAM
78
VILLAGE ROAD
CALDY LANE
KIRBY RD.
GUY CL.
KIRBY
DEVONSHIRE RD.
Park
ROAD
MOUNT
Avalon Sch.
STONEHEY DR.
NORFOLK DR.
SURREY DRIVE
WARWICK DR.
KIRBY MT.
A540

Tell's Tower

BEACH WALK
DR. HEATH CL.
WORDS-WORTH WLK.
SHELLEY WAY
MACDONA DR.
Wirral Way
AVENUE

W I R R

CALDY HILL
THORSWAY
B5141
CARISBROOKE CL.
MELLONCROFT DRIVE
MELLONCROFT DRI. WEST
KING'S DRIVE
KING'S
CROFT DRI. WEST
Caldy Manor
ROAD
CA

2

R I V E R

3

SHORE ROAD
P
CROFT BARTON
ASHMORE CL.
CUNNINGHAM CL.
BEATTY CL.
DAVENPORT CL.
JELLICOE CL.
SHORE LA.
DRIVE
THE
HEY CL.
THE FINNEY
RUBBING STONE
SIMMS BRIDGE
W i
Wirral W
W

4

D E E

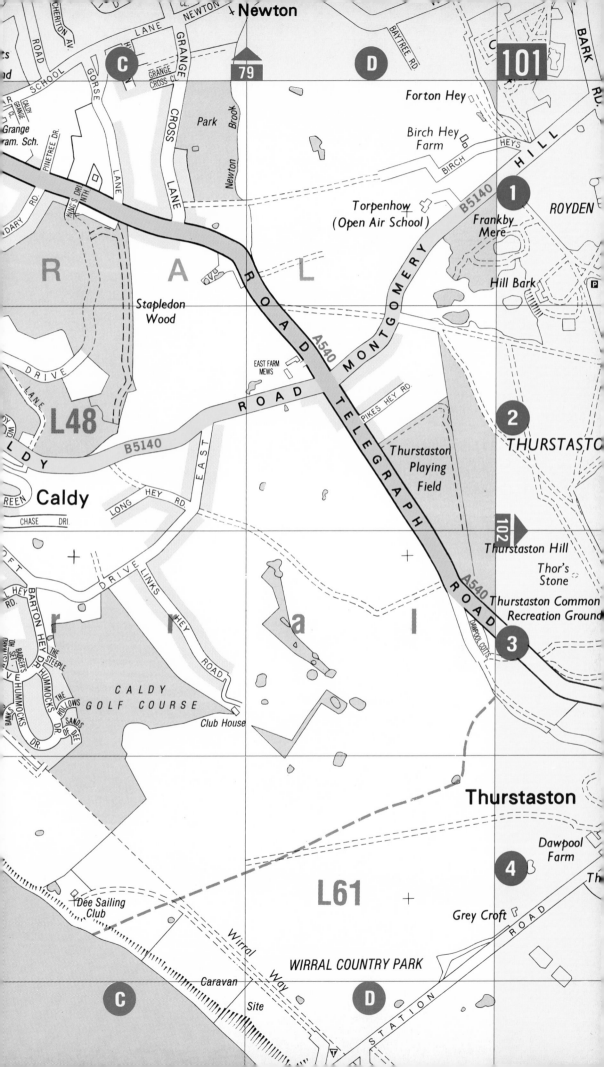

Newton

C 79 D **101**

Forton Hey

Birch Hey Farm

1 ROYDEN

Torpenhow (Open Air School)

Frankby Mere

Hill Bark

Stapledon Wood

RURAL

L48

EAST FARM MEWS

A540 MONTGOMERY ROAD

ROAD B5140

PIKES HEY RD.

Thurstaston Playing Field

2 THURSTASTO

CALDY

Caldy

CHASE DRI.

LONG HEY RD.

DRIVE LINKS

EAST ROAD

102 Thurstaston Hill

Thor's Stone

Thurstaston Common Recreation Ground

3

BARTON HEY DR.

CALDY GOLF COURSE

HEY ROAD

A540 ROAD

DAWPOOL COTTS.

Club House

R u r a l

Thurstaston

Dawpool Farm

4

L61

Grey Croft

STATION ROAD

Dee Sailing Club

WIRRAL COUNTRY PARK

Wirral Way

Caravan Site

C D

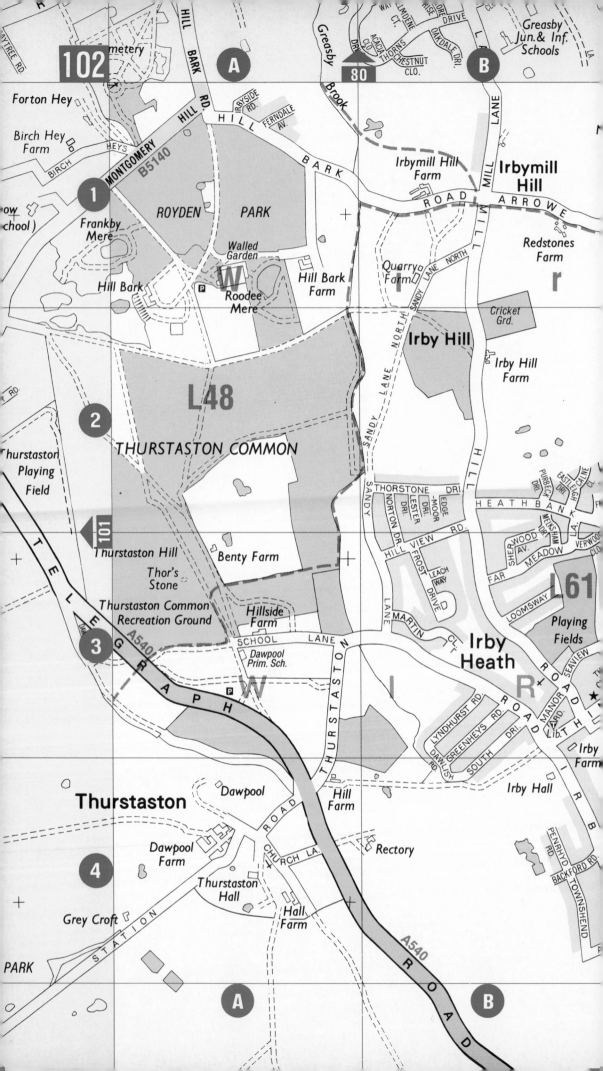

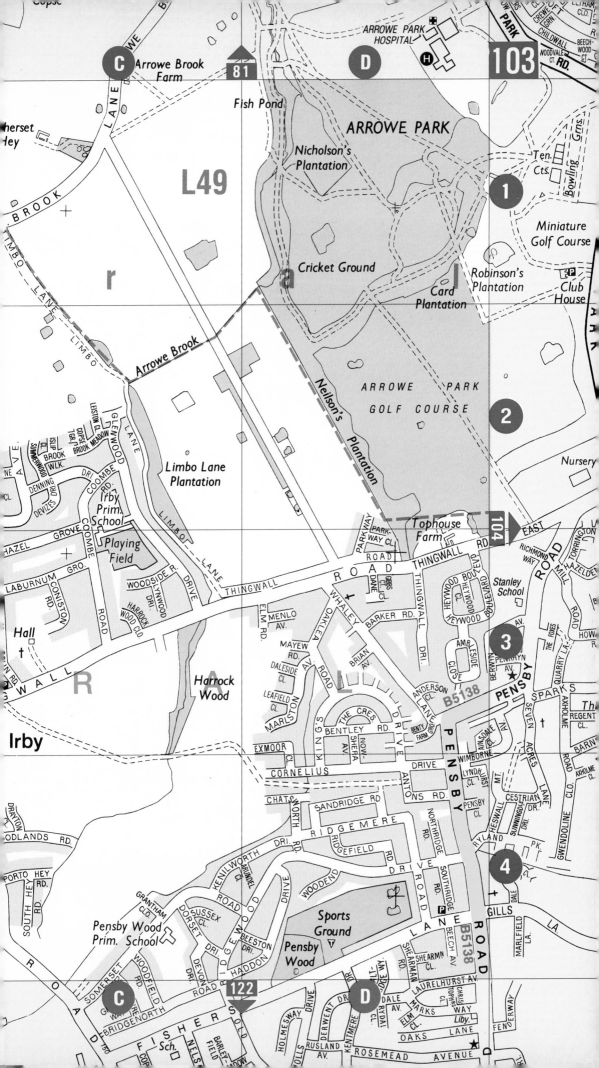

C Arrowe Brook Farm

D

81

ARROWE PARK HOSPITAL

H

Fish Pond

ARROWE PARK

Nicholson's Plantation

L49

Ten. Cts.

Bowling Grn.

1

Miniature Golf Course

r

Cricket Ground

Card Plantation

Robinson's Plantation

Club House

a

Arrowe Brook

ARROWE PARK GOLF COURSE

2

Nursery

BROOK

TIMBO LANE

LIMBO

Neilson's Plantation

Limbo Lane Plantation

Parkway

Tophouse Farm

104 EAST

Richmond Way

GLENWOOD
LEISTON CL.
COPSE TGR.
BROOK MEADOW
SUMMERWOOD
BROOK WLK.
COOMBE DRI.
DENNING DRI.
DEVIZES DRI.

Irby Prim. School

Playing Field

WOODSIDE R.
GLYNWOOD DRI.

HARROCK WOOD CLO.

PARKWAY CL.

GIBBS CL.
DANE CL.

ROAD

Stanley School

ROAD

PENSBY ROAD

MILL

HAZELDE

TORRINGTON RD.

HAZEL
GROVE

CONISTON RD.

LABURNUM GRO.

THINGWALL

ROAD THINGWALL

WHALEY ROAD

ELM RD.
MENLO AV.

BARKER RD.

THINGWALL DRI.

HEYWOOD BOULEVARD
HEYWOOD CL.
HEYWOOD

AMBLESIDE CLO'E

BERWYN AV.

PENRHYN AV.

THE FIRES

HOW.

Hall

R

Harrock Wood

MAYEW RD.
DALESIDE CL.

OAKLEA ROAD

BRIAN AV.

ANDERSON CL.

3

SEVEN ACRES LANE

PENSBY

SPARKS LA.

QUARRY LA.

AXHOLME RD.

The REGENT CL.

BARN

Irby

LEAFIELD CL.

MARLSTON

S. DANE RD.

THE CRES

BENTLEY AV.

NOW- SHERA

LULL DRIVE

BENTY FARM

B5138

HESWALL
WIMBORNE CL.

RYLAND RD.

WINSDALE CL.
LYNDHURST MT.

PENSBY CL.

SUNNINGDALE DRI.

CESTRIAN DRI.

GWENDOLINE CLO.

EXMOOR

CORNELIUS

CHATSWORTH

ANTONS RD.

DRIVE

NORTHRIDGE RD.

SANDRIDGE RD.

RIDGEMERE

RIDGEFIELD RD.

DRIVE

PENSBY ROAD

4

DRAYTON CLO.
WOODLANDS RD.

KENILWORTH ROAD

ARUNDEL CL.

RIDGEWOOD DRIVE

WOODEND

SOUTHRIDGE RD.

GILLS

DALE

B5138 ROAD

MARLFIELD LA.

BEECH AV.

LAURELHURST AV.
CHRIS TOPHR CL.

PORTO HEY RD.
SOUTH HEY RD.

GRANTHAM CLO.

SUSSEX CL.
DORSET CL.

BEESTON DRI.

DORSET DRI.

DEVON DRI.

WOODFIELD DRI.

HADDON DRI.

Sports Ground

Pensby Wood

SHEARMAN CL.
SHEARMAN RD.

MARKS WAY

FENDERWAY

Pensby Wood Prim. School

C

122

SOMERSET RD.

BRIDGENORTH

Sch.

FISHERS

NELSON

BARFIELD

HOLMESWAY DRIVE

DERWENT DRI.

KENTMERE DRI.

RUSLAND RD.

RYDAL AV.

ELM CL.

D

OAKS LANE

Liby.

ROSEMEAD AVENUE

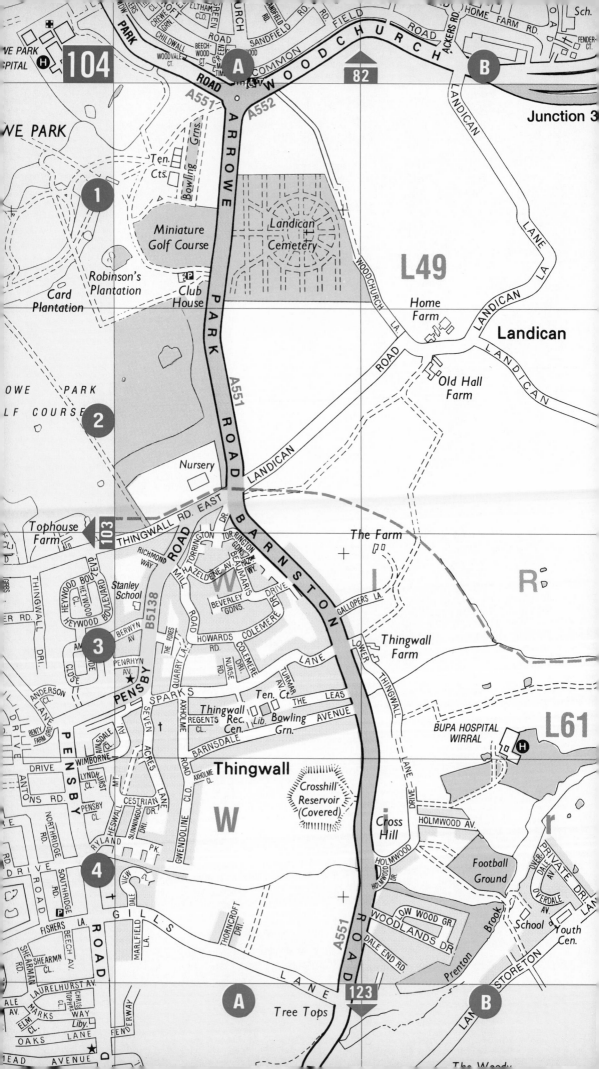

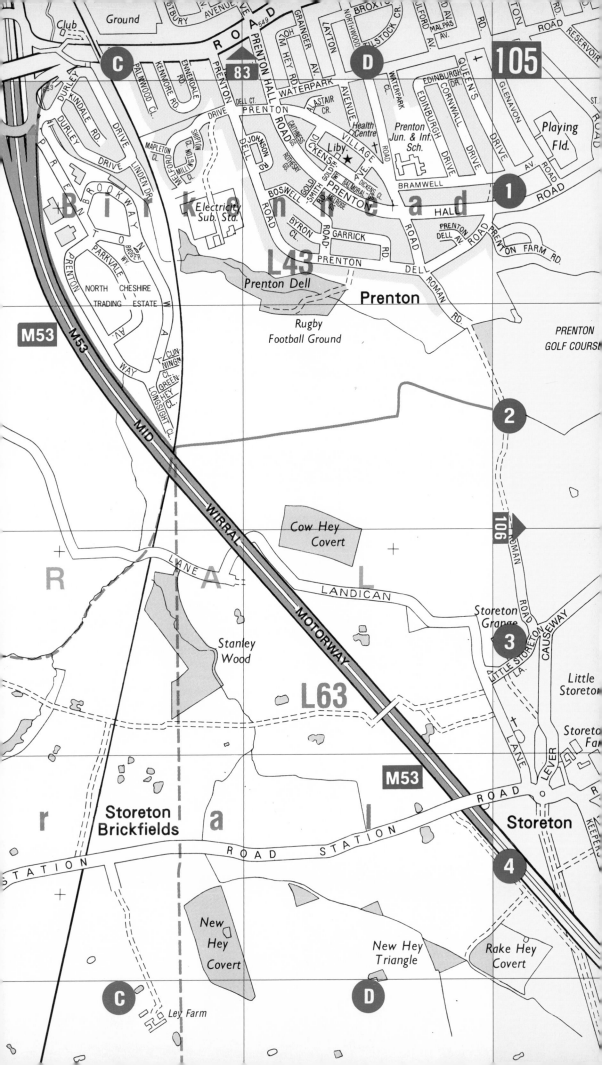

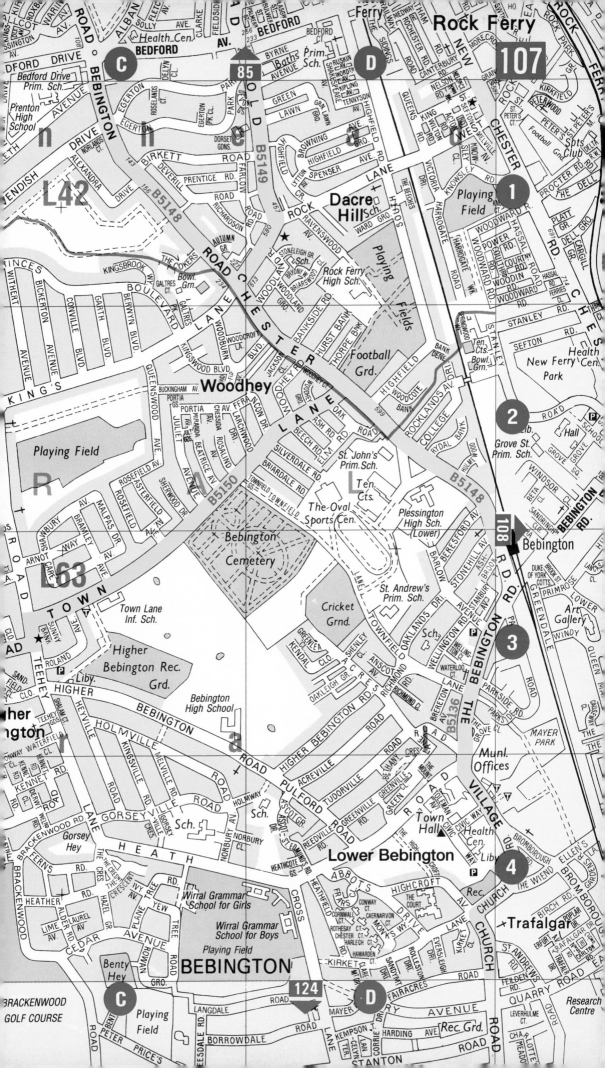

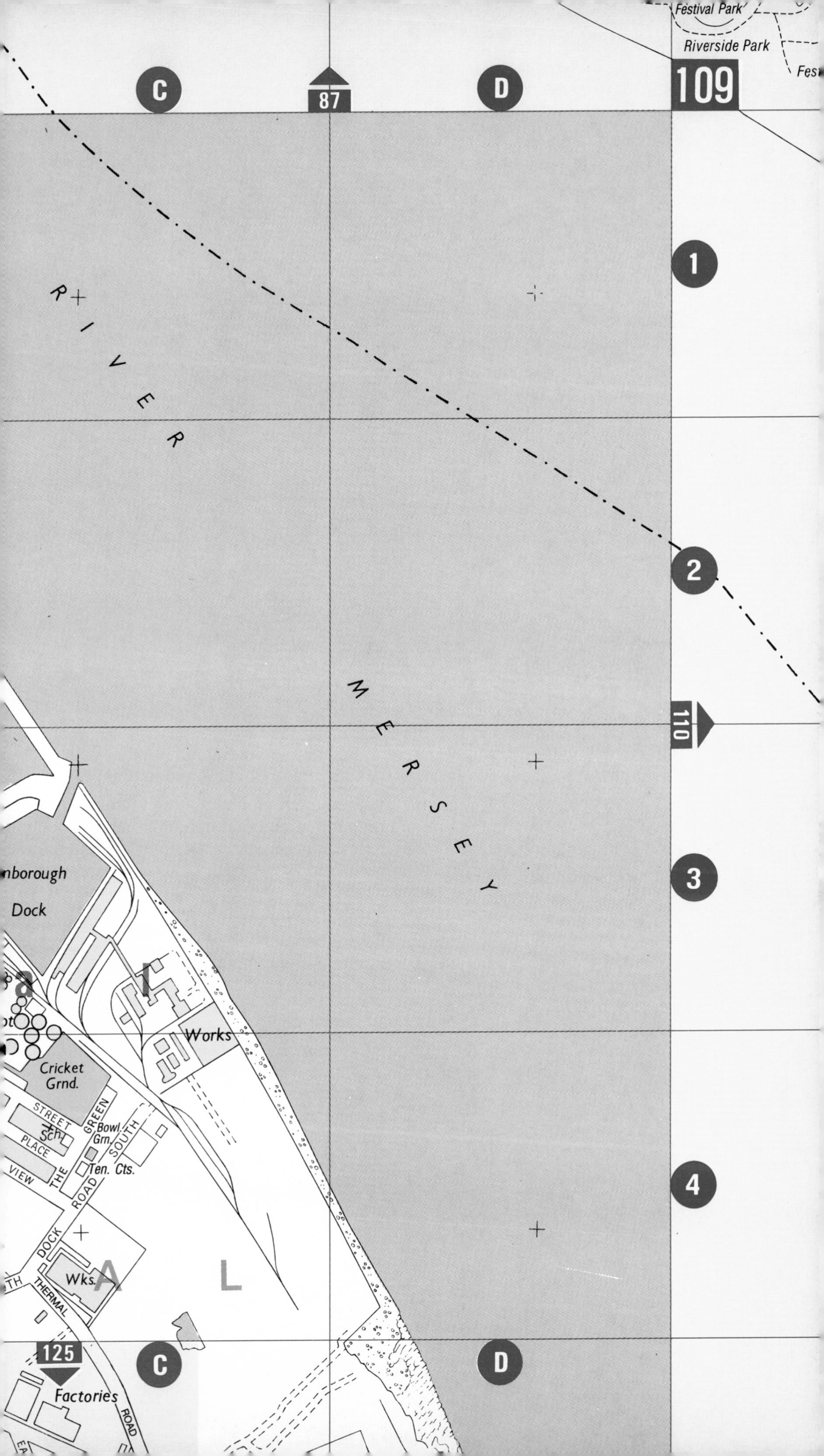

Festival Park

Riverside Park

Fes

1

R I V E R

2

M E R S E Y

110

3

nborough

Dock

Works

Cricket
Grnd.

Bowl.
Gm.

STREET

PLACE

GREEN

SOUTH

SCH.

Ten. Cts.

VIEW

THE

ROAD

A L

DOCK

THERMAL

Wks.

4

125

C

Factories

ROAD

D

Festival Park

Riverside Park

Pond

Festival Gardens

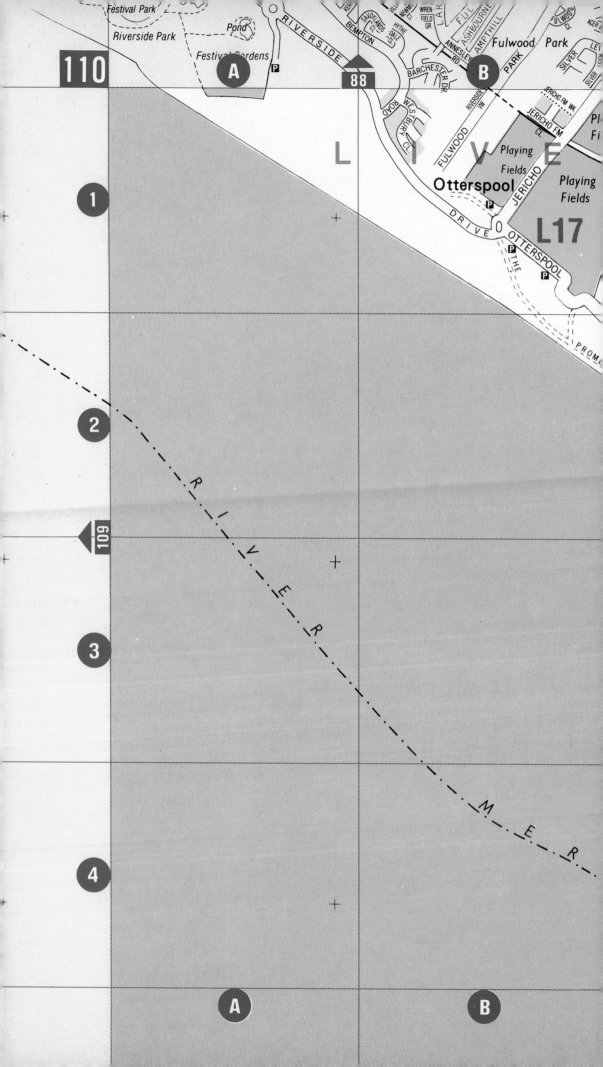

A

P

RIVERSIDE

88

KEN BEMPTON

SAVOLANDS CL

WILLA NEWML. CT

WREN FIELD GR

LAR

FUL ASHBOURNE

AMPTHILL

FUL WOOD

ACER

Fulwood Park

SILVER

LEI

SILVER

B

BARCHESTER DR.

ANNESLEY RD

WESTBURY CL.

FULWOOD ROAD

RIVERSIDE WW

FULWOOD PARK

JERICHO FM. WK.

JERICHO FM

JERICHO CL

Playing Fields

PI Fi

L I V E

Otterspool

P

DRIVE

OTTERSPOOL

THE

Playing Fields

L17

PROME

1

2

R

I

V

E

R

◀ 109

3

M E R

4

A

B

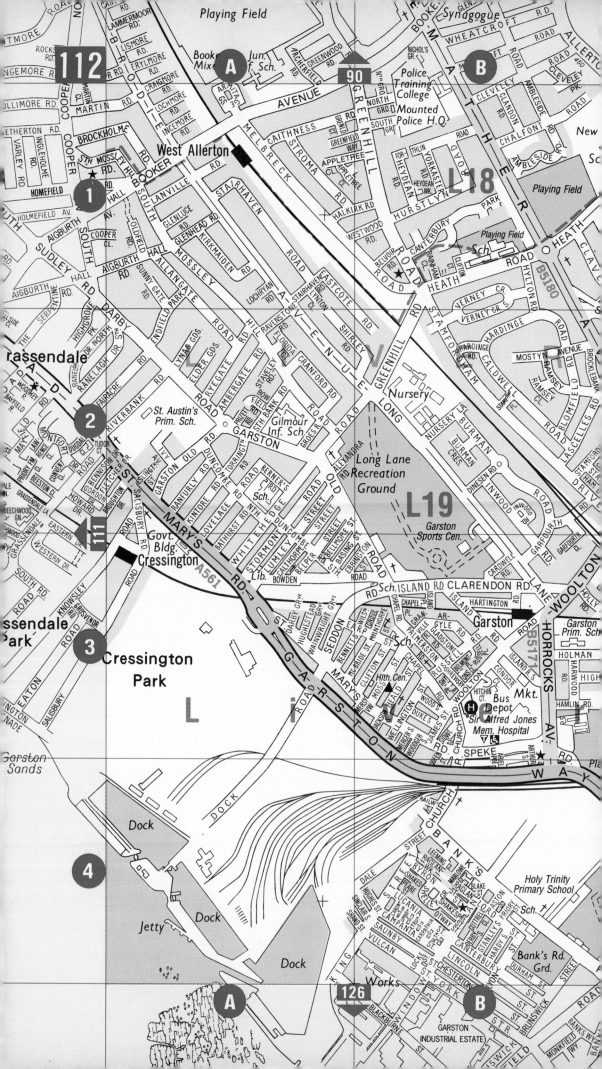

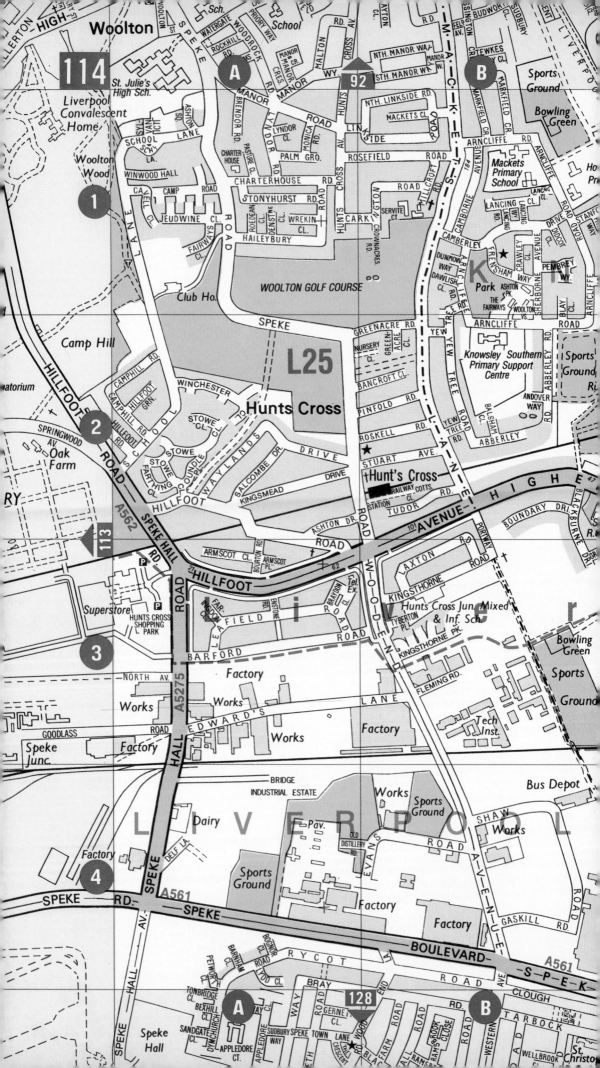

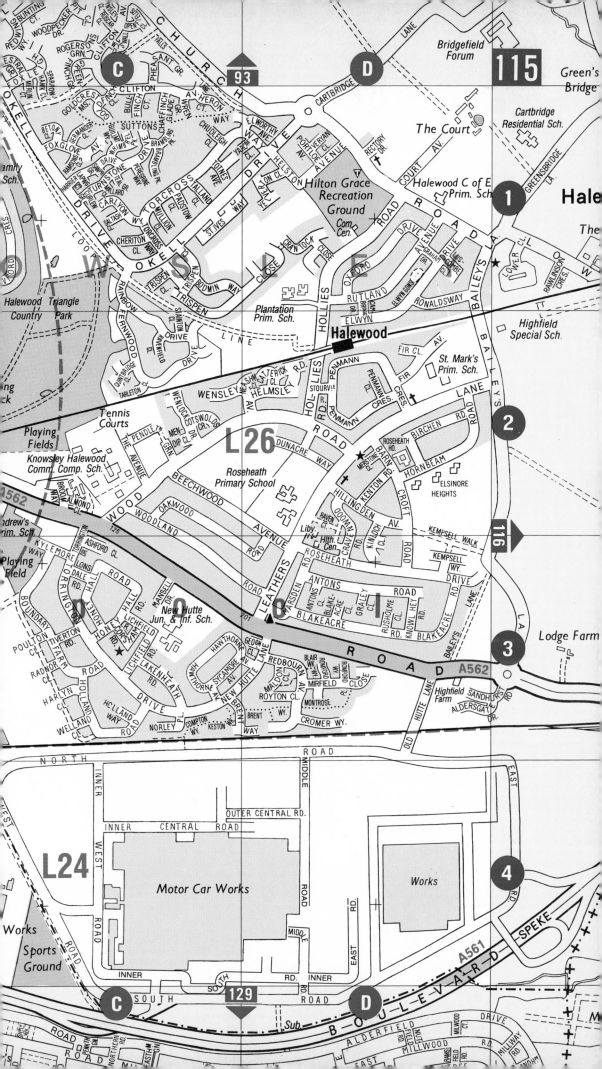

C
95
D

Hough Green

Hou

Hough Green

ROAD
AFTON
AFTON
N

MEADWAY

ROAD
WILSDEN RK.
MARLING PK.
474
ACREFIELD RD.
337

MAYFIE

Clinic
Ten Cts.
Bowling Grn.

Hough Green Park

Ditton Prim. Sch.
DITTON PRIM. HALL
SPINNEY AV.
BROADWAY
SANDIWAY
AV.
BRIARFIELD AV.

SPINNEY AV.

1

Oakfield Co. Jun. & Inf. Schs.

EDINBURGH
RD.
EDIN-BURGH
RD.
EDINBURGH
RD.

CORONET

ROYAL

DITCHFIELD

Tray Ashes Farm

New Farm

DALE CL.
CLINCTON
CRES.
CLINCTON VW.
SPRINGFIELD RD.
WOODVIEW RD.
WOODVIEW
CRES.
BEAUFORT CL.

CLINCTON

DITCHFIELD DRIVE

DITCHFIELD ROAD

o   t

A5300

ASH LANE

ASH LANE

Springfield Farm

(Opening Late 1995)

A5300

A S H   L A N E

L   E   Y

WA8

ton Brook

Playing Field

Our Lady of Perpetual Succour R.C. Jun. Sch.

CLINCTON VW.
OAKFIELD CL.
LAKESIDE
CLINCTON VW.
LAKESIDE
LAKESIDE CL.
LAKE
LAK
CL.

Sports Field

2

Di

GAVIN

EVERITE RD. IND. EST.

TURNALL RD.

Clincton Wood

A562

R   O   A   D

118

Brook House Farm

Works

Lovel's Hall (Site of)

Ditton Brook

3

MERSEYSIDE

CHESHIRE

ROAD
ROAD
HALEBANK

CARR

d   n   e   s

Hale Bank

Linner Farm

CLAPGATE
CLAPGATE CRES.

Playing Field

BLACKBURNE AV.

T   O   N

Burnt Mill

Middlefield Farm

POTTER'S

HEATHVIEW CL.
HEATHVIEW RD.
HEATHVIEW CL.

BAGULEY AVENUE

CHURCH MEADOW W.
478

4

Barrow's Farm

Bank E Farm

LANE

Hope Farm

HALE GATE ROAD

MERSEY ROAD

Hale Bank

Shore

C
D

HALE
POTTERS LA.
LANE

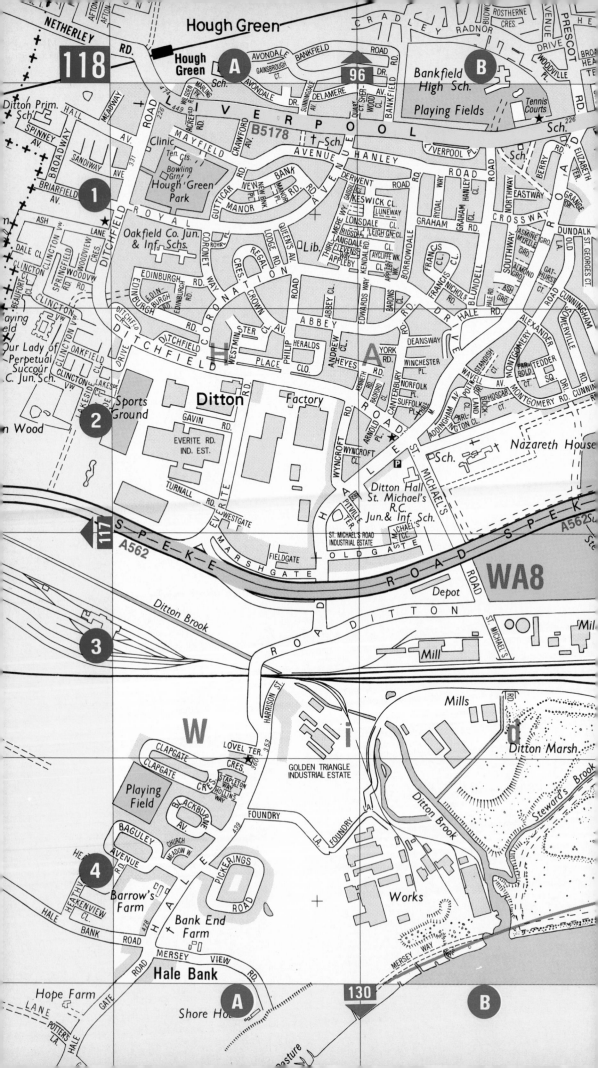

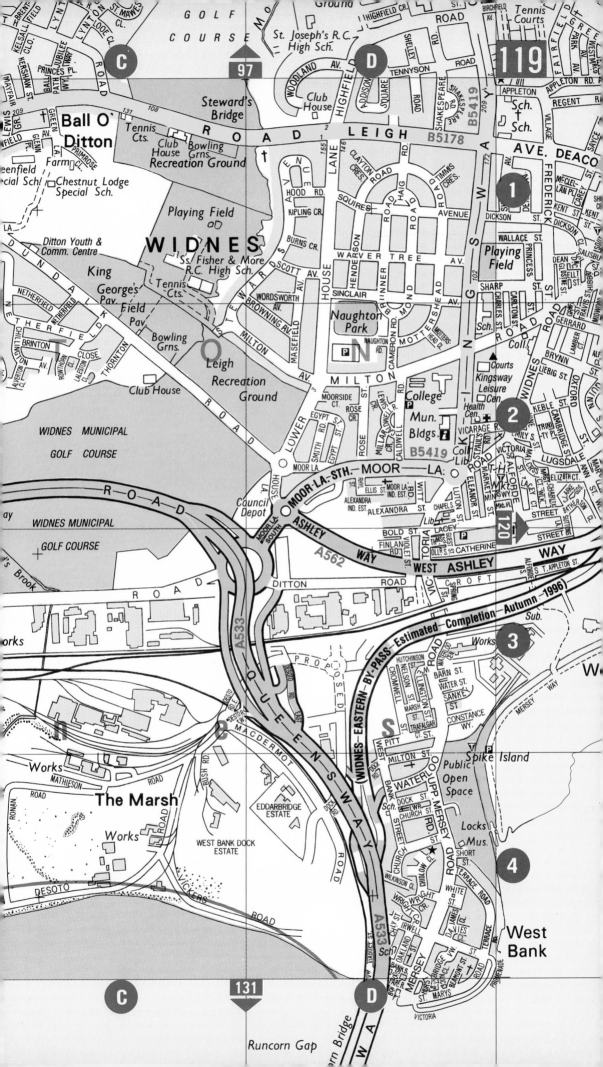

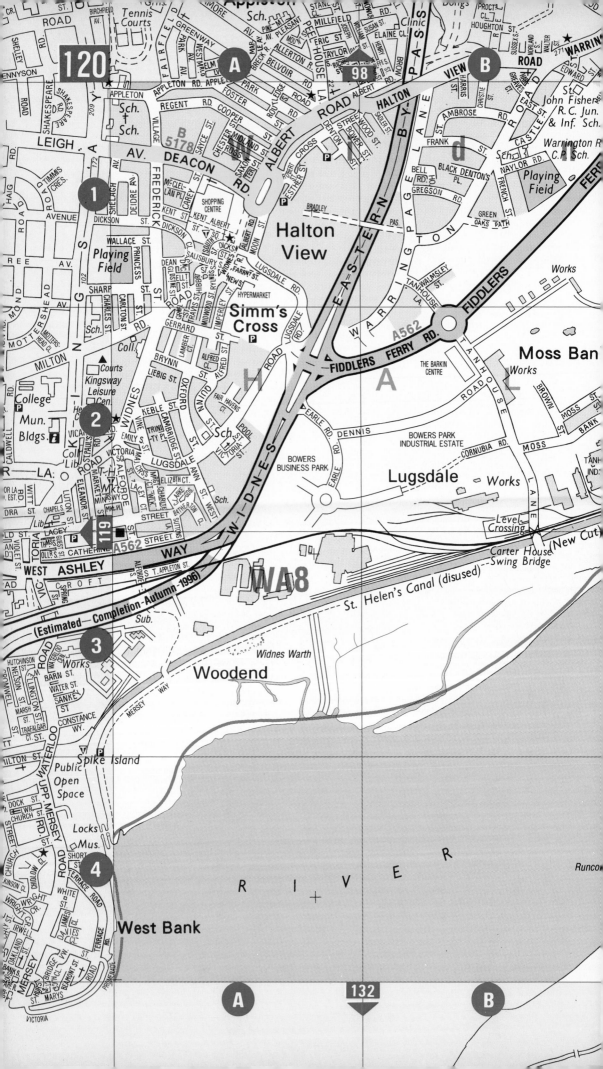

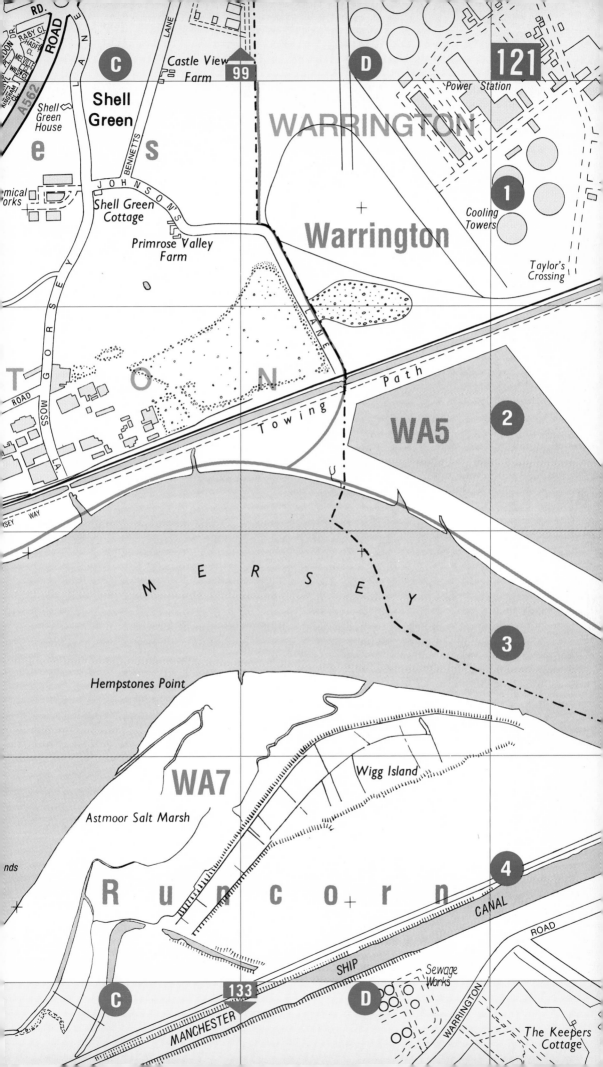

RD.
ROAD
A562
RABY CL.
HADF
CL.
MELVILLE CL.
WILSA CL.
e
Shell
Green
House
mical
orks
LANE
JOHNSONS
BENNETTS
GORSEY
ROAD
MOSS
LA.
T
O
S
N

C 99 Castle View Farm **D** **121**

Shell Green

Shell Green Cottage

Primrose Valley Farm

WARRINGTON

Warrington

Power Station

1

Cooling Towers

Taylor's Crossing

Towing Path

WA5 **2**

M E R S E Y

SEY WAY

3

Hempstones Point

WA7

Astmoor Salt Marsh

Wigg Island

R u n c o r n **4**

CANAL

ROAD

C 133 **D**

MANCHESTER

SHIP

Sewage Works

WARRINGTON

The Keepers Cottage

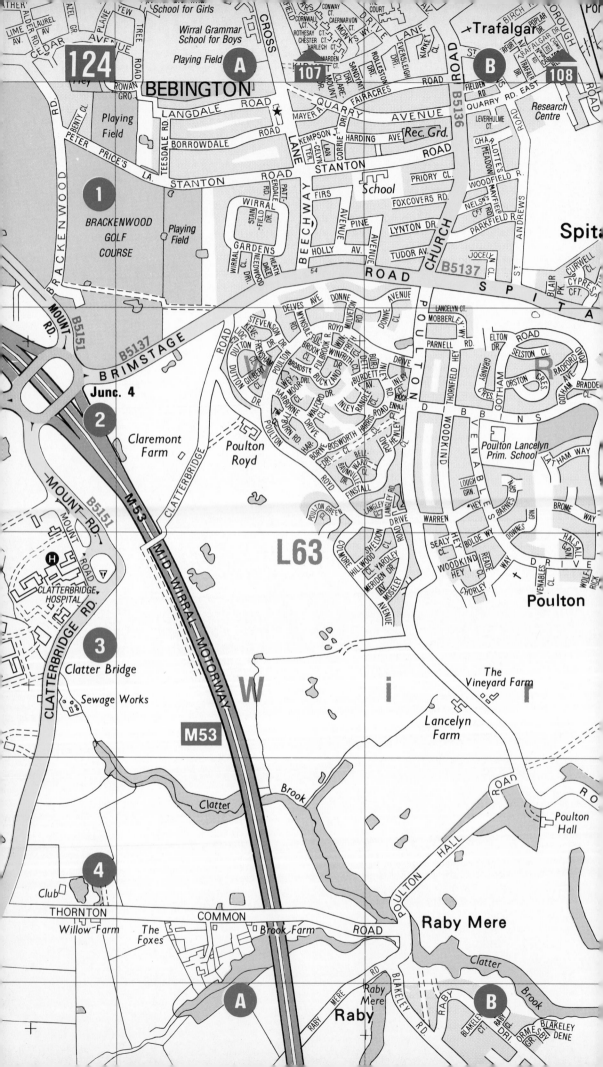

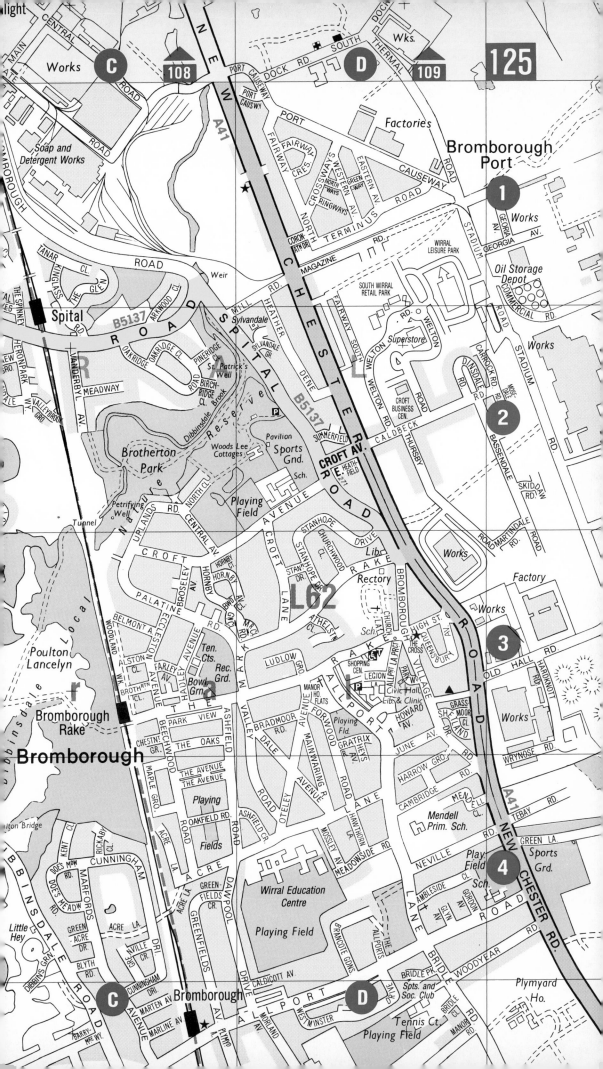

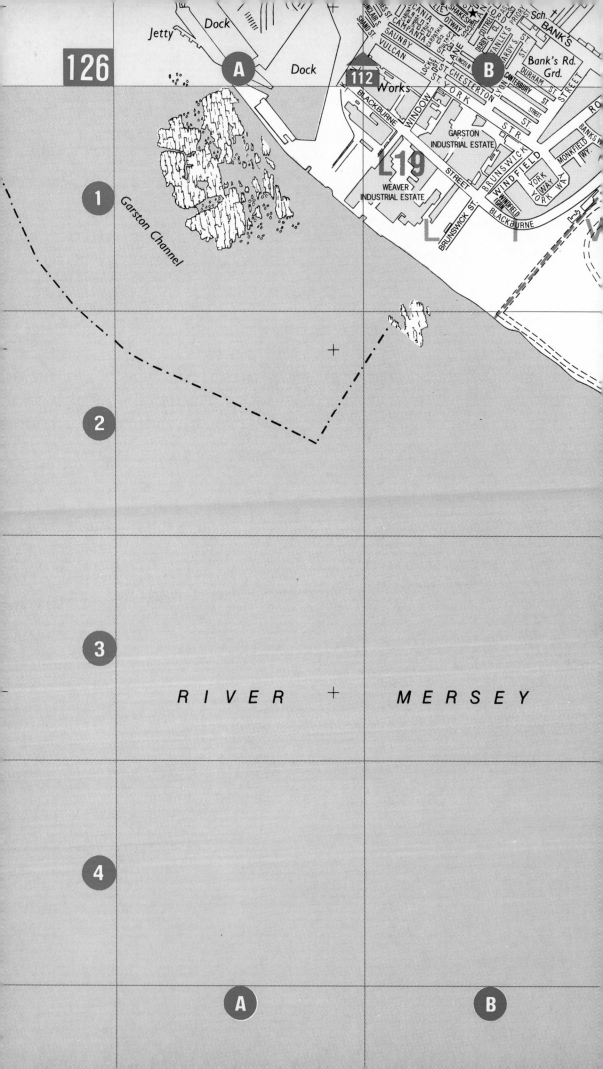

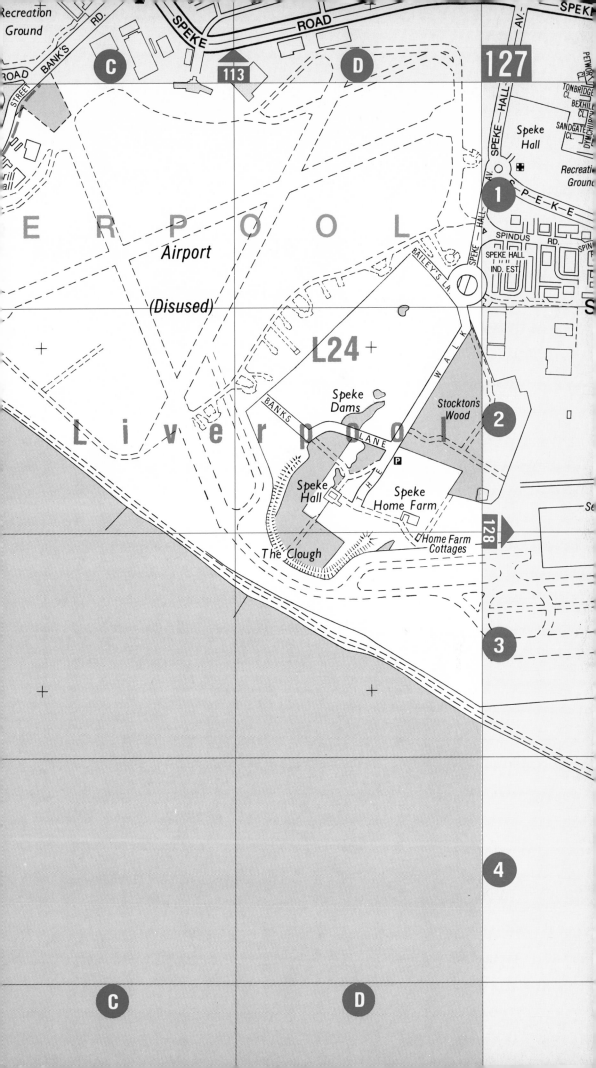

Recreation
Ground

SPEKE ROAD

C

113

D

BANK'S RD.

STREET

ROAD

Speke Hall

PETWORTH RD.

TONBRIDGE CL.

BEXHILL CL.

SANDGATE CL.

Recreation
Ground

1

SPEKE HALL AV.

SPEKE

ERPOOL

Airport

(Disused)

BAILEY'S LA.

SPINDUS RD.

SPEKE HALL
IND. EST

S

L24

WALK

Speke
Dams

BANKS LANE

Stockton's
Wood

2

THE

P

Speke
Hall

Speke
Home Farm

3

The Clough

Home Farm
Cottages

128

Se

Liverpool

4

C

D

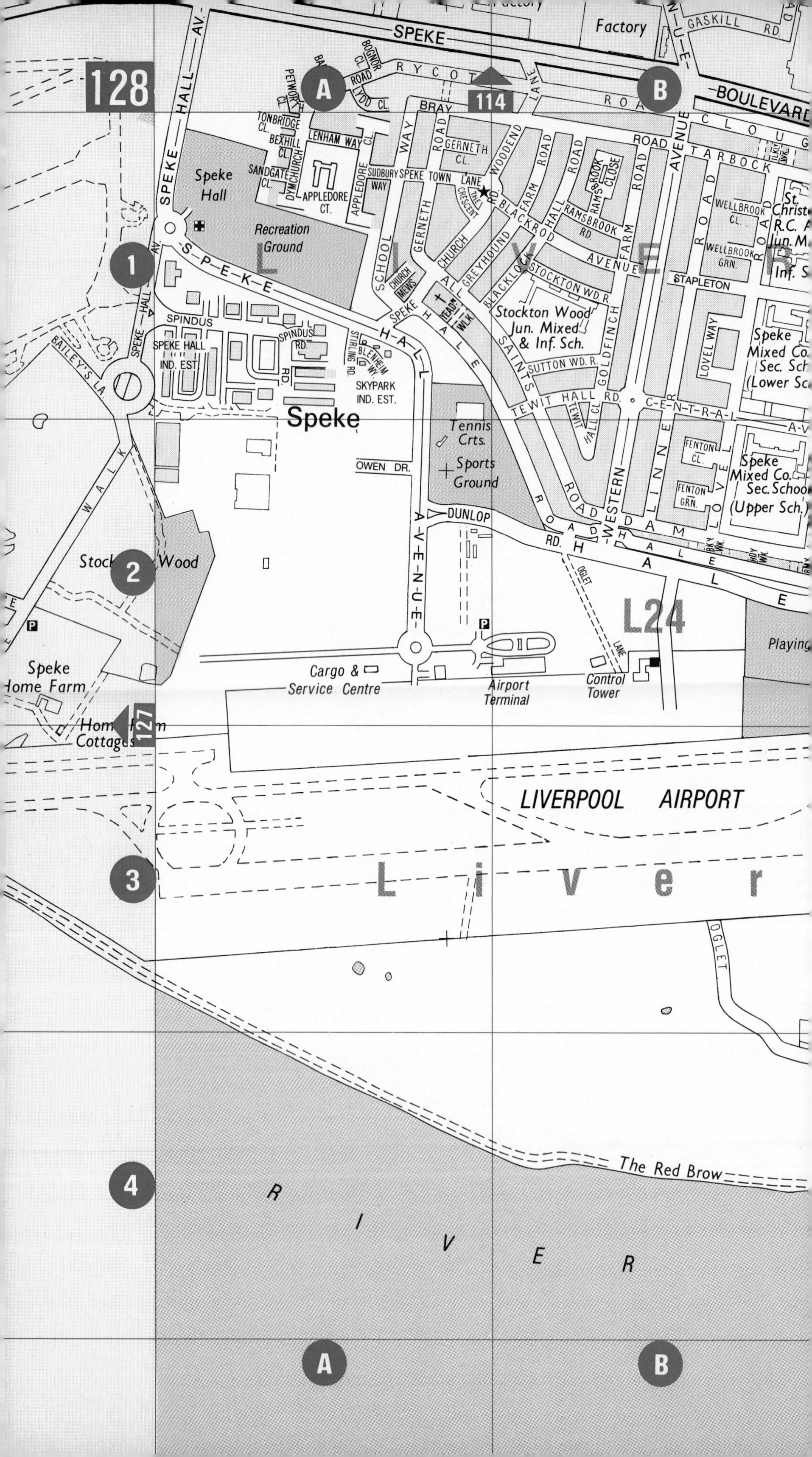

SPEKE

Factory

GASKILL RD.

Factory

BOULEVARD

A

114

B

RYCOT

BRAY

BOGNOR CL.
ROAD
LYDD CL.
PETWORTH CL.

TONBRIDGE CL.

LENHAM WAY

BEXHILL CL.

SANDGATE CL.

DYMCHURCH

APPLEDORE CT.

APPLEDORE WAY

SUDBURY WAY

SPEKE TOWN

WAY

GERNETH ROAD

GERNETH CL.

SPEKE TOWN LANE

CHURCH

CHURCH MEWS

HEADLEY WLK

CRESCENT

GREYHOUND

WOODEND

ROAD

BLACKROD

HALL

BLACKLOCK

ROAD

RAMSBROOK RD.

RAMSBROOK CLOSE

FARM

AVENUE

ROAD

ROAD

CLOUGH

TARBOCK

ROAD

WELLBROOK CL.

St Christopher
R.C. Jun. M

WELLBROOK GRN.

Inf. Sc.

STAPLETON

Speke Hall

Recreation Ground

SCHOOL LANE

SPEKE

HALL

SAINTS

STOCKTON WD. R

SUTTON WD. R

Stockton Wood
Jun. Mixed
& Inf. Sch.

GOLDFINCH

LOVEL WAY

Speke Mixed Co.
Sec. Sch
(Lower Sch.

1

SPEKE

HALL

AVENUE

SPEKE HALL AV.

BAILEY'S LA.

SPINDUS RD.

Speke Hall
Ind. Est.

SPINDUS RD.

STIRLING RD.

BLENHEIM WY.

SKYPARK IND. EST.

Speke

OWEN DR.

TEWIT HALL RD.

TEWIT HALL

TEWIT CL.

CENTRAL

AVE

FENTON CL.

FENTON GRN.

Speke Mixed Co.
Sec. School
(Upper Sch.)

LOVE

WALK

Stock Wood

2

AVENUE

DUNLOP RD.

Tennis Crts.

Sports Ground

WESTERN

AVENUE

HALE

ROAD

OGLET

BKY WK.

BOY WK.

L24

Playing

P

Speke Home Farm

Cargo &
Service Centre

P

Airport Terminal

Control Tower

127

Home Farm Cottages

3

LIVERPOOL   AIRPORT

L   i   v   e   r

OGLET

The Red Brow

4

R   I   V   E   R

A

B

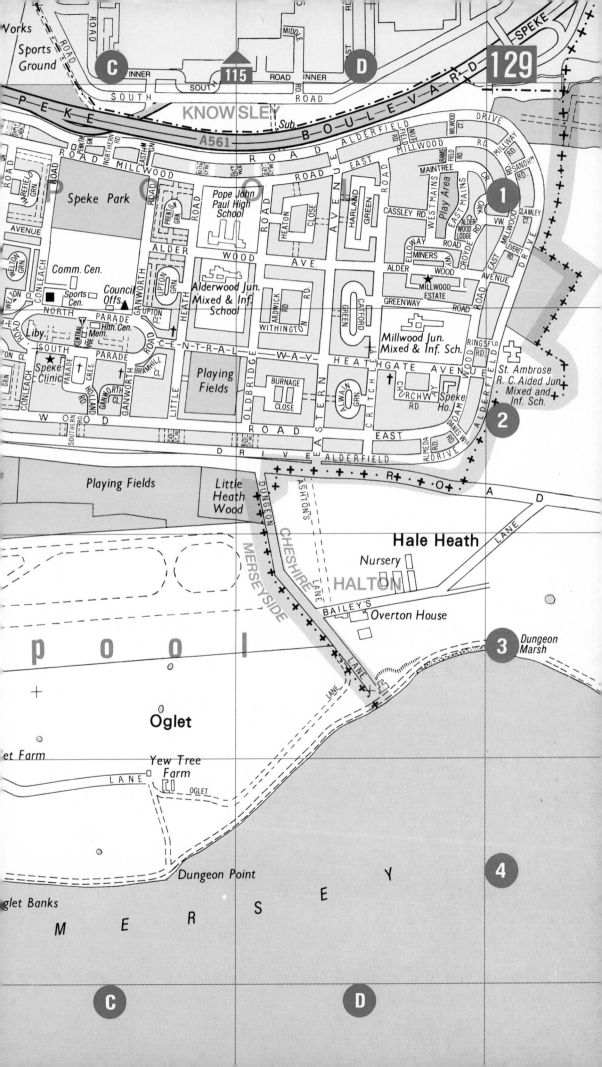

Works
Sports Ground

ROAD
ROAD

INNER

SOUTH

SOUTH

MIDDLE

ST

INNER

ROAD

ROAD

SPEKE

SPEKE

KNOWSLEY Sub BOULEVARD

A561

ALDERFIELD

MILLWOOD DRIVE

MILLWAY RD.

SANDHM

PEKE

ROAD

ROAD

AVENUE EAST

MILLWOOD RD.

MILLWOOD CT.

NUTH FIELD

RAMS FIELD

MILLWAY RD.

PENKTH GRN.

NORTHERN RD.

EASTHM

KEITH CLOW

PART WLK

MILLWOOD ROAD

MAINTREE

WESTMAINS

EAST MAINS

OAK VW.

MILLWOOD

ALDER WOOD LODGE

CLAMLEY CT.

LEVERET RD.

1

HAREFIELD GRN.

Speke Park

MILLWOOD

ROAD

ALDER WOOD

CASSLEY RD.

CROYDE AV.

EAST AVENUE

VW.

AVENUE

WELTON GRN.

Comm. Cen.

PRENTON GRN.

HEATON CLOSE

HARLAND GREEN

ELLOWAY AV.

MINERS

Millwood Estate

MILLWOOD ESTATE

CONLEACH

WELTON CL.

Sports Cen.

Council Offs.

UPTON GRN.

ALDER WOOD AVE.

CATFORD GREEN

ALDER

GREENWAY

ROAD

WOOD

RINGSFLD RD.

St. Ambrose R. C. Aided Jun. Mixed and Inf. Sch.

NORTH PARADE

GANWORTH

HEATH

UPTON CL.

Liby
CENTRAL PDE.
Hlth. Cen.
Mem.

SOUTH PARADE

C-E-N-T-R-A-L W-A-Y

Millwood Jun. Mixed & Inf. Sch.

ARDWICK RD.

WITHINGTON

CRITCH

CHURCHWAY RD.

ALDERFIELD

Speke Clinic

BRAMHILL CL.

HOLLAND RD.

GANWORTH CL.

GANWORTH ROAD

LITTLE HEATH

Playing Fields

OLDBRIDGE

BURNAGE CLOSE

EASTERN

ALWAN GRN.

HEATHGATE AVENUE

Speke Ho.

DANES WL.

ALMEDA RD.

ADAM WAY

WOODFIELD

ALDERFIELD

2

SOUTHERN

ROAD

DRIVE

EASTERN

ALDERFIELD

EAST

ALMEDA RD.

DRIVE

R O A D

Playing Fields

Little Heath Wood

MERSEYSIDE

CHESHIRE

DUNGEON

ASHTONS LANE

LANE

Hale Heath

Nursery

HALTON

BAILEY'S

Overton House

p o o l

Dungeon Marsh

3

Oglet

Yew Tree Farm

LANE

OGLET

Dungeon Point

4

et Farm

glet Banks

M E R S E Y

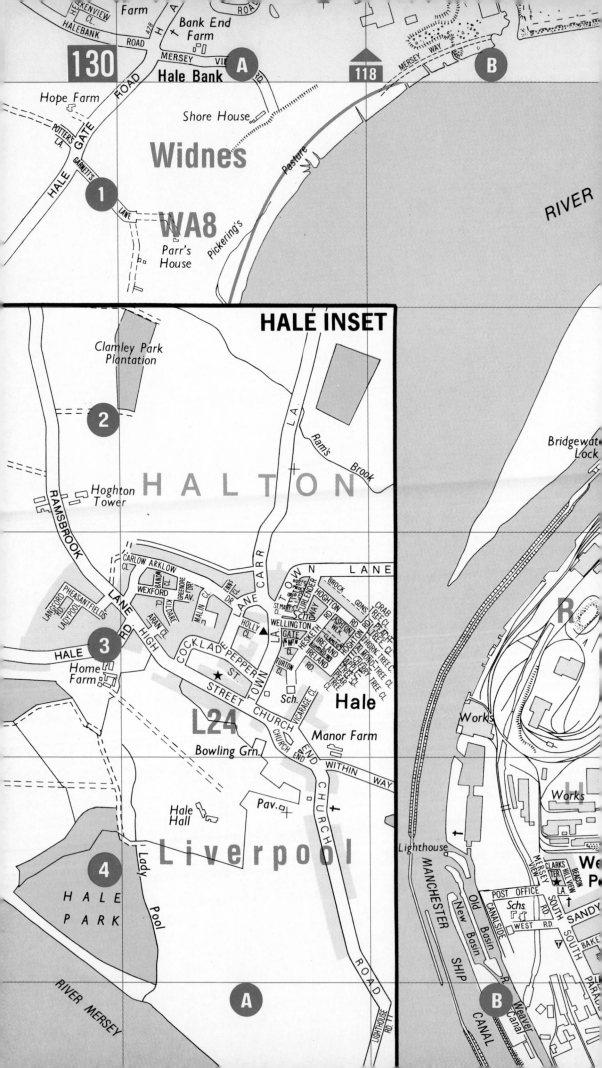

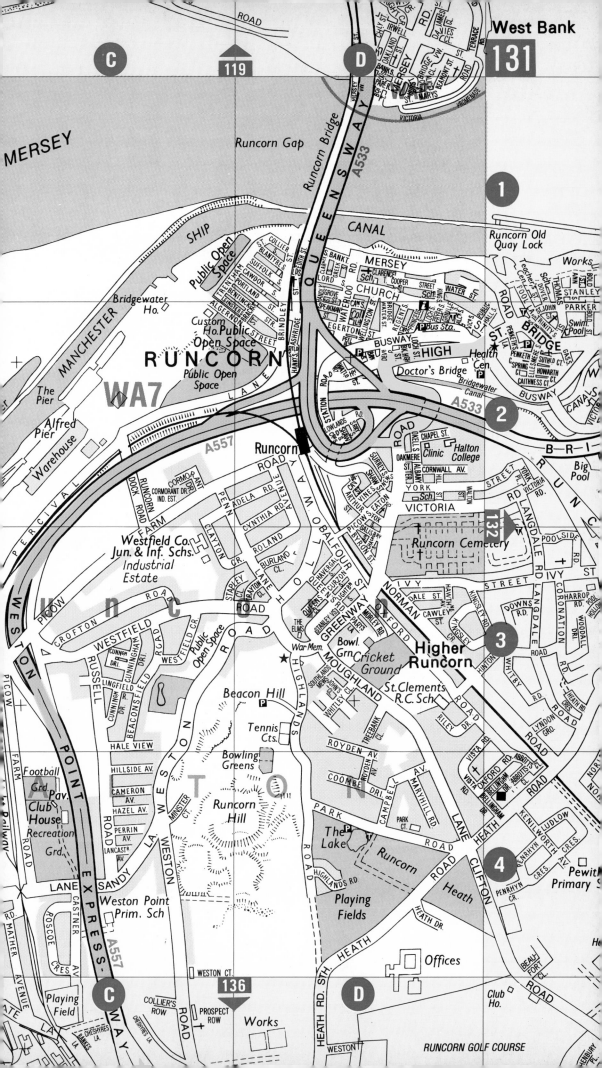

MERSEY

Runcorn Gap

Runcorn Bridge

SHIP

CANAL

Runcorn Old
Quay Lock

C 119 **D** 1

Bridgewater
Ho.

Public Open
Space

Custom
Ho.Public
Open Space

Public Open
Space

RUNCORN

WA7

The Pier

Alfred Pier

Warehouse

MERSEY
CHURCH

Works

ROAD

BRIDGE

Doctor's Bridge

Health
Cen.

HIGH

Bus Sta.

Bridgewater
Canal

A533

BUSWAY

Big
Pool

Runcorn

Runcorn

A557

Runcorn
Dock Road
Farm

Cormorant Dr.
Cormorant Ind. Est.

Westfield Co.
Jun. & Inf. Schs.
Industrial
Estate

Chapel St.
Clinic
Halton
College

Oakmere
St.

CORNWALL AV.

YORK

Sch.

VICTORIA

Runcorn Cemetery

132

LANGDALE

POOLSIDE

IVY

CORONATION

Higher
Runcorn

3

Crofton

WESTFIELD

Public
Open Space

War Mem.

Bowl.
Grn. Cricket
Ground

St.Clements
R.C. Sch

DOWNS

HARROP

WHITBY

Beacon Hill

Tennis
Cts.

MOUGHLAND

ROYDEN AV.

COOMBE DRI.

Vista Rd.

OXFORD RD. ABBOTTS

BELLINGHAM

Football
Grd. Pav.
Club
House
Recreation
Grd.

HILLSIDE AV.

CAMERON
AV.
HAZEL AV.
PERRIN
AV.
LANCASTR

Runcorn
Hill

The
Lake

Runcorn
Heath

PENRHYN

Pewit
Primary

4

Weston Point
Prim. Sch

Playing
Fields

Offices

WESTON

Playing
Field

C 136 **D**

WESTON CT.

COLLIER'S
ROW

PROSPECT ROW

Works

Club
Ho.

RUNCORN GOLF COURSE

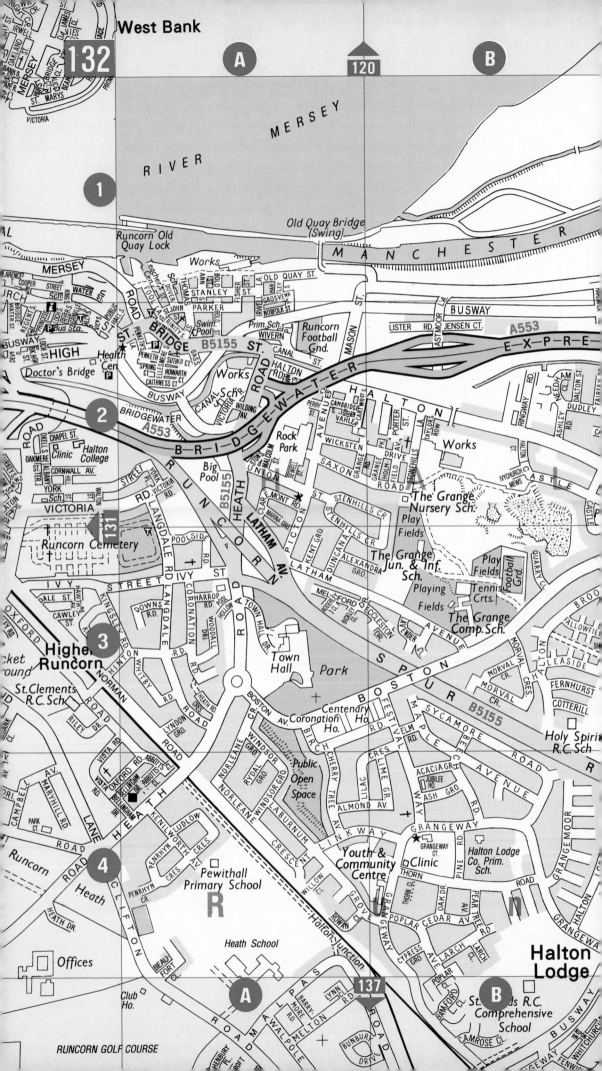

C · 121 · D · 133

Astmoor

SHIP CANAL

Sewage Works

The Keepers Cottage

1 · Pav.

Hadley Wood Playing Fields

WARRINGTON ROAD

Works
Works
Works
Works
Works
Works
Works
Works
Works
Works

GODDARD RD
BRINDLEY
ARKWRIGHT
CHADWICK
BUSWAY
DALTON CT.
DEWAR CT.
DAVY
EDDISON RD.
ASTMOOR ROAD
ASTMOOR IND. EST.

ASTMOOR SPINE RD.

EXPRESSWAY

(BUSES ONLY)

2 · BRIDGEWATER

A558 DARESBURY AVENUE

Bates Bri.

BROOKFIELD CL.
KINGSTON
RICHMOND AV.
NORTHW.P.K.
STANMER
HARROW
AVENUE
NORTHW.P.K.
HARROW
DRI.
BROOT
BROOKFIELD DR.

T
ROAD

WA7

AVENUE
AVENUE
THE GLEBE
MEHEY'S
WHEATLANDS
CREST
THE TITHINGS

MEADWAY

alton Brook

BROOK

A533

CALVERS

EXPRESSWAY

CASTLEFIELDS

CENTURION ROW
CAESARS CL.
ROMAN CL.
THE BUTTS
ASTMOOR
SHEPHERDS ROW
KEEPERS WALK

AVENUE

Astmoor & Castle View Co. Prim. Sch.

NORTH
FLAVIAN CT.
KINGSHEAD CL.
EAST

St. Augustine's R.C. Prim Sch

Castlefields
Youth Centre

NIGEL WALK
FITZWILLIAM WLK.
DE LACY WLK.

Rowing

Path

Norton Recreation Centre

WARRIN RW
FLAVIAN RW.
HALTON

BUSWAY

ROLANDS WLK.
CAERNARVON LANE
PRINCE
FERRYVIEW WLK.
ROTHESAY CL.
CHESTER CL.

(BUSES ONLY)

★ Health & Com. Cen.
▽ SHOPPING CENTRE

GREENBRIDGE CL.

134

RICHARD

CORNWALL CL.
CASTLEFIELDS
BARONS
SUMMER CL.
CONSTABLS CL.
PRIORY RDGE
HEDGE HEY
PLANTATION CL.
The Park Prim. Sch.

Norton Priory Comprehensive School

The Brow Co. Prim. Sch.

The Brow

THE CLOUGH

BROW

ST. SUMMER LA.
SPARK
CHESH'S
PRIORY
CASTLEFIELDS
SOUTH
MEADOW ROW
SPINNEY WALK

Castlefields

WOODLAND WALK
KINGS
ARTHURS WK.
MERLIN CL.
COPPICE CL.

3

THE CROFT
THE CROFT
RIVERSDALE RD.
HOLLYBANK RD.
HOLT
LODGE
LANE

MAIN

Halton Castle

UNDERW
ST. MARYS
CASTLE RD.
MOUNT RD.
Sch.
THE COMMON

PRIMROSE CL.
LIMEKIN ROW
RUPERT ROW
BRETTON CL.

KING ARTHURS WLK.
CAMELOT WLK.

HALTON
LINK ROAD

PUMP

St. Mary's C.E. Prim. Sch.

THE SCHOOL
MAIN
PUMP

AVENUE

SOUTH

CASTLEFIELDS LANE
VILLAGE
STOCKHAM
STOCKHAM LANE
NORTON VIEW

NORTON LA.

Halton Village

D · LITTLEGATE

BUSWAY
LANE
LANE

NORTHWAY

▽ Lib.
SECOND
▲ Mag. Cts.

Superstore

WEST WAY
THIRD
FOURTH
FIFTH

BUSWAY

Cemetery

STREET

UPLANDS

4

Woodside School

SHOPPING CENTRE

C (BUSES ONLY)

CENTRAL

C o · SOUTHWAY
SOUTHWAY
SIXTH
SEVENTH
EIGHTH
AVENUE

AV.
AV.
AV.

r

n

HOLT
LANE

CROWN GATE

Postal Sorting Office

Shopping City

THE UPLANDS
THE KNOLL
FIELDS
THE
UPLANDS
CUNLIFFE CL.
WORTHINGTON CL.
RAWDON CL.

UPLANDS

AVENUE

Stockham Country

Woodside School

C · 138 · D

Castlefields Health Cen.

Health Centre

EAGLES
PALACE
CHARLTON
SPARROWHAWK
CLENDALE
WHARF

Old People's Home

HALTON GENERAL HOSPITAL H

TO PA

TOWN PARK

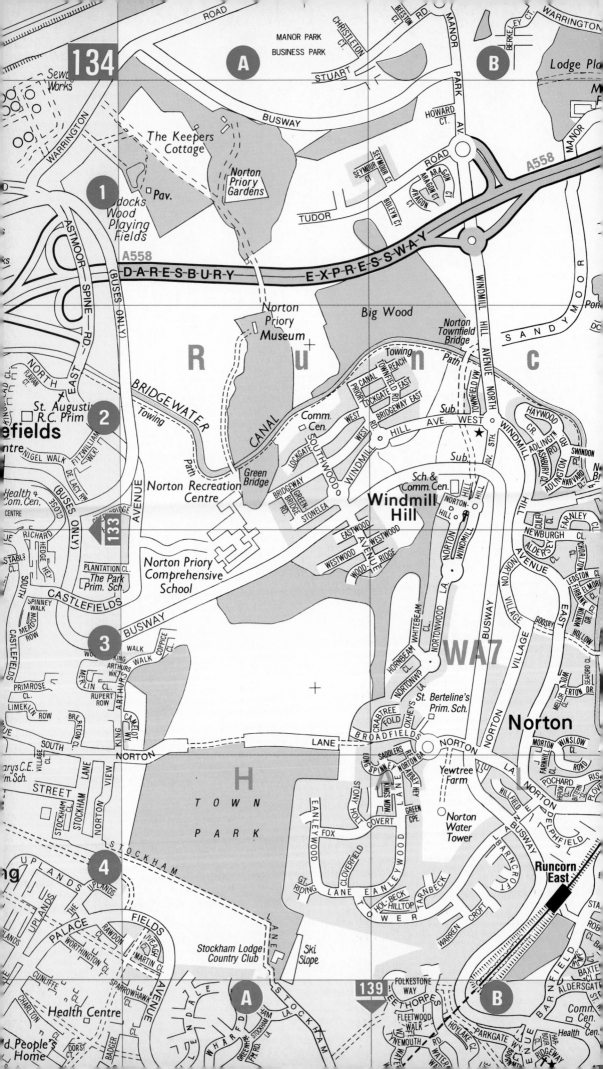

Green Wood

Pitts Heath

Brook

Keckwick Brook

EASTERN

C

RUNCORN RD.

D

Brook Plantation

WARRINGTON RD.

RUNCORN RD.

KECKWICK

A558

New Farm

EXPRESSWAY

Towing Path

PRESSWAY

ROAD ROAD

LEVENTON

HEATH

GODSTOW

PITTS PARK

WHARFORD

SELBY

FURNESS CT.

NEW MOORE

WALTHAM TGT.

BUCKFAST CT.

GLASTON CT.

SHERBORNE CL.

BURY

SANDYMOOR WOOD

LANE

WHARFORD LANE

Keckwick

KECKWICK

DELPH

KECKWICK

Village Farm

LANE

Keckwick Bri LANE

1

o   r   n

Poplar Farm

DELPH

WA4

LANE

2

Keckwick Hill Bridge

Keckwick Hill

Bog Wood

George Gleave's Bridge

Crow's Nest

LANE

3

A56

DARESBURY

BY-PASS

Towing Path

Canal

Town dge

Wharford Farm (site of)

Bridgewater

Warrington

RD.

Marl Pit

N

BRIDGEWATER

CHATTERTON DR.

GROVE

STATION

AVENUE

ELLERBY

FALSTONE DR.

BANKSIDE

PORTSIDE

ROAD

RED

BROW

LANE

Red Brow

WINDMILL

LANE

CHESTER

A56

RD.

4

Borrow's Bridge

BAYVIL

QUAY

Lower Eanleywood Farm

Towing Path

MOTORWAY

Preston Brook Marina

MARINA

CANAL

M56

Junction 11

LITTLEBOURNE

VILLAGE

DUKES WHARF

MURDISHAW AV.

C

140

Dukes Wharf

Aqueduct

D

M56

D

D

WINDMILL

Gorsewood C.P. Sch.

SOUTH-AMPTONS

Windmill Farm

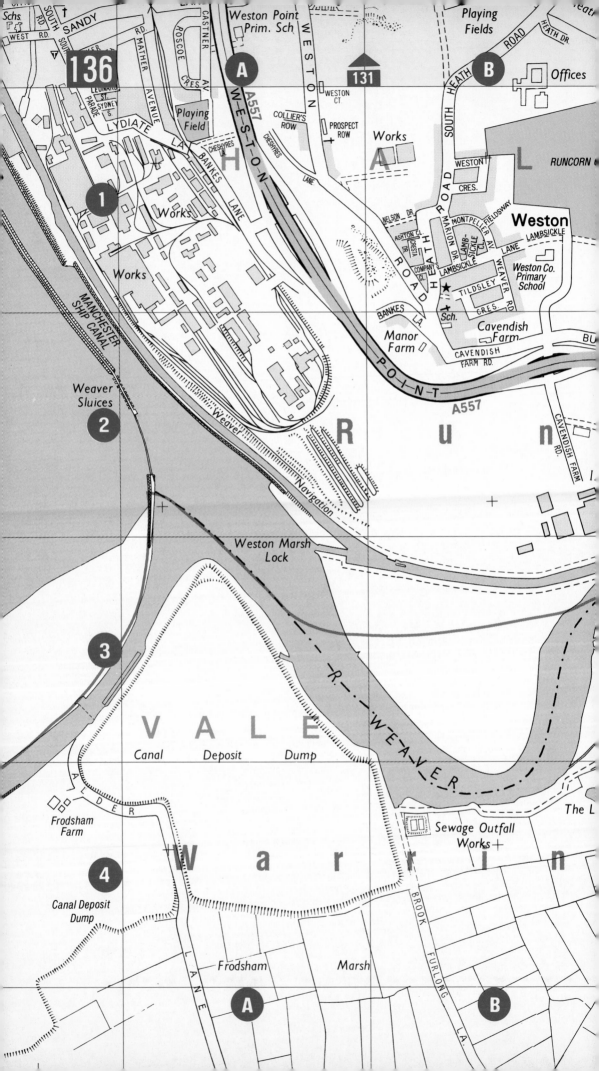

136

Schs
SOUTH RD.
SANDY
WEST RD.
LEONARD'S ST. PARADE
SYDNEY S.
ROSCOE CRES.
MATHER RD.
CASTNER AV.
AVENUE
LYDIATE LA.

Weston Point Prim. Sch
WESTON CT.
COLLIER'S ROW
PROSPECT ROW
CHESHYRES LA.
CHESHYRES LANE

131

Playing Fields

HEATH DR.
ROAD
SOUTH HEATH ROAD
Offices

RUNCORN

A

Playing Field

1

Works
Works
Works

A557
WESTON POINT

Works

WESTON CRES.
NELSON DR.
ASHTON CL.
CRESTA
COMPANY CL.
MARION DR.
LAMBSICKLE
MONTPELIER
FIELDSWAY
LAMBSICKLE LANE
LAMBSICKLE
LANE
WEAVER RD.
TILDSLEY CRES.
Sch.
Weston
Weston Co. Primary School

L

B

Manor Farm
BANKES LA.
CAVENDISH FARM RD.
Cavendish Farm
CAVENDISH FARM RD.
BU

MANCHESTER SHIP CANAL

Weaver Sluices

2

Weaver Navigation

R u n

A557

3

Weston Marsh Lock

R · W · E · A · V · E · R

VALE

Canal   Deposit   Dump

Frodsham Farm

ALDER

BROOK
FURLONG LA.

The L

Sewage Outfall Works

4

Canal Deposit Dump

W a r r i n

A

Frodsham   Marsh

B

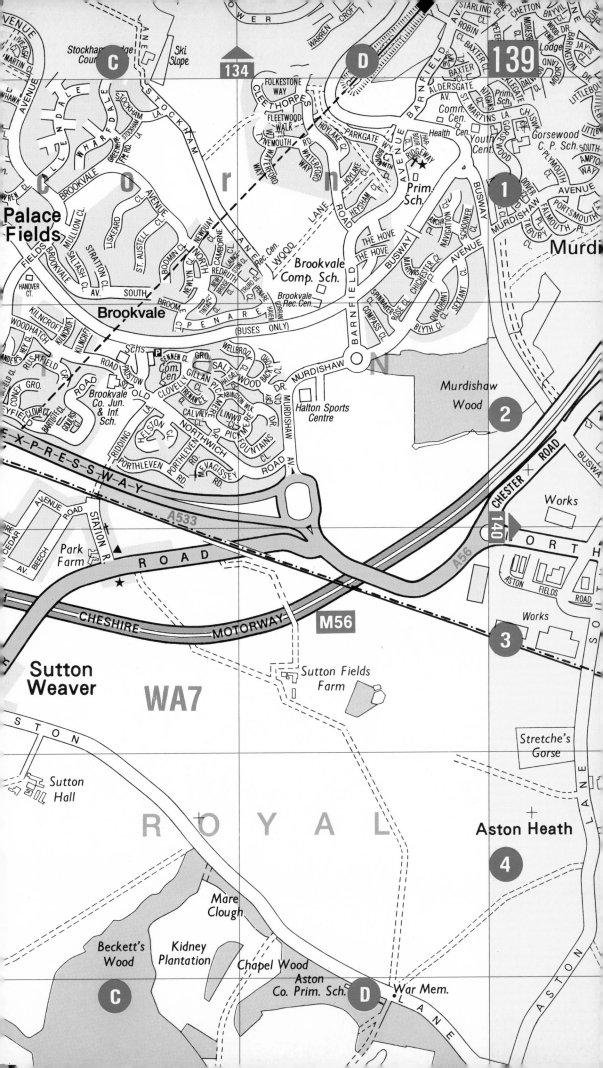

C

D

A49 NEWTON ROAD

GOLBORNE ROAD A573

Asps Wood

Old Sch Ho-La
GREEN LA.
GREEN LANE

The Priory

Winwick Green

WALK

LADIES'

HOLLINS LANE

HOLLINS DRL.

CHURCH WALK
PILGRIM CL.

HORNBY LA.

WATERWORKS

ILEX
ST. OSWALDS
AVON
42

Winwick

MIDDLETON

ASH RD.
MAPLE RD.
98

FALCONDALE ROAD

LINKSIDE AVE.

LINK ROAD

A49

Winwick C.E. Prim. Sch.

RECTORY LA.
RECTY. CL.

FARINGDON RD.

FARINGDON

FALCONDALE

Leisure Cen.
Recreation Grnd.

Health Offs.

WINWICK

Arbury Farm

Mainfield

1

Arbury

Penrhyn

ARBURY

Stone House Farm

Arbury Cottage

Arbury Croft

FIELD LANE

HIGH

Gorsey Brow

Brook

2

Spa

W a r r i n g t o n

Winwick Hospital

H

Recreation Ground

Delph Farm

Delph Cottage

DELPH

NEWTON LANE

A49

TOWNSFIELD RD.

Bowling Greens

Delph Park Nursing Home

Arbury Pits

M62

M62 MOTORWAY

Brook

Spa

142

Pe

3

Ra
Plant

Junc.9

WA2

CALVER RD.
WOBURN ROAD
BISHOPS CT.
CALVER
CAMERON CT.
BOWOOD CT.
CAMERON CT.
CALVER ROAD

CHETHAM CT.
CHETHAM
CHETHAM CT.

COLVILE CT.

WEST QUAY

WEST LANE

DALLAM LANE

QUAY CENTRE

ELM RD.
BIRCH AVE.
POPLARS AVE.

SEAFORD PL.
LANCING
CRAWLEY AV.
KENTMERE
WINSFELL PL.
BRENDON AV.
CHILTERN CR.
CHILTERN
CHILTERN AVE.

TOLL BAR
WINWICK ROAD
TOLL BAR RD.

OXENHAM

COTSWOLD

POPLARS ROAD

COTSWOLD PL.

ULVERSTON AV.
GRISEDALE AV.
ENNERDALE

PENTLAND AV.
PENTLAND PL.
MENDIP
CLEVELAND
PETWORTH AV.
AVENUE
LOWES
WATER
BRATHAY CL.

CHEVIOT AVE.

MENDIP AV.

NEWHAVEN
HASTINGS AVE.
BEXHILL AV.
Bexhill Av.
BEXHILL AVE.

POPLARS ROAD

WINDERMERE AV.
THIRLMERE
BUTTERMERE AV.
ULLSWATER AVE.
Buttermere Cres.
WINDERMERE AVE.
MALLARD
ESKDALE AVE.

St. Andrew's C.E. Prim. Sch.

Hulme
Playing Field

St. Stephen's R.C. Infs. Sch.

St. Andrew's Prim. Sch.

SANDY LA.
WEST TOP LA.
SANDY
ST. STEPHEN'S AVE.

CARTMEL AV.
STAGE AV.
BENTHAM AV.
AMBLESIDE CR.
ESKDALE AVE.

BORROWDALE AV.
BENNITH AV.
MARDALE AV.
MARDALE
HOWSON
APPLEBY RD.
KIRKSTONE AV.
KESWICK AV.
KESWICK AVE.
PATTERDALE

ROAD

WINDERMERE AVE.
ISTER
BOWNESS

4

FESTIVAL AVE.

AVENUE

SMALL CR.
SMALL AV.

C

149

D

GEMINI BUSINESS PARK
⅓ mile

Depot

Comm. Cen.

CROMWELL AV.

Dallam Farm

DALLAM BROOK

A574

WINWICK AV.

A49

ANTRIM

ALBAN RETAIL PARK

CURRANS RD.

MARRON AV.
DEAN CR.

GOUGH AVE.
HUNTER AV.
CROWE AVE.
McKEE AV.
AJAX AV.
ACHILLES AV.
SINCLAIR AV.
BRUNO AV.
MARRON AVE.

POOLE CR.
POOLE AVE.
LOCKER AV.
COOPER AV.
AVENUE

NORTH
SANDY WAY
HOWSON LANE
STATHAM AVENUE

DENSHAM AVE.

FISHER AVE.

CLOUGH AV.

Long Lane Prim. Sch.

SHAKESPEARE GR.
POPE AV.
SHAKESPEARE AV.
COSSACK AV.

KEATS GRO.
BURNS AV.

BYRON CL.
MORGAN CL.
COPPS

SHELLEY
DRYDEN PL.
RUSKIN AV.
TENNYSON AV.

CLIVE

Sports Ground
Pav. Bowl

Longford
129

Inf. Sch.

PRIMROSE AVE.

FIELDVIEW DRI.

HORNE

POVEY RD.

WA5

MARSHALL

WORKS

WORKS

HARDSLEY

A49 NEWTON ROAD

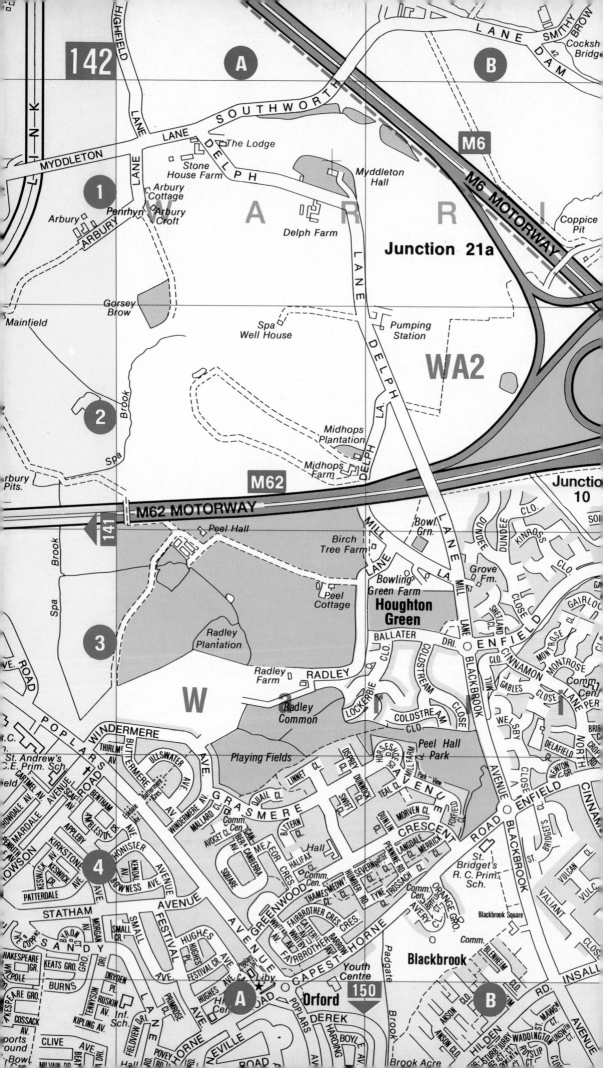

A   B

M6

M6 MOTORWAY

Coppice Pit

LANE DAM   SMITHY BROW   Cocksh Bridge

SOUTHWORTH LANE

MYDDLETON LANE

The Lodge

Stone House Farm

Arbury Cottage

Arbury Croft

Penrhyn

Arbury

ARBURY

1

Myddleton Hall

DELPH LANE

Delph Farm

W A R R I

Junction 21a

WA2

Mainfield

Gorsey Brow

2

Spa Well House

Pumping Station

Brook

Spa

Midhops Plantation

DELPH LA.

Midhops Farm

arbury Pits.

M62

M62 MOTORWAY

141

Peel Hall

Birch Tree Farm

Bowl. Grn.

MILL LANE

Junction 10

Brook

Spa

3

Radley Plantation

Peel Cottage

Peel Hall

Bowling Green Farm

Houghton Green

LANE

MILL LA.

Grove Fm.

DUNDEE CLO.

DUNDEE   KINROSS CLO.

Radley Farm

RADLEY

Radley Common

BALLATER

COLDSTREAM CLO.

LOCKERBIE

COLDSTREAM CLO.

DRI.   ENFIELD

BLACKBROOK

CLO.

CINNAMON

CLO.

MONTROSE

MONTROSE

GABLES

SHETLAND CLO.

CLO.

GAIRLOCH CL.

Comm. Cen. PER

WELSBY

DELAFIELD

NORTH

W

Radley Common

ROAD

POPLARS

WINDERMERE

THIRLMERE

BUTTERMERE AV.

ULLSWATER AV.

Buttermere Cres

Eskdale

Playing Fields

GRASMERE AVENUE

QUAIL CL.

LINNET CL.

OSPREY CL.

DUNNOCK CL.

SWIFT CL.

TEAL CL.

Peel Hall Park

Park View

HORSESHOE CL.

MILL FARM

AVENUE

BLACKBROOK

ROAD

ENFIELD

CLO.

NEWTON GR.

CINNAMON

BRIGHT

CROSS

WINDERMERE AV.

MALLARD CL.

AVOCET CL.

Comm. Cen.

BERA CAMBERRA

METEOR CRES.

BITTERN CL.

Hall

HALIFAX

SQUARE

MORVEN CL.

DUXLIN

CRESCENT

SEVERN

HUMBER RD.

THAMESMEDW

LANGDALE CL.

PENNINE RD.

MERRICK

CL.

Comm. Cen.

AVERY CL.

BRIDGET

St. Bridget's R.C. Prim. Sch.

ORANGE GRO.

Blackbrook Square

BLENHEIM

BRIDGET'S

ST.

VULCAN CL.

VALIANT

VULC

INSALL

4

Mardale

Rhondale AV.

Appleby

Bentham

Carmel AV.

Honister

Kendal AV.

Bowness AV.

Kirkstone

Keswick AV.

Patterdale

STATHAM

SANDY

Morgan

Byron

Small Cr.

AVENUE

FESTIVAL

HUGHES

Poplars AV.

GREENWOOD

FAIRBROTHER CRES.

Fairbrother Cres.

BARROW

WHITBY

FAIRBROTHER CL.

TYNE

TROSSACH

CL.

HORNE

AVENUE

CAPESTHORNE

PADGATE

Blackbrook

Brook

HILDEN

ANSON CLO.

ANSON CLO.

MAWSON

WADDINGTON

STURGY DERBY

Shakespeare Gr.

Keats Gro.

Burns

Dryden Pl.

Ruskin AV.

Tennyson AV.

Primrose AV.

Hughes Inf. Sch.

Hughes AV.

AVE CE

Liby

Youth Centre

150

Orford

A   B

Cossack AV.

Clive AV.

NEVILLE

HORNE

DEREK

BOYLE

HARDING

Brook Acre

Bowl

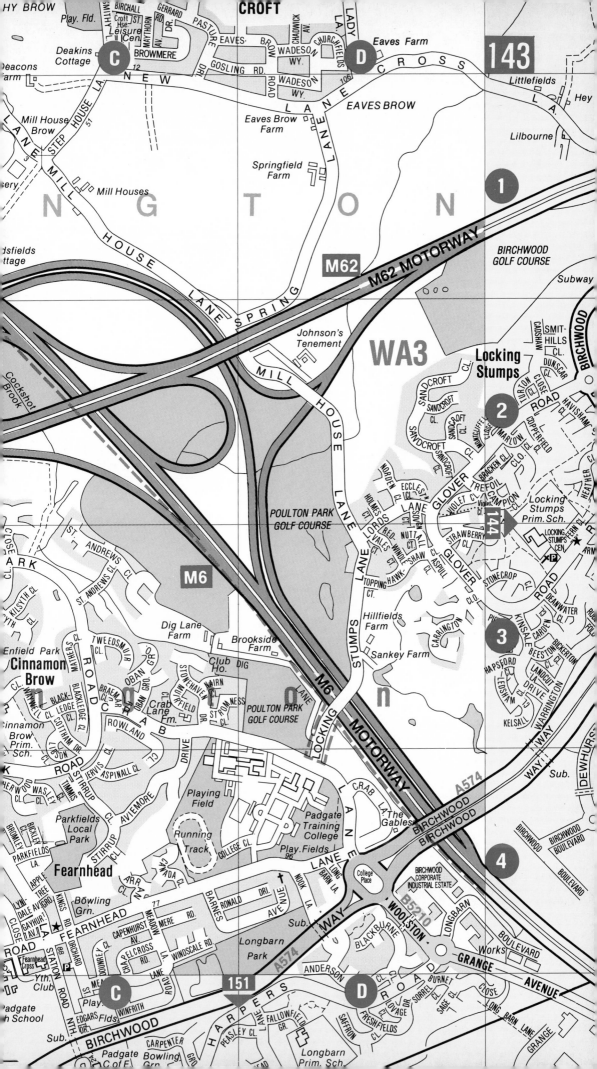

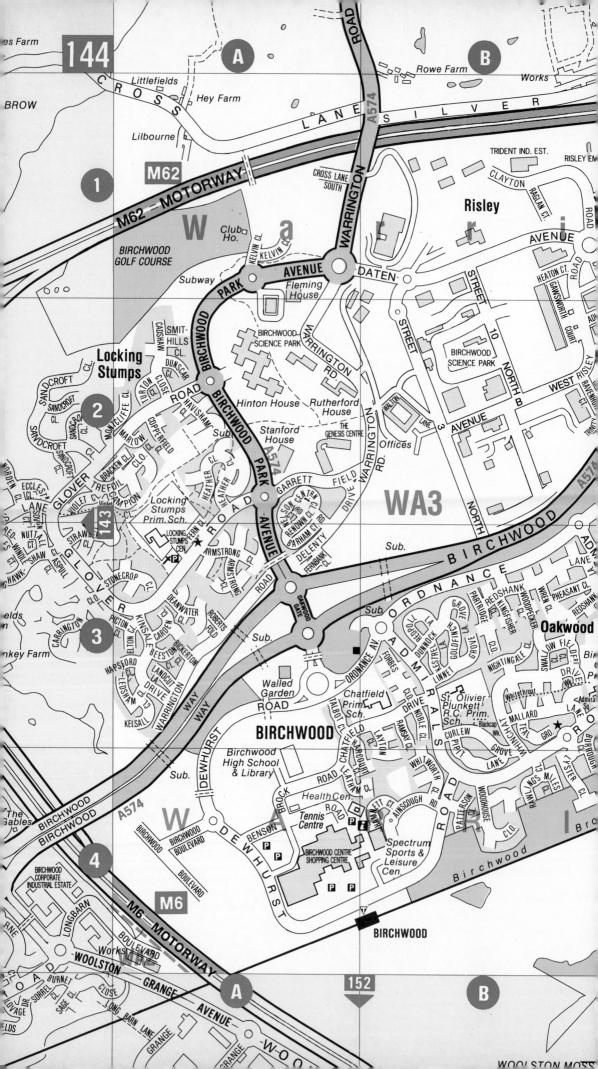

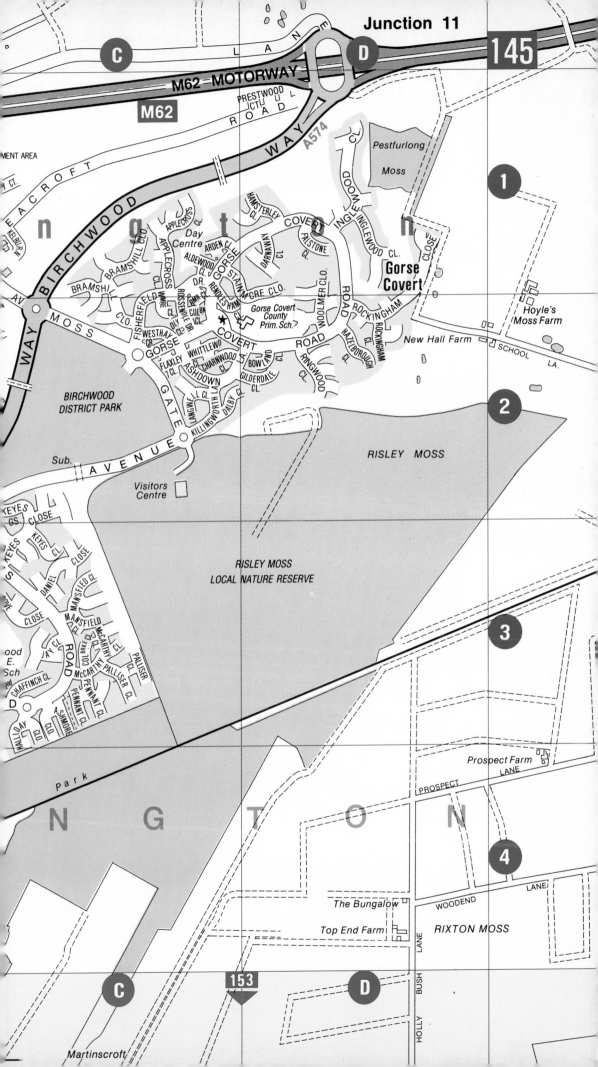

A   B

1

ST.
HELENS

W   a   r   r   i

Barrow
New Hall

MERSEYSIDE

CHESHIRE

Finch's
Plantation

2

Whittle   Brook

LINGLEY

BILLING
TON CL.

Tennis
Courts

Great Sankey Forum
Leisure Centre

Moat

GREEN

KINGSDALE

WENS

GORDALE CL.

BARBONDALE

WIDDALE CL.

Park
Farm

BEMBRIDGE CL.

BEM.
BRIDGE
CL.

SOLWAY CL.

BEMBRIDGE CL.

ALVERS.

TONE
CL.

WHITWELL

CLOSE

FORELAND CL.

PARK

AVENUE

GREEN

Great Sankey
High School

Barrow Hall Lane
Jun. & Inf. Sch.

Brow Farm

Barrow Hall
Bridge

HALL

MILL

AVE.

Whittle Hall

SHORWELL CL.

SHORWELL

FRESHWATER CL.

EON
CL.

TOTLAND CL.

VENTNOR CL.

ROAD

AVE.

MAYFAIR CLO.

WARWICK
AV.

CRONULLA

COOGEE

PRINCESS

CLOVELLY

DR.

NORTH VW.

HALL PS.

GREENWAY

GREENWAY

SUNNY.
SIDE

SNOWDON
CLO.

DRIVE

CHESTNUT AV.

CONIFER
GRO.

ROWAN
CL.

WOOD.
SIDE
RD.

CEDAR
RD.

VINE

CHARLES AV.

CRES.

WILM.

WOOD.

Finch's
Plantation

3

Lingley
Green

Dawson
House

A57

LIVERPOOL

SHANKLIN

LINGLEY   GRN.

PYECROFT
CL.

PYE CROFT
RD.

PAUL CLO.

HILARY CL.

AUDRE
CLO.

MURIEL CL.

RUSCOLM
CLO.

Lingley
Green
Farm

FRASER   RD.

LINGLEY

ROAD

STANLEY
AV.

YORK AV.

LINGLEY
RD.

WROXHAM

ROAD

WROXHAM
WAY

Comm.
Cen.

120

Sankey
Manor

BARROW

PHILLIPS

ROAD

RANWORTH
RD.

THETFORD
RD.

YAR-
MOUTH

LINGWOOD
RD.

WEDNESBURY
DRI.

CAMPBELL

CONWAY
CL.

53

W   A   R   R

KIRKCALDY
AV.

CROMDALE WAY

KINTORE
DRI.

SANDER-
SON CL.

KINTORE
DRI.

KEITH

523

VICTORIA
AV.

CLARENCE

Park Road
Prim. Sch.

DUNCAN

ALBERT

AVENUE

FIONA DR.

DUNCAN

DUNCAN
BY CR.

BY CR.

SHERING.
HAM R.

KINGSTON

SOUTH

FLDS.

405

Depot

A57

BEECHWOOD

P.K.

Depot

ROAD

Ash Villa

LABURNUM

Laburnham
Farm

Tughill
Farm

4

LANE

HENDERSON
CLO.

EDWARD
RD.

FRIENDS

LANE

Play
Field

58   Pav.

Nursing
Home

HADLEIGH

STOCKS

HOLBROOK

CLOSE

BRIGHTWELL

CL.

AVENUE

WALTON

FRIARS

St.
Joseph's
R.C. Prim.
Sch.

LANE

St. ALBAN

WINDMILL
RD.

HOLLY
RD.

WALSINGHAM

St. STEPHEN RD.

AVENUE

St.
VINCENTS
RD.

St. STEPHEN

St.
RD.

SOUTH

Play.
Fld.

THE DALE

ST. MARY'S RD.

400

SUSAN
DRI.

DENISE AV.

JOSEPH'S ST.

LARCH

AV.

Greystone
Heath

GROARKE
DRI.

KENYON

NORTON   AVE.

THE
CL.

WILLIAM

GREEN CL.

MEETING

LANE

HEATH

HILLSIDE

BIRKDALE

CHERRY TREE
AV.

AVON AV.

GRO.

BROAD

154

CONISTON AVE.

WITHYCOMBE

BABBACOMBE

PAIGNTON
CLO.

BIDEFORD

SIDMOUTH
RD.

JUBILEE AV.

27

HONITON CL.

by WAY

Heath-
side

Health
Cen.

Rec.

DAISY

Penketh
Inf. Sch.

Penketh Brook

Play.

EMERE DR.

LYNTON
CL.

BARNSTAPLE WY.

PORLOCK

DRI.

134

19

A   B

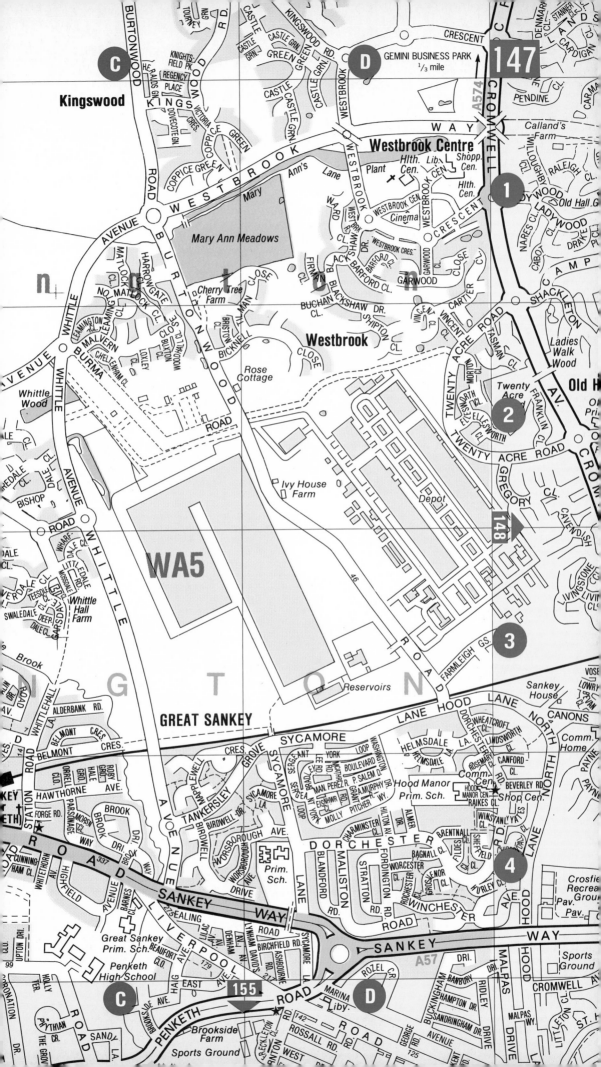

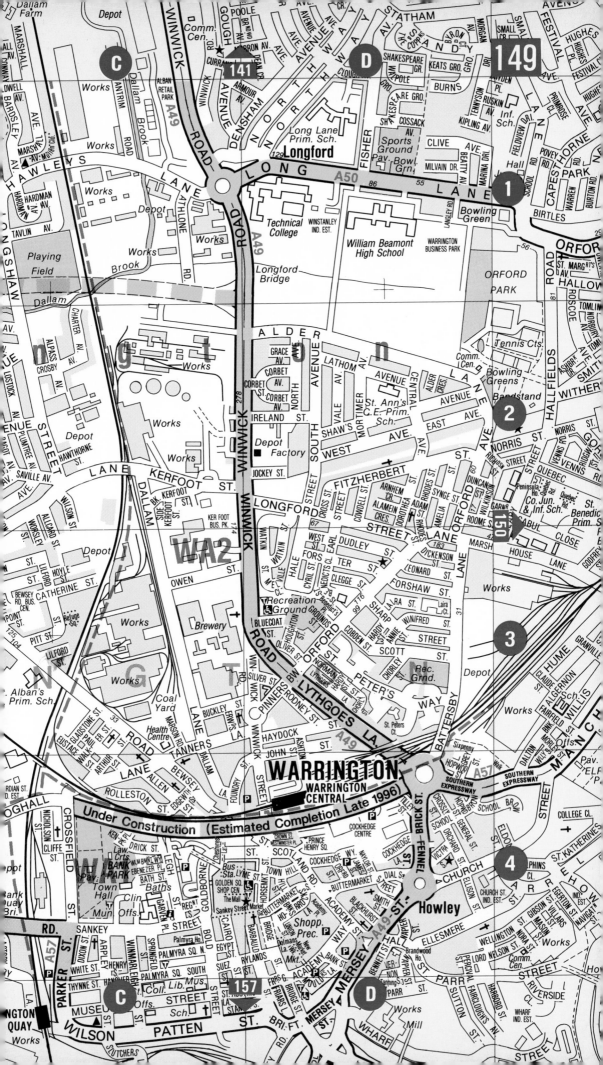

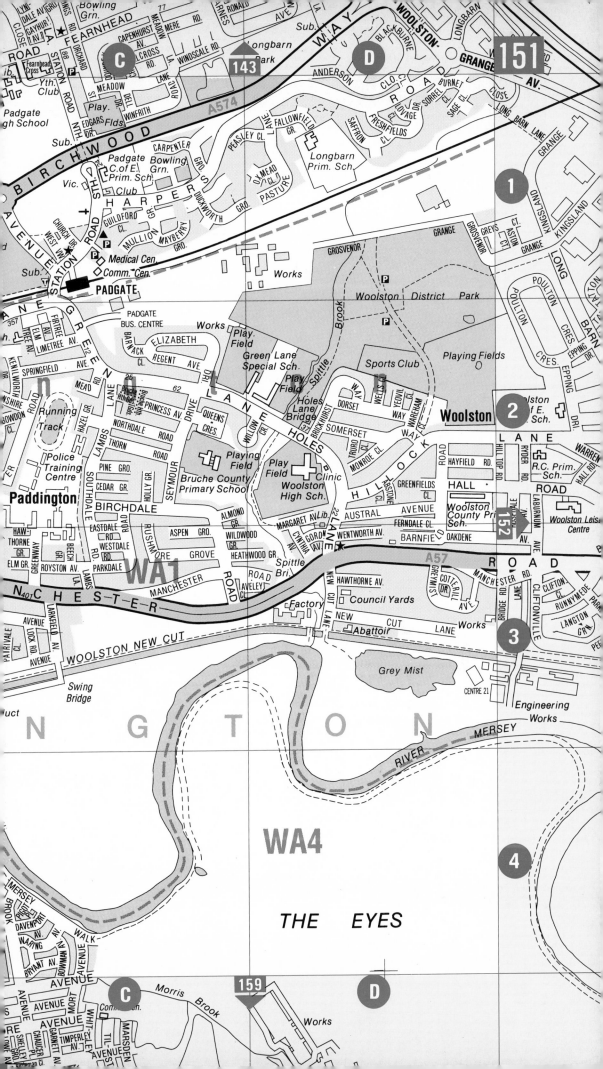

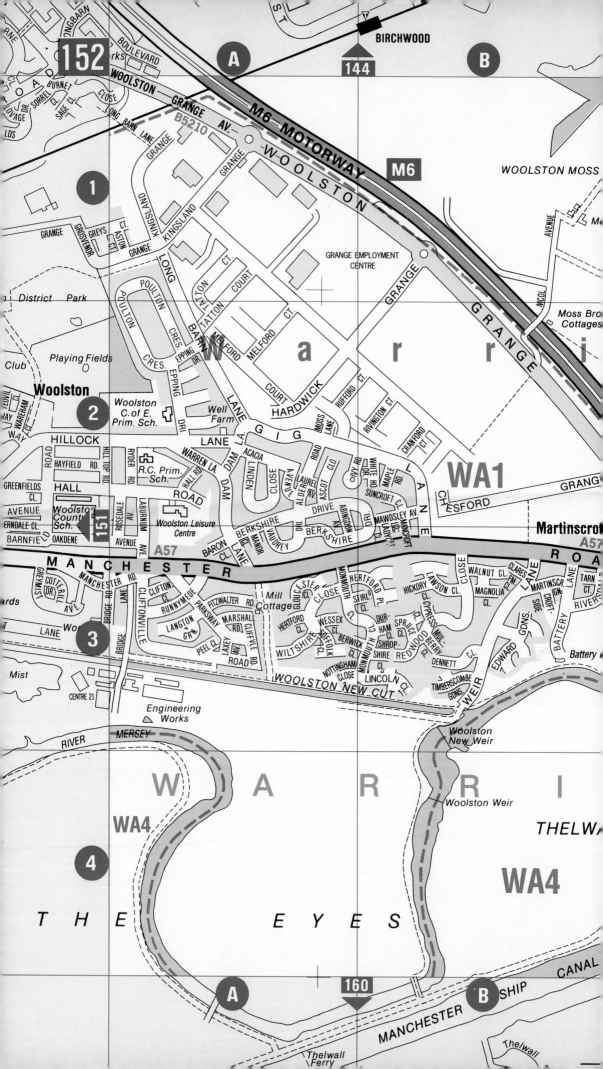

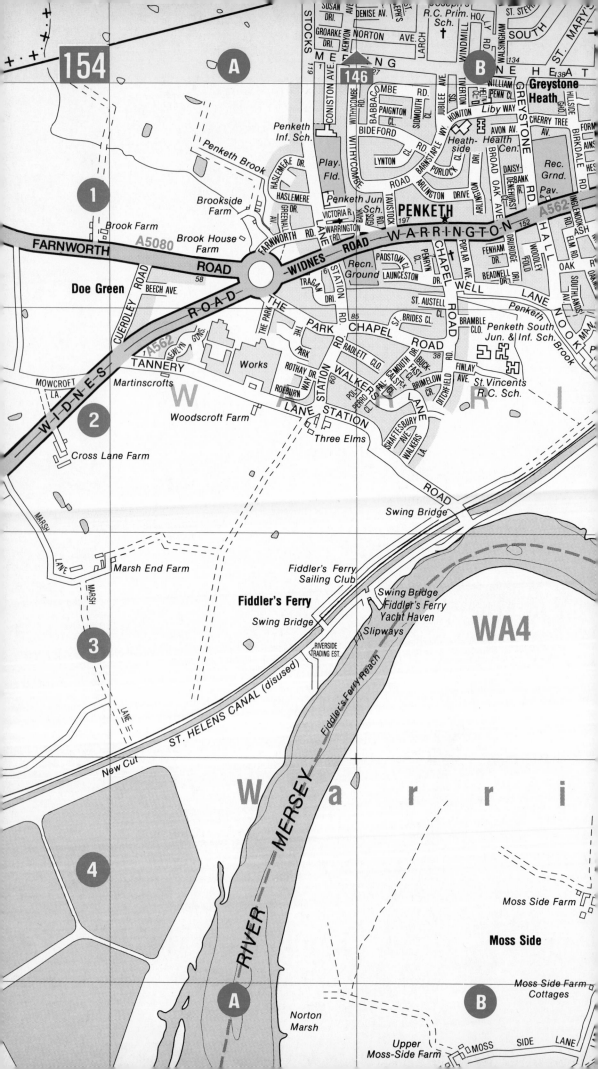

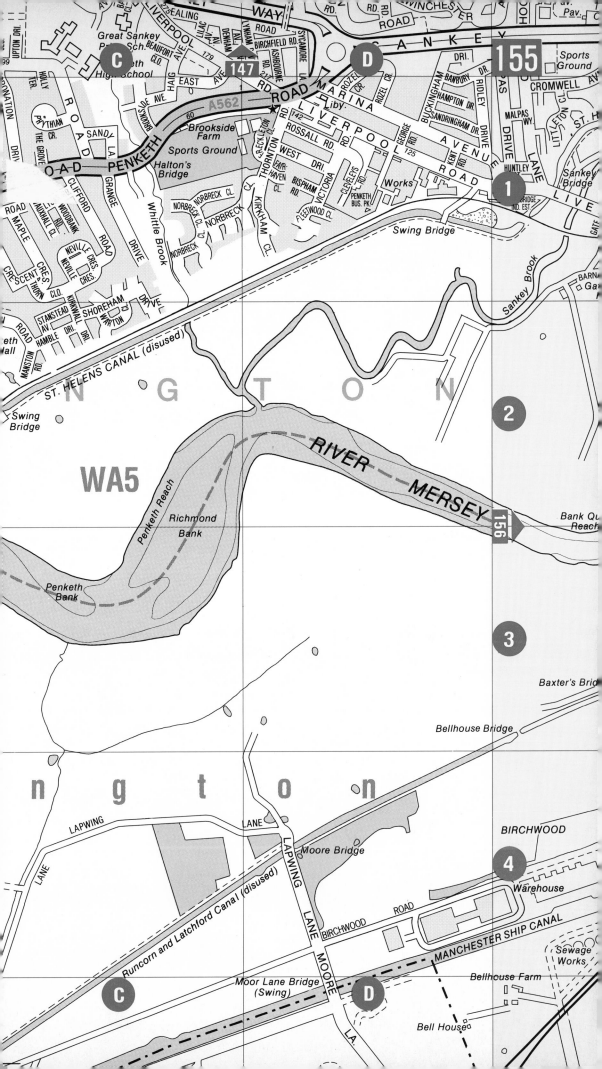

WA5

RIVER MERSEY

Penketh Reach

Richmond Bank

Penketh Bank

N G T O N

ST. HELENS CANAL (disused)

Swing Bridge

Swing Bridge

Bank Qu Reach

156

n g t o n

LAPWING

Lane

Moore Bridge

LAPWING LANE

Runcorn and Latchford Canal (disused)

BIRCHWOOD

Warehouse

MOORE LA.

Moor Lane Bridge (Swing)

BIRCHWOOD ROAD

MANCHESTER SHIP CANAL

Sewage Works

Bellhouse Farm

Bell House

Baxter's Bri

Bellhouse Bridge

C

D

147

C

D

1

2

3

4

WAY

SANKEY

CROMWELL AV.

Sports Ground

Pav.

Great Sankey Pri. Sch.
High School
Beaufort Clo.
High School

Brookside Farm

Halton's Bridge

Sports Ground

ROAD PENKETH

LIVERPOOL

A562

ROAD

MARINA

LIVERPOOL ROAD

Liby.

Works

Penketh Bus. Pk.

Swing Bridge

Sankey Brook

Sankey Bridge

BRIDGE IND. EST.

MALPAS WY.

HUNTLEY DRIVE

AVENUE

LIVE

GATF

BARN

Ga

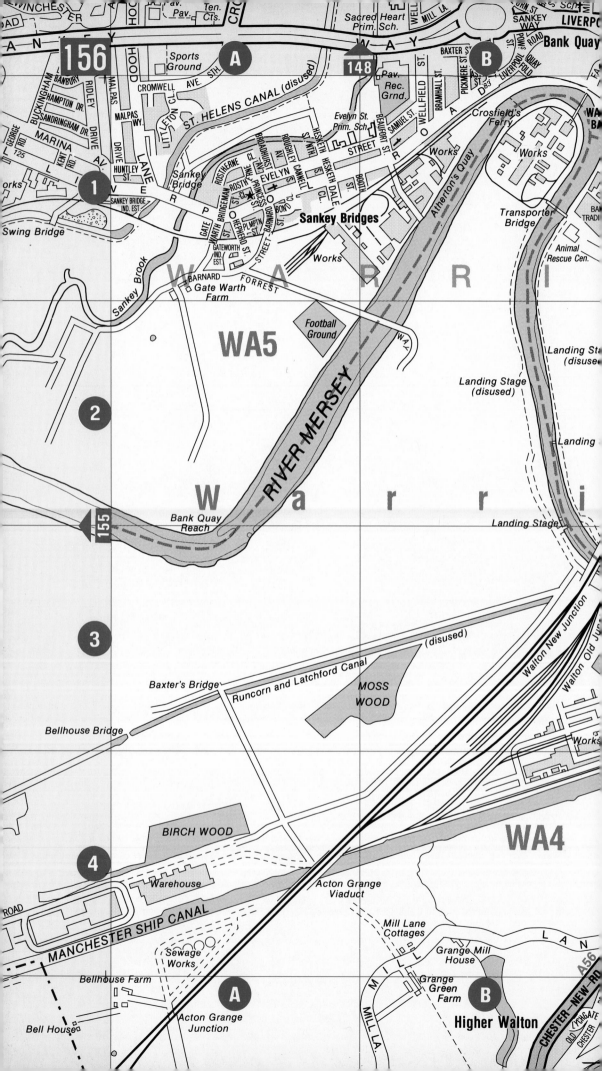

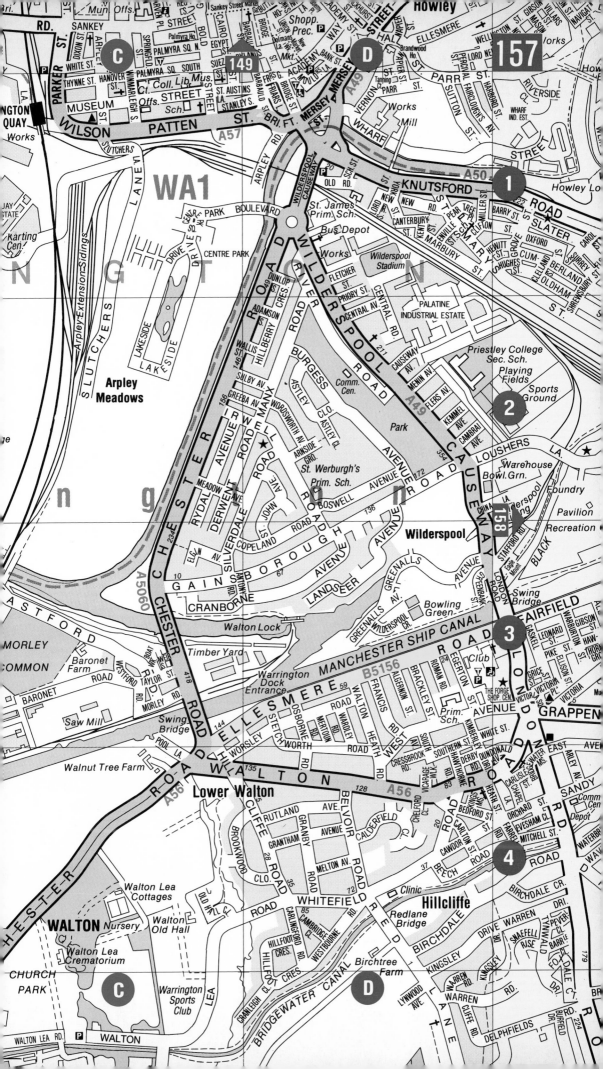

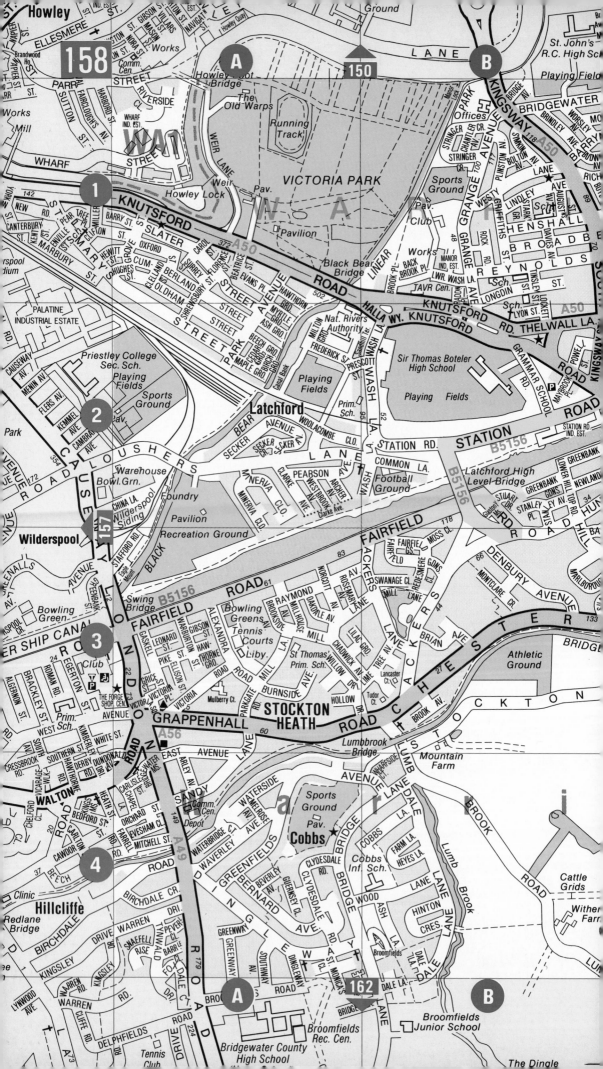

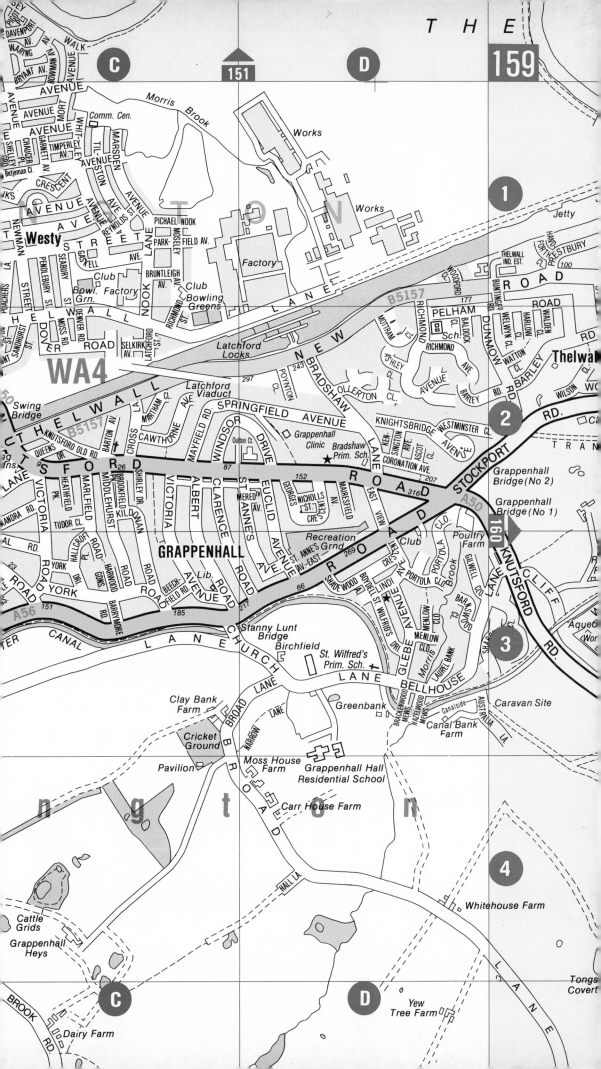

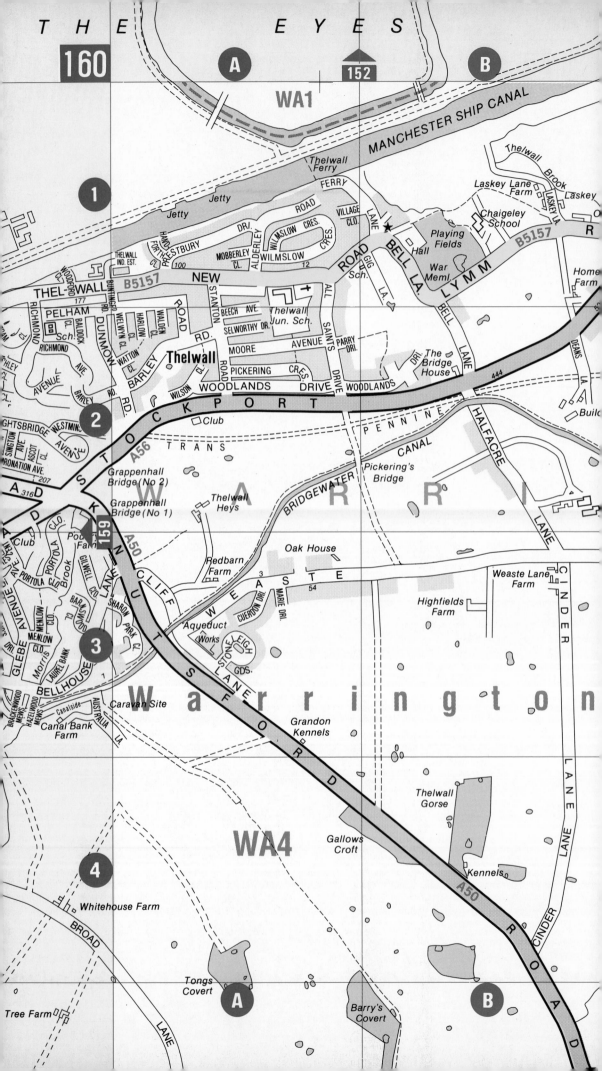

Statham Pool

Pool Farm

Statham Lodge

Statham Pool

Play. Fld.

Oldfield

OLDFIELD RD.

Prim. Sch.

FOX GDS.

STAR LANE

WHITBARROW

ROAD

Meadow Vw

The Poplars

1

Statham

WHITESANDS

WEST HEATH

JUBILEE

ALBANY GRO.

ROAD

ALBANY

BARS- BANK

LYMMINGTON AVE.

Statham Crossing

THORNLEY CL.

THELWALL

M6 MOTORWAY VIADUCT

WARRINGTON ROAD

Glebe Farm

WARRINGTON ROAD

M6

Thelwall Bridge

A56

CAMSLEY LANE

Depot

Camsley Grange

TRANS PENNINE TRAIL

LYMM

YEALD BROW

Thornley Rd.

JOHN RD. DAVID RD.

BARSBANK CL.

PRINCESS RD.

STATHAM AVE.

OAK RD. HYDE RD. ASH RD.

DAISY BANK

GROVE AVE.

NEWFIELD RD.

HAWTHORNE

RIDGWAY GR.

WEST RD.

MOSTON GR.

t T6

N G T O N

Yard

RAIL

wall Massey Hall pecial School

LANE

MASSEY BROOK LA.

Masseybrook Farm

Nursing Home

Massey Brook

M6

M6 MOTORWAY

BOOTHS LANE

BOOTH'S LANE

Ditchfield's Bridge

BROOK LA.

BEECH GRO.

MASSEY AVE.

Camsley

A56

BOOTH'S HILL ROAD

HIGHFIELD ROAD

WYCHWOOD AV.

EGERTON RD.

EGERTON

HEYES DRI.

LYME GRO.

HARDY

OLD SMITHY LA.

Booths Hill Cl.

2

ROAD

Cherry Tree School

Boothslane Farm

HILLTOP RD.

HIGHFIELD DR.

Nursery

54

Ruloe

Res

B5158

CHERRY LANE

3

WA13

Boothshill Farm

Higherhouse Farm

Tanners Pool

THE AVENUE

L y m m

Cherry Hall

4 Scholars Bridge

Bradley Brook

B5158

CHERRY LANE

Oxheys

INDEX TO STREETS

HOW TO USE THIS INDEX

1. Each street name is followed by its Postal District and then by its map reference; e.g. Abberley Rd. L25 —2B **114** is in the Liverpool 25 Postal District and is to be found in square 2B on page **114.** The page number being shown in bold type.
A strict alphabetical order is followed in which Av., Rd., St., etc. (though abbreviated) are read in full and as part of the street name; e.g. Abbey St. appears after Abbeystead Rd. but before Abbey View.

2. Streets and a selection of Subsidiary names not shown on the Maps, appear in the index in *Italics* with the thoroughfare to which it is connected shown in brackets; e.g. *Alexander Way. L8 —3D **87** (off Park Hill Rd.)*

3. With the now general usage of Postcodes for addressing mail, it is not recommended that this index is used for such a purpose.

GENERAL ABBREVIATIONS

All: Alley
App: Approach
Arc: Arcade
Av: Avenue
Bk: Back
Boulevd: Boulevard
Bri: Bridge
B'way: Broadway
Bldgs: Buildings
Bus: Business
Cen: Centre
Chu: Church
Chyd: Churchyard
Circ: Circle
Cir: Circus
Clo: Close
Comn: Common
Cotts: Cottages
Ct: Court
Cres: Crescent
Dri: Drive
E: East
Embkmt: Embankment
Est: Estate
Gdns: Gardens
Ga: Gate
Gt: Great
Grn: Green
Gro: Grove
Ho: House
Ind: Industrial
Junct: Junction
La: Lane
Lit: Little
Lwr: Lower
Mnr: Manor
Mans: Mansions
Mkt: Market
M: Mews
Mt: Mount
N: North
Pal: Palace
Pde: Parade
Pk: Park
Pas: Passage
Pl: Place
Rd: Road
S: South
Sq: Square
Sta: Station
St: Street
Ter: Terrace
Up: Upper
Vs: Villas
Wlk: Walk
W: West
Yd: Yard

INDEX TO STREETS

Abacus Rd. L13 —4A **48**
Abberley Clo. WA10 —3C **37**
Abberley Rd. L25 —2B **114**
Abberton Pk. L30 —4A **10**
Abbey Clo. L33 —1D **23**
Abbey Clo. L41 —1D **85**
Abbey Clo. WA8 —2A **118**
Abbey Ct. L25 —4A **92**
Abbeyfield Dri. L12 —3D **33**
Abbey Hey. WA7 —4B **134**
Abbey Rd. L6 —3A **46**
Abbey Rd. L48 —4A **78**
Abbey Rd. WA8 —2A **118**
Abbey Rd. WA10 —4A **26**
Abbeystead Av. L30 —2A **20**
Abbeystead Rd. L15 —4A **70**
Abbey St. L41 —1D **85**
Abbey View. L16 —4C **71**
Abbeywood Gro. L35 —2D **75**
Abbot Clo. L43 —1B **82**
Abbotsbury Way. L12 —3A **34**
Abbots Dri. L63 —4D **107**
Abbotsfield Clo. WA4 —2B **162**
Abbotsfield Rd. WA9 —3C **57**
(in two parts)
Abbotsford Ct. L23 —1B **16**
Abbotsford Gdns. L23 —1B **16**
Abbotsford Rd. L11 —4A **32**
Abbotsford Rd. L23 —1B **16**
Abbotsford St. L44 —2C **65**
Abbots Lodge. WA7 —4C **135**
Abbots Way. L48 —3B **78**
Abbots Way. WN5 —1D **27**
Abbott Dri. L20 —1A **30**
Abbotts Clo. L18 —3A **90**
Abbotts Clo. WA7 —4A **132**
Abbottshey Av. L18 —3A **90**
Abdale Rd. L11 —3B **32**
Abercrombie Rd. L33 —4A **24**
Abercromby Sq. L7 —3D **67**
Aberdale Rd. L13 —1A **70**
Aberdare Clo. WA5 —1B **148**
Aberdeen St. L41 —4B **64**
Aberford Av. L45 —4C **41**
Abergele Rd. L13 —2D **69**
Aber St. L6 —1D **67**
Abingdon Av. WA1 —2A **152**
Abingdon Gro. L4 —4D **31**
Abingdon Rd. L4 —4D **31**
Abingdon Rd. L49 —3A **80**
Abington Wlk. WA7 —2C **139**
Abney Clo. L7 —3A **68**
Aboyne Clo. L9 —3C **31**
Abram St. L5 —4C **45**
(in two parts)
Abstone Clo. WA1 —2D **151**
Abyssinia Clo. L15 —4C **69**
Acacia Av. L36 —3B **72**
Acacia Av. WA1 —2A **152**
Acacia Av. WA8 —3A **98**
Acacia Clo. L49 —4B **80**
Acacia Gro. L9 —1C **31**
Acacia Gro. L44 —2C **65**
Acacia Gro. L48 —4A **78**
Acacia Gro. WA7 —4B **132**
Acacia Gro. WA10 —2A **36**
Academy Pl. WA1 —4D **149**
Academy St. WA1 —4D **149**
Academy Way. WA1 —4D **149**
Acanthus Rd. L13 —4A **48**
Access Rd. L12 —2B **48**
Acer Leigh. L17 —4B **88**
Acheson Rd. L13 —3C **47**
Achilles Av. WA2 —4C **141**
Ackerley Clo. WA2 —3B **142**
Ackers Hall Av. L14 —4C **49**
Ackers Hall Clo. L14 —4D **49**
Ackers La. WA4 —3B **158**
Ackers La. WA10 —2A **36**
Ackers Rd. L49 —4B **82**
Ackers Rd. WA4 —3B **158**
Ackers St. L34 —3B **52**
Acland Rd. L44 —4A **42**
Aconbury Clo. L11 —3B **32**
Aconbury Pl. L11 —3B **32**
Acorn Clo. L63 —3B **106** & 3C **107**
Acorn Ct. L8 —1D **87**
Acornfield Clo. L33 —3B **24**
Acornfield Rd. L33 —3B **24**
Acorn Way. L20 —1D **29**
Acrefield Bank. L25 —3A **92**
Acrefield Ct. L42 —4A **84**
Acrefield Pk. L25 —4D **91**
Acrefield Rd. L25 —3A **92**
Acrefield Rd. L42 —1A **106**
Acrefield Rd. WA8 —1A **118**
Acre La. L60 —3D **123**
Acre La. L63 & L62 —4C **125**
Acres Clo. L25 —4A **72**
Acresfield. L13 —2A **70**
Acresgate Ct. L25 —1D **91**
Acres Rd. L47 —4D **59**
Acres Rd. L63 —3D **107**
Acreville Rd. L63 —4D **107**
Acton Av. WA4 —4A **162**
Acton Gro. L6 —3B **46**
Acton La. L46 —4B **60**
Acton Rake. L30 —3C **9**
Acton Rd. L32 —2B **22**
Acton Rd. L42 —1D **107**
Acton Way. L7 —3B **68**
Acuba Gro. L42 —3C **85**
Acuba Rd. L15 —3A **70**
Adair Pl. L13 —2C **47**
Adair Rd. L13 —2C **47**
Adamson St. L7 —2C **69**
Adamson St. WA4 —2D **157**
Adam St. L5 —3D **45**
Adam St. WA2 —2D **149**
Ada St. WA9 —4A **38**
Adcote Clo. L14 —1D **71**
Adcote Rd. L14 —1D **71**
Adderley Clo. WA7 —3A **132**
Adderley St. L7 —2A **68**
Addingham Av. WA8 —2B **118**
Addingham Rd. L18 —2A **90**
Addington St. L44 —1B **64**
Addison Sq. WA8 —1D **119**
Addison St. L3 —1B **66**
Addison St. L20 —1B **28**
Addison Way. L3 —1B **66**
Adelaide Av. WA9 —2C **55**
Adelaide Pl. L5 —4C **45**
Adelaide Rd. L7 —2A **68**
Adelaide Rd. L21 —4D **17**
Adelaide Rd. L42 —3B **84**
Adelaide St. L44 —1A **64**
Adelaide Ter. L22 —2B **16**
Adela Rd. WA7 —2D **131**
Adele Thompson Dri. L8 —4A **68**
Adelphi St. L41 —1C **85**
Adkins St. L5 —3D **45**
Adlam Cres. L9 —4C **21**
Adlam Rd. L9 L10 —4C **21**
Adlington Ct. WA3 —2B **144**
Adlington Ho. L3 —1B **66**
Adlington Rd. WA7 —2B **134**
Adlington St. L3 —1B **66**
Admin Rd. L33 —3B **24**
Admiral Gro. L8 —1D **87**
Admirals Rd. WA3 —3B **144**
Admirals Sq. WA3 —3B **144**
Admiral St. L8 —2D **87**
Adrian's Way. L32 —2C **23**
Adshead Rd. L13 —2C **47**
Adstone Rd. L25 —2B **92**
Adswood Rd. L36 —1C **73**
Africander Rd. WA11 —3B **26**
Afton. WA8 —4D **95**
Agar Rd. L11 —2D **47**
Agate St. L5 —4A **46**
Agincourt Rd. L12 —4B **48**
Agnes Gro. L44 —4B **42**
Agnes Rd. L23 —1B **16**
Agnes Rd. L42 —3C **85**
Agnes St. WA9 —4B **56**
Agnes Way. L7 —2A **68**
Aigburth Dri. L17 —2B **88**
Aigburth Gro. L46 —3B **60**
Aigburth Hall Av. L19 —1D **111**
Aigburth Hall Rd. L19 —1D **111**
Aigburth Rd. L17 L19
—3A **88** to 2D **111**
Aigburth St. L8 —4A **68**
Aigburth Vale. L17
—4C **89** & 3C **89**
Aiken Clo. L8 —2C **87**
Ailsa Rd. L45 —4A **42**
Ainley Clo. WA7 —2B **138**
Ainscough Rd. WA3 —4B **144**
Ainsdale Clo. L10 —3D **21**
Ainsdale Clo. L61 —3D **103**
Ainsdale Clo. WA5 —1B **154**
Ainsdale Rd. L20 —1A **30**
Ainsworth Av. L46 —1B **80**
Ainsworth La. L34 —1C **35**
Ainsworth Rd. WA10 —2C **37**
Ainsworth St. L3 —2C **67**
Aintree Ct. L10 —1B **20**
Aintree La. L10 —1B **20**
(Aintree)
Aintree La. L10 —3D **21**
(Fazakerley)
Aintree Racecourse Retail Pk. L9
—3A **20**
Aintree Retail Pk. L9 —1A **20**
Aintree Rd. L20 —2A **30**
Airdale Clo. L43 —1B **82**
Airdale Rd. L15 —1C **89**
Aire. WA8 —4A **96**
Airedale Clo. WA5 —2C **147**
Airgate. L31 —4A **4**
Airlie Gro. L13 —3C **47**
Airlie Rd. L47 —1A **78**
Aisthorpe Gro. L31 —1B **10**
Ajax Av. WA2 —4C **141**
Akenside Ct. L20 —1C **29**
Akenside St. L20 —1C **29**
Alabama Way. L41 —1D **85**
Alamein Cres. WA2 —2D **149**
Alamein Rd. L36 —4B **50**
Alastair Cres. L43 —1D **105**
Alban Retail Pk. WA2 —1C **149**
Alban Rd. L16 —3B **70**
Albany Av. L34 —2D **53**
Albany Gro. WA13 —1D **161**
Albany Rd. L7 —2A **68**
Albany Rd. L9 —4A **20**
Albany Rd. L13 —1D **69**
Albany Rd. L34 —3C **53**
Albany Rd. L42 —4C **85**
Albany Rd. WA13 —1D **161**
Albany Ter. WA7 —2D **131**
Albermarle Rd. L44 —1C **65**
Albert Dri. L9 —4D **19**
Albert Dri. WA5 —3B **146**
Albert Edward Rd. L7 —2A **68**
Albert Gro. L15 —4D **69**
Albert Gro. L23 —4B **6**
Albert Rd. L13 —3C **47**
Albert Rd. L22 —3B **16**
Albert Rd. L42 —3B **84**
Albert Rd. L47 —1A **78**
Albert Rd. L48 —1A **100**
Albert Rd. WA4 —2C **159**
Albert Rd. WA8 —1A **120**
(in two parts)
Albert Schweitzer Av. L30 —4D **9**
Albert Sq. WA8 —1A **120**
Albert St. L7 —3A **68**
Albert St. L45 —1B **42**
Albert St. WA10 —1D **37**
Albion Pl. L45 —1A **42**
Albion St. L5 —3C **45**
Albion St. L41 —1D **85** & 4D **65**
Albion St. L45 —1D **41**
Albion St. WA10 —3C **37**
Albourne Rd. L32 —3D **23**
Albury Clo. L12 —4B **34**
Albury Rd. L32 —4D **23**
Alcester Rd. L12 —3B **48**
Alcock St. WA7 —2D **131**
Aldams Gro. L4 —1C **45**
Aldbourne Av. L25 —2C **91**
Aldbourne Clo. L25 —2C **91**
Alder Av. L36 —3D **73**
Alder Av. WA8 —3A **98**
Alderbank Rd. WA5 —3C **147**
Alder Clo. L34 —3D **53**
Alder Cres. L32 —1B **22**
Alder Cres. WA2 —2D **149**
Alderfield Dri. L24 —1D **129**
Alder Gro. L22 —1B **16**
Alder Hey Rd. WA10 —3B **36**
Alder La. L34 —3C **35** & 3D **35**
Alder La. WA2 —2D **149**
Alder La. WA6 —4A **136**
Alder La. WA8 —2D **95**
Alderley Av. L41 —4D **63**
Alderley Rd. L44 —1A **64**
Alderley Rd. L47 —4A **58**
(in two parts)
Alderley Rd. WA4 —1A **160**
Alder Rd. L12 —4A **48**
Alder Rd. L34 —2C **53**
Alder Rd. L63 —4C **107**
Alder Rd. WA1 —2A **152**
Aldersgate. L42 —4D **85**
Aldersgate Av. WA7 —2D **139**
Aldersgate Dri. L26 —3D **115**
Aldersley Clo. WA7 —3B **134**
Aldersley St. L3 —1B **66**
Alderson Rd. L15 —4B **68**
Alderville Rd. L4 —4D **31**
Alder Wood Av. L24 —1C **129**
Alderwood Lodge. L24 —1D **129**
Aldewood Clo. WA3 —1C **145**
Aldford Clo. L43 —4C **83**
Aldford Rd. L32 —4C **23**
Aldridge Clo. L12 —3A **34**
Aldrin's La. L30 —4D **9**
Aldwark Rd. L14 —1D **71**
Aldwych Rd. L12 —3B **48**
Aldykes. L31 —1C **11**
Alexander Ct. WA9 —1B **54**
Alexander Dri. L31 —2B **4**
Alexander Dri. L61 —1A **122**
Alexander Dri. WA8 —2B **118**
Alexander Fleming Av. L30 —4D **9**
Alexander Grn. L36 —4C **51**
Alexander Gro. WA7 —3A **132**
Alexander Ho. L21 —4D **17**
Alexander Wlk. L4 —1D **45**
Alexander Wlk. L8 —3D **87**
*Alexander Way. L8 —3D **87***
(off Park Hill Rd.)
Alexandra Clo. L6 —1A **68**
Alexandra Ct. L45 —1D **41**
Alexandra Dri. L17 —2A **88**
Alexandra Dri. L20 —1A **30**
Alexandra Dri. L42 —1C **107**
Alexandra Dri. WA10 —4C **37**
Alexandra Grn. L17 —3A **88**
Alexandra Gro. WA7 —3A **132**
Alexandra Ho. L17 —2A **88**
Alexandra Ind. Est. WA8
—2D **119**
Alexandra Mt. L21 —3A **18**
Alexandra Pk. L17 —3A **88**
Alexandra Rd. L7 —3B **68**
Alexandra Rd. L13 —2D **69**
Alexandra Rd. L19 —2A **112**
Alexandra Rd. L22 —3C **17**
Alexandra Rd. L23 —4B **6**
Alexandra Rd. L43 —1A **84**
Alexandra Rd. L45 —1D **41**
Alexandra Rd. L48 —1A **100**
Alexandra Rd. WA4 —2C **159**
(Grappenhall)
Alexandra Rd. WA4 —3A **158**
(Stockton Heath)
Alexandra St. WA1 —3B **150**
Alexandra St. WA8 —2D **119**
Alexandra St. WA10 —1C **55**
Alexandra Vs. L21 —3A **18**
Alfonso Rd. L4 —1C **45**
Alford Av. WA9 —4A **56**
Alforde St. WA8 —2A **120**
Alford St. L7 —2C **69**
Alfred Clo. WA8 —2A **120**
Alfred M. L1 —4C **67**
Alfred Pl. L8 —2D **87**
Alfred Rd. L43 —2B **84**
Alfred Rd. L44 —2C **65**
Alfred Stocks Ct. L8 —3A **88**
Alfred St. L15 —3B **68**
Alfred St. WA8 —2A **120**
Alfred St. WA10 —2A **38**
Alfriston Rd. L12 —3B **48**
Algernon St. WA1 —3A **150**
Algernon St. WA4 —3D **157**
Algernon St. WA7 —2C **131**
Alice Ct. WA8 —1D **131**
Alice St. WA9 —2C **57**
Alicia Wlk. L10 —4A **22**
Alison Av. L42 —3D **85**
Alison Pl. L13 —2C **47**
Alison Rd. L13 —2C **47**
Allandale Av. L35 —1B **76**
Allangate Clo. L49 —4B **80**
Allangate Rd. L19 —1A **112**
Allan Rd. WA11 —4C **27**
Allanson St. WA9 —3B **38**
Allcard St. WA5 —2C **149**
Allcot Av. L42 —4C **85**
Allenby Av. L23 —2D **17**
Allenby Sq. L13 —2D **69**
Allendale. WA7 —1C **139**
Allendale Av. L9 —4A **20**
Allengate. L23 —4C **7**
Allen Rd. WA7 —4B **130**
Allen St. WA2 & WA1 —4C **149**
Allerford Rd. L12 —2B **48**
Allerton Beeches. L18 —3B **90**
Allerton Dri. L18 —2A **90**
Allerton Gro. L42 —3C **85**
Allerton Rd. L18
—2A **90** to 1C **113**
Allerton Rd. L25 —4D **91**
Allerton Rd. L42 —3C **85**
Allerton Rd. L45 —2D **41**
Allerton Rd. WA8 —4A **98**
Allesley Rd. L14 —3D **49**
Alleyne Rd. L4 —1C **47**
Allington St. L17 —3A **88**
Allonby Clo. L43 —2C **83**
Allport La. L62 —3D **125**
Allport La. Precinct. L62
—3D **125**
Allport Rd. L62 —4C **125**
Allports, The. L62 —4D **125**
All Saints Clo. L30 —1C **19**
All Saints Dri. WA4 —1A **160**
All Saints Rd. L24 —1A **128**
Alma Clo. L10 —4A **22**
Almacs Clo. L23 —1A **16**
Alma Dale Ter. L20 —3C **29**
Alman Ct. L17 —3A **88**
Alma Pl. WA9 —4A **38**
Alma Rd. L17 —2C **111**
Alma St. L41 —1C **85**
Alma St. L62 —3A **108**
Alma St. WA9 —4A **38**
*Alma Ter. L15 —4D **69***
(off Sandown La.)
Almeda Rd. L24 —2D **129**
Almer Dri. WA5 —4D **147**
Almond Av. L30 —1B **18**
Almond Av. WA7 —4A **132**
Almond Clo. L26 —2C **115**
Almond Clo. WA11 —1C **39**
Almond Ct. L19 —4C **113**
Almond Gro. WA1 —2C **151**
Almond Gro. WA8 —1B **118**
Almond Pl. L8 —4A **68**
Almond Pl. L46 —4D **61**
Almonds Grn. L12 —1D **47**
Almond's Gro. L12 —2A **48**
Almond's Pk. L12 —1A **48**
Almond St. L8 —3A **68**
Almonds Turn. L30 —4B **8**
Almond Ter. L8 —4A **68**
Almond Tree Clo. L24 —3A **130**
Almond Way. L49 —4B **80**
Alness Dri. L35 —2B **76**
Alnwick Dri. L46 —3A **60**
Alpass Av. WA5 —2C **149**
Alpass Rd. L17 —3A **88**
Alpha Dri. L42 —4A **86**
Alpha St. L21 —1C **29**
Alpine Clo. WA10 —2B **36**
Alresford Rd. L19 —1D **111**
Alroy Rd. L4 —2D **45**
Alscot Av. L10 —4A **22**
Alscot Clo. L31 —1B **10**
Alston Clo. L62 —3C **125**
Alstonfield Rd. L14 —4A **50**
Alston Rd. L17 —1C **111**
Alt. WA8 —4A **96**
Alt Av. L31 —2A **10**
Altbridge Pk. L11 —2C **33**
(in two parts)
Altcar Av. L15 —4B **68**
Altcar Dri. L46 —4B **60**
Altcar Rd. L20 —1D **29**

Alt Ct.—Bk. Chadwick Mt.

Alt Ct. L33 —3C 13
Altcross Rd. L11 —3D 33
Altcross Way. L11 —2D 33
Altfield Rd. L14 —2D 49
Altfield Way. L14 —2D 49
Altfinch Clo. L14 —2D 49
Altham Rd. L11 —2D 47
Althorp St. L8 —3D 87
Altmoor Rd. L36 —3B 50
Alton Av. L21 —2D 17
Alton Rd. L6 —3B 46
Alton Rd. L43 —2A 84
Alt Rd. L20 —1D 29
Alt Rd. L36 —1C 73
Alt St. L8 —4A 68
Altway. L10 —1B 20
Alundale Ct. L20 —3D 29
Alundale Rd. L12 —3C 49
Alvanley Grn. L32 —1B 22
Alvanley Pl. L43 —1B 84
Alvanley Rd. L12 —3B 48
Alvanley Rd. L32 —1B 22
Alva Rd. L35 —2B 76
Alvega Clo. L62 —2B 108
Alverstone Av. L41 —4D 63
Alverstone Clo. WA5 —2A 146
Alverstone Rd. L18 —2D 89
Alverstone Rd. L44 —1B 64
Alverton Clo. WA8 —2C 119
Alvina La. L4 —2C 45
Alwain Grn. L24 —2D 129
Alwen St. L41 —3D 63
Alwyn Av. L21 —2A 18
Alwyn Clo. L17 —3A 88
Alwyn Gdns. L46 —3D 61
Alwyn St. L17 —3A 88
Alyssum Ct. WA7 —2B 138
Amanda Rd. L10 —4A 22
Amanda Rd. L35 —4A 54
Amanda Way. L31 —4A 12
Amaury Clo. L23 —3A 8
Amaury Rd. L23 —3A 8
Ambergate Clo. WA9 —2B 56
Ambergate Rd. L19 —2A 112
Amberley Av. L46 —4B 60
Amberley Clo. L6 —2B 46
Amberley Clo. L46 —4B 60
Amber Way. L14 —2D 49
Ambleside Av. L46 —4C 61
Ambleside Clo. L61 —3D 103
Ambleside Clo. L62 —4D 125
Ambleside Clo. WA7 —2A 138
Ambleside Cres. WA2 —4D 141
Ambleside Pl. WA11 —3C 27
Ambleside Rd. L18 —1B 112
Ambleside Rd. L31 —4C 5
Amelia Clo. L6 —1D 67
Amelia Clo. WA8 —2A 98
Amelia St. WA2 —2D 149
Amersham Rd. L4 —4C 31 & 4D 31
Amery Gro. L42 —4A 84
Amherst Rd. L17 —4B 88
Amity St. L8 —2D 87
Amos Av. L21 —3B 18
Ampleforth Clo. L32 —2B 22
Ampthill Rd. L17 —4B 88
Ampulla Rd. L11 —3D 33
Amy Wlk. L10 —4A 22
Ancaster Rd. L17 —4B 88
Ancholme Clo. L35 —3D 53
Anchorage La. L18 —3C 89
Anchor Clo. WA7 —1D 139
Ancient Meadows. L9 —4A 20
Ancroft Rd. L14 —1D 71
Ancrumb Rd. L33 —3C 13
Anderson Av. L20 —2B 28
Anderson Clo. L35 —3C 77
Anderson Clo. L61 —3D 103
Anderson Clo. WA2 —4D 143
Anderson Rd. L21 —3B 18
Anderson St. L5 —3C 45
(in two parts)
Anderson Way. L21 —3B 18
Anderton Ter. L36 —2B 72
Andover Clo. WA2 —1B 150
Andover Way. L25 —2B 114
Andrew Av. L31 —1A 22
Andrew Clo. WA8 —2A 118
Andrew St. L4 —1D 45
Andrew's Wlk. L60 —3C 123
Anfield Rd. L4 —2D 45
Angela St. L7 —3A 68
Angers La. L31 —3A 12
Anglesea Rd. L9 —3B 30
Anglesea Way. L8 —2D 87
Anglesey Rd. L44 —4A 42
Anglesey Rd. L48 —3A 78
Anglezark Clo. L7 —2A 68
Anglo Clo. L9 —3B 20
Angus Rd. L11 —2D 47
Annadale Clo. L33 —3C 13
Anne Gro. WA9 —2B 56
Annerley St. L7 —4B 68
Annesley Rd. L17 —4B 88
Annesley Rd. L44 —1B 64
Annie Rd. L20 —4B 18
Annie St. WA2 —3D 149
Ann St. WA7 —1A 132
Ann St. W. WA8 —2A 120
Anscot Av. L63 —3D 107
Ansdell Dri. WA10 —2A 36
Ansdell Rd. WA8 —4A 98
Ansdell Vs. Rd. L35 —4B 54
Anson Clo. WA2 —1B 150
Anson Pl. L3 —2D 67
Anson St. L3 —2D 67
Anson Ter. L3 —2D 67
Anstey Clo. L46 —3A 60
Anstey Rd. L13 —1A 70
Ansty Clo. WA11 —1B 38
Anthony's Way. L60 —4B 122
Anthorn Clo. L43 —3C 83
Antonio St. L20 —4A 30
Antons Clo. L26 —3D 115
Antons Rd. L26 —3D 115
Antons Rd. L61 —4D 103
Antony Rd. WA4 —3C 157
Antrim Rd. WA2 —4C 141
Antrim St. L13 —2C 47
Anzacs, The. L62 —3B 108
Anzio Rd. L36 —4C 51
Apollo Cres. L33 —4C 13
Apollo Way. L6 —4A 46
Apollo Way. L30 —4D 9
Apostles Way. L33 —4C 13
Appin Rd. L41 —2C 85
Appleby Clo. WA8 —1A 118
Appleby Dri. L30 —1B 18
Appleby Grn. L12 —3C 49
Appleby Lawn. L27 —3D 93
Appleby Rd. L27 —3D 93
Appleby Rd. L33 —4C 13
Appleby Rd. WA2 —4D 141
Appleby Wlk. L27 —3D 93
Appleby Wlk. WA8 —1B 118
Applecorn Clo. WA9 —3C 57
Apple Ct. L6 —1A 68
Applecross Clo. WA3 —1C 145
Appledore Clo. L24 —1A 128
Appledore Ct. L24 —1A 128
Appledore Gro. WA9 —4B 56
Appledore Rd. L24 —1A 128
Apple Garth. L46 —1B 80
Appleton Dri. L49 —3C 81
Appleton Hall Gdns. WA4 —2A 162
Appleton Rd. L4 —4C 31
Appleton Rd. L21 —3D 17
Appleton Rd. WA8 —4A 98
Appleton St. WA8 —3A 120
Appleton St. WA9 —4B 38
Appleton Village. WA8 —1A 120
Appletree Clo. L18 —1A 112
Apple Tree Clo. L24 —3A 130
Apple Tree Clo. L28 —1A 50
Apple Tree Gro. WA2 —4C 143
April Gro. L6 —3B 46
April Rise. L30 —1C 19
Apsley Av. L45 —3A 42
Apsley Brow. L31 —4A 4
Apsley Rd. L12 —3B 48
Apsley Rd. L62 —1A 108
Aragon Clo. L31 —3C 5
Aragon Ct. WA7 —1B 134
Aran Clo. L24 —3A 130
Arborn Dri. L49 —1A 82
Arbour La. L33 —2A 24
(in two parts)
Arbury Av. WA11 —1B 38
Arbury La. WA2 —1D 141
Arcadia Av. L31 —3B 4
Archbishop Wlk. L3 —4B 44
Archer Av. WA4 —2A 158
Archer Clo. L4 —2C 45
Archerfield Rd. L18 —4A 90
Archer Gro. WA9 —2C 39
Archers Ct. L49 —4A 82
(off Goodakers Meadow)
Archer St. L4 —2C 45
Archers Way. L49 —4A 82
Archway Rd. L36 —2B 72
Arc Rd. L33 —4A 14
Arctic Rd. L20 —3C 29
Arden. WA8 —4D 95
Arden Clo. WA3 —1C 145
Arden Long Gro. L34 —3C 51
Ardennes Rd. L36 —1C 73
(in two parts)
Arderne Clo. L63 —2C 125
Ardleigh Clo. L13 —2C 69
Ardleigh Gro. L13 —2D 69
Ardleigh Pl. L13 —2C 69
Ardleigh Rd. L13 —2C 69
Ardmore Rd. L18 —4D 89
Ardrossan Rd. L4 —1A 46
Ardville Rd. L11 —3A 32
Ardwick Rd. L24 —2D 129
Ardwick St. WA9 —3A 38
Argo Rd. L22 —2C 17
Argos Pl. L20 —1B 44
Argos Rd. L20 —1B 44
Argyle Rd. L4 —3A 46
Argyle Rd. L19 —3B 112
Argyle St. L1 —3B 66
Argyle St. L41 —1C 85
Argyle St. WA10 —1D 37
Argyle St. S. L41 —2C 85
Ariel Pde. L19 —4B 112
Arkenstone Clo. WA8 —4B 96
Arkle Rd. L43 & L41 —3D 63
Arkles La. L4 —2A 46
Arkles Rd. L4 —2A 46
Arklow Dri. L24 —3A 130
Arkwood Clo. L62 —2D 125
Arkwright Rd. WA7 —1D 133
Arkwright St. L5 —4C 45
Arlescourt Rd. L12 —3B 48
Arley Av. WA4 —4A 158
Arley Clo. L43 —1B 82
Arley Dri. WA8 —4A 96
Arley St. L3 —1B 66
Arlington Av. L18 —1C 89
Arlington Ct. L43 —2D 83
Arlington Dri. WA5 —1B 154
Arlington Rd. L45 —2C 41
Armill Rd. L11 —3D 33
Armitage Gdns. L18 —1A 112
Armley Rd. L4 —2A 46
Armour Av. WA2 —1C 149
Armour Gro. L13 —2D 69
Armoury, The. L12 —2A 48
Armscot Clo. L25 —3A 114
Armscot Pl. L25 —3A 114
Armstrong Clo. WA3 —3A 144
Arncliffe Rd. L25 —1B 114
Arndale. WA7 —2A 138
Arnhem Cres. WA2 —2D 149
Arnhem Rd. L36 —1C 73
Arno Ct. L43 —3A 84
Arnold Av. WA10 —2C 37
Arnold Clo. L8 —1D 87
Arnold Gro. L15 —4D 69
Arnold Pl. WA8 —2B 118
Arnold St. L8 —1D 87
Arnold St. L45 —4A 42
Arnold St. WA1 —3A 150
Arno Rd. L43 —3A 84
Arnot Clo. WA10 —2D 37
Arnot St. L4 —4B 30
Arnot Way. L63 —3C 107
Arnside. L21 —3C 19
Arnside Av. L35 —1D 75
Arnside Av. WA11 —1D 39
Arnside Gro. WA4 —2D 157
Arnside Rd. L7 —2B 68
Arnside Rd. L36 —2A 72
Arnside Rd. L43 —2D 83
Arnside Rd. L45 —3A 42
Arpley Rd. WA1 —1D 157
Arpley St. WA1 —4C 149
Arrad St. L7 —3D 67
Arran Clo. WA2 —4C 143
Arran Clo. WA11 —1C 39
Arranmore Rd. L18 —4D 89
Arrowe Av. L46 —4C 61
Arrowe Brook La. L49 —1B 102
Arrowe Brook Rd. L49 —4D 81
Arrowe Ct. L49 —4A 82
(off Childwall Grn.)
Arrowe Pk. Rd. L49 —2D 81 to 2A 104
Arrowe Rd. L49 —3B 80
Arrowe Side. L49 —3C 81
Arthur St. L9 —3B 30
Arthur St. L19 —4B 112
Arthur St. L41 —4B 64
(in two parts)
Arthur St. WA2 —4C 149
Arthur St. WA7 —2D 131
Arundel Av. L17 —1B 88
Arundel Av. L45 —3D 41
Arundel Clo. L61 —4D 103
Arundel St. L4 —4A 30
Arundel St. L8 —1A 88
Arvon St. L20 —4B 18
Asbridge St. L8 —4A 68
Asbury Pk. L18 —4B 90
Asbury Rd. L45 —3B 40
Ascot Av. L21 —3D 17
Ascot Av. WA7 —1C 137
Ascot Clo. WA1 —2A 152
Ascot Clo. WA4 —2D 159
Ascot Dri. L33 —3C 13
Ascot Dri. L63 —4D 107
Ascot Gro. L63 —4D 107
Ascot Pk. L23 —4C 7
Ashbank Rd. L11 —3C 33
Ashbourne Av. L23 —4B 6
Ashbourne Av. L30 —1C 19
Ashbourne Av. WA7 —1C 137
Ashbourne Cres. L36 —1A 72
Ashbourne Rd. L17 —4B 88
Ashbourne Rd. WA5 —4D 147
Ashbrook Av. WA7 —3A 138
Ashbrook Cres. WA2 —2A 150
Ashbrook Ter. L63 —3D 107
Ashburton Av. L43 —1D 83
Ashburton Rd. L43 —1C 83
Ashburton Rd. L44 —4A 42
Ashburton Rd. L48 —4A 78
Ashburton Wlk. L43 —1D 83
Ashbury Clo. WA7 —2B 134
Ashbury Rd. L14 —3A 50
Ashby Clo. L46 —3A 60
Ash Clo. L15 —3C 69
Ashcombe Rd. L14 —1A 70
Ash Cres. L36 —3C 73
Ashcroft Dri. L61 —2B 122
Ashcroft Rd. L9 —3A 20
Ashcroft Rd. L33 —1A 24
Ashcroft St. L20 —3C 29
Ashcroft St. WA9 —3B 38
Ashdale. L36 —2B 72
Ashdale Pk. L49 —3A 80
Ashdale Rd. L9 —2C 31
Ashdale Rd. L18 —2D 89
Ashdale Rd. L22 —2C 17
Ashdown Cres. WA9 —4B 56
Ashdown Dri. L49 —4B 80
Ashdown La. WA3 —2C 145
Asheton Wlk. L24 —3A 130
Ashfarm Ct. L14 —1D 71
Ashfield. L15 —4C 69
Ashfield. L35 —1B 76
Ashfield Cres. L62 —4D 125
Ashfield Rd. L17 —4C 89
Ashfield Rd. L62 —3C 125
Ashfield St. L5 —4B 44
Ashford Clo. L26 —3C 115
Ashford Rd. L41 —2B 84
Ashford Rd. L47 —3B 58
Ashford Way. WA8 —4B 98
Ash Grange. L14 —1C 71
Ash Gro. L4 —1C 45
Ash Gro. L15 —4C 69
Ash Gro. L21 —4D 17
Ash Gro. L35 —4C 53
Ash Gro. L45 —2B 42
Ash Gro. WA4 —2A 158
Ash Gro. WA7 —4B 132
Ash Gro. WA8 —1B 118
Ash Gro. WA9 —4B 56
Ash La. WA4 —4B 158
Ash La. WA8 —1C 117
Ashlar Gro. L17 —4C 89
Ashlar Rd. L17 —4C 89
Ashlar Rd. L22 —2C 17
Ashlea Rd. L61 —1B 122
Ashleigh Rd. L31 —2D 11
Ashley Av. L47 —3D 59
Ashley Clo. L33 —3C 13
Ashley Clo. L35 —2B 76
Ashley Clo. WA4 —2D 159
Ashley Ct. WA4 —1A 162
Ashley Rd. WA7 —2B 132
Ashley St. L42 —4D 85
Ashley Way. WA8 —3D 119
Ashley Way. W. WA8 —3D 119
Ashmore Clo. L48 —3B 100
Ashmore Clo. WA3 —3C 145
Ashmuir Hey. L32 —2D 23
Ashover Av. L14 —4A 50
Ash Priors. WA8 —3B 96
Ashridge St. WA7 —2D 131
Ash Rd. L21 —4A 18
Ash Rd. L42 —2B 84
Ash Rd. L63 —2D 107
Ash Rd. WA2 —1D 141
Ash Rd. WA5 —1B 154
Ash Rd. WA13 —2D 161
Ash St. L20 —2D 29
Ashton Av. L35 —2B 76
Ashton Clo. WA6 —4D 137
Ashton Clo. WA7 —1B 136
Ashton Dri. L25 —2A 114
Ashton Dri. L48 —4A 78
Ashton Dri. WA6 —4D 137
Ashton Pk. L25 —1B 114
Ashtons Grn. Dri. WA9 —4D 39
Ashton's La. L24 —2D 129
Ashton Sq. L25 —1A 114
Ashton St. L3 —2D 67
Ashton St. L13 —1D 69
Ashton St. WA2 —3D 149
Ashtree Gro. L12 —2A 34
Ashurst Clo. L25 —2A 92
Ashurst Clo. WA11 —1C 39
Ashurst Dri. WA11 —1B 38
Ash Vale. L15 —3C 69
Ash Vs. L44 —1B 64
Ashville Rd. L43 & L41 —1A 84
Ashville Rd. L44 —1B 64
Ashville Way. WA7 —3A 138
Ashwater Rd. L12 —3D 33
Ashwell St. L8 —4C 67
Ashwood Av. WA1 —3B 150
Ashwood Clo. L27 —1C 93
Ashwood Clo. L33 —3C 13
Ashwood Ct. L43 —3B 62
Ashwood Dri. L12 —3D 33
Askern Rd. L32 —3C 23
Askew Clo. L44 —4C 43
Askew St. L4 —4B 30
Askham Clo. L8 —4A 68
Aspen Clo. L33 —3C 13
Aspen Clo. L60 —4D 123
Aspendale Rd. L42 —2B 84
Aspen Gdns. L35 —3B 54
Aspen Gro. L8 —1A 88
Aspen Gro. WA1 —3C 151
Aspes Rd. L12 —2C 49
Aspinall Clo. WA2 —4C 143
Aspinall Pl. WA10 —1B 54
Aspinall St. L5 —2B 44
Aspinall St. L34 —3B 52
Aspinall St. L41 —4B 64
Aspley Ho. L22 —2C 17
Aspull Clo. WA3 —3D 143
Asquith Av. L41 —4A 64
Asser Rd. L11 —1C 47
Assisian Cres. L30 —4C 9
Aster Cres. WA7 —2B 138
Asterfield Av. L63 —2C 107
Astley Clo. WA4 —2D 157
Astley Clo. WA8 —3B 96
Astley Rd. L36 —3C 51
Astmoor Ind. Est. WA7 —2C 133
Astmoor La. WA7 —2B 132
Astmoor Rd. WA7 —1C 133
Astmoor Spine Rd. WA7 —1D 133
Aston Clo. L43 —3D 83
Aston Ct. WA1 —1A 152
Aston Fields Rd. WA7 —3A 140
Aston Grn. WA7 —1A 140
Aston La. WA7 —3C 139
Aston La. N. WA7 —2A 140
(in two parts)
Aston La. S. WA7 —4A 140
Aston St. L19 —4B 112
Astonwood Rd. L42 —3C 85
Astor St. L4 —4B 30
Atheldene Rd. L4 —4D 31
Athelstan Clo. L62 —3D 125
Atherton Clo. L5 —3C 45
Atherton Ct. L45 —1A 42
Atherton Dri. L49 —3A 82
Atherton Rake. L30 —4C 9
Atherton Rd. L9 —1D 31
Atherton St. L34 —3B 52
Atherton St. L45 —1A 42
Atherton St. WA10 —2D 37
Athlone Rd. WA2 —1C 149
Athol Bri. L5 —3B 44
Atholl Cres. L10 —2B 20
Athol St. L5 —3A 44 & 3B 44
(in two parts)
Athol St. L41 —4C 65
Atlantic Pavilion. L3 —3B 66
Atlantic Rd. L20 —3C 29
Atlantic Way. L3 —2B 86
Atlantic Way. L30 —3C 19
Atlas Ct. WA9 —3A 38
Atlas Rd. L20 —3C 29
Atlas St. WA9 —3A 38
Atterbury Clo. WA8 —4B 96
Atterbury St. L8 —1C 87
Attlee Rd. L36 —1D 73
Attwood St. L4 —2D 45
Atwell St. L6 —4A 46
Aubourn Clo. WA8 —3B 96
Aubrey Ct. L6 —4A 46
Aubrey St. L6 —4D 45
Auburn Rd. L13 —3C 47
Auburn Rd. L45 —2A 42
Aubynes, The. L45 —2C 41
Auckland Gro. WA9 —2B 54
Auckland Rd. L18 —1A 90
Audie Murphy Rd. WA5 —4D 147
Audlem Av. L43 —3D 83
Audlem Clo. WA7 —3A 138
Audley St. L3 —2C 67
Audre Clo. WA5 —3A 146
Audrey Wlk. L10 —4A 22
Aughton Ct. L49 —2D 81
Aughton Rd. L20 —1D 29
Augusta Clo. L13 —2D 69
August Rd. L6 —3B 46
August St. L20 —2D 29
Austell Clo. WA11 —4D 27
Austin Av. WA10 —1B 54
Austin St. L44 —2A 64
Austral Av. WA1 —2D 151
Autumn Gro. L42 —1C 107
Avalon Ter. L20 —2C 29
Avebury Clo. WA8 —3C 99
Aveley Clo. WA1 —3C 151
Avelon Clo. L31 —1A 4
Avelon Clo. L43 —2C 83
Avenue B West. WA3 —2B 144
Avenue, The. L9 —3B 30
Avenue, The. L19 —4C 113
Avenue, The. L26 —2C 115
Avenue, The. L34 —3C 51
Avenue, The. L36 —1C 73
Avenue, The. L62 —4C 125
Avenue, The. WA10 —3A 36
Avenue, The. WA13 —3D 161
Avery Clo. WA2 —4B 142
Aviary Ct. L9 —1B 30
Aviemore Dri. WA2 —4C 143
Aviemore Rd. L13 —1D 69
Avis Wlk. L10 —4A 22
Avocet Clo. WA2 —4A 142
Avolon Rd. L12 —3B 48
Avon. WA8 —4A 96
Avon Clo. L4 —1C 45
Avon Clo. L33 —2D 13
Avon Ct. L23 —3C 7
Avondale Av. L31 —1B 10
Avondale Av. L46 —2D 61
Avondale Dri. WA8 —4A 96
Avondale Rd. L15 —1C 89
Avondale Rd. L47 —4A 58
Avonmore Av. L18 —3D 89
Avon Rd. WN5 —1D 27
Avon St. L6 —4A 46
Avon St. L41 —3D 63
Avon Way. WA5 —1B 154
Awelon Clo. L12 —1A 48
Axbridge Av. WA9 —4B 56
Axholme Clo. L61 —4A 104
Axholme Rd. L61 —4A 104
Ayala Clo. L9 —4D 19
Aycliffe Rd. WA9 —3B 54
Aycliffe Wlk. WA8 —1B 118
Aylesbury Av. L43 —4C 83
Aylesbury Rd. L45 —2B 42
Aylesford Rd. L13 —1A 70
Aylsham Clo. WA8 —3B 96
Aylsham Dri. L49 —4A 62
Aylton Rd. L36 —1A 72
Aylward Pl. L20 —2C 29
Ayr Rd. L4 —4C 31
Ayrshire Gdns. WA10 —4C 37
Aysgarth Av. L12 —3A 48
Aysgarth Rd. L45 —3D 41
Ayshire Rd. L4 —1B 46
Azalea Gro. L26 —4C 93
Azalea Gro. WA7 —2B 138

Babbacombe Rd. L16 —1C 91
Babbacombe Rd. WA5 —1B 154
Bk. Barlow La. L4 —1C 45
Bk. Beau St. L5 —1C 67
Bk. Bedford St. N. L7 —3D 67
Bk. Bedford St. S. L7 —3D 67
Bk. Belmont Rd. L6 —4A 46
Bk. Berry St. L1 —3C 67
Bk. Blackfield Ter. L4 —2C 45
Bk. Boundary St. L5 —3C 45
Bk. Bridport St. L3 —2C 67
(off London Rd.)
Bk. Broadway. L11 —4A 32
Bk. Brook Pl. WA4 —1B 158
Bk. Canning St. L8 —4D 67
Bk. Catharine St. L8 —4D 67
Bk. Chadwick Mt. L5 —2C 45

Bk. Chatham Pl.—Belgrave St.

Bk. Chatham Pl. L7 —3A 68
(off Queensland St.)
Bk. Colquitt St. L1 —3C 67
Bk. Commutation Row. L1
—2C 67
Bk. Egerton St. N. L8 —4D 67
Bk. Egerton St. S. L8 —4D 67
Bk. Falkner St. S. L8 —4D 67
Backford Clo. L43 —3C 83
Backford Clo. WA7 —2D 139
Backford Rd. L61 —4B 102
Bk. Gibson St. L8 —4D 67
Bk. Gillmoss La. L11 —1D 33
Bk. Granton Rd. L5 —3D 45
Bk. Guildford St. L6 —1D 67
Bk. Hadfield Pl. L25 —4A 92
Bk. High St. WA7 —2D 131
Bk. Holland Pl. L7 —2A 68
Bk. Hood St. L1 —2B 66
Bk. Hope Pl. L1 —3C 67
Bk. Huskisson St. L8 —4D 67
Bk. Irving St. L7 —2A 68
Bk. Kelvin Gro. L8 —1A 88
Bk. Kerfoot St. WA2 —2C 149
Bk. King St. L44 —4B 42
Bk. Knight St. L1 —3C 67
Back La. L23 —1C 7
Back La. L29 —2A 8
Back La. L39 —1C 5
Back La. WA5 —4D 99
Bk. Langham St. L4 —1D 45
Bk. Leeds St. L3 —1A 66
Bk. Lit. Canning St. L8 —4D 67
Bk. Lord St. L2 —3B 66
Bk. Menai St. L41 —1B 84
Bk. Mersey View. L22 —1B 16
Bk. Mount St. L22 —2B 16
Bk. Mt. Vernon View. L7 —2D 67
Bk. Mulberry St. L7 —3D 67
Bk. Oliver St. L41 —1C 85
Bk. Orford St. L15 —4D 69
Bk. Percy St. L8 —4D 67
Bk. Pickop St. L3 —1B 66
Bk. Price St. L41 —4B 64
Bk. Renshaw St. L1 —3C 67
Bk. Rockfield Rd. L4 —2D 45
Bk. Roscommon St. L5 —4C 45
Bk. St Bride St. L8 —4D 67
Bk. Sandon St. L8 —4D 67
Bk. Sandown La. L15 —3D 69
(off Sandown La.)
Bk. Sea View. L47 —4A 58
Bk. Seel St. L1 —3C 67
Bk. Sir Howard St. L8 —4D 67
Bk. Stanley Rd. L20 —3D 29
Back St. L1 —3C 67
Bk. Towerlands St. L7 —2A 68
Bk. Water St. L44 —4B 42
Bk. Wellesley Rd. L8 —2A 88
Bk. West Hyde. WA13 —2D 161
Bk. Westminster Rd. L4 —1C 45
Bk. Windsor View. L8 —4A 68
Bk. Winstanley Rd. L22 —2C 17
Bk. York Ter. L5 —3C 45
Badby Wood. L33 —4C 13
Baden Rd. L13 —1A 70
Bader Clo. L61 —1A 122
Badger Clo. WA7 —1B 138
Badger's Set. L48 —3C 101
Badger Way. L43 —1C 105
Badminton St. L8 —3D 87
Baffin Clo. L46 —1D 61
Bagnall Clo. WA5 —4D 147
Bagnall St. L4 —2D 45
Bagot Av. WA5 —2C 149
Bagot St. L15 —4C 69
Baguley Av. WA8 —4A 118
Bailey Ct. L20 —4C 19
Bailey Dri. L20 —4C 19
Baileys Clo. WA8 —2D 97
Bailey's La. L24 —3D 129
(Hale Heath)
Bailey's La. L24 —1D 127
(Speke)
Bailey's La. L26
—1D 115 to 3D 115
Bailey St. L1 —4C 67
Bainton Clo. L32 —4D 23
Bainton Rd. L32 —4D 23
Baird Av. L20 —2B 28
Baker Rd. WA7 —4B 130
Bakers Grn. Rd. L36 —1C 73
Baker St. L6 —1D 67
Baker St. L36 —2D 73
Baker St. WA9 —3B 38
Baker Way. L6 —1D 67
Bakewell Gro. L9 —4A 20
Bala Gro. L44 —1D 63
Bala St. L4 —3A 46
Balcarres Av. L18 —1D 89
Baldwin Av. L16 —3C 71
Baldwin St. WA10 —2D 37
Bales, The. L30 —4A 10
Balfe St. L21 —1B 28
Balfour Av. L20 —2C 29
Balfour Rd. L20 —2C 29
Balfour Rd. L43 —2A 84
Balfour Rd. L44 —1D 63
Balfour St. L4 —2D 45
Balfour St. WA7 —3D 131
Balfour St. WA10 —3B 36
Balham Clo. WA8 —3D 97
Balker Dri. WA10 —1C 37
Ballantrae Rd. L18 —3A 90
Ballantyne Dri. L43 —2B 62
Ballantyne Gro. L20 —1A 30
Ballantyne Pl. L13 —2C 47
Ballantyne Rd. L13 —2C 47
Ballard Rd. L48 —3C 79
Ballater Dri. WA2 —3B 142
Ball Av. L45 —1D 41
Balliol Clo. L43 —2B 62
Balliol Gro. L23 —1A 16
Balliol Ho. L20 —4D 29
Balliol Rd. L20 —4D 29
Balliol Rd. E. L20 —3A 30
Ball Path Way. WA8 —1C 119
Ball's Rd. L43 —2A 84
Ball's Rd. E. L41 —2B 84
Ball St. WA9 —2B 38
Balmer St. WA9 —2C 55
Balmoral Av. L23 —1C 17
Balmoral Av. WA9 —2A 56
Balmoral Clo. L33 —4C 13
Balmoral Ct. L13 —4C 47
Balmoral Gdns. L43 —1D 105
Balmoral Rd. L6 —1B 68
Balmoral Rd. L9 —1B 30
Balmoral Rd. L31 —4B 4
Balmoral Rd. L45 —1A 42
Balmoral Rd. WA4 —3B 158
Balmoral Rd. WA8 —3D 97
Balm St. L7 —2A 68
Balsham Clo. L25 —2B 114
Baltic Rd. L20 —3C 29
Baltic St. L4 —2D 45
Baltimore St. L1 —3C 67
Bamber St. L7 —2D 67
Bamford Clo. WA7 —1D 137
Bampton Av. WA11 —2C 27
Bampton Rd. L16 —3B 70
Banbury Av. L25 —4B 92
Banbury Dri. WA5 —1D 155
Banbury Way. L43 —4C 83
Bancroft Clo. L25 —2B 114
Bancroft Rd. WA8 —4B 98
Bandon Clo. L24 —3A 130
Bangor Rd. L45 —3B 40
Bangor St. L5 —3B 44
Bankburn Rd. L13 —3C 47
Bank Dene. L42 —2D 107
Bankes La. WA7
—1A 136 & 2B 136
(in two parts)
Bankfield Ct. L13 —3D 47
Bankfield Rd. L13 —3D 47
Bankfield Rd. WA8 —4A 96
Bankfield St. L20 —1A 44
Bank Gdns. WA5 —1B 154
Bankhall La. L20 —1B 44
Bankhall St. L20 —1B 44
Bankland Rd. L13 —4D 47
Bank La. L31 & L33 —2B 12
Bank Quay Trading Est. WA1
—1C 157
Bank Rd. L20 —3C 29
Bank's Av. L47 —3C 59
Banks Cres. WA4 —1C 159
Bankside. WA7 —4C 135
Bankside Rd. L42 —2D 107
Bank's La. L19 —1B 126
Bank's La. L24 —2D 127
Bank's Rd. L19 —4B 112
Bank's Rd. L48 —4A 78
Banks Rd. L60 —4A 122
Bank's, The. L45 —2C 41
Bank St. L41 —1C 85
Bank St. WA1 —4D 149
(in two parts)
Bank St. WA8 —4D 119
Bank St. WA10 —3C 37
Bank's Way. L19 —1B 126
Bankville Rd. L42 —3C 85
Banner Hey. L35 —2B 74
Bannerman St. L7 —3B 68
Banner St. L15 —4C 69
Banner St. WA10 —3C 37
Banner Wlk. WA10 —3C 37
(off Banner St.)
Banning Clo. L41 —4B 64
Banstead Gro. L15 —4A 70
Barbara Av. L10 —4A 22
Barbauld St. WA1 —1D 157
Barberry Clo. L46 —3A 60
Barber St. WA9 —2A 38
Barbondale Clo. WA5 —3B 146
Barbour Dri. L20 —1A 30
Barbrook Way. L9 —3C 31
Barchester Dri. L17 —4B 88
Barclay St. L8 —2D 87
Barcombe Rd. L60 —3D 123
Bardley Cres. L35 —4D 73
Bardon Clo. L25 —2B 92
Bardsay Rd. L4 —1D 45
Bardsley Av. WA5 —1C 149
Barford Clo. L43 —1A 82
Barford Clo. WA5 —1D 147
Barford Rd. L25 —3A 114
Barford Rd. L36 —3C 51
Barham Ct. WA3 —3A 144
Barington Dri. WA7 —4C 135
Barkbeth Rd. L36 —3A 50
Barkbeth Wlk. L36 —4B 50
Barkeley Dri. L21 —1B 28
Barker Clo. L36 —4D 73
Barker La. L49 —4B 80
Barker Rd. L61 —3D 103
Barker's Hollow Rd. WA4
—1B 140
Barkerville Clo. L13 —2B 46
Barker Way. L6 —4A 46
Barkhill Rd. L17 —1D 111
Barkin Cen., The. WA8 —2B 120
Barkis Clo. L8 —2D 87
Bark Rd. L21 —3B 18
Barleyfield. L61 —1A 122
Barley Rd. WA4 —2A 160
Barlow Av. L63 —3D 107
Barlow Gro. WA9 —4D 39
Barlow La. L4 —1C 45
Barlows Clo. L9 —3B 20
Barlow's La. L9 —3B 20
Barlow St. L4 —1C 45
Barmouth Clo. WA5 —1B 148
Barmouth Rd. L45 —3C 41
Barmouth Way. L5 —3B 44
Barnack Clo. WA1 —2C 151
Barnacre La. L46 —1B 80
Barnard Rd. L43 —2A 84
Barnard St. WA5 —1A 156
Barn Clo. L30 —4A 10
Barncroft. WA7 —4B 134
Barncroft Pl. L23 —3C 7
Barn Croft Rd. L26 —2D 115
Barndale Rd. L18 —2D 89
Barnes Av. WA2 —4C 143
Barnes Clo. WA5 —4C 147
Barnes Clo. WA8 —4B 98
Barnes Dri. L31 —2B 4
Barnes Grn. L63 —2B 124
Barnes Rd. WA8 —4B 98
Barnes St. L6 —4A 46
Barneston Rd. WA8 —3C 99
Barnet Clo. L7 —4B 68
Barnfield Av. WA7 —2D 139
Barnfield Clo. L12 —2A 48
Barnfield Clo. L30 —1C 19
Barnfield Clo. L47 —3C 59
Barnfield Dri. L12 —2A 48
Barnfield Rd. WA1 —3D 151
Barnham Clo. L24 —4A 114
Barnham Dri. L16 —4C 71
Barn Hey. L47 —2A 78
Barn Hey Cres. L47 —4D 59
Barn Hey Rd. L12 —3A 48
Barn Hey Rd. L33 —2D 23
Barnhill Rd. L15 —1D 89
Barnhurst Clo. L16 —4C 71
Barnhurst Rd. L16 —4C 71
Barnmeadow Rd. L25 —1A 92
Barnsbury Rd. L4 —4C 31
Barnsdale Av. L61 —3A 104
Barnside Ct. L16 —4C 71
Barnstaple Way. WA5 —1B 154
Barnston La. L46 —3C 61
Barnston Rd. L9 —4A 20
Barnston Rd. L61 & L60
—3A 104 to 4C 123
Barnston Towers Clo. L60
—4D 123
Barn St. WA8 —3D 119
Barnton St. L21 —1D 29
Barnwell Av. L44 —4A 42
Barnwood Rd. L36 —1A 72
Baron Clo. WA1 —3A 152
Baroncroft Rd. L25 —3D 91
Baronet Rd. WA4 —3C 157
Barons Clo. WA7 —3D 133
Barons Clo. WA8 —1B 118
Barons Hey. L28 —2D 49
Barren Gro. L43 —2A 84
Barrington Rd. L15 —1C 89
Barrington Rd. L44 —1B 64
Barrow Av. WA2 —4A 142
Barrow Clo. L12 —4D 33
Barrowfield Rd. WA10 —1A 36
Barrow Hall La. WA5 —3B 146
Barrows Cotts. L35 —1C 75
Barrows Grn. La. WA8 —4C 99
Barrow's Row. WA8 —3A 98
Barrow St. WA10 —3D 37
Barr St. L20 —2B 44
Barrule Clo. WA4 —4A 158
Barrymore Av. WA4 —1B 158
Barrymore Rd. L13 —1D 69
Barrymore Rd. WA4 —3C 159
Barrymore Rd. WA7 —1C 137
Barrymore Way. L63 —4C 125
Barry Pl. L4 —2C 45
Barry St. WA4 —1A 158
Barsbank Clo. WA13 —2D 161
Barsbank La. WA13 —1D 161
Barshaw Gdns. WA4 —3B 162
Bartholomew Clo. L35 —2C 77
Bartlegate Clo. WA7 —2C 139
Bartlett St. L15 —4C 69
Barton Av. WA4 —2C 159
Barton Clo. L21 —2A 18
Barton Clo. L47 —1A 78
Barton Clo. WA7 —4C 135
Barton Clo. WA10 —2D 37
Barton Hey Dri. L48 —3B 100
Barton Rd. L9 —2B 30
Barton Rd. L47 —1A 78
Barwell Av. WA11 —1B 38
Base Tree Clo. WA8 —4D 97
Basil Clo. L16 —3C 71
Basildon Clo. WA9 —2C 55
Basil Rd. L16 —4C 71
Basing St. L19 —3A 112
Baskervyle Rd. L60 —4C 123
Basnett St. L1 —2B 66
Bassendale Rd. L62 —2D 125
Bassenthwaite Av. L33 —4C 13
Bassenthwaite Av. L43 —1B 82
Bassenthwaite Av. WA11 —3B 26
Bassett Way. L27 —1B 92
Batchelor St. L2 —2B 66
(in two parts)
Bates Cres. WA10 —1B 54
Batey Av. L35 —4A 54
Batherton Clo. WA8 —2A 120
Bathgate Way. L33 —3B 12
Bath St. L3 —2A 66
Bath St. L22 —3C 17
Bath St. L62 —4A 108
Bath St. WA1 —4C 149
Bath St. WA10 —3D 37
Bathurst Rd. L19 —3A 112
Batley St. L13 —1D 69
Battenberg St. L7 —2A 68
Battersby La. WA1 & WA2
—3D 149
Battery Clo. L17 —4B 88
Battery La. WA1 —3B 152
Baucher Dri. L20 —4C 19
Baumville Dri. L63 —2A 124
Bawtry Ct. WA2 —1B 150
Baxter Clo. WA7
—4B 134 & 4C 135
Baxter's La. WA9 —1B 56
Baxter's La. Ind. Est. WA9
—1B 56
Baxter St. WA5 —4B 148
Baycliffe Clo. WA7 —2A 138
Baycliff Rd. L12 —1C 49
Bayfield Rd. L19 —2D 111
Bayhorse La. L3 —2D 67
Bayswater Ct. L45 —2C 41
Bayswater Gdns. L45 —2C 41
Bayswater Rd. L45 —3B 40
Baythorne Rd. L4 —4D 31
Baytree Rd. L42 —3C 85
Baytree Rd. L48 —4D 79
Bayvil Clo. WA7 —4C 135
Beach Bank. L22 —2B 16
Beachcroft Rd. L47 —3C 59
Beach Gro. L45 —2B 42
Beach Lawn. L22 —2B 16
Beach Rd. L21 —3D 17
Beach Wlk. L48 —1A 100
Beacon Ct. L5 —3D 45
Beacon Dri. L48 —4B 78
Beacon Gro. WA11 —1C 39
Beacon Hill View. WA7 —4B 130
Beacon Ho. L5 —4C 45
Beacon La. L5 —3D 45
Beacon La. L60 —4B 122
Beacon Pde. L60 —4C 123
Beaconsfield. L34 —3C 53
Beaconsfield Clo. L42 —3C 85
Beaconsfield Cres. WA8 —3D 97
Beaconsfield Gro. WA8 —3A 98
Beaconsfield Rd. L21 —4D 17
Beaconsfield Rd. L25 —3C 91
Beaconsfield Rd. L62 —2A 108
Beaconsfield Rd. WA7 —3C 131
Beaconsfield Rd. WA8 —3A 98
Beaconsfield Rd. WA10 —1B 36
Beaconsfield St. L8 —1A 88
Beacon St. L5 —3A 44
Beadnell Dri. WA5 —1B 154
Beames Clo. L7 —3B 68
Beamont St. WA8 —4D 119
Bear Brand Complex. L25
—4D 91
Beatrice Av. L63 —2C 107
Beatrice St. L20 —4D 29
Beatrice St. WA4 —1A 158
Beattock Clo. L33 —2B 12
Beatty Av. WA2 —1D 149
Beatty Clo. L35 —2C 75
Beatty Clo. L48 —3B 100
Beatty Rd. L13 —1D 69
Beauclair Dri. L15 —4A 70
Beaufort Clo. WA5 —4C 147
Beaufort Clo. WA7 —4A 132
Beaufort Clo. WA8 —1D 117
Beaufort Dri. L44 —4C 41
Beaufort Rd. L41 —2D 63
Beaufort St. L8 —1C 87 & 2C 87
Beaufort St. WA5 —1B 156
Beaufort St. WA9 —4B 38
Beau La. L3 —1C 67
Beaumaris Ct. L43 —2A 84
Beaumaris Dri. L61 —3A 104
Beaumaris Rd. L45 —3B 40
Beaumaris St. L20 —1A 44
(in two parts)
Beaumont Av. WA10 —2B 36
Beaumont Dri. L10 —2C 21
Beau St. L3 —1C 67
Beaver Gro. L9 —1C 31
Beaworth Av. L49 —3B 80
Bebington Rd. L42 —4C 85
Bebington Rd. L63 & L62
—3D 107 & 2A 108
Bechers. WA8 —3A 96
Bechers Row. L9 —4D 19
Beckenham Av. L18 —2D 89
Beckenham Rd. L45 —1A 42
Becket St. L4 —2C 45
(in two parts)
Beckett Clo. L33 —3B 24
Beckett Gro. L63 —3B 106
Beck Gro. WA11 —3C 27
Beckingham Clo. L41 —4B 64
Beck Rd. L20 —1D 29
Beckwith Clo. L41 —4B 64
Beckwith St. L1 —3B 66
Beckwith St. L41 —4A 64
Beckwith St. E. L41 —4C 65
(in two parts)
Becky St. L6 —3A 46
Becontree Rd. L12 —4B 48
Bective St. L7 —4B 68
Bedale Wlk. L33 —4D 13
Bedburn Dri. L36 —1A 72
Bedford Av. L31 —2C 11
Bedford Av. L42 —4C 85
Bedford Clo. L7 —3D 67
Bedford Clo. L36 —1D 73
Bedford Ct. L42 —4D 85
Bedford Dri. L42 —4C 85
Bedford Pl. L20 —4C 29
Bedford Pl. L21 —4D 17
Bedford Pl. L42 —4D 85
Bedford Rd. L20 & L4
—4D 29 to 4B 30
Bedford Rd. L42 —4D 85
Bedford Rd. L45 —2A 42
Bedford Rd. E. L42 —4A 86
Bedford St. WA4 —4D 157
Bedford St. WA9 —4B 38
Bedford St. S. L7 —4D 67
Bedford Wlk. L7 —4D 67
Beecham Clo. L36 —2C 73
Beech Av. L17 —4A 88
Beech Av. L23 —3D 7
Beech Av. L31 —1A 22
Beech Av. L34 —2D 53
Beech Av. L49 —1C 81
Beech Av. L61 —4D 103
Beech Av. WA4 —2A 160
Beech Av. WA5 —1A 154
Beech Av. WA9 —4B 56
Beechbank Rd. L18 —2C 89
Beechburn Cres. L36 —1A 72
Beechburn Rd. L36 —1A 72
Beech Clo. L12 —3D 33
Beech Clo. L32 —1B 22
Beech Ct. L18 —4B 90
Beech Ct. L42 —2B 84
Beechcroft Rd. L44 —2B 64
Beechdale Rd. L18 —2D 89
Beechdene Rd. L4 —2A 46
Beeches, The. L18 —2C 91
Beeches, The. L42 —1D 107
Beeches, The. L46 —1C 61
Beechfield. L31 —4C 5
Beechfield Clo. L60 —4B 122
Beechfield Rd. L18 —2B 90
Beechfield Rd. WA4 —3C 159
Beech Grn. L12 —2A 48
Beech Gro. L9 —1C 31
Beech Gro. L21 —1B 28
Beech Gro. L30 —2D 19
Beech Gro. WA1 —3C 151
Beech Gro. WA4 —2A 158
Beech Gro. WA13 —2C 161
Beechill Clo. L25 —2B 92
Beech La. L18 —2B 90
Beech Lawn. L19 —2D 111
Beech Lodge. L43 —2C 83
Beech Mt. L7 —2B 68
Beech Pk. L12 —3A 48
Beech Pk. L23 —3D 7
Beech Rd. L4 —4C 31
Beech Rd. L36 —3C 73
Beech Rd. L42 —2B 84
Beech Rd. L60 —3D 123
Beech Rd. L63 —2D 107
Beech Rd. WA4 —4D 157
Beech Rd. WA7 —4B 132
Beech St. L7 —2B 68
Beech St. L20 —2D 29
Beech St. WA10 —1B 54
Beech Ter. L7 —2B 68
Beech Ter. WA8 —1D 131
Beechtree Rd. L15 —3A 70
Beechurst Clo. L25 —2A 92
Beechurst Rd. L25 —2A 92
Beechwalk, The. L14 —4A 48
Beechway. L31 —4D 5
Beechway. L63 —1A 124
Beechway Av. L31 —4D 5
Beechways. WA4 —2A 162
Beechwood Av. L26 —2C 115
Beechwood Av. L45 —3C 41
Beechwood Av. WA1 —2B 150
Beechwood Av. WA5 —4B 146
Beechwood Av. WA7 —1D 137
Beechwood Clo. L19 —2D 111
Beechwood Ct. L31 —4C 5
Beechwood Ct. L49 —4A 82
(off Childwall Grn.)
Beechwood Dri. L43 —4B 62
Beechwood Gdns. L19 —2D 111
Beechwood Grn. L19 —2D 111
Beechwood Gro. L35 —4C 53
Beechwood Rd. L19 —3D 111
Beechwood Rd. L21 —1C 29
Beechwood Rd. L62 —3C 125
Beecroft Clo. WA5 —1A 148
Beerbolt Clo. L32 —4B 12
Beesley Rd. L34 —3A 52
Beeston Clo. L43 —1B 82
Beeston Clo. WA3 —3A 144
Beeston Ct. WA7 —1B 134
Beeston Dri. L30 —4A 10
Beeston Dri. L61 —4D 103
Beeston Gro. L19 —2D 111
Beeston St. L4 —1C 45
Beldale Pk. L32 —4A 12
Beldon Cres. L36 —1A 72
Belem Clo. L17 —2B 88
Belem Tower. L17 —2B 88
Belfast Rd. L13 —1A 70
Belfield Cres. L36 —3C 73
Belfield Dri. L43 —3A 84
Belford Dri. L46 —3A 60
Belfort Rd. L25 —2A 92
Belfry Clo. L12 —3C 49
Belfry Clo. L46 —3A 60
Belgrave Av. L44 —4B 42
Belgrave Av. WA1 —2B 150
Belgrave Clo. WA8 —3C 99
Belgrave Rd. L17 —3A 88
Belgrave Rd. L21 —4D 17
Belgrave St. L44 —4A 42

Bowden St.—Brunel Dri.

Bowden St. L21 —1C 29
Bowdon Clo. WA1 —2C 151
Bowdon Rd. L45 —3D 41
Bower Cres. WA4 —4A 162
Bower Gro. L21 —4D 17
Bower Rd. L25 —2D 91
Bower Rd. L36 —4C 51
Bower Rd. L60 —4D 123
Bowers Bus. Pk. WA8 —2A 120
Bowers Pk. Ind. Est. WA8 —2B 120
Bower St. WA8 —1A 120
Bowfield Rd. L19 —2A 112
Bowland Av. L16 —3C 71
Bowland Av. WA9 —1D 77
Bowland Clo. L62 —3C 125
Bowland Clo. WA3 —2D 145
Bowland Clo. WA7 —2A 138
Bowland Dri. L21 —4A 8
Bowles St. L20 —1B 28
Bowley Rd. L13 —4D 47
Bowman Av. WA4 —4C 151
Bowness Av. L43 —4D 83
Bowness Av. WA2 —4A 142
Bowness Av. WA11 —3C 27
Bowood Ct. WA2 —3C 141
Bowood St. L8 —3D 87
Bowring Clo. L8 —2D 87
Bowring Pk. Av. L16 —2D 71
Bowring Pk. Rd. L14 —2C 71
Bowring St. L8 —2D 87
Bowscale Clo. L49 —1C 81
Bowscale Rd. L11 —4B 32
Boxdale Ct. L18 —2D 89
Boxdale Rd. L18 —2D 89
Boxmoor Rd. L18 —4D 89
Boxtree Clo. L12 —2B 34
Boxwood Clo. L36 —2B 72
Boycott St. L5 —3A 46
Boyd Clo. L46 —1A 62
Boydell Av. WA4 —3D 159 (Grappenhall)
Boydell Av. WA4 —1B 158 (Westy)
Boydell Clo. L28 —2A 50
Boyer Av. L31 —2B 10
Boyes Brow. L33 —4C 13
Boyle Av. WA2 —1A 150
Boyton Ct. L7 —4B 68
Brabant Rd. L17 —1C 111
Braby Rd. L21 —1D 29
Bracewell Clo. WA9 —3B 56
Bracken Clo. WA3 —2A 144
Bracken Ct. WA9 —4B 56
Brackendale. L49 —3A 82
Brackendale. WA7 —3C 133
Brackendale Av. L9 —4A 20
Bracken Dri. L48 —4C 79
Brackenhurst Dri. L45 —2B 42
Brackenhurst Grn. L33 —1C 23
Bracken La. L63 —4B 106
Brackenside. L60 —2B 122
Bracken Way. L12 —3A 48
Bracken Wood. L12 —2A 34
Brackenwood Gro. L35 —1C 75
Brackenwood M. WA4 —3D 159
Brackenwood Rd. L63 —1A 124
Brackley Av. L20 —2C 29
Brackley Clo. L20 —2C 29
Brackley Clo. L44 —1D 63
Brackley St. WA4 —3D 157
Brackley St. WA7 —2D 131
Bracknell Av. L32 —3C 23
Bracknell Clo. L32 —3C 23
Bradbourne Clo. L12 —3A 34
Bradda Clo. L49 —4D 61
Braddan Av. L13 —3C 47
Bradden Clo. L63 —2B 124
Bradewell Clo. L4 —1C 45
Bradewell St. L4 —1C 45
Bradfield Av. L10 —1B 20
Bradfield St. L7 —2B 68
Bradgate Clo. L46 —3A 60
Bradkirk Ct. L30 —4C 9
Bradley Boulevd. WA5 —4D 147
Bradley Pas. WA8 —1A 120
Bradley Rd. L21 —3A 18
Bradman Rd. L33 —1B 24
Bradman Rd. L46 —2B 60
Bradmoor Rd. L62 —3D 125
Bradshaw Clo. WA10 —2B 36
Bradshaw La. WA4 —2D 159
Bradshaw Pl. L6 —1D 67
Bradshaw St. WA8 —4D 97
Bradshaw Wlk. L20 —2C 29
Bradstone Clo. L10 —1C 33
Bradville Rd. L9 —4B 20
Bradwell Clo. L48 —4C 79
Braehaven Rd. L45 —2B 42
Braemar Clo. L35 —1D 75
Braemar Clo. WA2 —3C 143
Braemar St. L20 —4A 30
Braemore Rd. L44 —4D 41
Braeside Gdns. L49 —1D 81
Brae St. L7 —2A 68
Brahms Clo. L8 —1A 88
Braid St. L41 —3B 64
Brainerd St. L13 —4C 47
Braithwaite Clo. L35 —1B 76
Braithwaite Clo. WA7 —1D 137
Bramberton Pl. L4 —4D 31
Bramberton Rd. L4 —4D 31
Bramble Av. L41 —4D 63
Bramble Clo. WA5 —2B 154
Bramble Way. L46 —2C 61
Bramble Way. WA7 —2A 138
Bramblewood Clo. L27 —1C 93
Brambling Clo. WA7 —2B 138
Brambling Pk. L26 —1C 115
Bramcote Av. WA11 —1B 38
Bramcote Clo. L33 —4D 13
Bramcote Rd. L33 —4D 13
Bramcote Wlk. L33 —4D 13
Bramerton Ct. L48 —3A 78
Bramford Clo. L49 —2C 81
Bramhall Clo. L24 —2C 129
Bramhall Rd. L22 —3C 17
Bramhall St. WA5 —1B 156
Bramley Av. L63 —2C 107
Bramley Clo. L27 —1C 93
Bramleys, The. L31 —2B 10
Bramley Wlk. L24 —2B 128
Bramley Way. L32 —1B 22
Brampton Ct. WA9 —3D 39
Brampton Dri. L8 —3D 67
Bramshill Clo. WA3 —1C 145
Bramwell Av. L43 —1D 105
Bramwell St. WA9 —2C 39
Brancker Av. L35 —4A 54
Brancote Gdns. L62 —4D 125
Brancote Mt. L43 —1D 83
Brancote Rd. L43 —1D 83
Brandearth Hey. L28 —2A 50
Brandon. WA8 —4A 96
Brandon Clo. L24 —3A 130
Brandon St. L41 —1D 85
Brandreth Clo. L35 —1A 76
Brandwood Av. WA2 —4D 141
Brandwood Ho. WA1 —4D 149
Branfield Clo. L12 —3A 34
Branstree Av. L11 —3B 32
Bran St. L8 —2C 87
Brantfield Ct. WA2 —4B 142
Branthwaite Clo. L11 —4B 32
Branthwaite Cres. L11 —4B 32
Branthwaite Gro. L11 —4B 32
Brasenose Rd. L20 —4C 29
Brassey St. L8 —1C 87
Brassey St. L41 —3A 64
Brathay Clo. WA2 —3D 141
Bratton Rd. L41 —2B 84
Braunton Rd. L17 —1C 111
Braunton Rd. L45 —3A 42
Braybrooke Rd. L11 —3B 32
Bray Clo. WA7 —1D 137
Braydon Clo. L25 —3A 114
Brayfield Rd. L4 —1C 47
Bray Rd. L24 —4A 114
Bray St. L41 —4A 64
Brechin Rd. L33 —2D 23
Breck Clo. L6 —4D 45
Breckfield Pl. L5 —3D 45
Breckfield Rd. N. L5 —3D 45
Breckfield Rd. S. L6 —4D 45
Breck Pl. L44 —1D 63
Breck Rd. L5 & L4 —4D 45
Breck Rd. L44 —4D 41
Breck Rd. WA8 —4A 98
Breckside Av. L44 —4C 41
Breckside Pk. L6 —3B 46
Breck Wlk. L6 —4D 45
Brecon Av. L30 —2D 19
Brecon Rd. L42 —1B 106
Brecon Wlk. L30 —2D 19
Breeze Clo. L9 —3B 30
Breeze Hill. L20 & L9 —3A 30
Breeze Hill Gdns. L20 —3A 30
Breeze La. L9 —3B 30
Brelade Rd. L13 —4D 47
Bremhill Rd. L11 —3B 32
Bremner Clo. L7 —2B 68
Brenda Cres. L23 —2A 8
Brendale Av. L31 —1B 10
Brendan's Way. L30 —1C 19
Brendon Av. L21 —2D 17
Brendon Av. WA2 —3C 141
Brendon Gro. WA9 —3D 39
Brendor Rd. L25 —1A 114
Brenig St. L41 —3D 63
Brenka Av. L9 —2A 20
Brentfield. WA8 —4C 97
Brentnall Clo. WA5 —4D 147
Brent Way. L26 —3C 115 (in two parts)
Brentwood Av. L17 —3B 88
Brentwood Av. L23 —3D 7
Brentwood Clo. WA10 —3A 36
Brentwood Ct. L49 —4A 82 (off Goodakers Meadow)
Brentwood St. L44 —1B 64
Brereton Av. L15 —4D 69
Brereton Av. L63 —3D 107
Brereton Clo. WA7 —3D 133
Bretherton Pl. L35 —4A 54
Bretherton Rd. L34 —3C 53
Bretlands Rd. L23 —3A 8
Brett St. L41 —4A 64
Brewery La. L31 —1C 21 to 3C 11
Brewster St. L4 & L20 —4A 30
Brian Av. L61 —3D 103
Brian Av. WA2 —2A 150
Brian Av. WA4 —3B 158
Briardale Rd. L18 —2D 89
Briardale Rd. L42 —2B 84
Briardale Rd. L44 —2C 65
Briardale Rd. L63 —2D 107
Briar Dri. L36 —2B 72
Briar Dri. L60 —4C 123
Briarfield Av. WA8 —1D 117
Briarfield Rd. L60 —4C 123
Briars Clo. L35 —2B 76
Briars La. L31 —4C 5
Briar St. L4 —2B 44
Briarswood Clo. L35 —1C 75
Briarswood Clo. L42 —1D 107
Briarwood Av. WA1 —2B 150
Briarwood Rd. L17 —3C 89
Brickfields. L36 —2D 73
Brickhurst Way. WA1 —2D 151
Brick St. L1 —4C 67
Brick St. WA1 —4D 149
Brickwall Grn. L29 —2D 9
Brickwall La. L29 —3C 9
Bride St. L4 —4B 30
Bridge Av. WA4 —1B 158
Bridge Av. E. WA4 —4B 150
Bridge Ct. L30 —4C 9
Bridge Ct. L48 —3A 78
Bridge Croft. L21 —1A 18
Bridgecroft Rd. L45 —3A 42
Bridge Farm Clo. L49 —3A 82
Bridge Farm Dri. L31 —4D 5
Bridgefield Clo. L25 —4A 72
Bridge Foot. WA1 —1D 157
Bridgeford Av. L12 —2D 47
Bridge Gdns. L12 —1D 49
Bridge Ind. Est. L24 —4A 114
Bridge La. L30 —1C 19
Bridge La. WA1 —3A 152
Bridge La. WA4 —4A 158
Bridge La. WA6 —4D 137
Bridgeman St. WA5 —1A 156
Bridgeman St. WA10 —3C 37
Bridgenorth Rd. L61 —1A 122
Bridge Rd. L7 —3B 68
Bridge Rd. L18 —3D 89
Bridge Rd. L21 —4A 18
Bridge Rd. L23 —1B 16
Bridge Rd. L31 —2C 11
Bridge Rd. L34 —4C 53
Bridge Rd. L36 —2B 72
Bridge Rd. L48 —3A 78
Bridge Rd. WA1 —3A 152
Bridges La. L29 & L31 —2D 9
Bridge St. L20 —4C 29
Bridge St. L41 —4C 65
Bridge St. L62 —4A 108 (in two parts)
Bridge St. WA1 —1D 157
Bridge St. WA7 —2A 132
Bridge St. WA10 —3D 37
Bridge View Clo. WA8 —4D 119
Bridgewater Av. WA4 —1B 158
Bridgewater Clo. L21 —2A 18
Bridgewater Expressway. WA7 —2C 133
Bridgewater M. WA4 —4A 158
Bridgewater St. L1 —4B 66
Bridgewater St. WA7 —2D 131
Bridgeway. L11 —4A 32
Bridgeway E. WA7 —2B 134
Bridgeway W. WA7 —2A 134
Bridle Av. L44 —2C 65
Bridle Clo. L43 —1A 82
Bridle Clo. L62 —4D 125
Bridle Ct. WA9 —1A 56
Bridlemere Ct. WA1 —2B 150
Bridle Pk. L62 —4D 125
Bridle Rd. L30 —4C 19
Bridle Rd. L44 —2C 65
Bridle Rd. L62 —4D 125
Bridle Rd. Ind. Est. L30 —3D 19
Bridle Way. L30 —3D 19
Bridport St. L3 —2C 67
Brierfield Rd. L15 —1D 89
Brierley Clo. L30 —4A 10
Briers Clo. WA2 —3B 142
Briery Hey Av. L33 —1D 23
Brightgate Clo. L7 —3A 68
Brighton Rd. L22 —2C 17
Brighton Rd. L36 —1A 74
Brighton St. L44 —4C 43
Brighton St. WA5 —3B 148
Brighton Vale. L22 —1A 16
Bright St. L6 —1D 67
Bright St. L41 —1B 84
Bright Ter. L8 —3D 87
Brightwell Clo. L49 —2D 81
Brightwell Clo. WA5 —4B 146
Brill St. L41 —4A 64
Brimelow Cres. WA5 —2B 154
Brimstage Av. L63 —1B 106
Brimstage Clo. L60 —4D 123
Brimstage Grn. L60 —3D 123
Brimstage La. L63 —4A 106
Brimstage Rd. L4 —4A 30
Brimstage Rd. L60 —4D 123
Brimstage Rd. L63 —2A 124
Brimstage St. L41 —2B 84
Brindley Av. WA4 —1B 158
Brindley Clo. L21 —2A 18
Brindley Rd. L32 —2B 22
Brindley Rd. WA7 —1D 133
Brindley Rd. WA9 —3C 57
Brindley St. L8 —1C 87
Brindley St. WA7 —2D 131
Brinton Clo. L27 —1B 92
Brinton Clo. WA8 —2C 119
Brisbane Av. L45 —1D 41
Brisbane St. WA9 —2C 55
Briscoe Av. L46 —4D 61
Briscoe Dri. L46 —4C 61
Bristol Av. L44 —4B 42
Bristol Av. WA7 —1A 140
Bristol Rd. L15 —1D 89
Bristow Clo. WA5 —2C 147
Britannia Av. L15 —4B 68
Britannia Cres. L8 —3D 87
Britannia Pavilion. L3 —3B 66
Britannia Rd. L45 —4A 42
Britonside Av. L32 —3D 23
Brittarge Brow. L27 —2C 93
Britten Clo. L8 —1A 88
Britton St. L8 —1C 87
Broadbelt St. L4 —4A 30
Broadbent Av. WA4 —1B 158
Broadfield Av. L43 —4A 62
Broadfield Clo. L43 —4A 62
Broadfields. WA7 —3B 134
Broadgate Av. WA9 —1A 56
Broad Grn. Rd. L13 —1A 70
Broadheath Ter. WA8 —4B 96
Broad Hey. L30 —1B 18
Broad Hey Clo. L25 —3A 92
Broadhurst Av. WA1 —1A 156
Broadhurst St. L17 —3A 88
Broad La. L4 —4A 32
Broad La. L11 —1C 47
Broad La. L32 —3D 23
Broad La. L60 —4A 122
Broad La. WA4 —3C 159 & 4D 159
Broad La. WA11 —2C 27
Broad La. Precinct. L11 —1D 47
Broadmead. L19 —2C 113
Broad Mead. L60 —4D 123
Broad Oak Av. WA5 —1B 154
Broad Oak Av. WA11 —1D 39
Broadoak Rd. L14 —1D 71
Broadoak Rd. L31 —4C 5
Broad Oak Rd. WA9 —3C 39
Broadoaks. L49 —1C 81
Broad Pl. L11 —1D 47
Broad Sq. L11 —1D 47
Broadstone Dri. L63 —2A 124
Broad View. L11 —1D 47
Broadway. L9 —3B 30
Broadway. L11 —4A 32
Broadway. L45 —4D 41
Broadway. L49 —2C 81
Broadway. L63 —2B 106
Broadway. WA8 —1D 117
Broadway. WA10 —2A 36
Broadway Av. L45 —3D 41
Broadway Mkt. L11 —1C 47
Broadwood Av. L31 —2B 10
Broadwood St. L15 —4C 69
Brock Av. L31 —3C 5
Brockenhurst Rd. L9 —1B 30
Brock Gdns. L24 —3A 130
Brockhall Clo. L35 —3D 53
Brock Hall Clo. WA9 —4B 56
Brockholme Rd. L18 —1A 112
Brocklebank La. L19 —2B 112
Brocklebank St. L20 —4C 29
Brockley Av. L45 —1A 42
Brockmoor Tower. L4 —1C 45
Brock Rd. WA3 —4A 144
Brock St. L4 —1C 45
Brockton Ct. WA4 —1A 162
Brodie Av. L18 & L19 —4D 89 to 2B 112
Bromborough Dock Est. L62 —3B 108
Bromborough Precinct. L62 —3D 125
Bromborough Rd. L63 & L62 —4A 108
Bromborough Village Rd. L62 —3D 125
Brome Way. L63 —2B 124
Bromilow Rd. WA9 —4C 39
Bromley Av. L18 —2D 89
Bromley Clo. L60 —4A 122
Bromley Clo. WA2 —4C 143
Bromley Rd. L45 —2A 42
Brompton Av. L17 —1B 88
Brompton Av. L23 —1B 16
Brompton Av. L44 —4B 42
Brompton Ho. L17 —1B 88
Bromsgrove Rd. L49 —3B 80
Bromyard Clo. L20 —2C 29
Bronshill Ct. L23 —4A 6
Bronte Clo. L23 —4A 6
Bronte St. L3 —2C 67
Bronte St. WA10 —2C 37
Brook Av. WA4 —3B 158 (Stockton Heath)
Brook Av. WA4 —4C 151 (Westy)
Brookbridge Rd. L13 —2C 47
Brook Clo. L44 —4B 42
Brook Clo. WA8 —1B 96
Brookdale. WA8 —3A 96
Brookdale Av. N. L49 —2C 81
Brookdale Av. S. L49 —4C 81
Brookdale Clo. L49 —3C 81
Brookdale Rd. L15 —1C 89
Brook Dri. WA5 —4C 147
Brook End. WA9 —4D 39
Brooke Rd. E. L22 —1B 16
Brooke Rd. W. L22 —2B 16
Brookfield Av. L22 —3D 17
Brookfield Av. L23 —1B 16
Brookfield Av. L35 —4A 54
Brookfield Av. WA7 —2C 133
Brookfield Dri. L9 —1D 31
Brookfield Gdns. L48 —4A 78
Brookfield La. L39 —2D 5
Brookfield Pk. WA4 —2C 159
Brookfield Rd. L48 —4A 78
Brook Furlong La. WA6 —4B 136
Brook Hey Dri. L33 —4D 13
Brook Hey Wlk. L33 —4D 13
Brookhill Clo. L20 —3D 29
Brookhill Rd. L20 —2D 29
Brookland La. WA9 —4D 39
Brookland Rd. L41 —2C 85
Brookland Rd. E. L13 —1D 69
Brookland Rd. W. L13 —1D 69
Brooklands. L41 —4C 65
Brooklands Av. L22 —3C 17
Brooklands Dri. L31 —1C 11
Brooklands Rd. WA10 —2A 36
Brooklands, The. L36 —3C 73
Brookland St. WA1 —2B 150
Brook La. WA3 —2C 153
Brook Lea Ho. L21 —1B 18
Brooklet Rd. L60 —3D 123
Brook Meadow. L61 —2C 103
Brook Pk. L31 —2B 10
Brook Pl. WA4 —1B 158
Brook Rd. L9 —2B 30
Brook Rd. L20 —3C 29 (in two parts)
Brook Rd. L23 —2D 7
Brook Rd. L31 —1C 11
Brooks All. L1 —3C 67
Brookside. L12 —1C 49
Brookside. L14 —4C 49
Brook Side. L31 —4C 5
Brookside Av. L14 —1C 71
Brookside Av. L22 —3D 17
Brookside Av. WA4 —3A 158
Brookside Av. WA5 —1C 155
Brookside Av. WA10 —1A 36
Brookside Av. WA13 —1D 161
Brookside Clo. L35 —4C 53
Brookside Cres. L49 —1C 81
Brookside Dri. L49 —2C 81
Brookside Rd. L35 —4C 53
Brooks, The. WA11 —4C 27
Brook St. L3 —2A 66
Brook St. L35 —4D 53
Brook St. L41 —4B 64
Brook St. L44 —4B 42
Brook St. L62 —3A 108
Brook St. WA7 —2D 131
Brook St. WA8 —1A 120
Brook St. WA10 —3D 37
Brook St. E. L41 —4C 65
Brook Ter. L48 —4A 78
Brook Ter. WA7 —2C 133
Brook Vale. L22 —3D 17
Brookvale Av. N. WA7 —1C 139
Brookvale Av. S. WA7 —1C 139
Brook Wlk. L61 —2C 103
Brookway. L43 —1C 105
Brookway. L45 —3D 41
Brookway. L49 —2C 81
Brook Way. WA5 —4C 147
Brookway La. WA9 —4D 39
Brookwood Clo. WA4 —4C 157
Brookwood Rd. L36 —4C 51
Broom Av. WA4 —1A 162
Broom Clo. L34 —3D 53
Broome Ct. WA7 —2C 139
Broomfield Gdns. L9 —1B 30
Broomfield Rd. L9 —1B 30
Broomfields. WA4 —4B 158
Broomfields Rd. WA4 —1A 162
Broom Hill. L43 —4D 63
Broomlands. L60 —3A 122
Broom Rd. WA10 —1A 54
Brooms Gro. L10 —2C 21
Broom Way. L26 —2C 115
Broseley Av. L62 —3C 125
Broster Av. L46 —4B 60
Broster Clo. L46 —4B 60
Brosters La. L47 —3C 59
Brotherton Clo. L62 —3C 125
Brotherton Rd. L44 —2C 65
Brougham Av. L41 —3D 85
Brougham Rd. L44 —1C 65
Brougham Ter. L6 —1D 67
Broughton Av. L48 —3A 78
Broughton Dri. L19 —2A 112
Broughton Hall Rd. L12 —3C 49
Broughton Rd. L44 —1A 64
Brow La. L60 —4B 122
Brownbill Bank. L27 —2C 93
Brownheath Av. WN5 —1D 27
Brownhill Dri. WA1 —2B 150
Browning Av. L42 —1D 107
Browning Av. WA8 —2D 119
Browning Clo. L36 —3D 73
Browning Rd. L13 —2D 47
Browning Rd. L22 —2B 16
Browning Rd. L45 —3C 41
Browning St. L20 —2C 29
Brownlow Arc. WA10 —3D 37
Brownlow Hill. L3 —3C 67
Brownlow Rd. L62 —2A 108
Brownlow St. L3 —2D 67
Brownmere Dri. WA3 —1C 143
Brownmoor Clo. L23 —4D 7
Brownmoor La. L23 —1D 17
Brownmoor Pk. L23 —1D 17
Brown's La. L30 —1D 19
Brown St. WA8 —2B 120
Brownville Rd. L13 —2C 47
Brow Rd. L43 —3C 63
Brow Side. L5 —4D 45
Broxholme Way. L31 —1B 10
Broxton Av. L43 —4D 83
Broxton Av. L48 —3A 78
Broxton Clo. WA8 —3A 96
Broxton Rd. L45 —3D 41
Broxton St. L15 —3C 69
Bruce Av. WA2 —1A 150
Bruce St. L8 —2D 87
Bruce St. WA10 —3C 37
Bruche Av. WA1 —3B 150
Bruche Dri. WA1 —2B 150
Bruche Heath Gdns. WA1 —2C 151
Bruen Clo. L27 —1B 92
Brunel Clo. L6 —4D 45
Brunel Dri. L21 —2A 18

Brunel M.—Cartier Clo.

Brunel M. L6 —4D 45
Brunel Wlk. L6 —4D 45
Brunner Rd. WA8 —1D 119
Brunsfield Clo. L46 —4B 60
Brunstath Clo. L60 —3D 123
Brunswick Bus. Pk. L3 —3C 87
Brunswick Clo. L4 —1C 45
Brunswick Ct. L41 —4C 65
Brunswick M. L22 —3C 17
Brunswick Pde. L22 —3C 17
Brunswick Pl. L20 —1A 44
Brunswick Rd. L6 —1D 67
Brunswick St. L3 & L2
—3A 66 to 2B 66
Brunswick St. L19 —1B 126
Brunswick St. WA9 —3D 39
Brunswick Way. L3 —2C 87
Brunt La. L19 —2C 113
Bruntleigh Av. WA4 —1C 159
Bruton Rd. L36 —3B 50
Bryanston Rd. L17 —3A 88
Bryanston Rd. L42 —4A 84
Bryant Av. WA4 —4C 151
Bryant Rd. L21 —1C 29
Bryceway, The. L12 —4C 49
Brydges St. L7 —3A 68
Bryer Rd. L35 —4B 52
Bryn Bank. L44 —4B 42
Brynford Heights. L5 —4C 45
Brynmor Rd. L18 —4D 89
Brynmoss Av. L44 —1D 63
Brynn St. WA8 —2A 120
Brynn St. WA10 —2D 37
Bryon Av. L35 —1C 75
Bryony Way. L42 —1D 107
Buccleuch St. L41 —3D 63
Buchanan Rd. L9 —3B 30
Buchanan Rd. L44 —1C 65
Buchan Clo. WA5 —1D 147
Buckfast Clo. L30 —4D 9
Buckfast Clo. WA5 —2B 154
Buckfast Ct. WA7 —1C 135
Buckingham Av. L17 —1B 88
Buckingham Av. L43 —4D 63
Buckingham Av. L63 —2C 107
Buckingham Av. WA8 —2D 97
Buckingham Clo. L30 —1B 18
Buckingham Ct. L33 —4D 13
Buckingham Dri. WA5 —1D 155
Buckingham Dri. WA11 —4C 27
Buckingham Ho. L17 —1B 88
Buckingham Rd. L9 —1B 30
Buckingham Rd. L13 —3C 47
Buckingham Rd. L31 —1B 10
Buckingham Rd. L44 —4D 41
Buckinghamshire Clo. WA10
—4C 37
Buckingham St. L5 —3C 45
Buckland Clo. WA8 —2B 118
Buckland Dri. L63 —2A 124
Buckland St. L17 —3A 88
Buckley Hill La. L29 —4B 8
Buckley St. WA2 —3C 149
Buckley Wlk. L24 —2B 128
Buckley Way. L30 —3B 8
Buckthorn Clo. L28 —2A 50
Buckthorn Gdns. WA9 —3B 54
Buckton St. WA1 —3A 150
Bude Clo. L43 —1B 82
Bude Rd. WA8 —4C 97
Budworth Av. WA4 —1B 158
Budworth Av. WA8 —4B 96
Budworth Av. WA9 —4A 56
Budworth Clo. L43 —2C 83
Budworth Clo. WA7 —1D 137
Budworth Dri. L25 —4B 92
Budworth Rd. L43 —2C 83
Buerton Clo. L43 —2C 83
Buffs La. L60 —3C 123
Bulford Rd. L9 —2A 32
Bulkeley Rd. L44 —1B 64
Bull Bri. La. L10 —2C 21
Bullens Rd. L4 —1D 45
Bullens Rd. L32 —3D 23
Bullfinch Ct. L26 —1C 115
Bull La. L9 —4D 19 & 4A 20
Bulrushes, The. L17 —3D 87
Bulwer St. L5 —3A 46
Bulwer St. L20 —1B 28
Bulwer St. L42 —4D 85
Bunbury Dri. WA7 —1C 137
Bundoran Rd. L17 —4C 89
Bunter Rd. L32 —4D 23
Bunting Ct. L26 —4C 93
Buntingford Rd. WA4 —1A 160
Burbo Band Rd. S. L23 —1A 16
Burbo Bank Rd. L23 —4A 6
Burbo Bank Rd. N. L23 —3A 6
Burbo Cres. L23 —1A 16
Burbo Mans. L23 —1A 16
Burbo Way. L45 —2C 41
Burden Rd. L46 —3B 60
Burdett Av. L63 —2A 124
Burdett Clo. L63 —2B 124
Burdett Rd. L22 —2B 16
Burdett Rd. L45 —3C 41
Burdett St. L17 —3A 88
Burdon Clo. WA8 —3B 96
Burfield Dri. WA4 —1A 162
Burford Av. L44 —1D 63
Burford Rd. L16 —3B 70
Burgess Av. WA4 —2D 157
Burgess Gdns. L31 —4B 4
Burgess St. L3 —2C 67
Burghill Rd. L12 —2A 34
Burland Clo. WA7 —3D 131
Burleigh M. L5 —2D 45
Burleigh Rd. N. L5 —2D 45
Burleigh Rd. S. L5 —2D 45
Burley Clo. L32 —2D 23
Burlingham Av. L48 —4B 78
Burlington Rd. L45 —1A 42
Burlington St. L3 —4B 44
Burlington St. L41 —1C 85
Burman Cres. L19 —2B 112
Burman Rd. L19 —2B 112
Burma Rd. WA5 —2C 147
Burnaby St. L44 —4B 42
Burnage Av. WA9 —4A 56
Burnage Clo. L24 —2D 129
Burnand St. L4 —2D 45
Burnard Clo. L33 —2C 23
Burnard Cres. L33 —2D 23
Burnard Wlk. L33 —2D 23
Burnell Clo. WA10 —3C 37
Burnell Wlk. L33 —1D 23
Burnet Clo. WA2 —1D 151
Burnham Clo. WA5 —4B 146
Burnham Clo. WA8 —3B 96
Burnham Rd. L18 —3A 90
Burnie Av. L20 —2A 30
Burnley Av. L46 —3D 61
Burnley Ct. L6 —4D 45
Burnley Rd. L46 —3D 61
Burnsall Dri. WA8 —3B 96
Burnsall St. L19 —4C 113
Burns Av. L45 —4A 42
Burns Clo. L16 —3C 71
Burns Clo. L35 —1C 75
Burns Cres. WA8 —1D 119
Burns Gro. L36 —3D 73
Burns Gro. WA2 —1D 149
Burnside Av. L44 —2A 64
Burnside Av. WA4 —3A 158
Burnside Rd. L44 —2A 64
Burns Rd. WA9 —1D 77
Burns St. L20 —1B 28
Burnt Ash Clo. L19 —2D 111
Burnthwaite Rd. L14 —1B 70
Burrell Clo. L42 —1B 106
Burrell Ct. L42 —1B 106
Burrell Dri. L46 —4C 61
Burrell Rd. L42 —1A 106
Burrell St. L4 —1D 45
Burrough Clo. WA3 —3B 144
Burroughs Gdns. L3 —4B 44
Burrows Av. WA11 —1D 39
Burrows Ct. L3 —4B 44
Burrows Ct. WA9 —3C 39
Burrow's La. L34 —2C 53
Burrow's La. WA10 —3A 36
Burrow's St. WA11 —1D 39
Burton Av. L35 —4D 53
Burton Av. L45 —4C 41
Burton Clo. L35 —4D 53
Burton Clo. WA8 —3C 97
Burtonhead Rd. WA9 —4D 37
Burton Rd. WA2 —1A 150
Burton St. L5 —3A 44
Burtons Way. L32 —3B 22
Burtonwood Rd. WA5
—1C 147 to 3D 147
Burtree Rd. L14 —3D 49
Burwell Clo. L33 —1D 23
Burwen Dri. L9 —1B 30
Busby's Cotts. L45 —2A 42
Bushey Rd. L4 —4D 31
Bushley Clo. L20 —2C 29
Bush Rd. WA8 —4C 119
Bush Way. L60 —4A 122
Butchers La. L39 —1D 5
Bute St. L5 —1C 67
(in two parts)
Butleigh Rd. L36 —4C 51
Butler Cres. L6 —1A 68
Butler St. L6 —1A 68
Buttercup Way. L9 —2C 31
Butterfield St. L45 —2D 45
Buttermarket St. WA1 —4D 149
Buttermere Av. L43 —1B 82
Buttermere Av. WA2 —4A 142
Buttermere Av. WA11 —3C 27
Buttermere Clo. L31 —4C 5
Buttermere Clo. L33 —4B 12
Buttermere Cres. WA2 —4A 142
Buttermere Gdns. L23 —1D 17
Buttermere Gro. WA7 —2D 137
Buttermere Rd. L16 —3D 71
Buttermere St. L8 —4A 68
Butterton Av. L49 —1C 81
Butterwick Dri. L12 —3A 34
Button St. L2 —2B 66
Butts, The. WA7 —2C 133
Buxted Rd. L32 —3D 23
Buxted Wlk. L32 —3D 23
Buxton Clo. WA5 —2C 147
Buxton La. L44 —4C 41
Buxton Rd. L42 —4D 85
Byerley St. L44 —1C 65
Byland Clo. WA8 —2A 98
Byles St. L8 —2D 87
Byng Pl. L4 —1C 47
Byng Rd. L4 —1C 47
Byng St. L20 —4C 29
By-Pass, The. L23 —4C 7
Byrne Av. L42 —4D 85
Byrom St. L3 —2B 66
Byrom Way. L3 —1C 67
Byron Av. L12 —2A 48
Byron Av. L35 —1D 75
Byron Clo. L36 —2D 73
Byron Clo. L43 —1D 105
Byron Clo. WA10 —2D 37
Byron Ct. WA2 —4D 141
Byron Rd. L23 —4B 6
Byron Rd. L31 —3B 4
Byron St. L19 —4B 112
Byron St. L20 —1B 28
Byron St. WA7 —3D 131
Byron Ter. L23 —4B 6
Byton Wlk. L33 —4D 13
Byway, The. L23 —4C 7

Cabes Clo. L14 —2D 49
Cable Rd. L35 —4C 53
Cable Rd. L47 —4A 58
Cable Rd. S. L47 —1A 78
Cable St. L1 —3B 66
Cabot Clo. WA5 —1A 148
Cabot Grn. L25 —2C 91
Cabul Clo. WA2 —2A 150
Caddick Rd. L34 —2C 35
Cadmus Wlk. L6 —4D 45
Cadnam Rd. L25 —2B 92
Cadogan St. L15 —3B 68
Cadshaw Clo. WA3 —2A 144
Cadwell Rd. L31 —2A 4
Caernarvon Clo. L49 —1D 81
Caernarvon Clo. WA7 —2D 133
Caernarvon Ct. L63 —4D 107
Caerwys Gro. L42 —3C 85
Caesars Clo. WA7 —2C 133
Caird St. L6 —1D 67
Cairne Ct. WA9 —2B 54
Cairne St. WA9 —2C 55
Cairnmore Rd. L18 —4A 90
Cairns St. L8 —1A 88
Cairo St. L4 —4A 30
Cairo St. WA1 —4C 149
Cairo St. WA10 —1B 54
Caithness Ct. WA7 —2A 132
Caithness Dri. L23 —1C 17
Caithness Dri. L45 —3B 42
Caithness Gdns. L43 —1D 105
Caithness Rd. L18 —1A 112
Calcott Rake. L30 —4C 9
Caldbeck Av. WA2 —1A 150
Caldbeck Gro. WA11 —2D 27
Caldbeck Rd. L62 —2D 125
Calder Av. L43 —4D 83
Calder Clo. L33 —2D 13
Calder Clo. WA8 —3C 99
Calder Dri. L18 —2B 90
Calder Dri. L31 —3C 5
Calder Dri. L35 —1A 76
Calderfield Clo. WA4 —4D 157
Calderfield Rd. L18 —2B 90
Calder Grange. L18 —3C 91
Calderhurst Dri. WA10 —1A 36
Calder Rd. L5 —3D 45
Calder Rd. L63 —4C 107
Calders, The. L18 —3B 90
Calderstones Av. L18 —2A 90
Calderstones Rd. L18 —2A 90
Calder St. L5 —2C 45
Caldicott Av. L62 —4D 125
Caldway Dri. L27 —2C 93
Caldwell Av. WA5 —1C 149
Caldwell Clo. L33 —4C 13
Caldwell Dri. L49 —4A 82
Caldwell Rd. L19 —2B 112
Caldwell Rd. WA8 —2D 119
Caldwell St. WA9 —3B 38
Caldy Chase Dri. L48 —2B 100
Caldy Ct. L48 —1A 100
Caldy Grange Clo. L48 —1C 101
Caldy Gro. WA11 —1B 38
Caldy Rd. L9 —4A 20
Caldy Rd. L45 —3A 42
Caldy Rd. L48
—1A 100 to 2D 101
Caldy Wood. L48 —2C 101
Caledonia St. L7 —3D 67
Calgarth Rd. L36 —4A 50
California Rd. L13 —2C 47
Callaghan Clo. L5 —4B 44
Callander Rd. L6 —1B 68
Callands Rd. WA5 —1A 148
Callestock Clo. L11 —1D 33
Callington Clo. L14 —3A 50
Callon Av. WA11 —2C 39
Callow Rd. L15 —4C 69
Calne Clo. L61 —2B 102
Calstock Clo. WA5 —2B 154
Calthorpe St. L19 —3A 112
Calton Av. L18 —1D 89
Calveley Clo. L43 —3C 83
Calverly Clo. WA7 —2C 139
Calver Rd. WA2 —3C 141
Calvers. WA7 —3C 133
Camberley Dri. L25 —1B 114
Camborne Av. L25 —1B 114
Camborne Clo. WA7 —1C 139
Cambourne Av. WA11 —4D 27
Cambrai Av. WA4 —2D 157
Cambrian Clo. L46 —4A 60
Cambrian Rd. L46 —4B 60
Cambrian Way. L25 —3A 92
Cambria St. L6 —1A 68
Cambridge Av. L21 —3A 18
Cambridge Av. L23 —4B 6
Cambridge Clo. WA4 —4D 157
Cambridge Dri. L23 —4B 6
Cambridge Dri. L26 —1D 115
Cambridge Gdns. WA4 —1A 162
Cambridge Rd. L9 —3A 20
Cambridge Rd. L20 —4A 30
Cambridge Rd. L22 & L21
—4C 17
Cambridge Rd. L23 —3B 6
Cambridge Rd. L42 —4A 84
Cambridge Rd. L45 —2A 42
Cambridge Rd. L62 —4D 125
Cambridge Rd. WA10 —2C 37
Cambridge St. L7 —3D 67
Cambridge St. L15 —3B 68
Cambridge St. L34 —3B 52
Cambridge St. WA7 —2A 132
Cambridge St. WA8 —2A 120
Camdale Clo. L28 —2A 50
Camden St. L3 —2C 67
Camden St. L41 —1C 85
Camelford Rd. L11 —2D 33
Camellia Ct. L17 —4D 87
Camelot Way. WA7 —3A 134
Cameron Av. WA7 —4C 131
Cameron Ct. WA2 —3C 141
Cameron Rd. L46 —1A 62
Cameron Rd. WA8 —2D 119
Cameron St. L7 —2B 68
Cammell Ct. L43 —1A 84
Campania St. L19 —4B 112
Campbell Av. WA7 —4D 131
Campbell Cres. WA5 —4B 146
Campbell Dri. L14 —1C 71
Campbell St. L1 —3B 66
Campbell St. L20 —3C 29
Campbell St. WA10 —2C 37
Campbeltown Rd. L41 —2D 85
Camperdown St. L41 —1D 85
Camphill Rd. L25 —2A 114
Campion Clo. WA3 —2A 144
Campion Clo. WA11 —4C 27
Campion Way. L36 —4D 73
Camp Rd. L25 —1A 114
Camp Rd. WA5 —1A 148
Campsey Ash. WA8 —3C 97
Camrose Clo. WA7 —1D 137
Camsley La. WA13 —2C 161
Cam St. L25 —4D 91
Canada Clo. WA2 —4C 143
Canal Bank. WA4 —2A 158
Canal Reach. WA7 —2A 134
Canalside. WA4 —3D 159
Canalside. WA7 —4B 130
Canalside Gro. L5 —3B 44
Canal St. L20 —3C 29
Canal St. WA7 —2A 132
Canal St. WA10 —4D 37
Canal View. L31 —1D 21
Canberra Av. WA2 —4A 142
Canberra Av. WA9 —2C 55
Canberra La. L11 —1C 33
Canberra Sq. WA2 —4A 142
Candia Tower. L5 —3C 45
Candish Pl. L6 —4D 45
Candleston Clo. WA5 —1B 148
Canford Clo. WA5 —4A 148
Cannell Ct. WA7 —1B 138
Cannell St. WA5 —1A 156
Canning Pl. L1 —3B 66
Canning St. L8 —4D 67
Canning St. L22 —3B 16
Canning St. L41 —4C 65
Cannington Rd. WA9 —4A 38
Canniswood Rd. WA11 —1D 39
Cann La. WA4 —3B 162
Cannock Grn. L31 —4A 4
Cannon Hill. L43 —1A 84
Cannon Mt. L43 —1A 84
Cannon St. WA9 —4A 56
Canon Rd. L6 —2B 46
Canons Rd. WA5 —3A 148
Canon St. WA7 —2D 131
Canrow La. L34 —1D 35
Cansfield St. WA10 —2D 37
Canterbury Av. L22 —1B 16
Canterbury Clo. L10 —2C 21
Canterbury Clo. L34 —2C 53
Canterbury Pk. L18 —1B 112
Canterbury Rd. L42 —4D 85
Canterbury Rd. L44 —1B 64
Canterbury Rd. WA8 —2B 118
Canterbury St. L3 —1C 67
Canterbury St. L19 —4B 112
Canterbury St. WA4 —1D 157
Canterbury St. WA10 —2C 37
Canterbury Way. L3 —1C 67
Canterbury Way. L30 —4D 9
Cantly Clo. WA7 —1A 138
Cantsfield St. L7 —4B 68
Canvey Clo. L15 —4A 70
Capenhurst Av. WA2 —4C 143
Cape Rd. L9 —4B 20
Capesthorne Rd. WA2 —1A 150
Capper Gro. L36 —1C 73
Capricorn Way. L20 —2C 29
Capstick Cres. L25 —1A 92
Captains Clo. L30 —3C 19
Captain's Grn. L30 —3C 19
Captain's La. L30 —3C 19
Caradoc Rd. L21 —1B 28
Caraway Clo. L23 —3A 8
Caraway Gro. WA10 —2B 36
Carbis Clo. L10 —1C 33
Carden Clo. L4 —2C 45
Carden Clo. WA3 —3A 144
Cardeston Clo. WA7 —3A 138
Cardigan Av. L41 —1C 85
Cardigan Clo. WA5 —1A 148
Cardigan Rd. L45 —2A 42
Cardigan St. L15 —3B 68
Cardigan Way. L6 —4A 46
Cardigan Way. L30 —4A 10
Cardus Clo. L46 —4A 60
Cardwell Rd. L19 —3B 112
Cardwell St. L7 —3A 68
Carey Av. L63 —3C 107
Carey St. WA8 —1A 120
Carfax Rd. L33 —4D 13
Cargill Gro. L42 —1A 108
Carham Rd. L47 —1B 78
Carisbrooke Clo. L48 —2B 100
Carisbrooke Rd. L20 & L4
—4A 30
Carkington Rd. L25 —1B 114
Carland Clo. L10 —1C 33
Carlaw Rd. L42 —4D 83
Carleen Clo. L17 —4A 88
Carley Wlk. L24 —2C 129
Carlingford Clo. L8 —4A 68
Carlingford Rd. WA4 —4D 157
Carlisle Av. L30 —2D 19
Carlisle Clo. L4 —1B 46
Carlisle Clo. L43 —2B 84
Carlisle M. L43 —1B 84
Carlisle St. WA4 —4A 158
Carlisle St. WA8 —4B 98
Carlis Rd. L32 —3D 23
Carlow Clo. L24 —3A 130
Carlow St. WA10 —1B 54
Carlton Av. WA7 —2B 132
Carlton La. L13 —4D 47
Carlton La. L47 —4B 58
Carlton Mt. L42 —3C 85
Carlton Rd. L42 —3B 84
Carlton Rd. L45 —2A 42
Carlton Rd. L63 —4A 108
Carlton St. L3 —4A 44
Carlton St. L34 —2C 53
Carlton St. WA4 —4D 157
Carlton St. WA8 —1A 120
Carlton St. WA10 —3C 37
Carlton Ter. L23 —4B 6
Carlton Ter. L47 —4B 58
Carlyon Way. L26 —1C 115
Carmarthen Clo. WA5 —1A 148
Carmarthen Cres. L8 —1C 87
Carmel Clo. L45 —1A 42
Carmel Ct. WA8 —3A 98
Carmelite Cres. WA10 —1A 36
Carmel St. L5 —3C 45
Carmichael Av. L49 —4B 80
Carnarvon Rd. L9 —3B 30
Carnarvon St. WA9 —2B 54
Carnatic Clo. L18 —3C 89
Carnatic Rd. L18 —3C 89
Carnation Rd. L9 —3C 31
Carnegie Av. L23 —1B 16
Carnegie Cres. WA9 —1C 57
Carnegie Rd. L13 —4C 47
Carnegie Wlk. WA9 —1C 57
Carnforth Av. L32 —2D 23
Carnforth Clo. L12 —4C 33
Carnforth Clo. L41 —2B 84
Carnforth Rd. L18 —4B 90
Carno St. L15 —4C 69
Carnoustie Clo. L12 —3C 49
Carnoustie Clo. L46 —3A 60
Carnoustie Gro. WA11 —1D 39
Carnsdale Rd. L46 —3D 61
Carol Dri. L60 —4D 123
Carole Clo. WA9 —3C 57
Carolina St. L20 —3C 29
Caroline Pl. L43 —2A 84
Carol St. WA4 —1A 158
Caronia St. L19 —4B 112
Carpathia St. L19 —4B 112
Carpenter Gro. WA2 —1C 151
Carpenter's La. L48 —4A 78
Carraway Rd. L11 —1C 33
Carr Bri. Rd. L49 —3A 82
Carr Clo. L11 —3C 33
Carr Croft. L21 —1A 18
Carrfield Av. L23 —1A 18
Carr Field Wlk. L11 —3C 33
Carr Ga. L46 —4A 60
Carr Hey. L46 —4A 60
Carr Hey Clo. L49 —4B 82
Carr Ho. La. L46 —4A 60
Carrick Ct. L23 —1D 17
Carrickmore Av. L18 —4D 89
Carrington Clo. WA3 —3D 143
Carrington Rd. L45 —3A 42
Carrington St. L41 —3D 63
Carr La. L11 —4B 32
Carr La. L24 —3A 130
Carr La. L34 —3A 52
Carr La. L36 —2B 72
Carr La. L47 & L46 —3D 59
(Great Meols)
Carr La. L47 —1A 78
(Hoylake)
Carr La. L48 —1C 79
Carr La. WA8 —4C 117
Carr La. E. L11 —3C 33
Carr La. Trading Est. L47 —1A 78
Carr Meadows Hey. L30 —1B 18
Carr Mill Rd. WA11 & WN5
—4D 27 to 1D 27
Carrock Rd. L62 —2D 125
Carrow Clo. L46 —4A 60
Carr Rd. L20 —4B 18
Carrs Ter. L35 —1B 74
Carr St. WA10 —1B 36
Carruthers St. L3 —1B 66
Carrville Way. L12 —3B 34
Carrwood Clo. WA11 —1D 39
Carsdale Rd. L18 —2D 89
Carsgoe Rd. L47 —1B 78
Carsington Rd. L11 —3C 33
Carstairs Rd. L6 —1B 68
Carsthorne Rd. L47 —1B 78
Cartbridge La. L26 —1D 115
Carters, The. L30 —4A 10
Carters, The. L49 —2B 80
Carter St. L8 —4D 67
Carterton Rd. L47 —1B 78
Cartier Clo. WA5 —2D 147

Cartmel Av.—Church Rd.

Cartmel Av. L31 —4C 5
Cartmel Av. WA2 —4D 141
Cartmel Clo. L36 —4B 50
Cartmel Clo. L41 —2B 84
Cartmel Dri. L12 —4D 33
Cartmel Dri. L35 —1D 75
Cartmel Dri. L46 —4C 61
Cartmell Av. WA10 —4A 26
Cartmell Clo. WA7 —1C 137
Cartmel Rd. L36 —4B 50
Cartmel Ter. L11 —3C 33
Cartmel Way. L36 —4B 50
Cartwright St. WA5 —4B 148
Cartwright St. WA7 —2A 132
Carver St. L3 —1D 67
Caryl Gro. L8 —2C 87
Caryl St. L8 —1C 87
Case Gro. L35 —4C 53
Cases St. L1 —3C 67
Caspian Rd. L4 —4D 31
Cassia Clo. L9 —2C 31
Cassino Rd. L36 —1C 73
Cassio St. L20 —4A 30
Cassley Rd. L24 —1D 129
Cassville Rd. L18 —1A 90
Castell Gro. WA10 —3C 37
Casterton St. L7 —4B 68
Castle Av. WA9 —3C 39
Castle Clo. L46 —1D 61
Castle Dri. L60 —4B 122
Castlefield Clo. L12 —2D 47
Castlefield Rd. L12 —2D 47
Castlefields Av. E. WA7 —3D 133
Castlefields Av. N. WA7 —2C 133
Castlefields Av. S. WA7 —3D 133
Castle Fields Est. L46 —1D 61
Castleford Rise. L46 —1C 61
Castleford St. L15 —4D 69
Castlegate Gro. L12 —2A 48
Castlegrange Clo. L46 —1C 61
Castle Grn. WA5 —1D 147
Castleheath Clo. L46 —1C 61
Castle Keep. L12 —2A 48
Castle Mt. L60 —4B 122
Castle Rise. WA7 —2B 132
Castle Rd. L45 —3A 42
Castle Rd. WA7 —3D 133
Castlesite Rd. L12 —2A 48
Castle St. L2 —2B 66
Castle St. L25 —4D 91
Castle St. L41 —1D 85
Castle St. WA8 —1B 120
Castleton Dri. L30 —4A 10
Castletown Clo. L16 —3C 71
Castleview Rd. L12 —2A 48
Castleway N. L46 —1D 61
Castleway S. L46 —1D 61
Castlewell. L35 —4D 53
Castlewood Rd. L6 —3A 46
Castner Av. WA7 —4C 131
Castor St. L6 —4A 46
Catford Clo. WA8 —4B 96
Catford Grn. L24 —2D 129
Catfoss Clo. WA2 —1B 150
Catharine St. L8 —4D 67
Cathcart St. L41 —4B 64
Cathedral Clo. L1 —4C 67
Cathedral Ga. L1 —4C 67
Cathedral Rd. L6 —3A 46
Cathedral Wlk. L3 —3C 67
Catherine St. L21 —4A 18
Catherine St. L41 —1B 84
Catherine St. WA5 —3C 149
(in two parts)
Catherine St. WA8 —3D 119
Catherine Way. WA11 —1D 39
Catkin Rd. L26 —4C 93
Catonfield Rd. L18 —2B 90
Catterall Av. WA2 —4A 142
Catterall Av. WA9 —3B 56
Catterick Clo. L26 —2D 115
Caulfield Dri. L49 —3C 81
Caunce Av. WA11 —1D 39
Causeway Av. WA4 —2D 157
Causeway Clo. L62 —3A 108
Causeway, The. L12 —4C 49
Causeway, The. L62 —3A 108
Cavan Rd. L11 —1C 47
Cavell Clo. L25 —1A 114
Cavendish Clo. WA5 —3A 148
Cavendish Ct. L18 —3B 90
Cavendish Dri. L9 —3B 30
Cavendish Dri. L42 —1C 107
Cavendish Farm Rd. WA7
(in two parts) —2B 136
Cavendish Gdns. L8 —2A 88
Cavendish Ho. L4 —1C 45
Cavendish Rd. L23 —1B 16
Cavendish Rd. L41 —4A 64
Cavendish Rd. L45 —1A 42
Cavendish St. L41 —4A 64
Cavendish St. WA7 —2D 131
(in two parts)
Cavern Ct. L6 —1A 68
(off Coleridge St.)
Cavern Walks. L2 —2B 66
Caversham Clo. WA4 —1A 162
Cavour Ho. L5 —4C 45
Cawdor St. L8 —1A 88
Cawdor St. WA4 —4D 157
Cawdor St. WA7 —1D 131
Cawfield Av. WA8 —1C 119
Cawley St. WA7 —3D 131
Cawthorne Av. L32 —4C 23
Cawthorne Av. WA4 —2C 159
Cawthorne Clo. L32 —4C 23
Cawthorne Wlk. L32 —3C 23
Caxton Clo. L43 —1B 82
Caxton Clo. WA8 —3A 96
Caxton Rd. L35 —3C 77
Cazneau St. L3 —1C 67
Cearns Rd. L43 —2D 83
Cecil Dri. WA10 —2A 36
Cecil Rd. L21 —4D 17
Cecil Rd. L42 —4A 84
Cecil Rd. L44 —4A 42
Cecil Rd. L62 —2A 108
Cecil St. L15 —3B 68
Cecil St. WA9 —2C 57
Cedar Av. L63 —4C 107
Cedar Av. WA7 —4B 132
Cedar Av. WA8 —4A 98
Cedar Clo. L18 —3B 90
Cedar Clo. L35 —1C 75
Cedar Cres. L36 —3C 73
Cedardale Rd. L9 —2C 31
Cedar Gro. L8 —1A 88
Cedar Gro. L22 —1B 16
Cedar Gro. L31 —3B 10
Cedar Gro. WA1 —2C 151
Cedar Gro. WA4 —2A 158
Cedar Rd. L9 —1C 31
Cedar Rd. L35 —1C 75
Cedar Rd. WA5 —3B 146
Cedars, The. L12 —3A 34
Cedars, The. L46 —4B 60
Cedar St. L20 —2D 29
Cedar St. L41 —2B 84
Cedar St. WA10 —4B 36
Cedar Ter. L8 —1A 88
Cedar Towers. L33 —1D 23
Cedarways. WA4 —2A 162
Cedarwood Clo. L49 —3A 80
Celia St. L20 —1B 44
Celtic Rd. L47 —3C 59
Celtic St. L8 —1D 87
Celt St. L6 —4A 46
Central Av. L24 —1B 128
Central Av. L34 —2D 53
Central Av. L62 —2C 125
Central Av. WA2 —2D 149
Central Av. WA4 —2D 157
Central Dri. L12 —4A 48
Central Expressway. WA7
—1A 138
Central Pde. L24 —2C 129
Central Pk. Av. L44 —4B 42
Central Rd. L62 —3A 108
(New Ferry)
Central Rd. L62 —4A 108
(Port Sunlight)
Central Rd. WA4 —2D 157
Central Shopping Cen. L1
—3C 67
Central Sq. L31 —4B 4
Central St. WA10 —2D 37
Central Way. L24 —2C 129
Centre 21. WA1 —3D 151
Centre Pk. WA1 —1C 157
Centre Pk. Sq. WA1 —1C 157
Centreville Rd. L18 —1A 90
Centurion Clo. L47 —2C 59
Centurion Clo. WA3 —2A 144
Centurion Dri. L47 —3C 59
Centurion Row. WA7 —2C 133
Century Rd. L23 —4C 7
Ceres Ct. L43 —4B 62
Ceres St. L20 —1B 44
Cestrian Dri. L61 —4A 104
Chadlow Rd. L32 —4D 23
Chadwell Rd. L33 —4D 13
Chadwick Av. WA3 —1D 143
Chadwick Av. WA4 —3A 158
Chadwick Rd. WA7 —1C 133
Chadwick Rd. WA11 —4C 27
Chadwick St. L3 —1A 66
Chadwick St. L46 —3C 61
Chaffinch Clo. L12 —4B 34
Chaffinch Clo. WA3 —3C 145
Chaffinch Glade. L26 —1C 115
Chainhurst Clo. L27 —1B 92
Chain La. WA11 —4D 27
Chain Wlk. WA10 —3A 36
Chalfont Clo. WA4 —1B 162
Chalfont Rd. L18 —1B 112
Chalfont Way. L28 —2A 50
Chalgrave Clo. WA8 —3C 99
Chalkwell Dri. L60 —4D 123
Challis St. L41 —3C 63
Challoner Clo. L36 —4D 73
Chaloner Gro. L19 —3D 111
Chaloner St. L1 —4B 66
Chalon Way. WA10 —3D 37
Chalon Way W. WA10 —3D 37
Chamberlain St. L41 —2C 85
Chamberlain St. L44 —1A 64
Chamberlain St. WA10 —3B 36
Chancel St. L4 —2C 45
Chancery La. WA9 —3C 39
Chandos St. L7 —3A 68
Changeford Grn. L33 —4D 13
Changford Rd. L33 —4A 14
Channell Rd. L6 —1B 68
Channel Reach. L23 —1A 16
Channel Rd. L23 —1A 16
Channel, The. L45 —2C 41
Chantler Av. WA4 —1B 158
Chantrell Rd. L48 —4C 79
Chantry Clo. L43 —1A 82
Chapel Av. L9 —1C 31
Chapel Ct. WA10 —1B 54
Chapelcross Rd. WA2 —4C 143
Chapel Gdns. L5 —4C 45
Chapelhill Rd. L46 —3D 61
Chapel La. L30 —3D 9
Chapel La. L31 —4A 12
Chapel La. L35 & WA9 —2C 77
Chapel La. WA4 —4A 158
Chapel La. WA8 —2B 96
Chapel La. WA10 —2A 36
Chapel Pl. L19 —3B 112
Chapel Pl. L25 —4D 91
Chapel Pl. WA7 —2A 132
Chapel Rd. L6 —2B 46
Chapel Rd. L19 —3B 112
Chapel Rd. L47 —4B 58
Chapel Rd. WA5 —1B 154
Chapel St. L3 —2A 66
Chapel St. L34 —3B 52
Chapel St. WA7 —2D 131
Chapel St. WA8 —2D 119
Chapel St. WA10 —1D 37
Chapel Ter. L20 —3C 29
Chapman Clo. L8 —1C 87
Chardstock Dri. L25 —2B 92
Charing Cross. L41 —1B 84
Charlcombe St. L42 —2B 84
Charlecote St. L8 —3D 87
Charles Av. WA5 —3B 146
Charles Berrington Rd. L15
—1A 90
Charles Best Grn. L30 —4D 9
Charles Rd. L47 —1A 78
Charles St. L41 —4B 64
Charles St. WA8 —1D 119
Charles St. WA10 —2A 38
Charlesville. L43 —2A 84
Charlesville Ct. L43 —2A 84
Charles Wlk. L14 —1D 71
Charlesworth Clo. L31 —1A 4
Charleywood Rd. L33 —2A 24
Charlotte Rd. L44 —4B 42
Charlotte's Meadow. L63
—1B 124
Charlotte Wlk. WA8 —2A 120
Charlotte Way. L1 —2C 67
(off St John's Precinct)
Charlton Clo. WA7 —1B 138
Charlton Ct. L43 —1D 83
Charlton Pl. L13 —2A 70
Charlton Rd. L13 —2A 70
Charlton St. WA4 —2C 159
Charlwood Av. L36 —3C 73
Charlwood Clo. L43 —1B 82
Charmalue Av. L23 —4D 7
Charminster Clo. WA5 —4D 147
Charmouth Clo. L12 —3A 34
Charnock Rd. L9 —3D 31
Charnwood Clo. L12 —3D 33
Charnwood Clo. WA3 —2C 145
Charnwood Rd. L36 —1A 72
Charnwood St. WA9 —2C 39
Charter Av. WA5 —2C 149
Charter Ho. L44 —4B 42
Charterhouse Clo. L25 —1A 114
Charterhouse Dri. L10 —2C 21
Charterhouse Rd. L25 —1A 114
Charters St. L3 —1B 66
Chartmount Way. L25 —2A 92
Chartwell Gdns. WA4 —2B 162
Chase, The. L36 —3C 73
Chase Way. L5 —4C 45
Chatburn Wlk. L8 —3D 87
Chater Clo. L35 —3D 53
Chatfield Dri. WA3 —3A 144
Chatham Clo. L21 —4D 17
Chatham Ct. L22 —3C 17
Chatham Pl. L7 —3A 68
Chatham Rd. L42 —4D 85
Chatham St. L7 —4D 67
Chatsworth Av. L9 —1B 30
Chatsworth Av. L44 —4B 42
Chatsworth Dri. L7 —3A 68
Chatsworth Dri. WA8 —3B 96
Chatsworth Rd. L35 —4A 54
Chatsworth Rd. L42 —4D 85
Chatsworth Rd. L61 —4D 103
Chatterton Dri. WA7 —4C 135
Chatterton Rd. L14 —4A 48
Chaucer Dri. L12 —3A 34
Chaucer Pl. WA4 —1C 159
Chaucer Rd. WA10 —1B 36
Chaucer St. L3 —1C 67
Chaucer St. L20 —2C 29
Chaucer St. WA7 —3D 131
Cheadle Av. L13 —1D 69
Cheapside. L2 —2B 66
Cheapside All. L2 —2B 66
(off Cheapside)
Cheddar Clo. L25 —4D 91
Cheddar Gro. L32 —4C 23
Chedworth Dri. WA8 —3B 96
Chedworth Rd. L14 —1C 71
Cheldon Rd. L12 —3D 33
Chelford Clo. WA4 —4D 157
Chellow Dene. L23 —2A 8
Chelmsford Clo. L4 —2C 45
Chelsea Ct. L12 —1C 49
Chelsea Lea. L9 —4D 19
Chelsea Rd. L9 —1C 31
Chelsea Rd. L21 —1C 29
Cheltenham Av. L17 —1B 88
Cheltenham Clo. L10 —2C 21
Cheltenham Clo. WA5 —2C 147
Cheltenham Cres. L36 —3B 72
Cheltenham Cres. WA7 —1C 137
Cheltenham Rd. L45 —3C 41
Chelwood Av. L16 —3C 71
Chenotrie Gdns. L43 —2C 83
Chepstow Av. L44 —4B 42
Chepstow St. L4 —4A 30
Chequers Gdns. L19 —1D 111
Cheriton Av. L48 —4C 79
Cheriton Clo. L26 —1C 115
Chermside Rd. L17 —4C 89
Cherry Av. L4 —4C 31
Cherrybank. L44 —2A 64
Cherry Blossom Rd. WA7
—3B 138
Cherry Clo. L4 —4C 31
Cherrydale Rd. L18 —3D 89
Cherryfield Cres. L32 —2C 23
Cherryfield Dri. L32 —2C 23
Cherryfield Heights. L32 —4D 23
Cherry La. L4 —4C 31
Cherry La. WA13 —4D 161
Cherry Sq. L44 —4A 42
Cherrysutton. WA8 —3A 96
Cherry Tree Av. WA5 —1B 154
Cherry Tree Av. WA7 —4A 132
Cherry Tree Clo. L24 —3A 130
Cherry Tree Clo. L35 —1B 74
Cherry Tree Clo. WA11 —1D 39
Cherry Tree Dri. WA9 —4D 39
Cherry Tree La. WA11 —2C 27
Cherry Tree Rd. L36 —3C 73
Cherrytree Rd. L46 —4D 61
Cherry Vale. L25 —3A 92
Cheryl Dri. WA8 —1C 121
Chesford Grange. WA1 —2B 152
Cheshire Acre. L49 —4A 82
Cheshire Av. L10 —4A 22
Cheshire Gdns. WA10 —4C 37
Cheshire Gro. L46 —4C 61
Cheshire Way. L61 —1B 122
Cheshyres Dri. WA7 —3D 133
Cheshyres La. WA1 —4C 149
Cheshyres La. WA7 —1A 136
Chesnut Gro. L42 —2B 84
Chesnut Ho. L20 —2C 29
Chesnut Rd. L21 —3D 17
Chesnut St. L7 —3D 67
Chessington Clo. WA4 —1B 162
Chester Av. L30 —2D 19
Chester Clo. L23 —4A 8
Chester Clo. WA7 —2D 133
Chester Ct. L63 —4D 107
Chesterfield Dri. L33 —3C 13
Chesterfield Rd. L23 —3D 7
Chesterfield St. L8 —4C 67
Chester La. WA9 —4A 56
Chester Rd. L6 —3B 46
Chester Rd. L36 —4D 51
Chester Rd. L60 —4C 123
Chester Rd. WA4 —3B 158
(Grappenhall)
Chester Rd. WA4
—4B 156 to 1D 157
(Higher Walton)
Chester Rd. WA7 & WA4
—4A 138 to 4D 135
Chester St. L1 —4C 67
Chester St. L34 —2B 52
Chester St. L41 —1D 85
Chester St. L44 —1D 63
Chester St. WA8 —1A 120
Chesterton St. L19 —4B 112
Chester Wlk. L36 —4D 51
Chestnut Av. L23 —3D 7
Chestnut Av. L36 —3B 72
Chestnut Av. WA5 —3B 146
Chestnut Av. WA8 —4A 98
Chestnut Av. WA11 —1D 39
Chestnut Clo. L35 —1C 75
Chestnut Clo. L49 —4B 80
Chestnut Ct. L20 —2C 29
Chestnut Gro. L15 —4D 69
Chestnut Gro. L20 —2C 29
(in two parts)
Chestnut Gro. L62 —3C 125
Chestnut Gro. WA11 —4D 27
Chestnut Ho. L20 —2C 29
Chestnut Ho. WA4 —1A 162
Chestnut Rd. L9 —3C 31
Cheswood Ct. L49 —4A 82
(off Childwall Grn.)
Chetham Ct. WA2 —4C 141
Chetton Dri. WA7 —4C 135
Chetwood Av. L23 —3D 7
Chetwood Dri. WA8 —2D 97
Chetwynd Clo. L43 —2D 83
Chetwynd Rd. L43 —2D 83
Chetwynd St. L17 —3A 88
Chevasse. L25 —3B 92
Cheverton Clo. L49 —3A 82
Chevin Rd. L9 —1B 30
Cheviot Av. WA2 —4C 141
Cheviot Av. WA9 —3C 39
Cheviot Clo. L42 —1B 106
Cheviot Rd. L7 —1C 69
Cheviot Rd. L42 —1B 106
Cheviot Way. L33 —2D 13
Cheyne Clo. L23 —1A 16
Cheyne Gdns. L19 —1D 111
Cheyne Wlk. WA9 —3C 55
Chichester Clo. L15 —3B 68
Chichester Clo. WA7 —1D 139
Chidden Clo. L49 —3B 80
Chidlow Clo. WA8 —4D 119
Chigwell Clo. L12 —3A 34
Chilcott Rd. L14 —1A 70
Childers St. L13 —1D 69
Childwall Abbey Rd. L16 —4C 71
Childwall Av. L15 —4B 68
Childwall Av. L46 —4B 60
Childwall Bank Rd. L16 —4B 70
Childwall Clo. L46 —4B 60
Childwall Cres. L16 —4B 70
Childwall Fiveways. L15 —4B 70
Childwall Grn. L49 —4A 82
Childwall Heights. L25 —4D 71
Childwall La. L14 —2D 71
Childwall La. L25 —1D 91
Childwall Mt. Rd. L16 —4B 70
Childwall Pde. L14 —1D 71
Childwall Pk. Av. L16 —1C 91
Childwall Priory Rd. L16 —4B 70
Childwall Rd. L15 —4A 70
Childwall Valley Rd. L16 —4B 70
Childwall Valley Rd. L25 & L27
—4D 71 to 2C 93
Chillerton Rd. L12 —1B 48
Chillingham St. L8 —3D 87
Chillington Av. WA8 —2C 119
Chiltern Clo. L12 —3B 34
Chiltern Clo. L32 —4B 12
Chiltern Cres. WA2 —4C 141
Chiltern Dri. L32 —4B 12
Chiltern Pl. WA2 —4C 141
Chiltern Rd. L42 —1B 106
Chiltern Rd. WA2
—3C 141 & 4C 141
Chiltern Rd. WA9 —3D 39
China Farm La. L48 —3C 79
China La. WA4 —2D 157
Chippenham Av. L49 —3B 80
Chippindall Clo. WA5 —4A 148
Chirkdale St. L4 —1C 45
Chirk Way. L46 —4D 61
Chisenhale St. L3 —1B 66
Chislehurst Av. L25 —1A 92
Chisnall Av. WA10 —2B 36
Chiswell St. L7 —2B 68
Chiswick Clo. WA7 —1A 140
Chiswick Gdns. WA4 —1B 162
Cholmondeley Rd. L48 —4A 78
Cholmondeley Rd. WA7 —3D 137
Cholmondeley St. WA8 —4D 119
Cholsey Clo. L49 —2D 81
Chorley Rd. L34 —3A 52
Chorley's La. WA8 —3C 99
Chorley St. WA2 —3D 149
(in two parts)
Chorley St. WA10 —2C 37
Chorley Way. L63 —3B 124
Chorlton Clo. L16 —3D 71
Chorlton Clo. WA7 —3B 134
Chorlton Gro. L45 —4B 40
Chris Taylor Ho. L31 —1C 11
Christchurch Rd. L43 —2A 84
Christian St. L3 —1C 67 & 2C 67
Christie St. WA8 —1B 120
Christleton Clo. L43 —4C 83
Christleton Ct. WA7 —1A 134
Christmas St. L20
(in two parts) —1B 44 & 4D 29
Christopher Clo. L16 —3B 70
Christophers Clo. L61 —1B 122
Christopher St. L4 —1C 45
Christopher Way. L16 —3B 70
Christowe Wlk. L11 —1D 33
Chrisward Clo. L7 —2B 68
Chudleigh Clo. L26 —1C 115
Chudleigh Rd. L13 —1C 69
Church All. L1 —3B 66
Church Av. L9 —4A 20
Church Clo. L44 —4B 42
Church Cres. L44 —2C 65
Churchdown Clo. L14 —4D 49
Churchdown Gro. L14 —4C 49
Churchdown Rd. L14 —4C 49
Church Dri. L62 —3A 108
Church Dri. WA2 —1C 151
Church End. L24 —3A 130
Church Farm Ct. L60 —4B 122
Churchfield Rd. L25 —2B 92
Churchfields. WA3 —1D 143
Churchfields. WA8 —1A 98
Churchfields. WA9 —4B 56
Church Flags. L4 —4B 30
Church Gdns. L20 —3C 29
Church Gdns. L44 —4B 42
Church Grn. L16 —4C 71
Church Grn. L32 —1C 23
Church Gro. L21 —1B 28
Church Hill. L44 —4D 41
Churchill Av. L41 —4A 64
Churchill Gro. L44 —3B 42
Churchill Ho. L21 —4D 17
Churchill Ind. Est. L9 —3B 20
Churchill Way N. L3 —2B 66
Churchill Way S. L3 —2B 66
Churchlands. L44 —2C 65
(off Bridle Rd.)
Church La. L4 —4B 30
Church La. L17 —1C 111
Church La. L34 —2D 35
Church La. L44 —4B 42
Church La. L49 —4A 82
Church La. L61 —4A 102
Church La. L62 —3D 125
Church La. WA4 —3D 159
Church La. WA10 —3A 36
Churchmeadow Clo. L44 —4C 43
Church Meadow La. L60
—4A 122
Church Meadow Wlk. WA8
—4A 118
Church M. L24 —1A 128
Church Mt. L7 —2A 68
Church Pl. L42 —3C 85
Church Rd. L4 —4B 30
Church Rd. L13 —2D 69
Church Rd. L15 —1D 89
Church Rd. L19 —4B 112
Church Rd. L20 —4B 18
Church Rd. L21 —1B 28
Church Rd. L22 —3C 17
Church Rd. L23 —4C 7
Church Rd. L24 —4A 130

Church Rd.—Coton Way

Church Rd. L25 —3D 91
Church Rd. L26 —4C 93
Church Rd. L31 —2C 11
Church Rd. L36 —2B 72
Church Rd. L42 & L41 —3C 85
Church Rd. L44 —2C 65
Church Rd. L48 —4A 78
Church Rd. L49 —2D 81
Church Rd. L63 —1B 124
Church Rd. N. L15 —4D 69
Church Rd. S. L25 —4A 92
Church Rd. W. L4 —4B 30
Church Sq. WA10 —3D 37
Church St. L1 —3B 66
Church St. L20 —3C 29
Church St. L34 —3B 52
Church St. L41 —1D 85
Church St. L44 —4B 42
Church St. WA1 —4D 149
Church St. WA7 —1D 131
Church St. WA8 —4D 119
Church St. WA10 & WA9 —3D 37
Church St. Ind. Est. WA1 —4D 149
Church Ter. L42 —3C 85
Church View. L20 —3C 29
Churchview Rd. L41 —4A 64
Church Wlk. L20 —3C 29
Church Wlk. L48 —4A 78
Church Wlk. WA2 —1C 141
Church Way. L30 —4C 9
Church Way. L32 —1C 23
Churchway Rd. L24 —2D 129
Churchwood Clo. L62 —3D 125
Churchwood Ct. L49 —4A 82 (off Childwall Grn.)
Churnet St. L4 —1C 45
Churn Way. L49 —2B 80
Churston Rd. L16 —1C 91
Churton Av. L43 —3D 83
Churton Ct. L6 —1D 67
Cicely St. L7 —2A 68
Cinder La. L18 —2B 90
Cinder La. L20 —4B 18
Cinder La. WA4 —3B 160
Cinnamon La. WA2 —4B 142
Cinnamon La. N. WA2 —3B 142
Circular Dri. L49 —3C 81
Circular Dri. L60 —3A 122
Circular Dri. L62 —2A 108
Circular Rd. L41 —2C 85
Circular Rd. E. L11 —1D 47
Circular Rd. W. L11 —1D 47
Cirencester Av. L49 —3B 80
Citrine Rd. L44 —2B 64
Citron Clo. L9 —2C 31
City Gdns. WA10 —4A 26
City Rd. L4 —1D 45
City Rd. WA10 —4B 26 to 1D 37
City View. WA11 —2B 26
Civic Way. L1 —2B 66
Civic Way. L36 —2C 73
Civic Way. L63 —4D 107
Clairville Clo. L20 —3D 29
Clairville Ct. L20 —3D 29
Clairville Way. L13 —4C 47
Clamley Ct. L24 —1D 129
Clamley Gdns. L24 —3A 130
Clandon Rd. L18 —1B 112
Clanfield Av. WA8 —3B 96
Clanfield Rd. L11 —4C 33
Clapgate Cres. WA8 —4A 118
Clap Gates Cres. WA5 —3B 148
Clap Gates Rd. WA5 —3B 148
Clapham Rd. L4 —2A 46
Clare Clo. WA9 —2C 55
Clare Cres. L44 —4C 41
Claremont Av. L31 —1A 10
Claremont Av. WA8 —2A 98
Claremont Clo. L21 —4D 17
Claremont Dri. WA8 —2A 98
Claremont Rd. L15 —1C 89
Claremont Rd. L21 —4D 17
Claremont Rd. L23 —4C 7
Claremont Rd. L45 & L44 —2D 41
Claremont Rd. L48 —3A 78
Claremont Rd. WA7 —2A 132
Claremont Way. L63 —2B 106
Claremount Dri. L63 —4D 107
Clarence Av. WA5 —3A 146
Clarence Av. WA8 —2D 97
Clarence Rd. L42 —3B 84
Clarence Rd. L44 —1B 64
Clarence Rd. WA4 —2C 159
Clarence St. L3 —3C 67
Clarence St. WA1 —3B 150
Clarence St. WA7 —1D 131
Clarence Ter. WA7 —1D 131
Clarendon Clo. L43 —2B 84
Clarendon Clo. WA7 —4C 135
Clarendon Gro. L31 —1B 4
Clarendon Rd. L6 —3B 46
Clarendon Rd. L19 —3B 112
Clarendon Rd. L21 —1B 28
Clarendon Rd. L44 —1B 64
Clarendon Wlk. L43 —2B 84
Clare Rd. L20 —4A 30
Clares Farm Clo. WA1 —3B 152
Clare Ter. L5 —3C 45
Clare Wlk. L10 —4A 22
Clare Way. L45 —3D 41
Claribel St. L8 —1D 87
Clarke Av. L42 —4C 85
Clarke Av. WA4 —2A 158
Clarke Gdns. WA8 —2A 120
Clarke's Cres. WA10 —2A 36
Clarks Ter. WA7 —4B 130
Classic Rd. L13 —4A 48
Clatterbridge Rd. L63 —3A 124 & 2A 124
Claude Rd. L6 —3B 46
Claude St. WA1 —3A 150
Claughton Clo. L7 —3B 68
Claughton Dri. L44 —1A 64
Claughton Firs. L43 —2A 84
Claughton Grn. L43 —2A 84
Claughton Pl. L41 —1B 84
Claughton Rd. L41 —1B 84
Claughton St. WA10 —2D 37
Clavell Rd. L19 —1B 112
Claverton Clo. WA7 —1C 137
Clay Cross Rd. L25 —4D 91
Clayfield Clo. L20 —3A 30
Clayford Cres. L14 —4A 48
Clayford Pl. L14 —4A 48
Clayford Rd. L14 —1A 70
Clayford Way. L14 —1A 70
Claypole Clo. L7 —4B 68
Clayton Ct. L44 —2A 64
Clayton Cres. WA7 —3C 131
Clayton Cres. WA8 —1D 119
Clayton La. L44 —2A 64
Clayton Pl. L41 —1B 84
Clayton Rd. WA3 —1B 144
Clayton Sq. L1 —3C 67
Clayton Sq. Shopping Cen. L1 —3C 67
Clayton St. L41 —1B 84
Cleadon Clo. L32 —4D 23
Cleadon Rd. L32 —4D 23
Cleary St. L20 —2C 29
Clee Hill Rd. L42 —1B 106
Cleethorpes Rd. WA7 —1D 139
Clegge St. WA2 —3D 149
Clegg St. L5 —4C 45
Clelland St. WA4 —1A 158
Clement Gdns. L3 —4B 44
Clementina Rd. L23 —4A 6
Clemmey Dri. L20 —1A 30
Clent Av. L31 —3B 4
Clent Gdns. L31 —3B 4
Clent Rd. L31 —3B 4
Cleopas St. L8 —3D 87
Clevedon St. L8 —2D 87
Cleveland Clo. L32 —4B 12
Cleveland Rd. WA2 —4D 141
Cleveland Sq. L1 —3B 66
Cleveland St. L41 —3A 64 to 4C 65
Cleveland St. WA9 —4B 38
Cleveley Pk. L18 —4B 90
Cleveley Rd. L18 —1B 112
Cleveley Rd. L47 —3C 59
Cleveleys Av. WA8 —4B 98
Cleveleys Rd. WA5 —1D 155
Cleves, The. L31 —3C 5
Clieves Rd. L32 —3D 23
Cliff Dri. L44 —3B 42
Cliffe Rd. WA4 —1A 162
Cliffe St. WA1 —4C 149
Cliffe St. WA8 —4B 98
Cliff La. WA4 —3A 160
Clifford Rd. L44 —1A 64
Clifford Rd. WA5 —1C 155
Clifford St. L41 —4D 63
Cliff Rd. L44 —1D 63
Cliff St. L7 —2B 68
Cliff, The. L45 —1D 41
Clifton Av. L26 —1C 115
Clifton Clo. WA1 —3A 152
Clifton Ct. L19 —1B 112
Clifton Cres. L41 —1C 85
Clifton Cres. WA6 —4D 137
Clifton Cres. WA10 —4B 36
Clifton Dri. L10 —1B 20
Clifton Gro. L44 —4B 42
Clifton La. WA7 —3D 137 & 3A 138
Clifton Rd. L6 —3B 46
Clifton Rd. L41 —2C 85
Clifton Rd. WA5 —1D 27
Clifton Rd. WA7 —4D 131
Clifton Rd. E. L6 —3B 46
Clifton St. L3 —2C 67
Clifton St. L19 —3B 112
Clifton St. WA4 —1D 157
Clifton St. WA10 —2D 37
Clifton Ter. WA10 —4B 36
Cliftonville Rd. L34 —3C 53
Cliftonville Rd. WA1 —3A 152
Clincton Clo. WA8 —1D 117
Clincton View. WA8 —1D 117
Clinton Pl. L12 —2D 47
Clinton Rd. L12 —2D 47
Clint Rd. L7 —2B 68 (in two parts)
Clint Way. L7 —2B 68
Clipper View. L62 —1A 108
Clipsley Brook View. WA11 —1D 39
Clive Av. WA2 —1D 149
Clive Rd. L43 —2A 84
Clock Face Rd. WA9 —3A 56
Clock La. WA8 —3D 99
Cloisters, The. L23 —1C 17
Cloisters, The. WA10 —2A 36
Clorain Clo. L33 —1D 23
Clorain Rd. L33 —1D 23
Close St. WA9 —2C 55
Close, The. L9 —2B 30
Close, The. L23 —1C 17
Close, The. L28 —2A 50
Close, The. L42 —1B 106
Close, The. L49 —4B 80
Close, The. L61 —3B 102
Close, The. WA10 —2A 36
Close, The. WA11 —1D 39
Clough Av. WA2 —4D 141
Clough Rd. L24 —1B 128
Clough, The. WA7 —3C 133
Clovelly Av. WA5 —3B 146
Clovelly Av. WA9 —3C 57
Clovelly Gro. WA7 —2C 139
Clovelly Rd. L4 —3A 46
Clover Av. L26 —4B 92
Clover Ct. WA7 —2C 139
Cloverdale Rd. L25 —4A 72
Cloverfield. WA7 —4A 134
Clover Hey. WA11 —4C 27
Club St. WA11 —2B 26
Clwyd Gro. L12 —1A 48
Clwyd St. L41 —1C 85 (in two parts)
Clwyd St. L45 —2A 42
Clyde Rd. L7 —2C 69
Clydesdale Rd. L44 —4B 42
Clydesdale Rd. L47 —4A 58
Clydesdale Rd. WA4 —4A 158
Clyde St. L20 —1A 44
Clyde St. L42 —4D 85
Coach Ho. Ct. L29 —2C 9
Coachmans Dri. L12 —1C 49
Coach Rd. L39 —1D 15
Coalgate La. L35 —2B 74
Coal St. L3 —2C 67
Coalville Rd. WA11 —1B 38
Coastal Dri. L45 —2C 41
Cobb Av. L21 —1C 29
Cobbles, The. L26 —4B 92
Cobbs La. WA4 —4B 158 & 1B 162
Cobden Av. L42 —3D 85
Cobden Ct. L42 —3C 85
Cobden Pl. L25 —4D 91
Cobden Pl. L42 —3C 85
Cobden St. L6 —1D 67
Cobden St. L25 —4D 91
Cobden St. WA2 —3D 149
Cobden View. L25 —4D 91
Cobham Av. L9 —1B 30
Cobham Rd. L46 —4B 60
Cobham Wlk. L30 —4C 9
Coburg St. L41 —1B 84
Coburg Wharf. L3 —1B 86
Cochrane St. L5 —4D 45
Cockburn St. L8 —3D 87
Cockerell Clo. L4 —2C 45
Cockerham Way. L11 —2C 33
Cock Glade. L35 —2C 75 (in two parts)
Cockhedge Cen. WA1 —4D 149
Cockhedge La. WA1 —4D 149
Cockhedge Way. WA1 —4D 149
Cocklade La. L24 —3A 130
Cockshead Rd. L25 —1A 92
Cockshead Way. L25 —1A 92
Cockspur St. L3 —2B 66
Cockspur St. W. L3 —2B 66
Coerton Rd. L9 —4A 20
Cokers, The. L42 —1C 107
Colbern Clo. L31 —1C 11
Colby Clo. L16 —3C 71
Coldstream Clo. WA2 —3B 142
Colebrooke Clo. WA3 —3C 145
Colebrooke Rd. L17 —3A 88
Coleman Dri. L49 —3B 80
Colemere Dri. L61 —3A 104
Coleridge Av. WA10 —2C 37
Coleridge St. L6 —1A 68
Coleridge St. L20 —2C 29
Colesborne Rd. L11 —4C 33
Coles Cres. L23 —3A 8
Coleshill Rd. L11 —3A 32
Cole St. L43 —1B 84
Colette Rd. L10 —4A 22
Coleus Clo. L9 —2C 31
Colin Clo. L36 —2B 72
Colindale Rd. L16 —4C 71
Colinton St. L15 —3C 69
College Av. L23 —1C 17
College Clo. L43 —1A 82
College Clo. L45 —3C 41
College Clo. WA1 —4A 150
College Clo. WA2 —4C 143
College Ct. L12 —3A 48
College Dri. L63 —2D 107
College Fields. L36 —2C 73
College Grn. Flats. L23 —1B 16
College La. L1 —3B 66
College Pl. WA2 —4D 143
College Rd. L23 —4B 6
College Rd. N. L23 —3B 6
College St. WA10 —2D 37
College St. N. L6 —1D 67
College St. S. L6 —1D 67
College View. L20 —4D 29
Collier's Row. WA7 —1A 136
Collier St. WA7 —1D 131
Collingwood Rd. L63 —4A 108
Collin Rd. L43 —3C 63
Collins Clo. L20 —1C 29
Collins Ind. Est. WA9 —1A 38
Collin St. WA5 —4B 148
Colmore Av. L63 —3A 124
Colmore Rd. L11 —4A 32
Colonnades, The. L3 —3A 66
Colquitt St. L1 —3C 67
Coltart Rd. L8 —1A 88
Colton Rd. L25 —4D 71
Colton Wlk. L25 —4D 71
Columban Clo. L30 —1C 19
Columbia La. L43 —2A 84
Columbia Rd. L4 —4B 30
Columbia Rd. L34 —3C 53
Columbia Rd. L43 —2A 84
Columbine Clo. WA8 —3A 96
Columbus Dri. L61 —1A 122
Columbus Quay. L3 —3C 87
Columbus Way. L21 —4A 18
Column Rd. L48 —4B 78
Colville Ct. WA2 —4C 141
Colville Rd. L44 —4D 41
Colville St. L15 —4C 69
Colwall Clo. L33 —1D 23
Colwall Rd. L33 —1A 24
Colwall Wlk. L33 —1A 24
Colwell Clo. L14 —2D 49
Colwell Ct. L14 —2D 49
Colwell Rd. L14 —3D 49
Colwyn Rd. L13 —2D 69
Colwyn St. L41 —4D 63
Colyton Av. WA9 —3B 56
Combermere St. L8 —1C 87
Combermere St. L15 —3B 68
Comely Av. L44 —4B 42
Comely Bank Rd. L44 —4B 42
Comer Gdns. L31 —3B 4
Comfrey Gro. L26 —4C 93
Commercial Rd. L5 —3B 44
Commercial Rd. L62 —2D 125
Common Field Rd. L49 —4A 82
Common La. WA4 —2B 158
Common St. WA9 —2C 55
Common, The. WA7 —3D 133
Commutation Row. L1 —2C 67
Company's Clo. WA7 —1B 136
Compass Clo. WA7 —2D 139
Compass Ct. L45 —1D 41
Compton Rd. L6 —4A 46
Compton Rd. L41 —2C 63
Compton Wlk. L20 —2C 29
Compton Way. L6 —4A 46
Compton Way. L26 —3C 115
Comus St. L3 —1C 67
Concert St. L1 —3C 67
Concordia Av. L49 —1A 82
Concourse Ho. L1 —2C 67
Concourse, The. L48 —4A 78
Concourse Way. WA9 —4D 39
Condor Clo. L19 —3B 112
Condron Rd. N. L21 —2B 18
Condron Rd. S. L21 —2B 18
Coney Cres. L23 —3A 8
Coney Gro. WA7 —2C 139
Coney La. L35 & L36 —4D 73
Coney Wlk. L49 —1C 81
Conifer Clo. L9 —2C 31
Conifer Clo. L33 —3C 13
Conifer Gro. WA5 —3B 146
Conifers, The. L31 —3B 4
Coningsby Dri. L45 —4A 42
Coningsby Rd. L4 —2D 45
Coniston Av. L34 —3D 53
Coniston Av. L43 —1B 82
Coniston Av. L45 —2C 41
Coniston Av. WA5 —1A 154
Coniston Clo. L9 —4A 20
Coniston Clo. L33 —4C 13
Coniston Clo. WA7 —1D 137
Coniston Gro. WA11 —4C 27
Coniston Rd. L31 —4C 5
Coniston Rd. L61 —3C 103
Coniston St. L5 —3A 46
Conleach Rd. L24 —2C 129
Connaught Av. WA1 —3B 150
Connaught Clo. L41 —3D 63
Connaught Rd. L7 —2A 68
Connaught Way. L41 —3D 63
Connolly Av. L20 —2A 30
Consett Rd. WA9 —2B 54
Constable's Clo. WA7 —3D 133
Constance St. L3 —2D 67
Constance St. WA10 —3B 36
Constance Way. WA8 —3D 119
Constantine Av. L60 —3B 112
Convent Clo. L19 —2D 111
Convent Clo. L42 —2C 85
Conville Boulevd. L63 —2C 107
Conway Av. WA5 —4C 141
Conway Clo. L33 —4C 13
Conway Clo. L63 —4C 107
Conway Clo. WA5 —3B 146
Conway Ct. L41 —1B 84
Conway Ct. L63 —4D 107
Conway Pl. L41 —1C 85
Conway St. L5 —4C 45
Conway St. L41 —4B 64 & 1C 85
Conway St. WA10 —3B 36
Conwy Dri. L6 —4A 46
Coogee Av. WA5 —3B 146
Cook Rd. L46 —4A 40
Cookson Rd. L21 —1B 28
Cookson St. L1 —4C 67
Cook's Rd. L23 —4C 7
Cook St. L2 —2B 66
Cook St. L34 —3B 52
Cook St. L35 —4D 53
Cook St. L41 —1B 84
Coombe Dri. WA7 —4D 131
Coombe Rd. L61 —2C 103
Cooper Av. WA2 —4D 141
Cooper Av. N. L18 —4D 89
Cooper Av. S. L19 —1D 111
Cooper Clo. L19 —1D 111
Cooper's La. L33 —4B 24
Coopers Row. L22 —3C 17
Cooper St. WA7 —1D 131
Cooper St. WA8 —1A 120
Cooper St. WA10 —2D 37
Copeland Clo. L61 —1A 122
Copeland Gro. WA7 —2A 138
Copeland Rd. WA4 —3D 157
Copperas Hill. L3 —2C 67
Copperas St. WA10 —3D 37
Copperfield Clo. L8 —1D 87
Copperfield Clo. WA3 —2A 144
Copperwood Dri. L35 —2C 75
Coppice Clo. L43 —1A 82
Coppice Clo. WA7 —3A 134
Coppice Cres. L36 —4D 51
Coppice Grange. L46 —4B 60
Coppice Grn. WA5 —1C 147
Coppice Gro. L49 —4B 80
Coppice La. L35 —4A 74
Coppice, The. L6 —2B 46
Coppice, The. L34 —3D 35
Coppice, The. L45 —2D 41
Coppins, The. WA2 —4D 141
Copple Ho. La. L10 —4D 21
Coppull Rd. L31 —2B 4
Copse Gro. L61 —2C 103
Copse, The. L18 —2C 91
Copse, The. WA7 —1B 138
Copthorne Rd. L32 —2A 22
Copthorne Wlk. L32 —2A 22
Copy Clo. L30 —4D 9
Copy La. L30 —4D 9 to 1A 20
Copy Way. L30 —4D 9
Coral Av. L36 —1B 72
Coral Av. WA9 —2C 55
Coral Ridge. L43 —1B 82
Coral St. L13 —2D 69
Corbet Av. WA2 —2D 149
Corbet Clo. L32 —1B 22
Corbet St. WA2 —2D 149
Corbet Wlk. L32 —1B 22
Corbridge Rd. L16 —4B 70
Corbyn St. L44 —2C 65
Corfu St. L41 —1B 84
Corinthian Av. L13 —4A 48
Corinthian St. L21 —4D 17
Corinthian St. L42 —4D 85
Corinth Tower. L5 —3C 45
Corinto St. L8 —4C 67 & 1C 87
Cormorant Dri. WA7 —2C 131
Cormorant Dri. Ind. Est. WA7 —2C 131
Corncroft Rd. L34 —3D 35
Corndale Rd. L18 —2D 89
Cornelius Dri. L61 —4D 103
Cornel Way. L36 —4D 73
Corner Brook. L28 —2D 49
Cornerhouse La. WA8 —3B 96
Cornett Rd. L9 —4A 20
Corney St. L7 —4B 68
Corn Hill. L1 —4B 66
Cornice Rd. L13 —4D 47
Corniche Rd. L62 —3A 108
Cornmill Lodge. L31 —4B 4
Corn St. L8 —2C 87
Cornubia Rd. WA8 —2B 120
Cornwall Av. WA7 —2D 131
Cornwall Clo. L62 —2A 108
Cornwall Clo. WA7 —3C 133
Cornwall Ct. L63 —4D 107
Cornwall Dri. L43 —1D 105
Cornwallis St. L1 —4C 67
Cornwall Rd. WA8 —3A 98
Cornwall St. WA1 —3B 150
Cornwall St. WA9 —4C 39
Corona Av. L31 —1A 4
Corona Rd. L13 —4A 48
Corona Rd. L22 —2C 17
Corona Rd. L62 —3B 108
Coronation Av. L14 —1C 71
Coronation Av. L45 —2A 42
Coronation Av. WA4 —2D 159
Coronation Bldgs. L45 —4A 42
Coronation Ct. L9 —2B 32
Coronation Dri. L14 —1C 71
Coronation Dri. L23 —4B 6
Coronation Dri. L35 —1B 74
Coronation Dri. L62 —1D 125
Coronation Dri. WA5 —1C 155
Coronation Dri. WA6 —4D 137
Coronation Dri. WA8 —2A 118
Coronation Rd. L23 —4B 6
Coronation Rd. L31 —3B 4
Coronation Rd. WA7 —1A 140 (Preston Brook)
Coronation Rd. WA7 —3A 132 (Runcorn)
Coronation Rd. WA10 —1B 36
Coroner's La. WA8 —2D 97
Coronet Rd. L11 —3D 33
Coronet Way. WA8 —1A 118
Corporation Rd. L41 —3D 63 to 4C 65
Corporation St. WA10 & WA9 —2D 37
Corrie Dri. L63 —1A 124
Corsewall St. L7 —4B 68
Corsham Rd. L26 —3C 115
Corsican Gdns. WA9 —2B 54
Cortsway. L49 —2C 81
Cortsway W. L49 —2C 81
Corwen Clo. L43 —1A 82
Corwen Clo. L46 —4D 61
Corwen Clo. WA5 —1B 148
Corwen Cres. L14 —2D 71
Corwen Dri. L30 —4A 10
Corwen Rd. L4 —2B 46
Corwen Rd. L47 —4B 58
Cosgrove Clo. L6 —2B 46
Cossack Av. WA2 —1D 149
Costain St. L20 —2B 44
Cote Lea Ct. WA7 —1A 138
Cotham St. WA10 —3D 37
Coton Way. L32 —1B 22

Cotsford Clo.—Dawlish Rd.

Cotsford Clo. L36 —4B 50
Cotsford Pl. L36 —4B 50
Cotsford Rd. L36 —4B 50
Cotsford Way. L36 —4B 50
Cotswold Gro. WA9 —3D 39
Cotswold Pl. WA2 —3C 141
Cotswold Rd. L42 —4B 84
Cotswold Rd. WA2 —3C 141
Cotswolds Cres. L26 —2C 115
Cotswold St. L7 —2A 68
Cottage Clo. L32 —4C 23
Cottage Pl. WA9 —4B 56
Cottage St. L41 —4B 64
Cottenham St. L6 —1A 68
Cotterdale Clo. WA5 —3B 146
Cotterdale Clo. WA9 —2B 56
Cotterill. WA7 —3B 132
Cotterill Dri. WA1 —3D 151
Cottesbrook Clo. L11 —3B 32
Cottesbrook Pl. L11 —3B 32
Cottesbrook Rd. L11 —3B 32
Cottesmore Dri. L60 —4D 123
Cottham Dri. WA2 —3C 143
Cotton La. WA7 —4B 132
Cotton St. L3 —4A 44
Cottonwood. L17 —4D 87
Cottrell Clo. L19 —4B 112
Coulport Clo. L14 —4D 49
Coulsdon Pl. L8 —2D 87
Coulthard Rd. L42 —1A 108
Coulton Rd. WA8 —3C 99
Council St. L35 —4D 53
Countisbury Dri. L16 —1C 91
County Dri. WA10 —4C 37
County Rd. L4 —1D 45
County Rd. L32 —4C 13 to 3A 24
Court Av. L26 —1D 115
Courtenay Av. L22 —2B 16
Courtenay Rd. L22 —2B 16
Courtenay Rd. L25 —3D 91
Courtenay Rd. L47 —1A 78
Court Hey. L31 —4C 5
Court Hey Av. L36 —2D 71
Court Hey Dri. L16 —2D 71
Court Hey Rd. L16 —2D 71
Courthope Rd. L4 —4C 31
Courtland Rd. L18 —2A 90
Courtney Av. L44 —1D 63
Courtney Rd. L42 —1A 108
Court, The. L28 —2B 50
Court, The. L63 —4D 107
Covent Garden. L2 —2A 66
Coventry Av. L30 —2D 19
Coventry Rd. L15 —1D 89
Coventry St. L41 —1B 84
Coverdale Av. L35 —1B 76
Coverdale Clo. WA5 —3C 147
Covertside. L48 —4C 79
Cowan Way. L6 —4D 45
Cowanway. WA8 —2D 97
Cowdell St. WA2 —2D 149
Cowdrey Av. L43 —3B 62
Cow Hey La. WA7 —2C 137
Cowley Clo. L49 —2B 80
Cowley Hill La. WA10 —1C 37
Cowley Rd. L4 —4B 30
Cowley St. WA10 —2D 37
Cowper Rd. L13 —1A 70
Cowper St. L20 —1C 29
Cowper St. WA9 —4B 38
Cowper Way. L36 —3D 73
Coylton Av. L35 —2B 76
Crab La. WA2
—3C 143 & 4D 143
Crab St. WA10 —2D 37
Crab Tree Clo. L24 —3B 130
Crabtree Clo. L27 —1C 93
Crabtree Fold. WA7 —3B 134
Cradley. WA8 —4B 96
Crag Gro. WA11 —2C 27
Craigburn Rd. L13 —3C 47
Craighurst Rd. L25 —4D 71
Craigmore Rd. L18 —4A 90
Craigside Av. L12 —2A 48
Craigs Rd. L13 —2C 47
Craigwood Way. L36 —1A 72
Craine Clo. L4 —1A 46
Cramond Av. L18 —1D 89
Cranage Clo. WA7 —1A 138
Cranberry Clo. WA10 —2D 37
Cranborne Av. WA4 —3C 157
Cranbourne Av. L41 —4D 63
Cranbourne Av. L46 —4B 60
Cranbourne Av. L47 —3C 59
Cranbourne Rd. L15 —4B 68
Cranbrook St. WA9 —4A 38
Crane Av. WA9 —3B 56
Cranehurst Rd. L4 —4C 31
Cranfield Rd. L23 —4A 8
Cranford Ct. WA1 —2B 152
Cranford Rd. L19 —2A 112
Cranford St. L44 —1B 64
Crank Rd. WA11 —3A 26
Cranleigh Clo. WA4 —4D 157
Cranleigh Gdns. L23 —4B 6
Cranleigh Pl. L25 —1A 92
Cranleigh Rd. L25 —1A 92
Cranmer St. L5 —3B 44
(in two parts)
Cranmore Av. L23 —1C 17
Cranshaw La. WA8 —1A 98
Cranston Clo. WA10 —2A 36
Cranston Rd. L33 —2B 24
Crantock Clo. L11 —2D 33
Crantock Clo. L26 —1D 115
Crantock Gro. WA10 —1A 36
Cranwall Clo. L10 —1B 20
Cranwell Rd. L25 —4D 71
Cranwell Rd. L49 —3A 80
Cranwell Wlk. L25 —4A 72
Crask Wlk. L33 —4D 13
Craven Clo. L41 —1B 84
Craven Lea. L12 —3A 34
Craven Pl. L41 —4B 64
Craven Rd. L12 —2B 48
Craven Rd. L35 —1B 76
Craven St. L3 —2C 67
Craven St. L41 —1B 84
Cravenwood Rd. L26 —3D 115
Crawford Av. L18 —1D 89
Crawford Av. L31 —3A 4
Crawford Av. WA8 —1A 118
Crawford Clo. L12 —2B 48
Crawford Clo. WA9 —4C 57
Crawford Dri. L15 —3D 69
Crawford Pk. L18 —3D 89
Crawford Pl. WA7 —1C 137
Crawford St. WA9 —4C 57
Crawford Way. L7 —2C 69
Crawley Av. WA2 —3C 141
Crawley Clo. L25 —1B 114
Crawshaw Ct. L36 —4A 50
Crediton Clo. L11 —1D 33
Creek, The. L45 —1C 41
Creer St. L5 —4C 45
Cremona Corner. L22 —2C 17
Cremorne Hey. L28 —2A 50
Crescent Ct. L21 —1B 28
Crescent Rd. L9 —2C 31
Crescent Rd. L21 —4D 17
Crescent Rd. L23 —4A 6
Crescent Rd. L44 —4B 42
Crescent, The. L20 —1A 30
Crescent, The. L22 —2C 17
Crescent, The. L23 —2A 8
Crescent, The. L24 —1A 128
Crescent, The. L31 —2B 10
Crescent, The. L35 —1D 75
Crescent, The. L36 —2A 74
Crescent, The. L48 —4A 78
Crescent, The. L49 —3C 81
Crescent, The. L61 —3D 103
Crescent, The. L63 —4C 107
Cressbrook Rd. WA4 —4D 157
Cresside Av. L63 —2C 107
Cressingham Rd. L45 —1A 42
Cressington Av. L42 —4C 85
Cressington Prom. L19 —3D 111
Cresson Ct. L43 —2D 83
Cresswell St. L6 —1D 67
(in two parts)
Cresta Dri. WA7 —1B 136
Cresttor Rd. L25 —3D 91
Creswell Clo. L30 —3D 19
Creswell St. WA10 —3C 37
Cretan Rd. L15 —4C 69
Crete Tower. L5 —3C 45
Crewe Grn. L49 —4A 82
Cricklade Clo. L20 —2C 29
Cringles Dri. L35 —4D 73
Crispin Rd. L27 —2C 93
Crispin St. WA10 —3C 37
Critchley Rd. L24 —2D 129
Croasdale Dri. WA7 —2A 138
Crockett's Wlk. WA10 —2A 36
Crocus Av. L41 —4C 63
Crocus St. L5 —2B 44
Croft Av. L62 —3C 125
Croft Av. E. L62 —2D 125
Croft Bus. Cen. L62 —2D 125
Croft Clo. L43 —3C 83
Croft Dri. L46 —4C 61
Croft Dri. L48 —3B 100
Croft Dri. E. L48 —3C 101
Croft Dri. W. L48 —2B 100
Croft Edge. L43 —3A 84
Croft End. WA9 —4C 39
Crofters, The. L49 —2B 80
Croftfield. L31 —4C 5
Croft Ho. WA3 —1C 143
Croft La. L9 —4B 20
Croft La. L62 —3D 125
Crofton Cres. L13 —1A 70
Crofton Rd. L13 —1A 70
Crofton Rd. L42 —3C 85
Crofton Rd. WA7 —3C 131
Croftside. WA1 —3B 152
Croft St. WA8 —3D 119
Croftsway. L60 —4A 122
Croft, The. L12 —2A 48
Croft, The. L28 —2A 50
Croft, The. L31 —2A 4
Croft, The. L32 —4C 23
Croft, The. L49 —4B 80
Croft, The. WA7 —3C 133
Croft Way. L23 —3A 8
Croftwood Gro. L35 —2C 75
Cromarty Rd. L13 —2D 69
Cromarty Rd. L44 —4D 41
Cromdale Gro. WA9 —4C 39
Cromdale Way. WA5 —3A 146
Cromer Dri. L45 —4A 42
Cromer Rd. L17 —4C 89
Cromer Rd. L47 —4A 58
Cromer Way. L26 —3D 115
Cromford Rd. L36 —4C 51
Crompton Ct. L18 —2B 90
Crompton Dri. L12 —3A 34
Cromptons La. L18 —2B 90
Crompton St. L5 —3B 44
Cromwell Av. WA5 & WA2
—4A 148 to 4C 141
Cromwell Av. S. WA5 —1A 156
Cromwell Ct. WA1 —4C 14
(off Sankey St.)
Cromwell Rd. L4 —4A 30
Cromwell St. WA8 —3D 119
Crondall Gro. L15 —4A 70
Cronton Av. L35 —3B 74
Cronton Av. L46 —1C 61
Cronton La. WA8 & L35 —3A 76
Cronton Pk. Av. WA8 —1B 96
Cronton Pk. Clo. WA8 —1B 96
Cronton Rd. L15 —1D 89
Cronton Rd. L35 & WA8
—4A 74 to 2C 97
Cronulla Dri. WA5 —3A 146
Croome Dri. L48 —4B 78
Croppers Hill Ct. WA10 —3C 37
Croppers Rd. WA2 —3B 142
Cropper St. L1 —3C 67
Crosby Av. WA5 —2C 149
Crosby Clo. L49 —1D 81
Crosby Grn. L12 —2A 48
Crosby Gro. WA10 —1B 54
Crosby Rd. N. L22 —2C 17
Crosby Rd. S. L22 & L21
—3C 17 to 1B 28
Crosender Rd. L23 —1B 16
Crosfield Clo. L7 —2B 68
Crosfield Rd. L7 —3B 68
Crosfield Rd. L35 —4C 53
Crosfield Rd. L44 —1B 64
Crosfield St. WA1 —4C 53
Crosfield Wlk. L7 —2B 68
Crosgrove Rd. L4 —1A 46
Crosland Rd. L32 —3D 23
Cross Acre Rd. L25 —4A 72
Crossdale Rd. L23 —1B 16
Crossdale Way. WA11 —2C 27
Crossfield St. WA9 —3A 38
Cross Gates. WA8 —3C 99
Crosshall St. L1 —2B 66
Cross Hey. L21 —1A 18
Cross Hey. L31 —2C 11
Cross Hey Av. L43 —2B 82
Cross Hillocks La. WA8 —4C 95
Cross La. L35 —4B 52
Cross La. L45 —4B 40
Cross La. L63 —4D 107
Cross La. WA3 —1D 143
Cross La. WA4 —2C 159
Cross La. S. WA3 —1A 144
Crossley Dri. L15 —3A 70
Crossley Dri. L60 —4A 122
Crossley Rd. WA10 —1B 54
Crossley St. WA1 —4D 149
Cross St. L22 —3C 17
Cross St. L34 —2C 53
Cross St. L41 —1D 85
Cross St. L62 —4A 108
Cross St. WA2 —2D 149
Cross St. WA7 —2D 131
Cross St. WA8 —1A 120
Cross St. WA10 —3D 37
Crossvale Rd. L36 —3C 73
Crossway. L43 —3C 63
Crossway. WA8 —1B 118
Crossways. L25 —1D 91
Crossways. L62 —1D 125
Crosswood Cres. L36 —1B 72
Croston Av. L35 —4A 54
Croston Clo. WA8 —3B 96
Croston Ct. L2 —2B 66
Crouch St. L5 —3A 46
Crouch St. WA9 —1B 56
Crowe Av. WA2 —4D 141
Crowmarsh Clo. L49 —2D 81
Crownacres Rd. L25 —1B 114
Crown Av. WA8 —1A 118
Crown Ga. WA7 —4D 133
Crown Rd. L12 —2B 48
Crown St. L7 —2D 67
Crown St. WA1 —4D 149
Crown St. WA9 —2C 55
Crownway. L36 —1B 72
Crow St. L8 —1C 87
Crowther St. WA10 —3C 37
Crow Wood La. WA8 —4B 98
Crow Wood Pl. WA8 —3B 98
Croxdale Rd. L14 —2D 49
Croxdale Rd. W. L14 —2D 49
Croxteth Av. L21 —4A 18
Croxteth Av. L44 —4A 42
Croxteth Clo. L31 —3C 5
Croxteth Dri. L17 —2B 88
Croxteth Ga. L17 —1B 88
Croxteth Gro. L8 —1A 88
Croxteth Hall La. L11 & L12
—3D 33
Croxteth La. L34 —1A 50
Croxteth Rd. L8 —1A 88
Croxteth Rd. L20 —1C 29
Croxteth View. L32 —4D 23
(in two parts)
Croyde Pl. WA9 —4B 56
Croyde Rd. L24 —1D 129
Croydon Av. L18 —2D 89
Croylands St. L4 —1C 45
Crucian Way. L12 —3D 33
Crump St. L1 —4C 67
Crutchley Av. L41 —3A 64
Cubbin Cres. L5 —3B 44
Cubert Rd. L11 —2D 33
Cuckoo Clo. L25 —2D 91
Cuckoo La. L25 —2D 91
Cuckoo Way. L25 —2D 91
Cuerdley Grn. WA5 —4D 99
Cuerdley Rd. WA5 —2A 154
Cuerdon Dri. WA4 —3A 160
Culbin Clo. WA3 —2C 145
Culford Clo. WA7 —2B 134
Cullen Av. L20 —1A 30
Cullen Rd. WA7 —4B 130
Cullen St. L8 —4B 68
Culme Rd. L12 —2D 47
Culzean Clo. L12 —3A 34
Cumberland Av. L17 —1C 89
Cumberland Av. L30 —1B 18
Cumberland Av. L43 —4D 83
Cumberland Av. WA10 —1A 54
Cumberland Clo. L6 —2B 46
Cumberland Cres. WA11 —1D 39
Cumberland Ga. L30 —4A 10
Cumberland Rd. L45 —2B 42
Cumberland St. L1 —2B 66
Cumberland St. WA4 —1A 158
Cumber La. L35 —1D 75
Cumbria Way. L12 —4D 33
Cummings St. L1 —3C 67
Cumpsty Rd. L21 —2B 18
Cunard Av. L44 —3B 42
Cunard Clo. L43 —1B 82
Cunard Rd. L21 —4A 18
Cunliffe Clo. WA7 —1B 138
Cunliffe St. L2 —2B 66
Cunningham Clo. L43 —2C 105
Cunningham Clo. L48 —3B 100
Cunningham Clo. WA5 —4C 147
Cunningham Dri. L63 —4C 125
Cunningham Dri. WA7 —3C 131
Cunningham Rd. L13 —2A 70
Cunningham Rd. WA8 —2B 118
Cuper Cres. L36 —4B 50
Curate Rd. L6 —2B 46
Curlender Clo. L41 —3C 63
Curlender Way. L24 —3A 130
Curlew Av. L49 —1B 80
Curlew Clo. L49 —1B 80
Curlew Ct. L46 —2B 60
Curlew Gro. L26 —1C 115
Curlew Gro. WA3 —3B 144
Curlew Way. L46 —2B 60
Currans Rd. WA2 —4C 141
Curtana Cres. L11 —3D 33
Curtis Rd. L4 —1B 46
Curwell Clo. L63 —1B 124
Curzon Av. L41 —4A 64
Curzon Av. L45 —2A 42
Curzon Rd. L22 —2C 17
Curzon Rd. L42 —4A 84
Curzon Rd. L47 —4A 58
Curzon St. WA7 —3D 131
Cusson Rd. L33 —3A 24
Custley Hey. L28 —1A 50
Custom Ho. La. L1 —3B 66
Cut La. L33 —4C 25
Cygnet Ct. L33 —1D 23
Cynthia Av. WA1 —3D 151
Cynthia Rd. WA7 —2D 131
Cypress Av. WA8 —4A 98
Cypress Clo. WA1 —3B 152
Cypress Croft. L63 —1B 124
Cypress Gdns. WA9 —2B 54
Cypress Gro. WA7 —4B 132
Cypress Rd. L36 —3C 73
Cyprian's Way. L30 —1C 19
Cyprus Gro. L8 —2A 88
(off Threlfall St.)
Cyprus St. L34 —3B 52
Cyprus Ter. L45 —2A 42
Cyril Gro. L17 —4C 89
Cyril St. WA2 —3D 149

Dacre's Bri. La. L35 —4B 74
Dacre St. L20 —1A 44
Dacre St. L41 —1C 85
Dacy Rd. L5 —3D 45
Daffodil Clo. WA8 —3C 99
Daffodil Rd. L15 —4A 70
Daffodil Rd. L41 —4D 63
Dagnall Av. WA5 —4C 141
Dagnall Rd. L32 —2B 22
Dahlia Clo. L9 —2C 31
Dairy Farm Rd. L39 —3D 15
Daisybank Rd. WA5 —1B 154
Daisy Bank Rd. WA13 —2D 161
Daisy Gro. L7 —3A 68
Daisy Mt. L31 —1C 11
Daisy St. L5 —2B 44
Dakin Wlk. L33 —1D 23
Dalamore St. L4 —4A 30
Dalby Clo. WA3 —2C 145
Dalby Clo. WA11 —1B 38
Dale Acre Dri. L30 —1B 18
Dale Av. L60 —3B 122
Dale Av. L62 —3D 125
Dale Clo. L31 —3B 4
Dale Clo. WA5 —1A 156
Dale Clo. WA8 —1D 117
Dale Cres. WA9 —3B 56
Dale End Rd. L61 —4B 104
Dale Gdns. L60 —3A 122
Dalegarth Av. L12 —1D 49
Dalehead Pl. WA11 —2C 27
Dale Hey. L44 —1A 64
Dalehurst Clo. L44 —4B 42
Dale La. L33 —4A 14
Dale La. WA4 —4B 158
Dalemeadow Rd. L14 —1B 70
Dale M. L25 —3A 92
Daleside Clo. L61 —3D 103
Daleside Rd. L33 —1D 23
Daleside Wlk. L33 —1D 23
Dales Row. L35 —2A 74
Dale St. L2 —2B 66
Dale St. L19 —4B 112
Dale St. WA7 —3D 131
Dalesway. L60 —4A 122
Dale, The. WA5 —4B 146
Dale View Clo. L61 —4A 104
Dalewood. L12 —3A 34
Dalewood Gdns. L35 —2C 75
Daley Pl. L20 —4C 19
Daley Rd. L21 —3B 18
Dallam La. WA2
—2C 149 & 4C 149
Dallas Gro. L9 —1B 30
Dallington Ct. L13 —2A 70
Dalmeny St. L17 —3A 88
Dalmorton Rd. L45 —2A 42
Dalry Cres. L32 —4D 23
Dalrymple St. L5 —3C 45
Dalry Wlk. L32 —4D 23
Dalston Dri. WA11 —2C 27
Dalton Av. WA5 —2C 149
Dalton Bank. WA1 —4A 150
Dalton Clo. L12 —4D 33
Dalton Ct. WA7 —1C 133
Dalton Rd. L45 —2B 42
Dalton St. WA7 —2B 132
Daltry Clo. L12 —2D 47
Dalwood Clo. WA7 —1A 140
Damerham Croft. L25 —4A 72
Damerham M. L25 —4A 72
Damfield La. L31 —1B 10
Dam La. WA1 —2A 152
Dam La. WA3 —1B 142
Dam Row. WA10 —4C 37
Dam Wood Rd. L24 —2B 128
Danby Clo. L5 —4D 45
Danby Clo. WA7 —1A 138
Danby Fold. L35 —1A 76
Dane Clo. L61 —3D 103
Dane Ct. L35 —1A 76
Danefield Pl. L19 —2C 113
Danefield Rd. L19 —2C 113
Danefield Rd. L49 —4B 80
Danefield Ter. L19 —2C 113
Danehurst Rd. L9 —4A 20
Danehurst Rd. L45 —2D 41
Danescourt Rd. L12 —3B 48
Danescourt Rd. L41 —4A 64
Danescroft. WA8 —3A 96
Dane St. L4 —1D 45
Daneswell Dri. L46 —2D 61
Danes Well Rd. L24 —2D 129
Daneville Rd. L4 —4D 31
Danger La. L46 —2D 61
Daniel Clo. L20 —1C 29
Daniel Clo. WA3 —3C 145
Daniel Davies Dri. L8 —4A 68
Daniel Ho. L20 —3D 29
Dannette Hey. L28 —2B 50
Dansie St. L3 —2C 67
Dan's Rd. WA8 —4C 99
Dante Clo. L9 —3B 20
Danube St. L8 —4A 68
Daphne Clo. L10 —4A 22
Darby Gro. L19 —3A 112
Darby Rd. L19 —2A 112
Daresbury By-Pass. WA4
—3D 135
Daresbury Ct. WA8 —3C 99
Daresbury Expressway. WA7
—2C 133
Daresbury Rd. L44 —4A 42
Daresbury Rd. WA10 —2A 36
Dark Entry. L34 —1C 51
Dark La. L31 —4C 5
Darley Clo. WA8 —3A 96
Darley Dri. L12 —3A 48
Darlington Clo. L44 —4B 42
Darlington St. L44 —4B 42
Darmond Rd. L33 —1D 23
Darmond's Grn. L48 —3A 78
Darmonds Grn. Av. L6 —2B 46
Darnaway Clo. WA3 —1D 145
Darnley St. L8 —1C 87
Darrel Dri. L7 —4B 68
Darsefield Rd. L16 —4C 71
Dartington Rd. L16 —3B 70
Dartmouth Av. L10 —1B 20
Dartmouth Dri. L30 —4B 8
Darwall Rd. L19 —1C 113
Darwen Gdns. WA2 —1A 150
Darwen St. L5 —3A 44
Darwick Dri. L36 —3D 73
Darwin Gro. WA9 —2C 55
Daryl Rd. L60 —3B 122
Daten Av. WA3 —1B 144
Daulby St. L3 —2D 67
Davenham Av. L43 —4D 83
Davenham Av. WA1 —2B 150
Davenham Clo. L43 —4D 83
Davenhill Pk. L10 —2B 20
Davenport Av. WA4 —4C 151
Davenport Clo. L48 —3B 100
Davenport Rd. L60 —4A 122
Daventree Rd. L45 —3A 42
Daventry Rd. L17 —4C 89
David Rd. WA13 —2D 161
David's Av. WA5 —4D 147
Davidson Rd. L13 —1D 69
David St. L8 —2D 87
Davids Wlk. L25 —3B 92
Davies Av. WA4 —1B 158
Davies Clo. WA8 —4D 119
Davies St. L1 —2B 66
Davies St. L20 —2D 29
Davies St. WA9 —2A 38
Davis Rd. L46 —1A 62
Davy Clo. WA10 —2A 36
Davy Rd. WA7 —1C 133
Davy St. L5 —3D 45
Dawber Clo. L6 —4A 46
Dawlish Clo. L25 —1B 114
Dawlish Rd. L44 —1D 63
Dawlish Rd. L61 —4B 102

Dawn Wlk.—Duncan Clo.

Dawn Wlk. L10 —4A 22
Dawpool Cotts. L48 —3D 101
Dawpool Dri. L46 —3C 61
Dawpool Dri. L62 —4C 125
Dawson Av. L41 —3A 64
Dawson Av. WA9 —2B 56
Dawson Gdns. L31 —4B 4
Dawson Ho. WA5 —3A 146
Dawson St. L1 —2B 66
Dawson Way. L1 —2C 67
(off St John's Precinct)
Dawstone Rise. L60 —4B 122
Dawstone Rd. L60 —4B 122
Days Meadow. L49 —3B 80
Day St. L13 —1D 69
Deacon Clo. L22 —3C 17
Deacon Ct. L22 —3C 17
Deacon Ct. L25 —4A 92
Deacon Rd. WA8 —1A 120
Deakin St. L41 —3D 63
Dealcroft. L25 —4D 91
Dean Av. L45 —2C 41
Dean Clo. WA8 —1A 120
Dean Clo. WN5 —1D 27
Dean Cres. WA2 —4D 141
Dean Dillistone Ct. L1 —4C 67
Deane Rd. L7 —2B 68
Deane St. L1 —2C 67
Dean Patey Ct. L1 —4C 67
Deansburn Rd. L13 —3C 47
Deanscales Rd. L11 —4B 32
Deans La. WA4 —2B 160
Dean St. L22 —3C 17
Dean St. WA8 —1A 120
Deans Way. L41 —3D 63
Deansway. WA8 —2B 118
Deanwater Clo. WA3 —3A 144
Dean Way. WA9 —2D 77
Deanwood Clo. L35 —2C 75
Dearham Av. WA11 —4C 27
Dearne Clo. L12 —3C 49
Dearnley Av. WA11 —1C 39
Deauville Rd. L9 —4B 20
Debra Clo. L31 —4A 12
Dee Clo. L33 —3D 13
Dee Ct. L25 —3B 92
Dee Ho. L25 —3B 92
Deelands Pk. L46 —3A 60
Dee La. L48 —4A 78
Deeley Clo. L7 —3B 68
Deepdale. WA8 —3A 96
Deepdale Av. L20 —1B 28
Deepdale Av. WA11 —2D 27
Deepdale Clo. L43 —1B 82
Deepdale Clo. WA5 —3C 147
Deepdale Dri. L35 —1B 76
Deepdale Rd. L25 —4D 71
Deepfield Dri. L36 —3D 73
Deepfield Rd. L15 —1D 89
Deerbarn Dri. L30 —4A 10
Deerbolt Clo. L32 —4B 12
Deerbolt Cres. L32 —1B 22
Deerbolt Way. L32 —1B 22
Dee Rd. L35 —1A 76
Deer Pk. Ct. WA7 —1A 138
Deeside Clo. L43 —1A 82
Dee View Rd. L60 —4B 122
De Grouchy St. L48 —3A 78
Deidre Av. WA8 —1A 120
Delabole Rd. L11 —2D 33
De Lacy Row. WA7 —2D 133
Delafield Clo. WA2 —3B 142
Delagoa Rd. L10 —4D 21
Delamain Rd. L13 —2C 47
Delamere Av. WA8 —1A 118
Delamere Av. WA9 —1D 77
Delamere Clo. L12 —3D 33
Delamere Clo. L43 —1A 82
Delamere Gro. L44 —1C 65
Delamere St. WA5 —4B 148
Delamore Pl. L4 —4A 30
Delavor Clo. L60 —4A 122
Delavor Rd. L60 —4A 122
Delaware Cres. L32 —1B 22
Delenty Dri. WA3 —3A 144
Delery Dri. WA1 —2B 150
Delfby Cres. L32 —2D 23
Delf La. L4 —4B 30
Delf La. L24 —4A 114
Dell Ct. L43 —1D 105
Dell Dri. WA2 —1C 151
Dellfield La. L31 —1C 11
Dell Gro. L42 —1A 108
Dell La. L60 —4C 123
Dellside Gro. WA9 —1A 56
Dell St. L7 —2B 68
Dell, The. L12 —1C 49
Dell, The. L42 —1A 108
Delph Ct. L21 —3A 18
Delphfield. WA7 —4B 134
Delphfields Rd. WA4 —1A 162
Delph La. L35 —4D 53
Delph La. WA2 —1A 142
(Houghton Green)
Delph La. WA2 —2C 141
(Winwick)
Delph La. WA4
—1D 135 to 3D 135
Delph Rd. L23 —1B 6
Delphwood Dri. WA9 —4A 38
Delta Dri. L12 —1C 49
Delta Rd. L21 —4A 18
Delta Rd. WA9 & WA11 —3C 39
Delta Rd. E. L42 —1A 108
Delta Rd. W. L42 —1A 108
Deltic Way. L30 —3A 20
Deltic Way. L33 —3A 24
Delves Av. L63 —1A 124
Delves Av. WA5 —2B 148
Delyn Clo. L42 —4C 85
Demesne St. L44 —1C 65
Denbigh Av. WA9 —2B 56
Denbigh Rd. L9 —3B 30
Denbigh Rd. L44 —1B 64
Denbigh St. L5 —3A 44
Denbury Av. WA4 —3B 158
Dencourt Rd. L11 —4C 33
Deneacres. L25 —4D 91
Denebank Rd. L4 —2A 46
Denecliff. L28 —1A 50
Denehurst Clo. WA5 —1B 154
Deneshey Rd. L47 —3B 58
Denes Way. L28 —2A 50
Denford Rd. L14 —4D 49
Denham Av. WA5 —4C 147
Denham Clo. L12 —3B 34
Denise Av. WA5 —4B 146
Denise Rd. L10 —4A 22
Denison Gro. WA9 —2C 55
Denman Dri. L6 —4B 46
Denman Gro. L44 —1C 65
Denman St. L6 —1A 68
Denman Way. L6 —4B 46
Denmark St. L22 —2B 16
Dennett Clo. L31 —2B 10
Dennett Clo. WA1 —3B 152
Dennett Rd. L36 —1B 74
Denning Dri. L61 —2C 103
Dennis Av. WA10 —2A 54
Dennis Rd. WA8 —2A 120
Denny Clo. L49 —2D 81
Densham Av. WA2 —1C 149
Denston Clo. L43 —4A 62
Denstone Av. L10 —1B 20
Denstone Clo. L14 —4A 50
Denstone Clo. L25 —1A 114
Denstone Cres. L14 —4A 50
Dentdale Dri. L5 —4C 45
Denton Dri. L45 —3B 42
Denton Gro. L6 —4B 46
Dentons Grn. La. WA10 —1B 36
Denton St. L8 —2D 87
Denton St. WA8 —1A 120
Dentwood St. L8 —3D 87
Denver Rd. L32 —2B 22
Denver Rd. WA4 —2C 159
Depot Rd. L33 —4B 14
Deptford Clo. L25 —1B 92
Derby Bldgs. L7 —2A 68
Derby Dri. WA1 —2B 150
Derby Gro. L31 —2B 10
Derby La. L13 —4D 47
Derby Rd. L20 —3C 29 to 2A 44
Derby Rd. L36 —2C 73
Derby Rd. L42 —3B 84
Derby Rd. L45 —3A 42
Derby Rd. WA4 —4D 157
Derby Rd. WA8 —3A 98 to 2C 99
Derbyshire Hill Rd. WA9 —3D 39
Derby Sq. L2 —3B 66
Derby Sq. L34 —3C 53
Derby Sq. L43 —2B 84
Derby St. L19 —4B 112
Derby St. L34 —3B 52
Derby St. L36 —2D 73
Derby St. L43 —2B 84
Derby Ter. L36 —1C 73
Dereham Av. L49 —4D 61
Dereham Cres. L10 —4D 21
Derek Av. WA2 —1A 150
Derna Rd. L36 —1B 72
Derwent Av. L34 —3C 53
Derwent Clo. L31 —3D 5
Derwent Clo. L33 —4B 12
Derwent Clo. L35 —1A 76
Derwent Clo. L68 —4C 107
Derwent Ct. L18 —2B 90
Derwent Dri. L21 —3B 18
Derwent Dri. L45 —3A 42
Derwent Dri. L61 —1B 122
Derwent Rd. L32 —1D 17
Derwent Rd. L43 —2A 84
Derwent Rd. L47 —3C 59
Derwent Rd. L63 —4B 106
Derwent Rd. WA4 —2C 157
Derwent Rd. WA8 —1A 118
Derwent Rd. WA11 —4C 27
Derwent Rd. E. L13 —4D 47
Derwent Rd. W. L13 —4D 47
Derwent Sq. L13 —4D 47
Desborough Cres. L12 —2A 48
Desford Clo. L46 —3A 60
Desford Rd. L19 —1C 111
Desford Rd. WA10 —4D 27
De Silva St. L36 —2D 73
Desmond Clo. L43 —4B 62
Desmond Gro. L23 —1D 17
Desoto Rd. WA8 —4C 119
Desoto Rd. E. WA8
—3C 119 & 3D 119
Desoto Rd. W. WA8 —3C 119
Deva Clo. L33 —2C 13
Deva Rd. L48 —4A 78
Devereaux Dri. L44 —1A 64
Deverell Gro. L15 —3A 70
Deverell Rd. L15 —3A 70
Deverell Rd. L42 —1C 107
De Villiers Av. L23 —3C 7
Devizes Dri. L61 —2C 103
Devoke Av. WA11 —3B 26
Devon Av. L45 —3B 42
Devon Clo. L23 —4A 6
Devon Ct. L5 —4D 45
Devondale Rd. L18 —2D 89
Devon Dri. L61 —4C 103
Devonfield Rd. L9 —1B 30
Devon Gdns. L16 —2C 91
Devon Gdns. L42 —1C 107
Devon Pl. WA8 —3A 98
Devonport Row. WA7 —4C 133
Devonport St. L8 —1D 87
Devonshire Clo. L43 —2A 84
Devonshire Pl. L5 —2C 45
(in two parts)
Devonshire Pl. L43 —1D 83
Devonshire Pl. WA7 —2D 131
Devonshire Rd. L8 —2A 88
Devonshire Rd. L23 —1B 16
Devonshire Rd. L43 —1A 84
Devonshire Rd. L44 —4A 42
Devonshire Rd. L48 —1B 100
Devonshire Rd. L49 —2C 81
Devonshire Rd. L61 —1A 122
Devonshire Rd. WA1 —2B 150
Devonshire Rd. WA10 —1B 36
Devonshire Rd. W. L8 —2D 87
Devon St. L3 —2C 67
Devon St. WA10 —2B 36
Devonwall Gdns. L8 —1A 88
Devon Way. L16 —1C 91
Devon Way. L36 —1D 73
Dewar Ct. WA7 —1C 133
Dewey Av. L9 —3A 20
Dewhurst Rd. WA3 —4A 144
Dewlands Rd. L21 —3D 17
Dewsbury Rd. L4 —2A 46
Dexter St. L8 —1C 87
Deyburn Wlk. L12 —2B 48
Deycroft Av. L33 —4D 13
Deycroft Wlk. L33 —4D 13
Deyes End. L31 —4C 5
Deyes La. L31 —4B 4 to 4D 5
Deysbrook La. L12 —3B 48
Deysbrook Side. L12 —3B 48
Deysbrook Way. L12 —1B 48
Dial Rd. L42 —3C 85
Dial St. L7 —2B 68
Dial St. WA1 —4D 149
Diamond St. L5 —4B 44
Diana Rd. L20 —4B 18
Diana St. L4 —1D 45
Dibbinsdale Rd. L63 —4C 125
Dibbins Grn. L63 —4C 125
Dibbins Hey. L63 —2B 124
Dibbinview Gro. L63 —2C 125
Dibb La. L23 —2B 6
Dicconson St. WA10 —2D 37
Dickens Av. L43 —1D 105
Dickens Clo. L43 —1D 105
Dickenson Clo. WA11 —1D 39
Dickenson St. L1 —4B 66
(off Frederick St.)
Dickenson St. WA2 —3D 149
Dickens Rd. WA10 —1B 54
Dickens St. L8 —1D 87
Dickson Clo. WA8 —1A 120
Dickson St. L3 —4A 44
Dickson St. WA8 —1A 120
(in two parts)
Didcot Clo. L25 —1B 114
Didsbury Clo. L33 —2D 23
Digg La. L46 —3C 61
Dig La. WA2 —3D 143
Digmoor Rd. L32 —4D 23
Digmoor Wlk. L32 —4D 23
Dignum Mead. L27 —1C 93
Dilloway St. WA10 —2C 37
Dinas La. L36 —4A 50
Dinas La. Pde. L36 —4A 50
Dinesen Rd. L19 —2B 112
Dingle Brow. L8 —3D 87
Dingle Grange. L8 —3D 87
Dingle Gro. L8 —3D 87
Dingle La. L8 —3D 87
Dingle La. WA4 —2B 162
Dingle Mt. L8 —3D 87
Dingle Rd. L8 —3D 87
Dingle Rd. L42 —2B 84
Dingle Ter. L8 —3D 87
Dingle Vale. L8 —3D 87
Dingleway. WA4 —4A 158
Dingley Av. L9 —1B 30
Dingwall Dri. L49 —3C 81
Dinmore Rd. L44 —4A 42
Dinorben Av. WA9 —2B 56
Dinorwic Rd. L4 —3A 46
Dinsdale Rd. L62 —2D 125
Ditchfield Pl. WA8 —2A 118
Ditchfield Rd. WA5 —2B 154
Ditchfield Rd. WA8 —2A 118
Ditton La. L46 —1C 61
Ditton Rd. WA8
—3B 118 to 3D 119
Dixon Rd. L33 —3A 24
Dixon St. WA1 —4C 149
Dobson St. L6 —4D 45
Dobson Wlk. L6 —4D 45
Dock Rd. L19 —4A 112
Dock Rd. L41 —2D 63 to 3C 65
Dock Rd. WA8 —4D 119
Dock Rd. N. L62 —3B 108
Dock Rd. S. L62 —4B 108
Docks Link. L44 —1D 63
Dock St. WA8 —4D 119
Dodd Av. L49 —3B 80
Dodd Av. WA10 —2B 36
Doddridge Rd. L8 —2C 87
Dodd's La. L31 —3B 4
Dodleston Clo. L43 —2C 83
Dodman Rd. L11 —2D 33
Doel St. L6 —1A 68
Doe's Meadow Rd. L63 —4C 125
Dolmans La. WA1 —4D 149
Domar Clo. L32 —3C 23
Dombey Pl. L8 —1D 87
Dombey St. L8 —1D 87
Domingo Dri. L33 —3C 13
Dominic Clo. L16 —3C 71
Dominic Rd. L16 —3C 71
Dominion St. L6 —4B 46
Domville. L35 —2C 75
Domville Dri. L49 —3A 82
Domville Rd. L13 —2A 70
Donaldson Ct. L5 —3D 45
Donaldson St. L5 —3D 45
Donalds Way. L17 —1C 111
Doncaster Dri. L49 —1D 81
Donegal Rd. L13 —1A 70
Donhead M. L25 —1A 92
Donne Av. L63 —1A 124
Donne Clo. L63 —2B 124
Donnington Clo. L36 —3B 72
Donsby Rd. L9 —1C 31
Dooley Dri. L30 —4A 10
Doon Clo. L4 —1C 45
Dorans La. L2 —2B 66
(in two parts)
Dorbett Dri. L23 —1D 17
Dorchester Clo. L49 —2D 81
Dorchester Pk. L25 —1A 92
Dorchester Pk. WA7 —1B 134
Dorchester Rd. WA5
—4D 147 & 3D 147
Dorchester Wlk. L25 —1A 92
Doreen Av. L46 —3B 60
Dorgan Clo. L35 —4A 54
Doric Rd. L13 —4A 48
Doric St. L21 —4D 17
Doric St. L42 —4D 85
Dorien Rd. L13 —2D 69
Dorincourt. L43 —3D 83
Dorking Gro. L15 —1A 90
Dorney Clo. WA4 —2B 162
Dorothea St. WA2 —2D 149
Dorothy St. L7 —2A 68
Dorothy St. WA9 —2C 55
Dorrington Clo. WA7 —4C 135
Dorrington St. L5 —4C 45
Dorrit St. L8 —1D 87
Dorset Av. L15 —4B 68
Dorset Clo. L20 —3D 29
Dorset Ct. L25 —1A 92
Dorset Ct. WA7 —1B 138
Dorset Dri. L61 —4C 103
Dorset Gdns. L42 —1C 107
Dorset Rd. L6 —3C 47
Dorset Rd. L36 —1A 74
Dorset Rd. L45 —2A 42
Dorset Rd. L48 —3B 78
Dorset Rd. WA10 —4B 36
Dorset Way. WA1 —2D 151
Dosen Brow. L27 —1C 93
Douglas Av. WA9 —3D 57
Douglas Av. WN5 —1D 27
Douglas Clo. L13 —4D 47
Douglas Clo. WA8 —3C 99
Douglas Dri. L31 —4D 5
Douglas Dri. L46 —3B 60
Douglas Pl. L20 —4C 29
Douglas Rd. L4 —3A 46
Douglas Rd. L48 —3B 78
Douglas St. L41 —1C 85
Douglas St. WA10 —3C 37
Douglas Way. L33 —2D 13
Doulton Clo. L43 —4A 62
Doulton Pl. L35 —1B 74
Doulton St. WA10 —3B 36
Dounrey Clo. WA2 —4C 143
Douro Pl. L13 —2D 69
Douro St. L5 —1C 67
Dove Clo. WA3 —3C 145
Dovecot Av. L14 —1C 71
Dovecote Grn. WA5 —1C 147
Dovecot Pl. L14 —4D 49
Dove Ct. L25 —4A 92
Dovedale Av. L31 —4B 4
Dovedale Clo. L43 —4D 83
Dovedale Ct. WA8 —3A 96
(off Hough Grn. Rd.)
Dovedale Rd. L18 —2D 89
Dovedale Rd. L45 —2D 41
Dovedale Rd. L47 —4A 58
Dovepoint Rd. L47 —2C 59
Dovercliffe Rd. L13 —1A 70
Dover Clo. L41 —4B 64
Dover Clo. WA7 —1A 140
Dovercroft. L25 —4D 91
Dover Gro. L16 —3C 71
Dove Rd. L9 —1B 30
Dover Rd. L31 —3B 10
Dover Rd. WA4 —2C 159
Dover St. WA7 —1A 132
Dovesmead Rd. L60 —4D 123
Dovestone Clo. L7 —3A 68
Dove St. L8 —4A 68
Dovey St. L8 —1D 87
Doward St. WA8 —4A 98
Dowhills Dri. L23 —3A 6
Dowhills Pk. L23 —3A 6
Dowhills Rd. L23 —3A 6
Down Clo. WA9 —2C 55
Downes Grn. L63 —3B 124
Downham Clo. L25 —1D 91
Downham Dri. L60 —3B 122
Downham Grn. L25 —1D 91
Downham Rd. L42 —3C 85
Downham Rd. N. L61 —2B 122
Downham Rd. S. L60 —3B 122
Downham Way. L25 —1D 91
Downing Clo. L43 —4A 84
Downing Rd. L20 —4A 30
Downing St. L5 —3D 45
Downland Way. WA9 —4D 39
Downside. WA8 —3A 96
Downside Clo. L30 —4C 9
Downside Dri. L10 —2D 21
Downs Rd. WA7 —3A 132
Downs Rd. WA10 —3C 37
Downs, The. L23 —1A 16
Downway La. WA9 —4D 39
Dowsefield La. L18 —3C 91
Dragon Clo. L11 —2D 33
Dragon Cres. L35 —1C 75
Dragon Dri. L35 —1C 75
Dragon La. L35 —1C 75
Dragon Wlk. L11 —2D 33
Dragon Yd. WA8 —2A 98
Drake Clo. L10 —4D 21
Drake Clo. L35 —2C 75
Drake Clo. WA5 —1A 148
Drake Cres. L10 —4D 21
Drakefield Rd. L11 —3A 32
Drake Pl. L10 —4D 21
Drake Rd. L10 —4D 21
Drake Rd. L46 —4A 40
Drake St. WA10 —2C 37
Drake Way. L10 —4D 21
Draw Well Rd. L33 —2B 24
Draycott St. L8 —3D 87
Drayton Clo. L61 —4C 103
Drayton Clo. WA7 —3D 131
Drayton Cres. WA11 —1B 38
Drayton Rd. L4 —4B 30
Drayton Rd. L44 —1B 64
Drayton St. WA9 —3D 39
Drennan Rd. L19 —2C 113
Drewell Rd. L18 —3D 89
Driffield Rd. L34 —3B 52
Drinkwater Gdns. L3 —1C 67
Drive, The. L12 —4A 48
Driveway. L35 —2C 75 & 2D 75
Droitwich Av. L49 —2B 80
Dromore Av. L18 —4D 89
Dronfield Way. L25 —4D 71
(in two parts)
Druid's Cross Gdns. L18 —2C 91
Druid's Cross Rd. L18 —2B 90
Druids Pk. L18 —2C 91
Druidsville Rd. L18 —3C 91
Druids Way. L49 —4A 82
Drummond Rd. L4 —1B 46
Drummond Rd. L23 —4A 8
Drummond Rd. L47 —1A 78
Druridge Dri. WA5 —1B 154
Drury La. L2 —2B 66
Drybeck Gro. WA9 —3B 56
Dryburgh Way. L4 —1C 45
Dryden Clo. L35 —1C 75
Dryden Clo. L43 —4B 62
Dryden Gro. L36 —3D 73
Dryden Pl. WA2 —1A 150
Dryden Rd. L7 —3C 69
Dryden St. L5 —4C 45
Dryden St. L20 —1C 29
Dryfield Clo. L49 —2B 80
Drysdale St. L8 —2D 87
Drysdale Wlk. L8 —3D 87
Dublin St. L3 —4A 44
Duchess Way. L13 —1C 69
Ducie St. L8 —1A 88
Duckinfield St. L3 —3D 67
Duck Pond La. L42 —4A 84
Duckworth Gro. WA2 —1C 151
Duddingston Av. L18 —1D 89
Duddingston Av. L23 —1C 17
Duddon Av. L31 —4C 5
Duddon Clo. L43 —3D 83
Dudley Av. WA7 —2B 132
Dudley Clo. L43 —3A 84
Dudley Gro. L23 —1C 17
Dudley Pl. WA9 —3B 38
Dudley Rd. L18 —1D 89
Dudley Rd. L45 —1D 41
Dudley St. WA2 —3D 149
Dudley St. WA9 —3B 38
Dudlow Ct. L18 —1B 90
Dudlow Dri. L18 —1B 90
Dudlow Gdns. L18 —1B 90
Dudlow Grn. Rd. WA4 —3A 162
Dudlow La. L18 —1A 90
Dudlow Nook Rd. L18 —1B 90
Dugdale Clo. L19 —2D 111
Duke of York Cotts. L62 —3A 108
Dukes Rd. L5 —3C 45
Duke St. L1 —3B 66
Duke St. L19 —3B 112
Duke St. L22 —3B 16
Duke St. L34 —2C 53
Duke St. L41 —3B 64 to 4A 64
Duke St. L45 —1A 42
Duke St. WA10 —2C 37
Duke St. Bri. L41 —3B 64
Duke St. La. L1 —3B 66
Dukes Wharf. WA7 —1A 140
Dulas Grn. L32 —2D 23
Dulas Rd. L15 —1A 90
Dulas Rd. L32 —3D 23
Dulverton Rd. L17 —1C 111
Dumbardon St. L4 —1C 45
Dumbrees Gdns. L12 —1C 49
Dumbrees Rd. L12 —1C 49
Dumbreeze Gro. L34 —2D 35
Dumfries Way. L33 —3B 12
Dunacre Way. L26 —2D 115
Dunbabin Rd. L15 & L16 —1A 90
Dunbar St. L4 —4B 30
Dunbeath Av. L35 —2B 76
Dunbeath Clo. L35 —2B 76
Duncan Av. WA7 —3A 132
Duncan Clo. WA10 —3C 37

Duncan Dri.—Epping Av.

Duncan Dri. L49 —2C 81
Duncansby Cres. WA5 —3B 146
Duncan St. L1 —4C 67
Duncan St. L41 —1D 85
Duncan St. WA2 —2D 149
Duncan St. WA10 —3C 37
Dunchurch Rd. L14 —4D 49
Duncombe Rd. N. L19 —2A 112
Duncombe Rd. S. L19 —2A 112
Duncote Clo. L35 —3D 53
Dundale Rd. L13 —1A 70
Dundalk La. WA8 —1B 118
Dundalk Rd. WA8 —1C 119
Dundee Clo. WA2 —3B 142
Dundee Gro. L44 —1D 63
Dundonald Av. WA4 —4D 157
Dundonald Rd. L17 —1C 111
Dundonald St. L41 —3D 63
Dunedin St. WA9 —2C 55
Dunfold Clo. L32 —2C 23
Dungeon La. L24 —2D 129
Dunham Rd. L15 —3A 70
Dunkeld Clo. L6 —1A 68
Dunkeld St. L6 —1A 68
Dunley Clo. WA3 —2C 145
Dunlin Clo. L27 —2C 93
Dunlin Clo. WA2 —4B 142
Dunlin Clo. WA7 —2B 138
Dunlin Ct. L25 —2D 91
Dunlop Dri. L31 —4A 12
Dunlop Rd. L24 —2A 128
Dunlop St. WA4 —1D 157
Dunluce St. L4 —4A 30
Dunmail Av. WA11 —2C 27
Dunmail Gro. WA7 —2A 138
Dunmore Rd. L13 —1C 69
Dunmow Way. L25 —1B 114
Dunnerdale Rd. L11 —4C 33
Dunnett St. L20 —1A 44
Dunning Clo. L49 —2C 81
Dunnings Bri. Rd. L30 & L31
—2C 19 to 3B 10
Dunnings Wlk. L30 —4A 10
Dunnock Clo. L25 —2D 91
Dunnock Clo. WA2 —4B 142
Dunnock Gro. WA3 —3B 144
Dunraven Rd. L48 —4A 78
Dunriding La. WA10 —3B 36
Dunscar Clo. WA3 —2A 144
Dunscroft. WA9 —2B 56
Dunsdon Clo. L25 —2C 91
Dunsdon Rd. L25 —2C 91
Dunsford. WA8 —3A 96
Dunsop Av. WA9 —4B 56
Dunstan La. L7 —4B 68
Dunstan St. L15 —4C 69
Dunster Gro. L60 —4C 123
Dunster Gro. WA9 —4B 56
Durban Av. L23 —3C 7
Durban Rd. L13 —1A 70
Durban Rd. L45 —3A 42
Durden St. L7 —4B 68
Durham Av. L30 —2D 19
Durham Clo. WA1 —3B 152
Durham M. E. L30 —2D 19
Durham M. W. L30 —2D 19
Durham Rd. L21 —4C 17
Durham Rd. WA8 —3A 98
Durham St. L19 —4B 112
Durham Way. L30 —2D 19
Durham Way. L36 —1A 74
Durley Dri. L43 —1C 105
Durley Rd. L9 —1C 31
Durlston Clo. WA8 —4B 96
Durnford Hey. L25 —1B 92
Durning Rd. L7 —3A 68
Durrant Rd. L11 —1C 47
Durrington Bank. L25 —1B 92
Dursley. L35 —2D 75
Durston Rd. L16 —3B 70
Durweston Wlk. L25 —1B 92
Dutton Dri. L63 —2A 124
Duxbury Clo. L31 —3C 5
Duxford Ct. WA2 —1B 150
Dwerryhouse La. L11 —4C 33
Dwerryhouse St. L8 —1C 87
Dyke St. L6 —4D 45
Dykin Clo. WA8 —3C 99
Dykin Rd. WA8 —3C 99
Dymchurch Rd. L24 —1A 128
Dymoke Rd. L11 —3D 33
Dymoke Wlk. L11 —3D 33
Dyson Hall Dri. L9 —1A 32
Dyson St. L4 —4B 30
Dyson St. WA9 —4A 38

Eagle Dene. L10 —4D 21
Eaglehall Rd. L9 —2B 32
Eaglehurst Rd. L25 —2A 92
Eagle Mt. WA4 —3A 158
Eagles Ct. L32 —2C 23
Eaglesfield Clo. WA9 —2B 56
Eagles Way. WA7 —1A 138
Ealing Rd. L9 —4A 20
Ealing Rd. WA5 —4C 147
Eanleywood La. WA7 —4A 134
Eardisley Rd. L18 —1A 90
Earle Rd. L7 —4B 68
Earle Rd. WA8 —2A 120
Earle St. L3 —2A 66
Earl Rd. L20 —2A 30
Earl's Clo. L23 —1B 16
Earlsfield Rd. L15 —1D 89
Earlston Rd. L45 —3A 42
Earl St. L62 —2A 108
Earl St. WA2 —3D 149
Earl St. WA9 —2A 38
Earp St. L19 —3B 112
Easby Rd. L4 —2B 44 & 2C 45
Easby Wlk. L4 —2C 45
Easedale Wlk. L33 —4C 13
Easenhall Clo. WA8 —2A 98
Easington Rd. WA9 —3B 54
E. Albert Rd. L17 —2A 88
East Av. WA2 —2D 149
East Av. WA4 —4A 158
East Av. WA5 —1C 155
E. Bank. L43 —3A 84
Eastbourne M. L9 —4A 20
Eastbourne Precinct. L6 —1D 67
Eastbourne Rd. L9 —4A 20
Eastbourne Rd. L22 —1A 16
Eastbourne Rd. L41 —1B 84
Eastbourne Wlk. L6 —1D 67
E. Brook St. L5 —3D 45
Eastbury Clo. WA8 —2A 98
Eastcliffe Rd. L13 —1A 70
East Clo. L34 —2D 53
Eastcote Rd. L19 —1A 112
Eastcott Clo. L49 —3B 80
Eastcroft. L33 —3D 13
Eastcroft Rd. L44 —1B 64
Eastdale Rd. L15 —4D 69
Eastdale Rd. WA1 —3C 151
E. Dam Wood Rd. L24 —2D 129
Eastern Av. L24 —2D 129
Eastern Av. L62 —1D 125
Eastern Dri. L19 —2D 111
Eastern Expressway. WA7 & WA4
—1C 135
E. Farm M. L48 —2D 101
Eastfield Dri. L17 —3B 88
Eastfield Wlk. L32 —2A 22
Eastford Rd. WA4 —3C 157
East Front. L35 —3C 75
E. Gate Rd. L62 —4A 108
Eastgate Way. WA7 —1C 135
Eastham Clo. L16 —3C 71
Eastham Cres. WA9 —4A 56
Eastham Grn. L24 —1C 129
Eastlake Av. L5 —4D 45
E. Lancashire Rd. L11, L32, L33 &
L34 —3A 32 to 4D 25
E. Lancashire Rd. WA10, WA11 &
WN4 —4A 26
East La. WA7 —4C 133
Eastleigh Dri. L61 —2B 102
Eastmains. L24 —1D 129
Eastman Rd. L13 —2C 47
E. Meade. L31 —3B 4 & 4B 4
E. Millwood Rd. L24 —1D 129
Easton Rd. L36 —1D 71
Easton Rd. L62 —1A 108
E. Orchard La. L9 —4C 21
E. Park Ct. L44 —1C 65
E. Prescot Rd. L14
—1A 70 to 4D 49
East Rd. L14 —1B 70
East Rd. L24 —4A 116
East Rd. L31 —4D 5
East Side. WA9 —4B 38
Eastside Ind. Est. WA9 —4B 38
East St. L3 —2A 66
East St. L22 —3B 16
East St. L34 —3C 53
East St. L44 —2C 65
East St. WA8 —1B 120
East View. WA4 —2D 159
Eastway. L31 —4B 4 to 1C 11
East Way. L46 —2C 61
Eastway. L49 —2C 81
Eastway. WA8 —1B 118
Eastwood. L17 —3D 87
Eastwood. WA7 —3A 134
Eaton Av. L20 —1D 29
Eaton Av. L21 —4A 18
Eaton Av. L44 —4B 42
Eaton Clo. L12 —2D 47
Eaton Clo. L36 —2B 72
Eaton Gdns. L12 —4B 48
Eaton Grange. L12 —4B 48
Eaton Rd. L12 —3A 48
Eaton Rd. L19 —3D 111
Eaton Rd. L31 —3B 10
Eaton Rd. L43 —1A 84
Eaton Rd. L48 —1A 100
Eaton Rd. WA10 —1B 36
Eaton Rd. N. L12 —2D 47
Eaton St. L3 —1B 66
Eaton St. L34 —2B 52
Eaton St. L44 —4A 42
Eaton St. WA7 —2D 131
Eaves Brow Rd. WA3 —1C 143
Eaves La. WA9 —3A 56
Ebenezer Howard Rd. L21 —2B 18
Ebenezer Pl. WA1 —4C 149
Ebenezer Rd. L7 —1B 68
Ebenezer St. L42 —4D 85
Ebenezer St. WA11 —1D 39
Eberle St. L2 —2B 66
Ebony Clo. L46 —3A 60
Ebony Way. L33 —3C 13
Ebor La. L5 —4C 45
Ebrington St. L19 —3B 112
Ecclesall Av. L21 —3B 18
Ecclesfield Rd. WA10 —1A 36
Eccleshall Rd. L62 —3B 108
Eccleshill Rd. L13 —4D 47
Eccleston Av. L62 —3C 125
Eccleston Clo. L43 —3D 83
Eccleston Clo. WA3 —2D 143
Eccleston Dri. WA7 —3B 132
Eccleston Gdns. WA10 —1A 54
Eccleston Rd. L9 —1B 30
Eccleston St. L34 —3B 52
Eccleston St. WA10 —3C 37
Echo La. L48 —4B 78
Edale Rd. L18 —2A 90
Edam St. L8 —4A 68
Eddarbridge Est. WA8 —4D 119
Eddisbury Rd. L44 —4A 42
Eddisbury Rd. L48 —2A 78
Eddisbury Way. L12 —2D 47
Eddison Rd. WA7 —1C 133
Edelsten St. WA5 —4B 148
Eden Clo. L33 —3D 13
Eden Clo. L35 —2A 76
Edendale. WA8 —4A 96
Eden Dri. N. L23 —4D 7
Eden Dri. S. L23 —1D 17
Edenfield Cres. L36 —1D 73
Edenfield Rd. L15 —1D 89
Edenhall Dri. L25 —3B 92
Edenhurst Av. L16 —3D 71
Edenhurst Av. L44 —3B 42
Edenhurst Ct. L36 —4A 50
(off Harrington Rd.)
Edenpark Rd. L42 —4B 84
Eden Vale. L30 —4C 9
Edgar Ct. L41 —4B 64
Edgars Dri. WA2 —1C 151
Edgar St. L3 —1B 66
Edgar St. L41 —4B 64
Edgar St. WA9 —4A 38
Edgbaston Clo. L36 —3B 72
Edgbaston Way. L43 —3B 62
Edgefield Clo. L43 —2B 82
Edgefold Rd. L32 —2D 23
Edge Gro. L7 —2C 69
Edgehill Rd. L46 —3B 60
Edge La. L7 & L13 —2A 68
Edge La. L23 —3A 8
Edge La. Dri. L13 —2D 69
Edge La. Retail Pk. L13 —2D 69
Edgeley Gdns. L9 —4D 19
Edgemoor Clo. L12 —3B 48
Edgemoor Clo. L23 —4A 8
Edgemoor Clo. L43 —4A 62
Edgemoor Dri. L10 —4D 21
Edgemoor Dri. L23 —3D 7
Edgemoor Dri. L61 —2B 102
Edgemoor Rd. L12 —4B 48
Edge St. WA9 —2B 54
Edgewood Rd. L47 —3B 58
Edgewood Rd. L49 —1C 81
Edgeworth Clo. WA9 —2C 57
Edgeworth St. WA2 —4C 149
Edgeworth St. WA9 —2C 57
Edgware. WA9 —3D 55
Edgworth Rd. L4 —3A 46
Edinburgh Clo. L30 —3D 19
Edinburgh Dri. L36 —3D 73
Edinburgh Dri. L43 —1D 105
Edinburgh Rd. L7 —2D 67
Edinburgh Rd. L45 —3A 42
Edinburgh Rd. WA8 —1A 118
Edinburgh Tower. L5 —3C 45
Edington St. L15 —3C 69
Edith Rd. L4 —2A 46
Edith Rd. L20 —1D 29
Edith Rd. L44 —1C 65
Edith St. WA7 —1D 131
Edith St. WA9 —2D 57
Edmondson St. WA9 —3C 39
Edmonton Clo. L5 —3B 44
Edmund St. L3 —2B 66
Edna Av. L10 —4A 22
Edrich Av. L43 —3B 62
Edward Gdns. WA1 —3B 152
Edward Jenner Av. L30 —1D 19
Edward Pavilion. L3 —3B 66
Edward Rd. L35 —4D 53
Edward Rd. L47 —1B 78
Edward Rd. WA5 —4A 146
Edward's La. L24 —3A 114
Edward St. WA8 —4B 98
Edward St. WA9 —4B 38
Edward St. WA11 —1D 39
Edwards Way. WA8 —2B 118
Edwin St. WA8 —4A 98
Effingham St. L20 —4C 29
Egan Rd. L43 —3C 63
Egbert Rd. L47 —3B 58
Egdon Clo. WA8 —4C 99
Egerton Av. WA1 —3B 150
Egerton Dri. L48 —4A 78
Egerton Gro. L45 —4A 42
Egerton Pk. L42 —1C 107
Egerton Pk. Clo. L42 —1C 107
Egerton Rd. L15 —4B 68
Egerton Rd. L34 —2B 52
Egerton Rd. L43 —1D 83
Egerton Rd. L62 —2A 108
Egerton Rd. WA13 —2D 161
Egerton St. L8 —4D 67
Egerton St. L45 —1A 42
Egerton St. WA1 —4A 150
Egerton St. WA4 —3D 157
Egerton St. WA7 —2D 131
Egerton St. WA9 —4B 38
Egerton Wharf. L41 —4C 65
Eglington Av. L35 —1B 74
Egremont Clo. L27 —3D 93
Egremont Lawn. L27 —2D 93
Egremont Prom. L45 & L44
—3B 42
Egremont Rd. L27 —3D 93
Egypt St. WA1 —4C 149
Egypt St. WA8 —2D 119
Eighth Av. WA7 —4C 133
Eilian Gro. L14 —1B 70
Eisenhower Clo. WA5 —4D 147
Elaine Clo. WA8 —4B 98
Elaine St. L8 —1D 87
Elaine St. WA1 —3A 150
Elderdale Rd. L4 —2A 46
Elder Gdns. L19 —2A 112
Elder Gro. L48 —4A 78
Eldersfield Rd. L11 —4C 33
Elderswood. L35 —4B 54
Elderwood Rd. L42 —3C 85
Eldon Clo. WA10 —3C 37
Eldon Gro. L3 —4B 44
Eldonian Av. L3 —4B 44
Eldonian Way. L3 —4B 44
Eldon Pl. L3 —4B 44
Eldon Pl. L41 —1C 85
Eldon Rd. L42 —4D 85
Eldon Rd. L44 —4A 42
Eldon St. L3 —4B 44
Eldon St. WA1 —4A 150
Eldon St. WA10 —3C 37
Eldred Rd. L16 —1B 90
Eleanor Rd. L20 —1D 29
Eleanor Rd. L43 —3B 62
Eleanor Rd. L46 —2B 60
Eleanor St. L20 —1A 44
Eleanor St. WA8 —2D 119
Elephant La. WA9 —2B 54
Elfet St. L41 —4D 63
Elgar Rd. L14 —3D 49
Elgin Av. WA4 —3C 157
Elgin Dri. L45 —3B 42
Elgin St. L41 —4C 65
Eliot St. L20 —1C 29
Elizabeth Ct. WA8 —2A 120
Elizabeth Dri. WA1 —2C 151
Elizabeth Rd. L10 —4A 22
Elizabeth Rd. L20 —1D 29
Elizabeth Rd. L36 —3D 73
Elizabeth St. WA9 —1C 57
Elizabeth Ter. WA8 —1B 118
Eliza St. WA9 —2D 57
Elkan Clo. WA8 —4C 99
Elkan Rd. WA8 —4C 99
Elkstone Rd. L11 —4C 33
Ellaby Rd. L35 —4B 54
Ellams Bri. Rd. WA9 —2C 57
Ellel Gro. L6 —4B 46
Ellen Gdns. WA9 —2C 57
Ellens Clo. L6 —1D 67
Ellen's La. L63 —4A 108
Ellen St. WA5 —3C 149
Ellen St. WA9 —2C 57
Elleray Pk. Rd. L45 —2D 41
Ellerby Clo. WA7 —4C 135
Ellergreen Rd. L11 —4B 32
Ellerman Rd. L8 —3C 87
Ellerslie Av. L35 —4A 54
Ellerslie Rd. L13 —3C 47
Ellerton Clo. WA8 —3B 96
Ellerton Way. L12 —3A 34
Ellesmere Dri. L10 —1B 20
Ellesmere Gro. L45 —2A 42
Ellesmere Rd. WA4 —3D 157
Ellesmere St. WA1 —4D 149
Ellesmere St. WA7 —2A 132
Ellesworth Clo. WA5 —2D 147
Elliot St. L1 —2C 67
Elliot St. WA8 —1A 120
Elliot St. WA10 —3C 37
Elliott Av. WA1 —3B 150
Ellis Ashton St. L36 —2D 73
Ellison Dri. WA10 —2B 36
Ellison St. L13 —1D 69
Ellison St. WA1 —4D 149
Ellison St. WA4 —3A 158
Ellison Tower. L5 —3C 45
Ellis Pl. L8 —2D 87
Ellis Rd. WN5 —1D 27
Ellis St. WA8 —2D 119
Ellon Av. L35 —2B 76
Elloway Rd. L24 —1D 129
Elmar Rd. L17 —4C 89
(in two parts)
Elm Av. L23 —3D 7
Elm Av. L49 —1C 81
Elm Av. WA8 —4A 98
Elmbank Rd. L18 —1C 89
Elmbank Rd. L62 —3A 108
Elmbank St. L44 —1B 64
Elm Clo. L12 —3B 34
Elm Clo. L61 —1B 122
Elm Ct. L23 —4B 6
Elmdale Rd. L9 —2C 31
Elmdene Ct. L49 —4B 80
Elm Dri. L21 —4D 17
Elm Dri. L49 —3B 80
Elmfield Clo. WA9 —1C 55
Elmfield Rd. L9 —1B 30
Elm Gro. L7 —3D 67
Elm Gro. L34 —2D 53
Elm Gro. L42 —2C 85
Elm Gro. L47 —4B 58
Elm Gro. WA1 —3C 151
Elm Gro. WA8 —4A 98
Elm Hall Dri. L18 —2D 89
Elmham Cres. L10 —4D 21
Elm Ho. L34 —3B 52
Elm Ho. M. L25 —3A 92
Elmhurst Rd. L25 —4A 72
Elmore Clo. L5 —4D 45
Elmore Clo. WA7 —3B 134
Elm Pk. Rd. L45 —2A 42
Elm Rd. L4 —4B 30
Elm Rd. L21 —4D 17
Elm Rd. L32 —1B 22
Elm Rd. L42 —3B 84
(Devonshire Park)
Elm Rd. L42 —4A 84
(Prenton)
Elm Rd. L61 —3D 103
Elm Rd. L63 —2D 107
Elm Rd. WA2 —3C 141
Elm Rd. WA5 —1B 154
Elm Rd. WA7 —3B 132
Elm Rd. WA10 & WA9 —1B 54
Elm Rd. N. L42 —4A 84
Elmsdale Rd. L18 —2A 90
Elmsfield Clo. L25 —1D 91
Elmsfield Rd. L23 —3A 8
Elms Ho. Rd. L13 —1D 69
Elmsley Ct. L18 —3D 89
Elmsley Rd. L18 —3D 89
Elms Rd. L31 —3B 10
Elms, The. L8 —3A 88
Elms, The. L31 —2B 4
Elms, The. WA7 —3D 131
Elm St. L36 —2D 73
Elm St. L41 —1C 85
Elmswood Av. L35 —2C 77
Elmswood Ct. L18 —3D 89
Elmswood Gro. L36 —1A 72
Elmswood Rd. L17 & L18
—4C 89
Elmswood Rd. L42 —3B 84
Elmswood Rd. L44 —4C 43
Elm Ter. L7 —2B 68
Elm Ter. L47 —4B 58
Elm Tree Av. WA1 —2C 151
Elmtree Clo. L12 —2B 48
Elmtree Gro. L43 —3C 63
Elmure Av. L63 —4B 106
Elm Vale. L6 —1B 68
Elmwood Av. L23 —4D 7
Elmwood Av. WA1 —3A 150
Elmwood Dri. L61 —2B 122
Elmworth Av. WA8 —2D 97
Elphin Gro. L4 —4B 30
Elric Wlk. L33 —1D 23
Elsbeck Gro. WA9 —3B 56
Elsie Rd. L4 —3A 46
Elsinore Heights. L26 —2D 115
Elsmere Av. L17 —3B 88
Elstead Rd. L9 —2A 32
Elstead Rd. L32 —3B 22
Elstow St. L5 —2B 44
Elstree Rd. L6 —1B 68
Elswick St. L8 —3D 87
Eltham Av. L21 —2A 18
Eltham Clo. L49 —4A 82
Eltham Clo. WA8 —3C 99
Eltham Grn. L49 —4A 82
Eltham St. L7 —2C 69
Eltham Wlk. WA8 —3C 99
Elton Av. L23 —4B 6
Elton Av. L30 —1C 19
Elton Clo. WA3 —3A 144
Elton Dri. L63 —2B 124
Elton Head Rd. WA9 —3B 54
Elton St. L4 —4B 30
Elvington Clo. WA7 —3B 138
Elworthy Av. L26 —1D 115
Elwyn Dri. L26 —2D 115
Elwyn Gdns. L26 —1D 115
Elwyn Rd. L47 —2C 59
Elwy St. L8 —1D 87
Ely Av. L46 —4B 60
Ely Clo. L30 —2D 19
Embledon St. L8 —4A 68
Embleton Gro. WA7 —2A 138
Emerald Clo. L30 —1A 20
Emerald St. L8 —3D 87
Emerson St. L8 —4D 67
Emery St. L4 —4B 30
Emily St. WA8 —2A 120
Emily St. WA9 —2B 54
Emlyn St. WA9 —4B 38
Emmett St. WA9 —4A 38
Empire Rd. L21 —1C 29
Empress Clo. L31 —4A 4
Empress Rd. L6 —3B 46
Empress Rd. L7 —2A 68
Empress Rd. L44 —4B 42
Emstry Wlk. L32 —1B 22
Endborne Rd. L9 —1B 30
Endbutt La. L23 —4C 7
Enderby Av. WA11 —1B 38
Endfield Pk. L19 —2A 112
Endmoor Rd. L36 —3B 50
Endsleigh Rd. L13 —1C 69
Endsleigh Rd. L22 —2A 16
Enerby Clo. L43 —4B 62
Enfield Av. L23 —4C 7
Enfield Pk. Rd. WA2 —3B 142
Enfield Rd. L13 —1A 70
Enfield St. WA10 —3C 37
Enfield Ter. L43 —2A 84
Enford Dri. WA9 —2B 56
Enid St. L8 —1D 87
Ennerdale Av. L31 —3C 5
Ennerdale Av. WA2 —3D 141
Ennerdale Av. WA11 —3C 27
Ennerdale Clo. L33 —4B 12
Ennerdale Dri. L21 —3C 19
Ennerdale Rd. L43 —4C 83
Ennerdale Rd. L45 —1D 41
Ennerdale St. L3 —4B 44
Ennis Clo. L24 —3A 130
Ennisdale Dri. L48 —3B 78
Ennismore Rd. L13 —1D 69
Ennismore Rd. L23 —3B 6
Ennis Rd. L12 —3C 49
Ensor St. L20 —1A 44
Enstone Av. L21 —2A 18
Enstone Rd. L25 —3A 114
Ensworth Rd. L18 —2A 90
Enville St. WA4 —1D 157
Epping Av. WA9 —1D 77

Epping Clo.—Fonthill Rd.

Epping Clo. L35 —2B 76
Epping Ct. L60 —3C 123
Epping Dri. WA1 —2A 152
Epping Gro. L15 —1A 90
Epsom Clo. L10 —2C 21
Epsom Gdns. WA4 —1A 162
Epsom St. WA9 —2C 39
Epstein Ct. L6 —1A 68
(off Coleridge St.)
Epworth Grange. L43 —1A 84
Epworth St. L6 —2D 67
Eremon Clo. L9 —3B 20
Erfurt Av. L63 —4A 108
Erica Ct. L60 —3A 122
Eric Av. WA1 —2B 150
Eric Gro. L44 —1A 64
Eric Rd. L44 —4A 42
Eric St. WA8 —4A 98
Eridge St. L8 —3D 87
Erl St. L9 —4A 20
Ermine Cres. L5 —3D 45
Errington Ct. L17 —2C 111
Errington St. L5 —3B 44
Errol St. L17 —3A 88
Erskine Clo. WA11 —1C 39
Erskine Ind. Est. L6 —1D 67
Erskine Rd. L44 —1B 64
Erskine St. L6 —1D 67
Erwood St. WA2 —3C 149
Erylmore Rd. L18 —4A 90
Escolme Dri. L49 —3C 81
Escor Rd. L25 —1D 91
Eshelby Clo. L22 —3C 17
Esher Clo. L43 —4B 62
Esher Clo. L62 —2A 108
Eshe Rd. L23 —4B 6
Eshe Rd. N. L23 —3A 6
Esher Rd. L6 —1A 68
Esher Rd. L62 —2A 108
Eskburn Rd. L13 —3C 47
Eskdale Av. L46 —3B 60
Eskdale Av. WA2 —4A 142
Eskdale Av. WA11 —3C 27
Eskdale Clo. WA7 —2D 137
Eskdale Dri. L31 —3C 5
Eskdale Rd. L9 —1B 30
Esk St. L20 —1A 44
Eslington St. L19 —2A 112
Esmond St. L6 —3A 46
Esonwood Rd. L35 —1C 75
Espin St. L4 —1D 45
Esplanade. L42 —4A 86
Esplanade, The. L20 —3D 29
Esplanade, The. L22 —4C 17
Esplen Av. L23 —3C 7
Essex Rd. L36 —4A 52
Essex Rd. L48 —3B 78
Essex St. L8 —1C 87
Essex Way. L20 —2D 29
Esther St. WA8 —1A 120
Esthwaite Av. WA11 —3C 27
Ethelbert Rd. L47 —3B 58
Ethel Rd. L44 —1C 65
Etna St. L13 —1D 69
Etna St. L42 —4D 85
Eton Ct. L18 —2B 90
Eton Dri. L10 —1B 20
Eton Hall Dri. WA9 —2B 56
Eton St. L4 —1D 45
Etruria St. L19 —4B 112
Etruscan Rd. L13 —4D 47
Ettington Rd. L4 —2A 46
Ettrick Clo. L33 —3C 13
Euclid Av. WA4 —2D 159
Europa Boulevd. L41 —4C 65
Europa Boulevd. L41 —1C 85
Eustace St. WA2 —3C 149
Euston Gro. L43 —2A 84
Euston St. L4 —4B 30
Evans Pl. WA4 —1A 158
Evans Rd. L24 —4B 114
Evans Rd. L47 —4A 58
Evans St. L34 —2B 52
Evelyn Av. L34 —2C 53
Evelyn Av. WA9 —3C 39
Evelyn Rd. L44 —1B 64
Evelyn St. L5 —3B 44
Evelyn St. WA5 —1A 156
Evelyn St. WA9 —3C 39
Evenwood. WA9 —3B 56
Everdon Wood. L33 —4D 13
Evered Av. L9 —2B 30
Everest Rd. L23 —4C 7
Everest Rd. L42 —4B 84
Evergreen Clo. L49 —1C 81
Everite Rd. WA8 —2A 118
Everite Rd. Ind. Est. WA8 —2A 118
Everleigh Clo. L43 —4A 62
Eversleigh Dri. L63 —4D 107
Eversley. WA8 —4A 96
Eversley Clo. WA4 —2B 162
Eversley Pk. L43 —3A 84
Eversley St. L8 —1D 87
Everton Brow. L3 —1C 67
Everton Gro. WA11 —1B 38
Everton Rd. L6 —4D 45
Everton Valley. L4 —2C 45
Everton View. L20 —4C 29
Every St. L6 —1A 68
Evesham Clo. L25 —4D 91
Evesham Clo. WA4 —4A 158
Evesham Rd. L4 —4A 32
Evesham Rd. L45 —3D 41
Ewanville. L36 —2C 73
Ewart Rd. L16 —3D 71
Ewart Rd. L21 —4D 17
Ewart Rd. WA11 —1A 38
Ewden Clo. L16 —4C 71
Exchange Pas. E. L2 —2B 66
Exchange Pas. W. L2 —2B 66
Exchange Pl. L35 —1B 76
Exchange St. WA10 —3D 37
Exchange St. E. L2 —2B 66
Exchange St. W. L2 —2B 66
Exeley. L35 —2C 75
Exeter Clo. L10 —2C 21
Exeter Rd. L20 —4D 29
Exeter Rd. L44 —4B 42
Exeter St. WA10 —3B 36
Exford Rd. L12 —1C 49
Exmoor Clo. L61 —3D 103
Exmouth Cres. WA7 —1A 140
Exmouth Gdns. L41 —1B 84
Exmouth St. L41 —1B 84
Exmouth Way. L41 —1B 84
Expressway. WA7 —1B 134
Extension View. WA9 —1B 56
Factory La. WA5 —4C 149
Factory La. WA8 —3A 98
Factory Row. WA10 —4C 37
Fairacre Rd. L19 —2D 111
Fairacres Rd. L63 —1B 124
Fairbairn Rd. L22 —2C 17
Fairbank St. L15 —4C 69
Fairbeech Ct. L43 —4B 62
Fairbeech M. L43 —4B 62
Fairbrother Cres. WA2 —4A 142
Fairburn Clo. WA8 —3C 99
Fairburn Rd. L13 —3C 47
Fairclough Clo. L35 —1A 76
Fairclough Cres. WA11 —1D 39
Fairclough La. L43 —3A 84
Fairclough Rd. L35 —1A 76
Fairclough Rd. L36 —3B 50
Fairclough Rd. WA10 —2B 36
Fairclough's Av. WA1 —1D 157
Fairclough St. L1 —3C 67
Fairfax Dri. WA7 —2B 132
Fairfax Pl. L11 —4A 32
Fairfax Rd. L11 —4A 32
Fairfax Rd. L41 —2C 85
Fairfield. L23 —4C 7
Fairfield Av. L36 —2D 71
Fairfield Clo. L36 —2D 71
Fairfield Cres. L6 —1C 69
Fairfield Cres. L36 —2D 71
Fairfield Cres. L46 —3C 61
Fairfield Dri. L48 —3C 79
Fairfield Gdns. WA4 —3B 158
Fairfield Gdns. WA11 —1A 26
(in two parts)
Fairfield Rd. L42 —4C 85
Fairfield Rd. WA4 —3A 158
Fairfield Rd. WA8 —4A 98
Fairfield Rd. WA10 —1B 36
Fairfield St. L7 —1C 69
Fairfield St. WA1 —3A 150
Fairford Cres. L14 —1A 70
Fairford Rd. L14 —1A 70
Fairhaven. L33 —3C 13
Fairhaven Clo. L42 —4D 85
Fairhaven Clo. WA5 —1D 155
Fairhaven Rd. WA8 —4A 98
Fair Havens Ct. WA8 —2A 120
Fairholme Av. L34 —2D 53
Fairholme Clo. L12 —2D 47
Fairholme Rd. L23 —4C 7
Fairhurst Ter. L34 —3C 53
Fairlawne Clo. L33 —4C 13
Fairlie Cres. L20 —4C 19
Fairlie Dri. L35 —2B 76
Fairmead Rd. L11 —4A 32
Fairmead Rd. L46 —3C 61
(in two parts)
Fairoak Clo. L43 —4B 62
Fairoak La. WA7 —3B 140
Fairoak M. L43 —4B 62
Fairthorne Wlk. L33 —1A 24
Fairtree Clo. L43 —4B 62
Fair View. L41 —2C 85
Fairview Av. L45 —4A 42
Fairview Clo. L43 —3A 84
Fair View Pl. L8 —2D 87
Fairview Rd. L43 —4A 84
Fairview Way. L61 —2B 122
Fairway. L36 —4D 51
Fairway. WA10 —1B 36
Fairway Cres. L62 —1D 125
Fairway N. L62 —1D 125
Fairways. L23 —3B 6
Fairways. WA4 —2A 162
Fairways Clo. L25 —1A 114
Fairway S. L62 —2D 125
Fairways, The. L25 —1B 114
Fairway, The. L12 —4C 49
Falcon Cres. L27 —2D 93
Falcondale Rd. WA2 —1D 141
Falconer St. L20 —1C 29
Falcongate Ind. Est. L44 —2B 64
(off Old Gorsey La.)
Falconhall Rd. L9 —2B 32
Falcon Hey. L10 —4D 21
Falcon Rd. L41 —2B 84
Falcons Way. WA7 —1A 138
Falkland Rd. L44 —1B 64
Falklands App. L11 —4A 32
Falkland St. L3 —2D 67
(in two parts)
Falkland St. L41 —4D 63
Falkner Pl. L8 —3D 87
Falkner Sq. L8 —4D 67
Fallow Clo. WA9 —4A 56
Fallowfield. L33 —4C 13
Fallowfield. WA7 —3B 132
Fallowfield Gro. WA2 —1D 151
Fallowfield Rd. L15 —1D 89
Fallowfield Rd. L46 —3D 61
Fallows Way. L35 —3B 74
Falls La. L26 —4C 93
Falmouth Dri. WA5 —2B 154
Falmouth Pl. WA7 —1A 40
Falmouth Rd. L11 —1D 33
Falstaff St. L20 —1B 44
Falstone Clo. WA3 —1D 145
Falstone Dri. WA7 —4C 135 & 1A 140
Falstone Rd. L33 —4D 13
(in two parts)
Faraday Rd. L13 —2C 69
Faraday Rd. WA7 —1C 133
Faraday St. L5 —3D 45
Fareham Rd. L7 —1B 68
Farforth Clo. L19 —3B 112
Faringdon Clo. L25 —3A 114
Faringdon Rd. WA2 —1D 141
Farley Av. L62 —3C 125
Farlow Rd. L42 —1C 107
Farmbrook Rd. L25 —1A 92
Farm Clo. L49 —3B 80
Farmdale Clo. L18 —4A 90
Farmdale Dri. L31 —4C 5
Far Meadow La. L61 —3B 102
Farmer Pl. L20 —4C 19
Farmfield Dri. L43 —4B 62
Farm La. WA4 —4B 158
Farmleigh Gdns. WA5 —3D 147
Far Moss Rd. L23 —3A 6
Farm Rd. L35 —4A 54
Farmside. L46 —1D 61
Farm View. L21 —2A 18
Farmview Clo. L27 —4B 72
Farndale. WA8 —2A 98
Farndon Av. L45 —3C 41
Farndon Av. WA9 —4A 56
Farndon Dri. L48 —3C 79
Farndon Way. L43 —2D 83
Farnham Clo. WA4 —1B 162
Farnhill Clo. WA7 —4B 134
Farnley Clo. WA7 —2B 134
Farnworth Av. L46 —1C 61
Farnworth Clo. WA8 —3A 98
Farnworth Rd. WA5 —1A 154
Farnworth Rd. WA8 & WA5 —2C 99
Farnworth St. L6 —1A 68
Farnworth St. WA8 —3A 98
Farnworth St. WA9 —2B 38
Farrant St. WA8 —1A 120
Farrar St. L13 —2C 47
Farrell Clo. L31 —4A 12
Farrell Rd. WA4 —4A 158
Farrel St. WA1 —4A 150
Farr Hall Dri. L60 —4A 122
Farr Hall Rd. L60 —4A 122
Farrier Rd. L33 —2D 23
Farriers Wlk. WA9 —4A 56
Farriers Way. L30 —3D 19
Farriers Way. L48 —4A 80
Farringdon Clo. WA9 —3D 55
Farthing Clo. L25 —2A 114
Farthingstone Clo. L35 —3D 53
Fatherside Dri. L30 —1B 18
Faulkner St. L8 —4D 67
(in two parts)
Faulkner Ter. L8 —4D 67
(in two parts)
Faversham Rd. L11 —3A 32
Fawcett Rd. L31 —3C 5
Fawley Rd. L18 —4B 90
Fawley Rd. L35 —3C 77
Fazakerley Clo. L9 —2B 30
Fazakerley Rd. L9 —2B 30
Fazakerley Rd. L35 —4C 53
Fazakerley St. L3 —2A 66
Fearnhead Cross. WA2 —4C 143
Fearnhead La. WA2 —4C 143
Fearnley Hall. L41 —1C 85
Fearnley Rd. L41 —1B 84
Fearnside St. L7 —4B 68
Feather La. L60 —4B 122
Feeny St. WA9 —2D 77
Feilden Rd. L63 —1B 124
Felicity Gro. L46 —3C 61
Fell Gro. WA11 —3B 26
Fell St. L7 —2A 68
Fell St. L44 —2C 65
Felltor Clo. L25 —3D 91
Felmersham Av. L11 —3A 32
Felspar Rd. L32 —4C 23
Felsted Av. L25 —4B 92
Felsted Dri. L10 —2C 21
Felthorpe Clo. L49 —4A 62
Felton Clo. L46 —3A 60
Felton Gro. L13 —1D 69
Feltree Ho. L43 —4B 62
Feltwell Rd. L4 —2A 46
Feltwood Clo. L12 —2D 49
Feltwood Rd. L12 —1C 49
Feltwood Wlk. L12 —2D 49
Fender Ct. L49 —4B 82
Fender La. L46 —2D 61
Fenderside Rd. L43 —4A 62
Fender View Rd. L46 —4D 61
Fender Way. L43 —1A 82 to 3B 62
(in two parts)
Fenderway. L61 —1C 123
Fenham Dri. WA5 —1B 154
Fennel St. WA1 —4D 149
Fenton Clo. L24 —2B 128
Fenton Clo. WA8 —3A 96
Fenton Clo. WA10 —2C 37
Fenton Grn. L24 —2B 128
Fenwick La. WA7 —1D 137
Fenwick St. L2 —2B 66
Ferguson Av. L49 —3B 80
Ferguson Dri. WA2 —1A 150
Ferguson Rd. L11 —1C 47
Ferguson Rd. L21 —2B 18
Fern Bank. L31 —4C 5
Fernbank Av. L36 —2B 72
Fernbank Clo. WA3 —3A 144
Fernbank Dri. L30 —4D 9
Fernbank La. L49 —4D 61
Fern Clo. L27 —2C 93
Fern Clo. WA3 —3A 144
Ferndale Av. L44 —4B 42
Ferndale Av. L48 —1A 102
Ferndale Clo. WA1 —2D 151
Ferndale Clo. WA8 —1C 99
Ferndale Rd. L15 —1C 89
Ferndale Rd. L22 —2C 17
Ferndale Rd. L47 —4A 58
Fern Gro. L8 —1A 88
Fern Gro. L43 —2B 82
Fern Hey. L23 —3A 8
Fern Hill. L45 —2A 42
Fernhill Av. L20 —3A 30
Fernhill Clo. L20 —3A 30
Fernhill Dri. L8 —1D 87
Fernhill Gdns. L20 —3A 30
Fernhill M. E. L20 —3A 30
Fernhill M. W. L20 —3A 30
Fernhill Rd. L20 —1A 30 to 3A 30
Fernhill Way. L20 —3A 30
Fernhurst. WA7 —3B 132
Fernhurst Rd. L32 —2B 22
Fernie Cres. L8 —2C 87
Fernlea Av. WA9 —2B 54
Fernlea M. L43 —3B 62
Fernlea Rd. L60 —3C 123
Fernleigh. L43 —3A 84
Fernleigh Rd. L13 —1A 70
Fern Lodge. L8 —1A 88
Ferns Rd. L63 —4C 107
Fernwood Dri. L26 —2C 115
Fernwood Rd. L17 —4C 89
Ferny Brow Rd. L49 —3A 82
Ferrey Rd. L10 —4D 21
Ferries Clo. L42 —1A 108
Ferry La. WA4 —1A 160
Ferryside. L44 —2C 65
Ferry View Rd. L44 —1C 65
Ferryview Wlk. WA7 —2D 133
Festival Av. WA2 —4A 142
Festival Ct. L11 —3C 33
Festival Cres. WA2 —4A 142
Festival Way. WA7 —3B 132
Ffrancon Dri. L63 —2C 107
Fiddlers Ferry Rd. WA8 —2A 120
Fidler St. WA10 —1B 54
Field Av. L21 —3D 17
Field Clo. L62 —2A 108
Fieldfare Clo. L25 —2D 91
Fieldfare Clo. WA3 —3B 144
Fieldgate. WA8 —3A 118
Field Ho. Row. WA7 —4B 132
Fielding St. L6 —1A 68
Field La. L10 —4A 22
Field La. L21 —2D 17
Field La. WA4 —1A 62
Field Rd. L45 —2A 42
Fields End. L36 —3C 73
Fieldsend Clo. L27 —2C 93
Fieldside Rd. L42 —4C 85
Field St. L3 —1C 67
Fieldsway. WA7 —1B 136
Fieldton Rd. L11 —3C 33
Field View. L21 —3D 17
Fieldview Dri. WA2 —1A 150
Field Wlk. L23 —3A 8
Fieldway. L15 —3B 70
Fieldway. L31 —2C 11
Field Way. L35 —4B 54
Fieldway. L36 —3D 73
Fieldway. L45 —3D 41
Fieldway. L47 —4D 59
Fieldway. L60 —3D 123
Fieldway. L63 —2B 106
Fieldway. WA8 —4C 99
Fieldway Ct. L41 —4B 64
Fife Rd. WA1 —3B 150
Fifth Av. L9 —4B 20
Fifth Av. L43 —4A 62
Fifth Av. WA7 —4C 133
Filbert Clo. L33 —3D 13
Fildes Clo. WA5 —4D 147
Filton Rd. L14 —3A 50
Finborough Rd. L4 —4D 31
Fincham Clo. L14 —4A 50
Fincham Grn. L14 —4A 50
Fincham Rd. L14 —3D 49
Fincham Sq. L14 —3A 50
Finch Clo. L14 —3D 49
Finch Ct. L41 —4B 64
Finchdean Clo. L49 —3B 80
Finch Dene. L14 —2D 49
Finch La. L14 —2D 49 to 4D 49
Finch La. L26 —3A 116
Finch Lea Dri. L14 —3D 49
Finchley Rd. L4 —2A 46
Finch Meadow Clo. L9 —2B 32
Finch Pl. L3 —2D 67
Finch Rd. L14 —3D 49
Finch Way. L14 —4D 49
Findley Dri. L46 —1C 61
Findon Rd. L32 —3D 23
Fingall Rd. L15 —1A 90
Fingland Rd. L15 —4C 69
Finlan Rd. WA8 —3D 119
Finlay Av. WA5 —2B 154
Finlay Ct. L30 —4C 9
Finlay St. L6 —1B 68
Finney, The. L48 —3B 100
Finningley Ct. WA2 —1B 150
Finsbury Pk. WA8 —2A 98
Finstall Rd. L63 —2A 124
Finvoy Rd. L13 —2C 47
Fiona Wlk. L10 —4A 22
Fir Av. L26 —2D 115
Firbank Clo. WA7 —3B 134
Firbrook Ct. L43 —3B 62
Fir Clo. L26 —2D 115
Fir Cotes. L31 —4C 5
Firdale Rd. L9 —2C 31
Firdene Cres. L43 —2C 83
Fire Sta. Rd. L35 —4D 53
Firethorne Rd. L26 —4C 93
Fir Gro. L9 —3A 20
Fir Gro. WA1 —3B 150
Fir La. L15 —4D 69
Firman Clo. WA5 —1D 147
Fir Rd. L22 —2C 17
Firs Av. L63 —1A 124
Firscraig. L28 —2B 50
Firshaw Rd. L47 —3B 58
First Av. L9 —4B 20
First Av. L23 —4C 7
First Av. L35 —1A 76
First Av. L43 —1B 82
Firs, The. L43 —3C 63
Firstone Gro. L32 —3C 23
Fir St. WA8 —4A 98
Fir St. WA10 —1B 54
Firthland Way. WA9 —4D 39
Firtree Av. WA1 —2C 151
Fir Tree Dri. N. L12 —3D 33
Fir Tree Dri. S. L12 —3D 33
Fisher Av. L35 —2C 75
Fisher Av. WA2 —1D 149
Fisherfield Dri. WA3 —2C 145
Fisher Pl. L35 —2C 75
Fishers La. L61 —1A 122
Fisher St. L8 —1C 87
Fisher St. WA9 —2C 57
Fishguard Clo. L6 —4D 45
Fishwicks Ind. Est. WA9 —1B 56
Fistral Clo. L10 —1C 33
Fistral Dri. WA10 —1A 36
Fitzclarence Wlk. L6 —1D 67
Fitzclarence Way. L6 —1D 67
Fitzgerald Rd. L13 —1A 70
Fitzherbert St. WA2 —2D 149
Fitzpatrick Ct. L3 —4B 44
Fitzroy Way. L6 —1D 67
Fitzwalter Rd. WA1 —3A 152
Fitzwilliam Wlk. WA7 —2D 133
Fiveways. WA10 —2A 36
Flail Clo. L49 —2B 80
Flambards. L49 —3A 82
Flander Clo. WA8 —4B 96
Flatfield Way. L31 —4C 5
Flatt La. L43 —3D 83
Flavian Brow. WA7 —2C 133
Flavian Ct. WA7 —2D 133
Flawn Rd. L11 —1C 47
Flaxhill. L46 —3C 61
Flaxley Clo. WA3 —2C 145
Flaxman St. L7 —2B 68
Flaybrick Clo. L43 —3C 63
Fleck La. L48 —1B 100 to 2C 101
Fleet Croft Rd. L49 —4A 82
Fleet La. WA9 —3C 39
Fleet St. L1 —3C 67
Fleetwood Clo. WA5 —1D 155
Fleetwood Pl. L25 —4D 91
Fleetwoods La. L30 —4B 8
Fleetwood Wlk. WA7 —1D 139
Fleming Ct. L3 —4B 44
Fleming Ind. Est. WA1 —4D 14
(off Fennel St.)
Fleming Rd. L24 —3B 114
Flemington Av. L4 —1C 47
Flers Av. WA4 —2D 157
Fletcher Av. L42 —4C 85
Fletcher Dri. L19 —2A 112
Fletcher St. WA4 —1D 157
Flint Dri. L12 —1C 49
Flintshire Gdns. WA10 —4C 37
Flint St. L1 —4C 67
Floral Wood. L17 —4D 87
Florence Av. L60 —3B 122
Florence Clo. L9 —3B 30
Florence Nightingale Clo. L30 —4D 9
Florence Rd. L44 —1C 65
Florence St. L4 —2D 45
Florence St. L41 —1B 84
Florence St. WA4 —1A 158
Florence St. WA9 —2B 54
Florentine Rd. L13 —4A 48
Florida Ct. L19 —2A 112
Flowermead Clo. L47 —3D 59
Fluker's Brook La. L34 —4C 35
Foinavon Clo. L9 —4D 19
Folds La. WA11 —4C 27
Folds Rd. WA11 —1D 39
Foley Clo. L4 —2C 45
Foley St. L4 —2C 45
(in two parts)
Folkestone Way. WA7 —1D 139
Folly La. L44 —4C 41
Folly La. WA5 —3B 148
Folly La. WA7 —3C 131
Fontenoy St. L3 —1B 66
(in two parts)
Fonthill Clo. L4 —2C 45
Fonthill Rd. L4 —1C 45

Forbes Clo. WA3 —3B **144**
Ford Clo. L20 —4C **19**
Ford Clo. L21 —2A **18**
Ford Clo. L49 —2A **82**
Fordcombe Rd. L25 —2B **92**
Ford Dri. L49 —2A **82**
Fordham St. L4 —1C **45**
Ford Hill View. L46 —4D **61**
Fordington Rd. WA5 —4D **147**
Ford La. L21 —1A **18**
Ford La. L49 —1A **82**
Fordlea Rd. L12 —1A **48**
Fordlea Way. L12 —1A **48**
Ford Rd. L35 —3D **53**
Ford Rd. L49 —2A **82**
Fords Bldgs. L3 —1B **66**
Ford St. L3 —1B **66**
Ford St. WA1 —3A **150**
Ford View. L21 —1A **18**
Ford Way. L49 —2D **81**
Fordway M. L49 —2D **81**
Forefield La. L23 —3D **7**
Foreland Clo. WA5 —3A **146**
Forest Clo. L34 —2D **53**
Forest Clo. L47 —3C **59**
Forest Ct. L43 —1D **83**
Forest Dri. L36 —1B **72**
Forest Grn. L12 —2A **48**
Forest Gro. L34 —2D **53**
Forest Lawn. L12 —2A **48**
Forest Mead. WA10 —3A **36**
Forest Rd. L43 —4D **63** to 1D **83**
Forest Rd. L47 —3C **59**
Forest Rd. L60 —3C **123**
Forest Rd. WA9 —1D **77**
Forfar Rd. L13 —2C **47**
Forge Clo. WA8 —3B **96**
Forge Cotts. L17 —3B **88**
Forge Rd. WA5 —4C **147**
Forge Shopping Cen., The. WA4 —3A **158**
Forge St. L20 —1A **44**
Formby Av. WA10 —1B **54**
Formby Clo. WA5 —1B **154**
Formosa Dri. L10 —4D **21**
Formosa Rd. L10 —4D **21**
Formosa Way. L10 —4D **21**
Fornals Grn. La. L47 —4C **59**
Forrester Av. WA9 —2B **54**
Forrest St. L1 —3B **66**
Forrest Way. WA5 —1A **156**
Forshaw Av. WA10 —1A **54**
Forshaw St. WA2 —3D **149**
Forster St. WA2 —3D **149**
Forsythia Clo. L9 —3D **31**
Forthlin Rd. L18 —1B **112**
Forth St. L20 —1A **44**
Forton Lodge Flats. L23 —4B 6
(off Blundellsands Rd. E.)
Fortside. WA7 —4C **135**
Fort St. L45 —2B **42**
Forwood Rd. L62 —3D **125**
Foscote Rd. L33 —4D **13**
Fosters Gro. WA11 —1C **39**
Fosters Rd. WA11 —1D **39**
Foster St. L20 —2B **44**
Foster St. WA8 —1A **120**
Fothergill St. WA1 —3A **150**
Foundry La. WA8 —4A **118**
Foundry St. WA2 —4C **149**
Foundry St. WA10 —3D **37**
Fountain Ct. L23 —3A **6**
Fountain Rd. L34 —3D **35**
Fountain Rd. L45 —2A **42**
Fountains Clo. L4 —2D **45**
Fountains Clo. WA7 —2D **139**
Fountains Ct. L4 —2B **44**
Fountains Rd. L4 —2B **44**
Fountain St. L42 —3B **84**
Fountain St. WA9 —2B **54**
Four Acre Dri. L21 —1A **18**
Four Acre La. Shopping Cen. WA9 —4A **56**
Fouracres. L31 —2A **10**
Four Bridges. L41 —3C **65**
Fourth Av. L9 —4B **20**
Fourth Av. L43 —4A **62**
Fourth Av. WA7 —4C **133**
Fourways Clo. L27 —4B **72**
Fowell Rd. L45 —1A **42**
Fowler Clo. L7 —3B **68**
Fowler St. L5 —4A **46**
Foxcote. WA8 —4A **96**
Foxcover Rd. L60 —4D **123**
Foxcovers Rd. L63 —1B **124**
Fox Covert. WA7 —4A **134**
Foxdale Clo. L43 —2D **83**
Foxdale Ct. WA4 —4A **158**
Foxdale Rd. L15 —1C **89**
Foxes, The. L61 —3A **104**
Foxfield Clo. WA2 —4B **142**
Foxfield Rd. L47 —3C **59**
Fox Gdns. WA13 —1D **161**
Foxglove Av. L26 —1C **115**
Foxglove Clo. L9 —2B **32**
Foxglove Rd. L41 —4D **63**
Fox Hey Rd. L44 —1D **63**
Foxhill Clo. L8 —1D **87**
Foxhill La. L26 —4C **93**
Foxhills Clo. WA4 —4A **162**
Foxhouse La. L31 —1C **11**
Foxhunter Dri. L9 —3B **20**
Foxleigh. L26 —4C **93**
Foxleigh Grange. L41 —3D **63**
Fox Pl. WA10 —2D **37**
Foxs Bank La. L35 —4D **75** to 3D **75**
Foxshaw Clo. L35 —3B **74**
Fox St. L3 —1C **67**
Fox St. L41 —1B **84**
Fox St. WA5 —4B **148**
Fox St. WA7 —2D **131**
Foxton Clo. L46 —3A **60**
Foxwood. L12 —1C **49**
Foxwood. WA9 —2B **54**
Foxwood Clo. L48 —3C **79**
Frampton Rd. L4 —4D **31**
Franceys St. L3 —3C **67**
Francis Av. L43 —1A **84**
Francis Av. L46 —3B **60**
Francis Clo. L35 —4A **54**
Francis Clo. WA8 —1B **118**
Francis Rd. WA4 —3D **157**
Francis St. WA9 —2D **57**
Francis Way. L16 —3C **71**
Frankby Av. L44 —4A **42**
Frankby Clo. L48 —3A **80**
Frankby Grn. L48 —4A **80**
Frankby Gro. L49 —2D **81**
Frankby Rd. L4 —1A **46**
Frankby Rd. L47 —3C **59**
Frankby Rd. L48 & L49 —3B **78** to 3B **80**
Franklin Clo. WA5 —2A **148**
Franklin Pl. L6 —4A **46**
Franklin Rd. L46 —1A **62**
Frank St. L8 —2C **87**
Frank St. WA8 —1B **120**
Franton Wlk. L32 —1B **22**
Fraser Pl. L3 —2C **67**
Fraser Rd. WA5 —3A **146**
Fraser St. L3 —2C **67**
Freckleton Clo. WA5 —1D **155**
Freckleton Rd. WA10 —1A **54**
Freda Av. WA9 —3B **56**
Frederick Banting Clo. L30 —4D **9**
Frederick Gro. L15 —4D **69**
Frederick Lunt Av. L34 —3D **35**
Frederick St. WA4 —2A **158**
Frederick St. WA8 —1A **120**
Frederick St. WA9 —2D **57**
Freedom Clo. L7 —3D **67**
Freehold St. L7 —1C **69**
Freeland St. L4 —2C **45**
Freeman St. L7 —4B **68**
Freeman St. L41 —4C **65**
Freemantle Av. WA9 —2C **55**
Freemasons Row. L3 —1B **66**
Freemont Rd. L12 —2D **47**
Freeport Gro. L9 —4A **20**
Freesia Av. L9 —2C **31**
Freme Clo. L11 —3C **33**
French St. WA8 —1B **120**
French St. WA10 —4B **36**
Frensham Clo. L63 —2A **124**
Frensham Way. L25 —1B **114**
Freshfield Clo. L36 —1B **72**
Freshfield Rd. L15 —1D **89**
Freshfields Dri. WA2 —1D **151**
Freshwater Clo. WA5 —3A **146**
Friars Av. WA5 —4B **146**
Friars Clo. L63 —4D **107**
Friars Ga. WA1 —1D **157**
Friars La. WA1 —1D **157**
Friar St. WA10 —4B **36**
Friends La. WA5 —4A **146**
Frinstead Rd. L11 —4C **33**
Frobisher Ct. WA5 —2A **148**
Frobisher Rd. L46 —4A **40**
Frodsham Dri. WA11 —1B **38**
Frodsham St. L4 —4B **30**
Frodsham St. L41 —2C **85**
(in two parts)
Froggatt Way. L7 —3A **68**
Froghall La. WA1 & WA2 —4C **149**
Frogmore Rd. L13 —1C **69**
Frome Clo. L61 —2B **102**
Frome Way. L25 —1B **114**
Frost Dri. L61 —3B **102**
Frost St. L7 —2B **68**
Fryer St. WA7 —2D **131**
Fry St. WA9 —3C **39**
Fuchsia Wlk. L49 —4B **80**
Fulbeck. WA8 —4A **96**
Fulbrook Clo. L63 —2A **124**
Fulbrook Rd. L63 —2A **124**
Fulford Clo. L12 —3D **49**
Fulmar Clo. L27 —2C **93**
Fulmar Gro. L12 —3A **34**
Fulshaw Clo. L27 —1B **92**
Fulton Av. L48 —3C **79**
Fulton St. L5 —3A **44**
Fulwood Clo. L17 —4B **88**
Fulwood Dri. L17 —4B **88**
Fulwood Pk. L17 —1B **110**
Fulwood Rd. L17 —4B **88**
Fulwood Way. L21 —4A **8**
Furlong Clo. L9 —3B **20**
Furness Av. L12 —4D **33**
Furness Av. WA10 —4A **26**
Furness Clo. L49 —1C **81**
Furness Ct. WA7 —1C **135**
Furness St. L4 —2C **45**
Furze Way. L46 —2C **61**
Gable Ct. L11 —3A **32**
Gables Clo. WA2 —3B **142**
Gables, The. L31 —1C **11**
Gable View. L11 —3A **32**
Gabriel Clo. L46 —3D **61**
Gaerwen St. L6 —1A **68**
Gainford Clo. L14 —2D **49**
Gainford Clo. WA8 —3B **96**
Gainford Rd. L14 —2D **49**
Gainsborough Av. L31 —1A **10**
Gainsborough Clo. L12 —4C **49**
Gainsborough Ct. WA8 —4A **96**
Gainsborough Rd. L15 —1C **89**
Gainsborough Rd. L45 —4C **41**
Gainsborough Rd. L49 —1C **81**
Gainsborough Rd. WA4 —3C **157**
Gairloch Clo. WA2 —3B **142**
Gaisgill Ct. WA8 —1A **118**
Gale Av. WA5 —1B **148**
Galemeade. L11 —3C **33**
Gale Rd. L21 —3A **18**
Gale Rd. L33 —3B **24**
Gales Croft. L27 —1C **93**
Galion Way. WA8 —3C **97**
Gallopers La. L61 —3A **104**
Galloway Rd. L22 —2C **17**
Galloway St. L7 —4B **68**
Galston Av. L35 —2B **76**
Galston Clo. L33 —3B **12**
Galsworthy Av. L30 —3C **19**
Galsworthy Pl. L30 —3C **19**
Galsworthy Wlk. L30 —4C **19**
Galton St. L3 —1A **66**
Galtres Ct. L63 —1C **107**
Galtres Pk. L63 —2C **107**
Gambier Ter. L1 —4C **67**
Gamble Av. WA10 —1C **37**
Gamlin St. L41 —3D **63**
Ganney's Meadow Rd. L49 —4B **82**
Gannock St. L7 —2B **68**
Ganton Clo. WA8 —2A **98**
Ganworth Clo. L24 —2C **129**
Ganworth Rd. L24 —2C **129**
Garden Cotts. L12 —4B **48**
Garden Ct. L42 —1B **106**
Gardeners Way. L35 —4B **54**
Garden Hey Rd. L46 —4A **60**
Garden Hey Rd. L47 —3B **58**
Gardenia Gro. L17 —4D **87**
Garden La. L3 —1C **67**
Garden La. L9 —3C **21**
Garden La. L46 —3C **61**
Garden Lodge Gro. L27 —2C **93**
Garden Pl. L20 —3D **29**
Gardenside. L46 —4A **40**
Gardenside St. L6 —1D **67**
Gardens Rd. L63 —4A **108**
Garden St. L25 —4D **91**
Garden View. L12 —3C **49**
Garden View. L20 —3D **29**
Garden Wlk. L34 —3B **52**
Garden Way. L20 —3D **29**
Gardner Av. L20 —4C **19**
Gardner Rd. L13 —3C **47**
Gardners Dri. L6 —4B **46**
Gardner's Row. L3 —1B **66**
Gareth Av. WA11 —1A **38**
Garfield Ter. L49 —2D **81**
Garfourth Clo. L19 —3B **112**
Garfourth Rd. L19 —2B **112**
Garibaldi Ho. L5 —4C **45**
Garmoyle Clo. L15 —4C **69**
Garmoyle Rd. L15 —1C **89**
Garner St. WA2 —2D **149**
Garnet St. L13 —2D **69**
Garnet St. WA9 —2B **56**
Garnett Av. L4 —1C **45**
Garnett Av. WA4 —1C **159**
Garnetts La. L35 —4C **95**
Garnett's La. WA8 —1A **130**
Garrett Field. WA3 —2A **144**
Garrick Av. L46 —4B **60**
Garrick Rd. L43 —1D **105**
Garrick St. L7 —4B **68**
Garrigill Clo. WA8 —2A **98**
Garrowby Dri. L36 —1B **72**
Garsdale Av. L35 —2B **76**
Garsdale Clo. WA5 —3C **147**
Garsfield Rd. L4 —1C **47**
Garston By-Pass. L19 —3A **112**
Garston Ind. Est. L19 —1B **126**
Garston Old Rd. L19 —2A **112**
Garston Way. L19 —3A **112**
Garswood Clo. L31 —3C **5**
Garswood Clo. L46 —1C **61**
Garswood St. L8 —3D **87**
Garswood St. WA10 —2D **37**
Garter Clo. L11 —3D **33**
Garth Boulevd. L63 —2C **107**
Garth Ct. L22 —2C **17**
Garthdale Rd. L18 —2A **90**
Garth Dri. L18 —3A **90**
Garthowen Rd. L7 —2C **69**
Garth Rd. L32 —3D **23**
Garth, The. L36 —1C **73**
Garth Wlk. L32 —3D **23**
Gartons La. WA9 —4B **56**
Garven Pl. WA1 —4C **149**
Garway. L25 —3B **92**
Garwood Clo. WA5 —1D **147**
Gascoyne St. L3 —1B **66**
Gaskell Av. WA4 —1C **159**
Gaskell Clo. WA9 —3C **39**
Gaskell Rake. L30 —3C **9**
Gaskell St. WA4 —3A **158**
Gaskell St. WA9 —4B **38**
Gaskill Rd. L24 —4B **114**
Gas St. WA7 —2A **132**
Gatclif Rd. L13 —4C **47**
Gateacre Brow. L25 —3A **92**
Gateacre Pk. Dri. L25 —2D **91**
Gateacre Rise. L25 —2A **92**
Gateacre Vale Rd. L25 —3A **92**
Gates La. L29 —1A **8**
Gate Warth St. WA5 —1A **156**
Gateworth Ind. Est. WA5 —1A **156**
Gathurst Ct. WA8 —1B **118**
Gatley Dri. L31 —1C **11**
Gatley Wlk. L24 —1D **129**
Gaunts Way. WA7 —1A **138**
Gautby Rd. L41 —3C **63**
Gavin Rd. WA8 —2A **118**
Gawsworth Clo. L43 —3D **83**
Gawsworth Ct. WA3 —1B **144**
Gayhurst Av. WA2 —4C **143**
Gayhurst Cres. L11 —4C **33**
Gayton Av. L45 —1A **42**
Gayton Av. L63 —1B **106**
Gayton La. L60 —4C **123**
Gayton Mill Clo. L60 —4C **123**
Gayton Rd. L60 —4B **122**
Gaytree Ct. L43 —4B **62**
Gaywood Av. L32 —3D **23**
Gaywood Clo. L32 —3D **23**
Gaywood Clo. L43 —4B **62**
Gaywood Grn. L32 —3D **23**
Gellings Rd. L34 —1B **34**
Gelling St. L8 —1C **87**
Gemini Clo. L20 —2C **29**
General St. WA1 —4D **149**
Genesis Cen., The. WA3 —2A **144**
Geneva Rd. L6 —1B **68**
Geneva Rd. L44 —2B **64**
Genista Clo. L9 —3B **30**
Gentwood Pde. L36 —4B **50**
Gentwood Rd. L36 —4B **50**
George Harrison Clo. L6 —1A **68**
George Moore Ct. L23 —2A **8**
George Rd. L47 —1B **78**
George Rd. WA5 —1D **155**
Georges Cres. WA4 —2D **159**
Georges Dock Ga. L3 —2A **66**
Georges Dockway. L3 —3A **66**
George's Pierhead. L3 —2A **66**
George's Rd. L6 —4A **46**
George St. L3 —2B **66**
George St. L41 —4C **65**
George St. WA10 —3A **38**
Georgia Av. L62 —1D **125**
Georgian Clo. L26 —3D **115**
Georgian Clo. L35 —3D **53**
Geraint St. L8 —1D **87**
Gerald Rd. L43 —2D **83**
Gerard Av. L45 —2D **41**
Gerard Rd. L45 —2D **41**
Gerard Rd. L48 —3A **78**
Gerard St. L3 —1C **67**
Germander Clo. L26 —1C **115**
Gerneth Clo. L24 —1A **128**
Gerneth Rd. L24 —1A **128**
Gerrard Av. WA5 —2B **148**
Gerrard's La. L26 —4C **93**
Gerrards La. WA9 —2B **56**
Gerrard St. WA8 —2A **120**
Gertrude Rd. L4 —3A **46**
Gertrude St. L41 —1D **85**
Gertrude St. WA9 —2B **54**
Geves Gdns. L22 —3C **17**
Ghyll Gro. WA11 —2C **27**
Gibbons Av. WA10 —3B **36**
Gibbs Ct. L61 —3D **103**
Gibralter Row. L3 —2A **66**
Gibson Clo. L61 —2A **122**
Gibson St. L8 —1D **87**
Gibson St. WA1 —4A **150**
Gibson St. WA4 —3A **158**
Giddigate La. L31 —2A **12**
Gidlow Rd. L13 —1D **69**
Gidlow Rd. S. L13 —2D **69**
Gig La. WA1 —2A **152**
Gig La. WA4 —1B **160**
Gilbert Clo. L63 —2A **124**
Gilbert Rd. L35 —4D **53**
Gilbert St. L1 —3B **66**
Gildards Gdns. L3 —4B **44**
Gildart St. L3 —2C **67**
Gilderdale Clo. WA3 —2D **145**
Gilead St. L7 —1A **68**
(in two parts)
Gilescroft Av. L33 —4D **13**
Gilescroft Wlk. L33 —4D **13**
Gillan Clo. WA7 —2C **139**
Gillbrook Sq. L41 —3D 63
(off Vaughan St.)
Gillmoss Clo. L11 —2D **33**
Gillmoss La. L11 —2D **33**
Gillmoss La. Ind. Est. L11 —1C **33**
Gills La. L61 —4A **104**
Gill St. L3 —2C **67**
Gilman St. L4 —2D **45**
Gilmoss La. Ind. Est. L10 —1C **33**
Gilmour Mt. L43 —2A **84**
Gilpin Av. L31 —3C **5**
Gilroy Rd. L6 —1A **68**
Gilroy Rd. L48 —3B **78**
Giltbrook Clo. WA8 —3D **97**
Gilwell Av. L46 —4D **61**
Gilwell Clo. L46 —4D **61**
Ginnel, The. L62 —3A **108**
Gipsy Gro. L18 —2C **91**
Gipsy La. L18 —2C **91**
Girton Av. L20 —3A **30**
Girtrell Clo. L49 —1C **81**
Girtrell Rd. L49 —1C **81**
Givenchy Clo. L16 —4C **71**
Glade Rd. L36 —4C **51**
Gladeswood Rd. L33 —2A **24**
Glade, The. L47 —3C **59**
Gladeville Rd. L17 —4C **89**
Gladstone Av. L16 —3D **71**
Gladstone Av. L21 —4D **17**
Gladstone Clo. L41 —1B **84**
Gladstone Ct. L21 —4D **17**
Gladstone Hall Rd. L62 —4A **108**
Gladstone Rd. L7 —2A **68**
Gladstone Rd. L9 —3B **30**
Gladstone Rd. L19 —3B **112**
Gladstone Rd. L21 —4D **17**
Gladstone Rd. L44 —1C **65**
Gladstone St. L3 —1B **66**
Gladstone St. L25 —4D **91**
Gladstone St. L41 —1B **84**
Gladstone St. WA2 —3C **149**
Gladstone St. WA8 —1A **120**
Gladstone St. WA10 —3B **36**
Glaisher St. L5 —3D **45**
Glamis Gro. WA9 —2B **56**
Glamis Rd. L13 —3C **47**
Glan Aber Pk. L12 —1C **49**
Glasgow St. L3 —1A **66**
Glasgow St. L42 —4D **85**
Glasier Rd. L46 —2B **60**
Glaslyn Way. L9 —3C **31**
Glassonby Cres. L11 —4B **32**
Glassonby Way. L11 —4B **32**
Glastonbury Clo. L6 —2B **46**
Glastonbury Clo. WA7 —1C **135**
Glastonbury M. WA4 —2B **158**
Glaston St. L3 —1A **66**
Glasven Rd. L33 —1D **23**
Glazebrook St. WA1 —3A **150**
Gleadmere. WA8 —4A **96**
Gleaston Clo. L62 —3C **125**
Gleave Sq. L6 —1D **67**
Gleave St. WA10 —2D **37**
Glebe Av. WA4 —3D **159**
Glebe Clo. L31 —4A **4**
Glebe End. L29 —2C **9**
Glebe Hey. L27 —2C **93**
Glebe Hey Rd. L49 —3D **81**
Glebelands Rd. L46 —3C **61**
Glebe La. WA8 —2A **98**
Glebe Rd. L45 —2D **41**
Glebe, The. WA7 —3C **133**
Gleggside. L48 —4B **78**
Glegg St. L3 —4A **44**
Glegside Rd. L33 —2D **23**
Glenacres. L25 —3A **92**
Glenalmond Rd. L44 —4B **42**
Glenathol Rd. L18 —4B **90**
Glenavon Rd. L16 —3B **70**
Glenavon Rd. L43 —4A **84**
Glenbank. L22 —2B **16**
Glenbank Clo. L9 —1B **30**
Glenburn Rd. L44 —1C **65**
Glenby Av. L23 —1D **17**
Glencairn Rd. L13 —1D **69**
Glencoe Rd. L45 —3A **42**
Glenconner Rd. L16 —3C **71**
Glencourse Rd. WA8 —2A **98**
Glencroft Clo. L36 —3B **50**
Glendale Clo. L8 —3D **87**
Glendale Gro. L63 —2C **125**
Glendale Rd. WA11 —4C **27**
Glendevon Rd. L16 —3B **70**
Glendevon Rd. L36 —3C **73**
Glendower Rd. L22 —2C **17**
Glendower St. L20 —1B **44**
Glendyke Rd. L18 —4B **90**
Gleneagles Clo. L61 —1B **122**
Gleneagles Dri. WA8 —2A **98**
Gleneagles Dri. WA11 —1D **39**
Gleneagles Rd. L16 —3C **71**
Glenfield Clo. L43 —3B **62**
Glenfield Clo. L46 —3A **60**
Glenfield Rd. L15 —1D **89**
Glengariff St. L13 —2C **47**
Glenhead Rd. L19 —1A **112**
Glenholm Rd. L31 —2B **10**
Glenluce Rd. L19 —1A **112**
Glenlyon Rd. L16 —3B **70**
Glenmarsh Clo. L12 —3B **48**
Glenmarsh Clo. L63 —4B **106**
Glenmaye Clo. L12 —4A **34**
Glenmore Av. L18 —3D **89**
Glenmore Rd. L43 —3A **84**
Glenn Pl. WA8 —1C **119**
Glen Pk. Rd. L45 —2D **41**
Glen Rd. L13 —2A **70**
Glen Ronald Dri. L49 —2B **80**
Glenrose Rd. L25 —3A **92**
Glenside. L18 —4B **90**
Glen, The. L18 —3B **90**
Glen, The. L62 —1C **125**
Glen, The. WA7 —2B **138**
Glentree Clo. L49 —2B **80**
Glentrees Rd. L12 —1A **48**
Glentworth Clo. L31 —1B **10**
Glenvale Wlk. L6 —4D **45**
Glenville Clo. L25 —3A **92**
Glenville Clo. WA7 —1C **137**
Glen Vine Clo. L16 —3C **71**
Glenway Clo. L12 —2B **34**
Glenwood Clo. L35 —2D **75**
Glenwood Dri. L61 —2C **103**
Glenwyllin Rd. L22 —2C **17**
Globe Rd. L20 —2C **29**
Globe St. L4 —2C **45**
Gloucester Clo. WA1 —3A **152**
Gloucester Pl. L6 —1D **67** & 1A **68**
Gloucester Rd. L6 —3B **46**
Gloucester Rd. L20 —2A **30**
Gloucester Rd. L36 —1A **74**
(in two parts)
Gloucester Rd. L45 —2C **41**
Gloucester Rd. WA8 —3A **98**
Gloucester Rd. N. L6 —3B **46**
Gloucester St. L3 —2C **67**
Gloucester St. WA9 —3B **38**
Glover Pl. L20 —2C **29**

Glover Rd.—Grove Rd.

Glover Rd. WA3 —3D 143
Glover's Brow. L32 —4B 12
Glover's La. L30 —4C 9
Glover St. L8 —1C 87
Glover St. L42 —2B 84
Glover St. WA10 —2C 37
Glyn Av. L62 —4D 125
Glynne Gro. L16 —3D 71
Glynne St. L20 —1D 29
Glynn St. L15 —4D 69
Glyn Rd. L44 —4A 42
Goddard Rd. WA7 —1C 133
Godetia Clo. L9 —2B 32
Godfrey St. WA2 —3A 150
Godshill Clo. WA5 —2A 146
Godstow. WA7 —1C 135
Golborne Rd. WA2 —1C 141
Golborne St. WA1 —4C 149
Goldcrest Clo. L12 —2B 34
Goldcrest Clo. WA7 —2B 138
Goldcrest M. L26 —1C 115
Golden Gro. L4 —4B 30
Golden Sq. Shopping Precinct. WA1 —4C 149
Golden Triangle Ind. Est. WA8 —3A 118
Goldfinch Clo. L26 —1C 115
Goldfinch Farm Rd. L24 —1B 128
Goldfinch La. WA3 —3B 144
Goldie St. L4 —2D 45
Goldsmith Rd. L43 —1D 105
Goldsmith St. L20 —2C 29
Goldsmith Way. L43 —1D 105
Goldsworth Fold. L35 —1A 76
Golf Links Rd. L42 —1A 106
Gondover Av. L9 —1B 30
Gonville Rd. L20 —4A 30
Goodacre Rd. L9 —4A 20
Goodakers Ct. L49 —4A 82
(off Goodakers Meadow)
Goodakers Meadow. L49 —4A 82
Goodall Pl. L4 —1C 45
Goodall St. L4 —1C 45
Goodban St. WA9 —1C 57
Goodison Av. L4 —1D 45
Goodison Pl. L4 —1D 45
Goodison Rd. L4 —4B 30
Goodlass Rd. L24 —3D 113
Goodleigh Pl. WA9 —4B 56
Goodwin Av. L41 —2C 63
Goodwood Clo. L36 —3B 72
Goodwood St. L5 —3B 44
Gooseberry Hollow. WA7 —3B 134
Goose Grn., The. L47 —3C 59
Goostrey Clo. L63 —3B 124
Gordale Clo. WA5 —2B 146
Gordon Av. L22 —2B 16
Gordon Av. L31 —3B 4
Gordon Av. L49 —3C 81
Gordon Av. L62 —4D 125
Gordon Av. WA1 —3D 151
Gordon Ct. L49 —3C 81
Gordon Dri. L14 —1C 71
Gordon Dri. L19 —2D 111
Gordon Pl. L18 —3D 89
Gordon Rd. L21 —4D 17
Gordon Rd. L45 —2A 42
Gordon St. L15 —4C 69
Gordon St. L41 —1B 84
Goree. L2 —2A 66
Gores Rd. L33 —3A 24
Gore St. L8 —1C 87
Gorran Haven. WA7 —2D 139
Gorse Av. L12 —1A 48
Gorsebank Rd. L18 —1C 89
Gorsebank St. L44 —1B 64
Gorseburn Rd. L13 —3C 47
Gorse Covert Rd. WA3 —2C 145 to 1D 145
Gorse Cres. L44 —2B 64
Gorsedale Pk. L44 —2C 65
Gorsedale Rd. L18 —3D 89
Gorsedale Rd. L44 —2A 64
Gorsefield. WA9 —2B 54
Gorsefield Av. L23 —3A 8
Gorsefield Rd. L42 —3B 84
Gorse Hey Ct. L13 —4D 47
Gorsehill Rd. L45 —2D 41
Gorsehill Rd. L60 —3B 122
Gorseland Ct. L17 —4C 89
Gorse La. L48 —1C 101
Gorse Rd. L47 —3C 59
Gorsewood Clo. L25 —2A 92
Gorsewood Gro. L25 —2A 92
Gorsewood Rd. L25 —2A 92
Gorsewood Rd. WA7 —1A 140
Gorsey Av. L30 —1B 18
Gorsey Cop Rd. L25 —1D 91
Gorsey Cop Way. L25 —1D 91
Gorsey Croft. L34 —2D 53
Gorsey Hey. L63 —4C 107
Gorsey La. L21 & L30 —2A 18
Gorsey La. L44 —1A 64 to 2B 64
Gorsey La. WA2 & WA1 —2A 150
Gorsey La. WA8 —2C 121
Gorsey La. WA9 —4C 57
Gorseyville Cres. L63 —4C 107
Gorseyville Rd. L63 —4C 107
Gorsey Well La. WA7 —1A 140
Gorst St. L4 —2D 45
Gorton Rd. L13 —2A 70
Gort Rd. L36 —1C 73
Goschen St. L5 —2D 45
Goschen St. L13 —1D 69
Goschen St. L43 —3D 63
Gosford St. L8 —3D 87
Gosling Rd. WA3 —1C 143
Gosport Clo. WA2 —1B 150
Goswell St. L15 —4C 69
Gotham Rd. L63 —2B 124
Gothic St. L42 —4D 85
Gough Av. WA2 —4C 141
Gough Rd. L13 —2C 47
Goulden St. WA5 —3B 148
Goulders Ct. WA7 —2C 139
Gourley Rd. L13 —2A 70
Gourleys La. L48 —4B 78
Government Rd. L47 —4A 58
Govett Rd. WA9 —2B 54
Gower St. L3 —4B 66
Gower St. L20 —1C 29
Gower St. WA9 —4B 38
Grace Av. L10 —4A 22
Grace Av. WA2 —2D 149
Grace Rd. L9 —1C 31
Grace St. L8 —2D 87
Grace St. WA9 —1B 56
Gradwell St. L1 —3B 66
Grafton Cres. L8 —1C 87
Grafton Dri. L49 —2A 82
Grafton Gro. L8 —2C 87
Grafton Rd. L45 —2A 42
Grafton St. L8 —1C 87
Grafton St. L43 —2A 84
Grafton St. WA5 —3B 148
Grafton St. WA10 —3B 36
Grafton Wlk. L48 —4B 78
Graham Clo. WA8 —1B 118
Graham Dri. L26 —1D 115
Graham Rd. L48 —3A 78
Graham Rd. WA8 —1B 118
Graham's Rd. L36 —2D 73
Graham St. WA9 —3A 38
Grainger Av. L20 —1A 30
Grainger Av. L43 —4D 83
Grainger Av. L48 —3A 78
Grain Ind. Est. L8 —2C 87
Grain St. L8 —2C 87
Graley Clo. L26 —3D 115
Grammar School La. L48 —1B 100
Grammar School Rd. WA4 —2B 158
Grampian Av. L46 —4C 61
Grampian Rd. L7 —2C 69
Grampian Way. L46 —3C 61
Granans Croft. L30 —4B 8
Granard Rd. L15 —1A 90
Granby Clo. WA7 —2D 139
Granby Cres. L63 —2B 124
Granby Rd. WA4 —4D 157
Granby St. L8 —4A 68
Grandison Rd. L4 —4C 31
Grange Av. L12 —3C 49
Grange Av. L25 —3B 114
Grange Av. L45 —3A 42
Grange Av. WA4 —1B 158
Grange Av. N. L12 —4C 49
Grange Cross Clo. L48 —4C 79
Grange Cross La. L48 —4C 79
Grange Dri. L60 —2B 122
Grange Dri. WA5 —1C 155
Grange Dri. WA8 —1B 118
Grange Dri. WA10 —1A 54
Grange Employment Area. WA1 —1A 152
Grange Farm Cres. L48 —3C 79
Grange Ho., The. WA11 —1A 26
Grangehurst Ct. L25 —2A 92
Grange La. L25 —1D 91
Grangemeadow Rd. L25 —1D 91
Grangemoor. WA7 —4B 132
Grange Mt. L43 —1B 84
Grange Mt. L48 —4B 78
Grange Mt. L60 —3B 122
Grange Old Rd. L48 —4B 78
Grange Pk. L31 —2C 11
Grange Pk. WA7 —2B 132
Grange Pk. Rd. WA10 —1B 54
Grange Pavement. L41 —1C 85
Grange Pl. L41 —1B 84
Grange Rd. L30 —1A 20
Grange Rd. L41 —1B 84
Grange Rd. L48 —4A 78
Grange Rd. L60 —2B 122
Grange Rd. WA7 —2A 132
Grange Rd. E. L41 —1C 85
Grange Rd. W. L43 & L41 —1A 84
Grangeside. L25 —2A 92
Grange St. L6 —4B 46
Grange Ter. L15 —4D 69
Grange, The. L44 —4B 42
Grange Vale. L42 —4D 85
Grange Way. L25 —2A 92
Grangeway. WA7 —4B 132
Grangeway Ct. WA7 —4B 132
Grange Weint. L25 —2A 92
Grangewood. L16 —2D 71
Granite Ter. L36 —2A 74
Granston Clo. WA5 —1B 148
Grant Av. L15 —1D 89
Grant Clo. L14 —1D 71
Grant Clo. WA5 —1A 148
Grant Clo. WA10 —2C 37
Grant Ct. L20 —3D 29
Grantham Av. WA1 —3B 150
Grantham Av. WA4 —4D 157
Grantham Clo. L61 —4C 103
Grantham Cres. WA11 —1B 38
Grantham Rd. L33 —3C 13
Grantham St. L6 —1A 68
Grantham Way. L30 —4A 10
Grantley Rd. L15 —1A 90
Granton Rd. L5 —3D 45
Grant Rd. L14 —1D 71
Grant Rd. L46 —1A 62
Grant Rd. WA5 —4D 147
Granville Av. L31 —3B 4
Granville Clo. L45 —3C 41
Granville Rd. L15 —4B 68
Granville Rd. L19 —3B 112
Granville St. WA1 —3A 150
Granville St. WA7 —2D 131
Granville St. WA9 —3C 39
Grappenhall Rd. WA4 —3A 158
Grasmere Av. L34 —3D 53
Grasmere Av. L43 —1B 82
Grasmere Av. WA2 —4A 142
Grasmere Av. WA11 —4C 27
Grasmere Clo. L33 —4B 12
Grasmere Clo. WA11 —4C 27
Grasmere Ct. WA11 —4C 27
Grasmere Dri. L21 —3C 19
Grasmere Dri. L45 —3A 42
Grasmere Dri. WA7 —2A 138
Grasmere Fold. WA11 —4C 27
Grasmere Gdns. L23 —1D 17
Grasmere Rd. L31 —4C 5
Grasmere St. L5 —3A 46
Grassendale Ct. L19 —2D 11
(off Grassendale Rd.)
Grassendale Grn. L19 —2D 111
Grassendale La. L19 —2D 111
Grassendale Prom. L19 —3D 111
Grassendale Rd. L19 —3D 111
Grassington Cres. L25 —4B 92
Grassmoor Clo. L62 —3D 125
Grassville Rd. L42 —3C 85
Grass Wood Rd. L49 —4A 82
Gratrix Rd. L62 —3D 125
Gray Gro. L36 —3D 73
Graylands Pl. L4 —4C 31
Graylands Rd. L4 —4C 31
Graylands Rd. L62 —3B 108
Graylaw Trading Est. L9 —1D 31
Grayling Dri. L12 —3D 33
Grays Av. L35 —3D 53
Grayson St. L1 —4B 66
Grayston Av. WA9 —3B 56
Gray St. L20 —1C 29
Greasby Hill Rd. L48 —1B 100
Greasby Rd. L44 —4A 42
Greasby Rd. L49 —3B 80
(in two parts)
Gt. Ashfield. WA8 —3B 96
Gt. Charlotte St. L1 —2B 66 & 2C 67
Gt. Crosshall St. L3 —2B 66
Gt. George Pl. L1 —4C 67
Gt. George Sq. L1 —4C 67
Gt. George's Rd. L22 —3C 17
Gt. George St. L1 —4C 67
Gt. Hey. L30 —3C 9
Gt. Homer St. L5 —3C 45
Gt. Howard St. L3, L5 & L20 —1A 66
Gt. Mersey St. L5 —3B 44
Gt. Nelson St. L3 —4C 45
Gt. Newton St. L3 —2D 67
Gt. Orford St. L3 —3D 67
Gt. Richmond St. L3 —1C 67
Gt. Riding. WA7 —4A 134
Gt. Western Ho. L41 —4D 65
Greaves St. L8 —2D 87
Grebe Av. WA10 —2A 54
Grecian St. L21 —3D 17
Grecian Ter. L5 —3C 45
Gredington St. L8 —3A 88
Greeba Av. WA4 —2C 157
Greek St. L3 —2C 67
Greek St. WA7 —1D 131
Greenacre Clo. L25 —2B 114
Greenacre Dri. L63 —4C 125
Greenacre Rd. L25 —2B 114
Greenacres Clo. L43 —3B 62
Greenacres Ct. L43 —3B 62
Green Acres Est. L49 —4B 80
Greenall Av. WA5 —1A 154
Greenall Ct. L34 —3B 52
Greenalls Av. WA4 —3D 157
Greenall St. WA10 —2C 37
Green Av. L45 —1A 42
Greenbank. L22 —3C 17
Greenbank Av. L31 —3B 4
Greenbank Av. L45 —2A 42
Greenbank Cres. WA10 —3D 37
Greenbank Dri. L17 —2C 89
Greenbank Dri. L61 —1B 122
Greenbank Gdns. WA4 —2B 158
Greenbank La. L17 —2C 89
Greenbank Rd. L18 —1C 89
Greenbank Rd. L42 —3B 84
Greenbank Rd. L48 —3A 78
Greenbank Rd. WA4 —2B 158
Greenbank St. WA4 —3D 157
Greenbridge Clo. WA7 —2D 133
Greenbridge Rd. WA7 —2A 134
Greenburn Av. WA11 —2C 27
Green Coppice. WA7 —4B 134
Green Croft. L23 —3A 8
Greencroft Rd. L44 —1B 64
Greendale Rd. L25 —2D 91
Greendale Rd. L62 —3A 108
Green End La. WA9 —1A 56
Green End Pk. L12 —2D 47
Greenes Rd. L35 —2B 74
Greenfield Ct. L18 —1A 112
Greenfield Dri. L36 —3C 73
Greenfield Gro. L36 —3C 73
Greenfield La. L21 —2D 17
Greenfield Rd. L13 —1D 69
Greenfield Rd. WA10 —1B 36
Greenfields Av. L62 —4C 125
Greenfields Av. WA4 —4A 158
Greenfields Clo. WA1 —2D 151
Greenfields Cres. L62 —4C 125
Greenfield Wlk. L36 —3D 73
Greenfield Way. L18 —1A 112
Greenfield Way. L44 —4A 42
Greenfinch Clo. L12 —3B 34
Greenfinch Gro. L26 —4C 93
Green Gates. L36 —3C 51
Green Haven. L43 —1C 83
Greenheath Way. L46 —1D 61
Greenhey Clo. L43 —2C 105
Greenhey Dri. L30 —1B 18
Green Heys Dri. L31 —4D 5
Greenheys Gdns. L8 —1A 88
(in two parts)
Green Heys Rd. L8 —1A 88
Greenheys Rd. L44 —1A 64
Greenheys Rd. L61 —3B 102
Greenhill Av. L18 —2B 90
Greenhill Clo. L18 —4A 90
Greenhill Pl. L36 —2C 73
Greenhill Rd. L18 —3A 90 to 4B 90
Greenhill Rd. L19 —2B 112
Greenholme Clo. L11 —3B 32
Green Ho. Farm Rd. WA7 —1C 139
Greenhow Av. L48 —3A 78
Greenlake Rd. L18 —4A 90
Greenlands. L36 —3C 73
Greenland St. L1 —4C 67
Green La. L3 —3C 67
Green La. L13 —3C 47
Green La. L18 —2A 90 to 1B 90
Green La. L21 —4D 17
(in two parts)
Green La. L22 —1A 16
Green La. L23 —2A 8
Green La. L31 —3A 4
Green La. L41 —2C 85
Green La. L45 —3A 40
Green La. L62 —4D 125
Green La. L63 —4D 107
Green La. WA1 —2C 151
Green La. WA2 —1C 141
Green La. WA4 —2B 162
Green La. WA8 —1C 119
Green La. Clo. WA2 —1C 141
Green La. N. L16 —1B 90
Green Lawn. L36 —4A 52
Green Lawn. L42 —1D 107
Green Lawn Gro. L42 —1D 107
Green Leach Av. WA11 —4C 27
Green Leach Ct. WA11 —4C 27
Green Leach La. WA11 —4C 27
Greenlea Clo. L63 —3D 107
Greenleaf St. L8 —4B 68
Greenleas Rd. L45 —3B 40
Greenleigh Rd. L18 —4A 90
Green Link. L31 —3A 4
Green Mt. L49 —2A 82
Green Oaks Path. WA8 —1B 20
Greenock St. L3 —1A 66
Greenodd Av. L12 —4D 33
Greenore Dri. L24 —3A 130
Greenough Av. L35 —4A 54
Greenough St. L25 —4D 91
Green Pk. L30 —3D 9
Green Pk. Dri. L31 —4A 4
Green Rd. L34 —2B 52
Greensbridge La. L26 & L35 —1A 116
Greenside. L6 —1D 67
Greenside Av. L10 —2C 21
Greenside Av. L15 —4D 69
Green St. L5 —4B 44
Green St. WA5 —4B 148
(in two parts)
Greens Wlk. L17 —3C 89
Green, The. L13 —2A 70
Green, The. L23 —4C 7
Green, The. L43 —3A 84
Green, The. L48 —2C 101
Green, The. L62 —4C 109
Green Town Row. L12 —2A 48
Greenville Clo. L63 —4D 107
Greenville Dri. L31 —4B 4
Greenville Rd. L63 —4D 107
Greenway. L23 —3D 7
Greenway. L36 —4A 50
Greenway. L49 —2C 81
Greenway. L61 —1A 122
Greenway. L62 —1D 125
Greenway. WA1 —3C 151
Greenway. WA4 —4A 158
Greenway. WA5 —3B 146
Greenway Clo. L36 —4A 50
Greenway Rd. L24 —1D 129
Greenway Rd. L42 —3B 84
Greenway Rd. WA7 —3D 131
Greenway Rd. WA8 —4A 98
Greenway Sq. L36 —4A 50
Greenway, The. L12 —4C 49
Greenwich Ct. L9 —3A 20
Greenwich Rd. L9 —3A 20
Greenwood Clo. L34 —2C 53
Greenwood Ct. WA9 —4A 56
Greenwood Cres. WA2 —4A 142
Greenwood La. L44 —4B 42
Greenwood Rd. L18 —4A 90
Greenwood Rd. L47 —3C 59
Greenwood Rd. L49 —4A 82
Greetham St. L1 —3B 66
Gregory Clo. L16 —3C 71
Gregory Clo. WA5 —2A 148
Gregory Way. L16 —3C 71
Gregson Ct. L45 —1B 42
Gregson Ho. WA10 —2D 37
Gregson Rd. L14 —1B 70
Gregson Rd. L35 —4B 52
Gregson Rd. WA8 —1B 120
Gregson St. L6 —1D 67
Gregson Way. L6 —1D 67
Greig Way. L8 —2D 87
Grenfell Rd. L13 —1C 47
Grenfell St. WA8 —2A 120
Grenloe Clo. L27 —1D 93
Grenville Cres. L63 —4C 125
Grenville Dri. L61 —1A 122
Grenville Rd. L42 —3D 85
Grenville St. S. L1 —4C 67
Grenville Way. L42 —3D 85
Gresford Av. L17 —1C 89
Gresford Av. L43 —4D 83
Gresford Av. L48 —3B 78
Gresford Clo. L35 —1D 75
Gresford Clo. WA5 —1A 148
Gresford Pl. L44 —4B 42
Gresham St. L7 —2C 69
Gresley Clo. L7 —3B 68
Gressingham Rd. L18 —4B 90
Greta St. L8 —2D 87
Gretton Rd. L14 —4A 50
Greyhound Farm Rd. L24 —1A 128
Greylag Clo. WA7 —2B 138
Greymist Av. WA1 —3D 151
Grey Rd. L9 —2B 30
Greys Ct. WA1 —1D 151
Greystoke Clo. L49 —2D 81
Greystone Cres. L14 —1C 71
Greystone Pl. L10 —4C 21
Greystone Rd. L10 —4C 21
Greystone Rd. L14 —2C 71
Greystone Rd. WA5 —1B 154
Grey St. L8 —4D 67
Grey St. WA1 —4D 149
Gribble Rd. L10 —4D 21
Grice St. WA4 —3A 158
Grice Wlk. L33 —4D 13
Grierson St. L8 —4A 68
Grieve Rd. L10 —4D 21
Griffin Av. L46 —4C 61
Griffin Clo. L11 —2D 33
Griffin M. WA8 —3A 98
Griffin St. WA9 —2C 57
Griffin Wlk. L11 —2D 33
Griffiths Clo. L49 —3B 80
Griffiths Rd. L36 —2C 73
Griffiths St. L1 —4C 67
Griffiths St. WA4 —1B 158
Grimley Av. L20 —2B 28
Grimshaw St. L20 —3C 29
Grimshaw St. WA9 —3B 36
Grindleford Way. L7 —3A 68
Grinfield St. L7 —3A 68
Grinshill Clo. L8 —1D 87
Grinton Cres. L36 —2B 72
Grisedale Av. WA2 —3D 141
Grisedale Clo. WA7 —2A 138
Grizedale. WA8 —4A 96
Grizedale Av. WA11 —3C 27
Grizedale Rd. L5 —3D 45
Groarke Dri. WA5 —4A 146
Groes Rd. L19 —2A 112
Grogan Sq. L20 —1D 29
Gronow Pl. L20 —1A 30
Grosmont Rd. L32 —3D 23
Grosvenor Av. L23 —1C 17
Grosvenor Av. L48 —4A 78
Grosvenor Av. WA1 —3B 150
Grosvenor Clo. L30 —1D 19
Grosvenor Clo. WA5 —4D 147
Grosvenor Ct. L15 —4B 70
Grosvenor Ct. L43 —1A 84
Grosvenor Dri. L45 —1A 42
Grosvenor Grange. WA1 —1D 151
Grosvenor Pl. L43 —1D 83
Grosvenor Rd. L4 —4A 30
Grosvenor Rd. L15 —4C 69
Grosvenor Rd. L19 —3D 111
Grosvenor Rd. L31 —2B 10
Grosvenor Rd. L34 —2B 52
Grosvenor Rd. L43 —1D 83
Grosvenor Rd. L45 —1A 42
Grosvenor Rd. L47 —1A 78
Grosvenor Rd. WA8 —2A 98
Grosvenor Rd. WA10 —4B 36
Grosvenor St. L3 —1C 67
Grosvenor St. L44 —4A 42
Grosvenor St. WA7 —1A 132
Grounds St. WA2 —3D 149
Grove Av. L60 —3B 122
Grove Av. WA13 —2D 161
Grove Clo. L8 —3D 67
Grovedale Rd. L18 —2D 89
Grovehurst Av. L14 —4D 49
Groveland Av. L45 —3C 41
Groveland Av. L47 —4A 58
Groveland Rd. L45 —2C 41
Grovelands. L7 —4D 67
(off Grove Side)
Grove Lands. L8 —4D 67
Grove Mead. L31 —4D 5
Grove Mt. L41 —3C 85
Grove Pk. L8 —1A 88
Grove Pk. Av. L12 —1A 48
Grove Pl. L4 —2C 45
Grove Pl. L47 —4A 58
Grove Pl. WA10 —4C 37
Grove Rd. L6 —1B 68
Grove Rd. L42 —4D 85
Grove Rd. L45 —2C 41
Grove Rd. L47 —4A 58

Grove Side—Headbolt La.

Grove Side. L7 —4D 67
Groveside. L48 —4A 78
Grove Sq. L62 —2A 108
Groves, The. L8 —4D 67
Groves, The. L32 —4C 23
Groves, The. L43 —2A 84
Grove St. L7 —3D 67
Grove St. L15 —4D 69
Grove St. L20 —2B 28
Grove St. L62 —2A 108
Grove St. WA4 —1A 158
Grove St. WA7 —1D 131
Grove St. WA10 —3D 37
Grove Ter. L47 —4A 58
Grove, The. L13 —3D 47
Grove, The. L28 —2A 50
Grove, The. L43 —3A 84
Grove, The. L44 —1B 64
Grove, The. L63 —3D 107
Grove, The. WA5 —1C 155
Grove, The. WA10 —1B 36
Grove Way. L7 —3D 67
Grovewood Ct. L43 —3A 84
Grovewood Gdns. L35 —1C 75
Grundy Clo. WA8 —3C 97
Grundy St. L5 —3A 44
Guardian Ct. L48 —1A 100
Guardian St. WA5 —4B 148
Guardian St. Ind. Est. WA5 —4C 149
Guelph Pl. L7 —2D 67
Guelph St. L7 —2D 67
Guernsey Clo. WA4 —4A 158
Guernsey Rd. L13 —4D 47
Guernsey Rd. WA8 —3C 99
Guest St. WA8 —3D 119
Guffitts Clo. L47 —2C 59
Guffitt's Rake. L47 —3C 59
Guildford Av. L30 —2D 19
Guildford Clo. WA2 —1C 151
Guildford St. L44 —4B 42
Guildhall Rd. L9 —4A 20
Guild Hey. L34 —2D 35
Guilford Clo. L6 —1D 67
Guillemot Way. L26 —1C 115
Guilsted Rd. L11 —4B 32
Guion Rd. L21 —4A 18
Guion St. L6 —1A 68
Gulls Way. L60 —4A 122
Gunning Av. WA10 —1A 36
Gunning Clo. WA10 —1A 36
Gurnall St. L4 —2D 45
Gutticar Rd. WA8 —1A 118
Gwendoline Clo. L61 —4A 104
Gwendoline St. L8 —1D 87
Gwenfron Rd. L6 —1A 68
Gwent Clo. L6 —4A 46
Gwent St. L8 —1D 87
Gwladys St. L4 —1D 45
Gwydir St. L8 —2D 87
Gwydrin Rd. L18 —2B 90

Hackett Av. L20 —1D 29
Hackett Pl. L20 —1D 29
Hackins Hey. L2 —2B 66
Hackthorpe St. L5 —2C 45
Hadassah Gro. L17 —3B 88
Hadden Clo. L35 —4D 53
Haddock St. L20 —1A 44
Haddon Av. L9 —1B 30
Haddon Dri. L61 —4D 103
Haddon Dri. WA8 —3A 96
Haddon Rd. L42 —4D 85
Haddon Wlk. L12 —3A 34
Hadfield Av. L47 —4B 58
Hadfield Clo. WA8 —4C 99
Hadfield Gro. L25 —3A 92
Hadleigh Clo. WA5 —4B 146
Hadleigh Rd. L32 —2D 23
Hadley Av. L62 —3C 125
Hadlow Gdns. L42 —3C 85
Hadwens Bldgs. L3 —2B 66
Haggerston Rd. L4 —4B 30
Hahnemann Rd. L4 —4A 30
Haig Av. L46 —3C 61
Haig Av. WA5 —1C 155
Haigh Cres. L31 —2B 4
Haigh Rd. L22 —2C 17
Haigh St. L3 —1C 67 & 1D 67
Haig Rd. WA8 —1D 119
Haileybury Av. L10 —1C 21
Haileybury Rd. L25 —1A 114
Hailsham Rd. L19 —1C 111
Halby Rd. L9 —1C 31
Halcombe Rd. L12 —2B 48
Halcyon Rd. L41 —2B 84
Haldane Av. L41 —4D 63
Haldane Rd. L4 —4B 30
Hale Bank Rd. WA8 —3C 117
Hale Dri. L24 —2B 128
Halefield St. WA10 —2D 37
Hale Ga. Rd. WA8 —1A 130
Hale Gro. WA5 —4C 147
Hale M. WA8 —2B 118
Hale Rd. L4 —4A 30
Hale Rd. L24 —1A 128 & 3A 130
Hale Rd. L45 —2B 42
Hale Rd. WA8 —4A 118 to 1B 118
Hale St. L2 —2B 66
Hale St. WA2 —3D 149
Hale View. WA7 —3C 131
Hale View Rd. L36 —2D 73
Halewood Clo. L25 —3A 92
Halewood Dri. L25 —4A 92
Halewood Pl. L25 —3B 92
Halewood Rd. L25 —3A 92
Halewood Way. L25 —4B 92
Halfacre La. WA4 —2B 160
Halidon Ct. L20 —2C 29
Halifax Clo. WA2 —4A 142
Halifax Cres. L23 —3A 8
Halkirk Rd. L18 —1A 112
Halkyn Av. L17 —1C 89
Halkyn Dri. L5 —4D 45
Hallam Wlk. L7 —2B 68
Hall Av. WA8 —1D 117
Hallbrook Ho. L12 —2C 49
Hallcroft Pl. WA4 —3C 159
Hall Dri. L32 —1C 23
Hall Dri. L49 —3B 80
Hall Dri. WA4 —1A 162
Hallfields Rd. WA2 —2A 150
Halliday Clo. WA3 —3C 145
Hall La. L7 —2D 67
Hall La. L9 —4A 20
Hall La. L31 —1B 10
Hall La. L32 —1C 23
Hall La. L33 —2D 13
Hall La. L34 —4B 52
Hall La. L36 —2D 73
Hall La. WA4 —4D 159
Hall La. WA8 & L35 —1B 96 to 2B 73
Hall Nook. WA5 —1B 154
Hallows Av. WA2 —1A 150
Hall Rd. WA1 —2D 151
Hall Rd. E. L23 —3A 6
Hall Rd. W. L23 —3A 6
Hallsands Rd. L32 —3C 23
Hallside Clo. L19 —2D 111
Hall St. WA1 —4D 149
Hall St. WA10 —3D 37
Hall Ter. WA5 —3B 146
Halltine Clo. L23 —3A 6
Hallville Rd. L18 —1A 90
Hallville Rd. L44 —1B 64
Hallwood Clo. WA7 —1C 137
Hallwood Link Rd. WA7 —1A 138
Hallwood Pk. Av. WA7 —1A 138
Halsall Av. WA2 —2A 150
Halsall Clo. L23 —3C 7
Halsall Clo. WA7 —2C 139
Halsall Grn. L63 —3B 124
Halsall Rd. L20 —1D 29
Halsall St. L34 —2B 52
Halsbury Rd. L6 —1B 68
Halsbury Rd. L45 —3A 42
Halsey Av. L12 —2D 47
Halsey Cres. L12 —2D 47
Halsnead Av. L35 —3B 74
Halstead Rd. L9 —1A 30
Halstead Rd. L44 —1B 64
Halstead Wlk. L32 —2B 22
Halton Brook Av. WA7 —3B 132
Halton Brow. WA7 —3C 133
Halton Ct. WA7 —2B 132
Halton Cres. L47 —3A 80
Halton Hey. L35 —2B 74
Halton Link Rd. WA7 —4C 133
Halton Lodge Av. WA7 —4B 132
Halton Rd. L31 —3C 5
Halton Rd. L45 —3D 41
Halton Rd. WA5 —3B 146
Halton Rd. WA7 —2A 132
Halton Sta. Rd. WA7 —3A 138
Halton View Rd. WA8 —1B 120
Halton Wlk. L25 —1A 92
Hambledon Dri. L49 —2B 80
Hamble Dri. WA5 —2C 155
Hambleton Clo. L11 —2C 33
Hambleton Clo. WA8 —3B 96
Hamblett Cres. WA11 —4C 27
Hamer St. WA10 —2D 37 & 3D 37
Hamil Clo. L47 —3C 59
Hamilton Ct. L23 —4A 6
Hamilton La. L41 —4C 65
Hamilton Rd. L5 —4D 45
Hamilton Rd. L45 —2D 41
Hamilton Rd. WA10 —1A 36
Hamilton Sq. L41 —4C 65
Hamilton St. L41 —1C 85
(in two parts)
Hamlet Rd. L45 —3D 41
Hamlin Rd. L19 —3B 112
Hammersley Av. WA9 —4A 56
Hammil Av. WA10 —1C 37
Hammil St. WA10 —1B 36 & 1C 37
Hammond Rd. L33 —1B 24
Hammond St. WA9 —4B 38
Hamnett Ct. WA3 —4B 144
Hampden Gro. L42 —3C 85
Hampden Rd. L42 —3C 85
Hampden St. L4 —4B 30
Hampshire Av. L30 —1B 18
Hampshire Gdns. WA10 —4C 37
Hampson St. L6 —3B 46
Hampstead Rd. L6 —1B 68
Hampstead Rd. L44 —1B 64
Hampton Clo. WA8 —3C 99
Hampton Ct. Rd. L12 —3B 48
Hampton Dri. WA5 —1D 155
Hampton Dri. WA8 —1B 96
Hampton Pl. WA11 —4C 27
Hampton St. L8 —4D 67
Hamsterley Clo. WA3 —1D 145
Hanbury Rd. L4 —1C 47
Handel Ct. L8 —1A 88
Handfield Pl. L5 —3D 45
Handfield Rd. L22 —2C 17
Handfield St. L5 —3D 45
Handforth Clo. WA4 —1A 160
Handforth La. WA7 —1D 137
Handley Ct. L19 —2D 111
Handley St. WA7 —1D 131
Hands St. L21 —4A 18
Hanford Av. L9 —1B 30
Hankey Dri. L20 —1A 30
Hankey St. WA7 —2D 131
Hankinson St. L13 —2D 69
Hankin St. L5 —3B 44
(in two parts)
Hanley Clo. WA8 —1B 118
Hanley Rd. WA8 —1B 118
Hanlon Av. L20 —1D 29
Hanmer Rd. L32 —1A 22
Hannah Clo. L61 —1A 122
Hannan Rd. L6 —1A 68
Hanover Clo. L43 —1D 83
Hanover Ct. WA7 —1C 139
Hanover St. L1 —3B 66
Hanover St. WA1 —1C 157
Hanson Pk. L43 —2C 83
Hanson Rd. L9 —2D 31
Hans Rd. L4 —1D 45
Hanwell St. L6 —3A 46
Hanwick Clo. L33 —3B 12
Hanworth Clo. L12 —3A 34
Hapsford Clo. WA3 —3A 144
Hapsford Rd. L21 —4A 18
Hapton St. L5 —3C 45
Harbern Clo. L12 —3B 48
Harbord Rd. L22 —2B 16
Harbord St. L7 —3A 68
Harbord St. WA1 —1D 157
Harbord Ter. L22 —2B 16
Harborne Dri. L63 —2A 124
Harbour Clo. WA7 —1D 139
Harcourt Av. L44 —1C 65
Harcourt Clo. WA3 —4B 144
Harcourt St. L4 —2B 44
Harcourt St. L41 —4A 64
Hardie Av. L46 —3B 60
Hardie Rd. L36 —1D 73
Harding Av. L41 —2C 63
Harding Av. L63 —1A 124
Harding Av. WA2 —1A 150
(in two parts)
Harding Clo. L5 —3D 45
Hardinge Rd. L19 —2B 112
Harding St. L8 —4A 68
Hardknott Rd. L62 —3D 125
Hard La. WA10 —1B 36
Hardman Av. WA5 —1C 149
Hardman St. L1 —3C 67
Hardshaw Cen., The. WA10 —3D 37
Hardshaw St. WA10 —3D 37 & 2D 37
Hardwick Grange. WA1 —2A 152
Hardwick Rd. WA7 —1B 132
Hardy Rd. WA13 —2D 161
Hardy St. L1 —4C 67
(in two parts)
Hardy St. L19 —4B 112
Hardy St. WA2 —3D 149
(in two parts)
Harebell St. L5 —2B 44
Hare Croft. L28 —1D 49
Harefield Grn. L24 —1C 129
Harefield Rd. L24 —2B 128
Haresfinch Rd. WA11 —1A 38
Haresfinch View. WA11 —4C 27
Harewell Rd. L11 —4C 33
Harewood Rd. L45 —2A 42
Harewood St. L6 —4A 46
Hargate Rd. L33 —2D 23
Hargate Wlk. L33 —2D 23
Hargrave Av. L43 —3C 83
Hargrave Clo. L43 —3C 83
Hargreaves Ct. WA8 —1B 120
Hargreaves Rd. L17 —3B 88
Hargreaves St. WA9 —3C 39
Harker St. L3 —1C 67
Harke St. L7 —3A 68
Harland Grn. L24 —1D 129
Harland Rd. L42 —3B 84
Harlech Ct. L63 —4D 107
Harlech Rd. L23 —1B 16
Harlech St. L4 —1C 45
Harlech St. L44 —2C 65
Harleston Rd. L33 —1D 23
Harleston Wlk. L33 —1D 23
Harley Av. L63 —1B 106
Harley St. L9 —1B 30
Harlian Av. L46 —4B 60
Harlow Clo. WA4 —2A 160
Harlow Clo. WA9 —2D 55
Harlow St. L8 —2C 87
Harlyn Clo. L26 —3C 115
Harmony Way. L13 —2D 69
Harper Rd. L9 —2B 30
Harpers Rd. WA2 —1C 151
Harper St. L6 —1D 67
Harps Croft. L30 —1B 18
Harptree Clo. L35 —1C 75
Harradon Rd. L9 —4A 20
Harrier Dri. L26 —1C 115
Harringay Av. L18 —2D 89
Harrington Av. L47 —4B 58
Harrington Rd. L3 —3C 87
Harrington Rd. L21 —3B 18
Harrington Rd. L23 —4C 7
Harrington Rd. L36 —4A 50
Harrington St. L2 —2B 66
Harrington View. L44 —3B 42
Harris Clo. L63 —2A 124
Harris Dri. L20 & L30 —4B 18
Harrismith Rd. L10 —4C 21
Harrison Dri. L20 —3A 30
Harrison Dri. L45 —1D 41
Harrison Dri. WA11 —1D 39
Harrison Hey. L36 —2C 73
Harrison Sq. WA5 —1B 148
Harrison St. WA8 —3A 118
Harrison St. WA9 —2B 56
Harrison Way. L3 —3C 87
Harris St. WA8 —1B 120
Harris St. WA10 —2C 37
Harrocks Clo. L30 —3C 9
Harrock Wood Clo. L61 —3C 103
Harrogate Dri. L5 —4D 45
Harrogate Rd. L42 —1D 107
Harrogate Wlk. L42 —1D 107
Harrop Rd. WA7 —3A 132
Harrops Croft. L30 —4C 9
Harrowby Clo. L8 —4A 68
Harrowby Rd. L21 —4D 17
Harrowby Rd. L42 —3B 84
Harrowby Rd. L44 —1C 65
Harrowby Rd. S. L42 —3B 84
Harrowby St. L8 —4D 67 & 4A 68
Harrow Clo. L30 —1D 19
Harrow Clo. L44 —4D 41
Harrow Clo. WA4 —1B 162
Harrow Dri. L10 —1B 20
Harrow Dri. WA7 —2C 133
Harrowgate Clo. WA5 —1C 147
Harrow Gro. L62 —4D 125
Harrow Rd. L4 —2A 46
Harrow Rd. L44 —4D 41
Hartdale Rd. L18 —2D 89
Hartdale Rd. L23 —2A 8
Hartford Clo. L63 —3D 83
Harthill Av. L18 —2A 90
Harthill M. L43 —3B 62
Harthill Rd. L18 —2B 90
Hartington Av. L41 —4A 64
Hartington Rd. L8 —1B 88
Hartington Rd. L12 —3A 48
Hartington Rd. L19 —3B 112
Hartington Rd. L44 —4A 42
Hartington Rd. WA10 —1B 36
Hartismere Rd. L44 —1B 64
Hartland Clo. WA8 —2D 97
Hartland Rd. L11 —3A 32
Hartley Av. L9 —1C 31
Hartley Clo. L4 —2C 45
Hartley Gro. WA10 —1B 54
Hartley Quay. L3 —3B 66
Hartley St. WA7 —1A 132
Hartnup St. L5 —3D 45
(in two parts)
Hartopp Rd. L25 —1A 92
Hartsbourne Av. L25 —4D 71 to 1A 92
Hartsbourne Clo. L25 —4D 71
Hartsbourne Heights. L25 —4D 71
Hartsbourne Wlk. L25 —4D 71
Hart St. L3 —2C 67
Hartswood Clo. WA4 —4B 162
Hartwell St. L21 —1C 29
Hartwood Clo. L32 —4D 23
Hartwood Rd. L32 —4D 23
Hartwood Sq. L32 —4D 23
Harty Rd. WA11 —1D 39
Harvard Clo. WA7 —2B 134
Harvard Gro. L34 —2C 53
Harvester Way. L30 —4A 10
Harvester Way. L49 —2B 80
Harvest La. L46 —2B 60
Harvest Way. WA9 —4B 56
Harvey Av. L49 —3B 80
Harvey Rd. L45 —3D 41
Harwich Gro. L16 —3D 71
Harwood Gdns. WA4 —3C 159
Harwood Rd. L19 —3B 112
Haryngton Av. WA5 —2B 148
Haselbeech Clo. L11 —3B 32
Haselbeech Cres. L11 —3B 32
Hasfield Rd. L11 —4C 33
Haslemere. L35 —1D 75
Haslemere Dri. WA5 —1A 154
Haslemere Rd. L25 —1A 92
Haslemere Way. L25 —1A 92
Haslingden Clo. L13 —2A 70
Hassal Rd. L42 —1A 108
Hastie Clo. L27 —1C 93
Hastings Av. WA2 —3D 141
Hastings Rd. L22 —1A 16
Haswell Dri. L28 —1D 49
Haswell St. WA10 —2D 37
Hatchmere Clo. L43 —3D 83
Hatchmere Clo. WA5 —4B 148
Hatfield Clo. L12 —3B 34
Hatfield Clo. WA9 —2C 55
Hatfield Gdns. L36 —3D 73
Hatfield Gdns. WA4 —3B 162
Hatfield Rd. L20 —3A 30
Hathaway. L31 —1A 10
Hathaway Clo. L25 —1D 91
Hathaway Rd. L25 —1D 91
Hatherley Av. L23 —1C 17
Hatherley Clo. L8 —4A 68
Hatherley St. L44 —2C 65
Hathersage Rd. L36 —3C 51
Hatters Row. WA1 —4D 14
(off Horsemarket St.)
Hatton Clo. L60 —3A 122
Hatton Garden. L3 —2B 66
Hatton Hill Rd. L21 —3A 18
Hatton La. WA4 —4A 162
Hatton's La. L16 —1B 90
Hauxwell Gro. WA11 —4C 27
Havelock Clo. WA10 —3C 37
Haven Rd. L10 —3D 21
Haven Wlk. L31 —2B 4
Havergal St. WA7 —3D 131
Haverstock Rd. L6 —1B 68
Haverton Wlk. L12 —3A 34
Havisham Clo. WA3 —2A 144
Hawarden Av. L17 —1C 89
Hawarden Av. L43 —1A 84
Hawarden Av. L44 —4B 42
Hawarden Ct. L63 —4D 107
Hawarden Gro. L21 —1B 28
Hawdon Ct. L7 —4B 68
Hawes Av. WA11 —3C 27
Haweswater Av. WA11 —1D 39
Haweswater Clo. L33 —4B 12
Haweswater Clo. WA7 —2B 138
Haweswater Gro. L31 —4D 5
Hawgreen Rd. L32 —2A 22
Hawke Grn. L35 —4D 73
Hawke St. L3 —2C 67
Hawkesworth St. L4 —3A 46
Hawkins St. L6 —1A 68
Hawks Ct. WA7 —1A 138
Hawkshaw Clo. WA3 —3D 143
Hawkshead Av. L12 —4D 33
Hawkshead Clo. L31 —3C 5
Hawkshead Clo. WA7 —2B 138
Hawkshead Dri. L21 —3C 19
Hawksmoor Clo. L10 —4D 21
Hawksmoor Rd. L10 —4D 21
Hawksmore Clo. L49 —1B 80
Hawkstone St. L8 —2D 87 & 2A 88
Hawkstone Wlk. L8 —2D 87
Hawks Way. L60 —4A 122
Hawley's Clo. WA5 —1B 148
Hawleys La. WA5 & WA2 —1C 149
Haworth Dri. L20 —4C 19
Hawthorn Av. WA8 —4A 98
Hawthorn Clo. WA11 —1D 39
Hawthorn Dri. L48 —4C 79
Hawthorn Dri. L61 —2B 122
Hawthorn Dri. WA10 —2A 36
Hawthorne Av. L26 —3C 115
Hawthorne Av. WA1 —3D 151
Hawthorne Av. WA5 —4C 147
Hawthorne Av. WA7 —3D 131
Hawthorne Ct. L21 —3A 18
Hawthorne Gro. L44 —2C 65
Hawthorne Gro. WA1 —3C 151
Hawthorne Gro. WA4 —3A 158
Hawthorne Rd. L21 & L20 —3A 18 to 4A 30
Hawthorne Rd. L34 —3C 53
Hawthorne Rd. L42 —3B 84
Hawthorne Rd. WA4 —4D 157
Hawthorne Rd. WA6 —4C 137
Hawthorne Rd. WA9 —3C 57
Hawthornes, The. L27 —1B 92
Hawthorne St. WA5 —2C 149
Hawthorn Gro. L12 —3A 48
Hawthorn Gro. WA4 —1A 158
Hawthorn La. L62 —4D 125
Hawthorn Rd. L36 —2B 72
Hawthorn Rd. WA13 —2D 161
Hawthorn St. L7 —2A 68
Haxted Gdns. L19 —3C 113
Haydn Rd. L14 —3D 49
Haydock Pk. Rd. L10 —1C 21
Haydock Rd. L45 —2B 42
Haydock St. WA2 —3D 149
Haydock St. WA10 —3A 38
Hayes Av. L35 —4C 53
Hayes Cres. WA6 —4C 137
Hayes Dri. L31 —1A 22
Hayes St. WA10 —2B 54
Hayfield Pl. L46 —3D 61
Hayfield Rd. WA1 —2D 151
Hayfield St. L4 —2D 45
Hayfield Way. WA9 —4A 56
Hayles Clo. L25 —1D 91
Hayles Grn. L25 —1D 91
Hayles Gro. L25 —1D 91
Haylock Clo. L8 —2D 87
Hayman's Clo. L12 —2A 48
Hayman's Grn. L12 —2A 48
Haymans Grn. L31 —4C 5
Hayman's Gro. L12 —2A 48
Hayscastle Clo. WA5 —1B 148
Haywood Cres. WA7 —2B 134
Haywood Gdns. WA10 —4B 36
Hazel Av. L32 —1B 22
Hazel Av. L35 —1C 75
Hazel Av. WA7 —4C 131
Hazelborough Clo. WA3 —2D 145
Hazel Ct. L8 —2D 87
(off Byles St.)
Hazeldale Rd. L9 —2C 31
Hazeldene Av. L45 —4A 42
Hazeldene Av. L61 —3A 104
Hazeldene Way. L61 —3A 104
Hazelfield Ct. WA9 —4B 56
Hazel Gro. L9 —1C 31
Hazel Gro. L23 —1D 17
Hazel Gro. L61 —3C 103
Hazel Gro. L63 —4C 107
Hazel Gro. WA1 —2C 151
Hazel Gro. WA10 —3B 36
Hazelhurst Rd. L4 —2A 46
Hazel M. L31 —1A 22
Hazel Rd. L36 —4C 51
Hazel Rd. L41 —1B 84
Hazel Rd. L47 —4B 58
Hazelslack Rd. L11 —4B 32
Hazel St. WA1 —3A 150
Hazelwood. L49 —2B 80
Hazelwood Gro. L26 —4B 92
Hazelwood M. WA4 —3D 159
Hazleton Rd. L14 —1B 70
Headbolt La. L33 —4C 13

Headbourne Clo.—Honister Av.

Headbourne Clo. L25 —4D 71
Headingley Clo. L36 —3B 72
Headingley Clo. WA9 —3B 56
Headington Rd. L49 —2B 80
Headland Clo. L48 —1A 100
Headley Clo. WA10 —3C 37
Head St. L8 —1C 87
Heald St. L19 —3B 112
Healy Clo. L27 —3D 93
Hearne Rd. WA10 —3B 36
Heathbank Av. L44 —1D 63
Heathbank Av. L61 —2B 102
Heathbank Rd. L42 —3B 84
Heathcliff Ho. L4 —4C 31
Heath Clo. L25 —2D 91
Heath Clo. L34 —2D 53
Heath Clo. L48 —1A 100
Heathcote Clo. L7 —4A 68
Heathcote Gdns. L63 —4D 107
Heathcote Rd. L4 —4B 30
Heath Dale. L63 —1A 124
Heath Dri. L49 —1D 81
Heath Dri. L60 —3B 122
Heath Dri. WA7 —4D 131
Heather Bank. L63 —3B 106
Heather Brow. L43 —4D 63
Heather Clo. L4 —1D 45
Heather Clo. L33 —4C 13
(in two parts)
Heather Clo. WA3 —2A 144
Heather Clo. WA7 —2A 138
Heather Ct. L4 —1D 45
Heatherdale Clo. L43 —3A 84
Heatherdale Rd. L18 —3D 89
Heather Dene. L62 —2D 125
Heatherdene Rd. L48 —3A 78
Heatherfield Dri. L33 —4C 13
Heatherland. L49 —2A 82
Heather Rd. L63 —4C 107
Heathers Croft. L30 —1C 19
Heather Way. L23 —3A 8
Heathfield. L62 —2D 125
Heathfield Av. WA9 —1C 55
Heathfield Clo. L21 —4A 18
Heathfield Dri. L33 —4C 13
Heathfield Pk. WA4 —2C 159
Heathfield Rd. L15 —1A 90
Heathfield Rd. L22 —2B 16
Heathfield Rd. L31 —2D 11
Heathfield Rd. L43 —3A 84
Heathfield Rd. L63 —4D 107
Heathfield St. L1 —3C 67
Heathgate Av. L24 —2D 129
Heath Hey. L25 —2D 91
Heathland Rd. WA9 —4B 56
Heathlands, The. L46 —1C 61
Heath Moor Rd. L46 —2B 60
Heath Rd. L19 —1B 112
Heath Rd. L36 —4A 50
Heath Rd. L63 —4C 107
Heath Rd. WA5 —4B 146
Heath Rd. WA7
—4D 131 to 1A 132
Heath Rd. WA8 —4B 96
Heath Rd. Cres. WA7 —3A 132
Heath Rd. S. WA7 —2B 136
Heath St. WA4 —4D 157
Heath St. WA9 —2B 54
Heath View. L21 —1A 18
Heathview Clo. WA8 —4D 117
Heathview Rd. WA8 —4D 117
Heathwaite Cres. L11 —4B 32
Heathway. L60 —4C 123
Heathwood. L12 —4A 48
Heathwood Gro. WA1 —3C 151
Heaton Clo. L24 —1D 129
Heaton Ct. WA3 —1B 144
Hebburn Way. L12 —3B 34
Hebden Pde. L11 —3C 33
Hebden Rd. L11 —3C 33
Hector Pl. L20 —1B 44
Hedgecote. L32 —4C 23
Hedgecroft. L23 —3B 8
Hedgefield Rd. L25 —1A 92
Hedge Hey. WA7 —3D 133
Hedges Cres. L13 —2C 47
Helena Rd. WA9 —2D 57
Helena St. L7 —3A 68
Helena St. L9 —3B 30
Helena St. L41 —2C 85
Helford Clo. L35 —3D 53
Helford Rd. L11 —1D 33
Heliers Rd. L13 —2A 70
Helmdon Clo. L11 —4B 32
Helmingham Gro. L41 —2C 85
Helmingham Rd. L41 —2C 85
Helmsdale La. WA5 —3D 147
Helmsley Rd. L26 —2D 115
Helsby Rd. L9 —4A 20
Helsby St. L7 —3A 68
Helsby St. WA1 —3A 150
Helsby St. WA9 —1C 57
Helston Av. L26 —1D 115
Helston Av. WA11 —4D 27
Helston Clo. WA5 —1B 154
Helston Clo. WA7 —2C 139
Helston Grn. L36 —1A 74
Helston Rd. L11 —1D 33
Helton Clo. L43 —3C 83
Hemans St. L20 —2C 29
Hemer Pl. L20 —2B 28
Hemer Ter. L20 —2B 28
Hemingford St. L41 —1C 85
Hemlock Clo. L12 —3A 34
Hempstead Clo. WA9 —2D 55
Henbury Pl. WA7 —1C 137
Henderson Clo. L49 —1C 81
Henderson Clo. WA5 —4A 146
Henderson Rd. L36 —1D 73
Henderson Rd. WA8 —1D 119
Hendon Rd. L6 —1B 68
Hendon Wlk. L49 —3B 80
Henglers Clo. L6 —1D 67
Henley Av. L21 —3D 17
Henley Clo. L63 —2B 124
Henley Clo. WA4 —1B 162
Henley Ct. WA7 —2B 132
Henley Ct. WA10 —4B 36
Henley Rd. L18 —2A 90
Henllan Gdns. WA9 —3C 57
Henlow Av. L32 —3C 23
Henry Edward St. L3 —1B 66
Henry Hickman Clo. L30 —4D 9
Henry St. L1 —3B 66
Henry St. L13 —2C 69
Henry St. L41 —1C 85
(in two parts)
Henry St. WA1 —4C 149
Henry St. WA8 —4B 98
Henry St. WA10 —2D 37
Henshall Av. WA4 —1B 158
Henthorne Rd. L62 —1A 108
Henthorne St. L43 —1B 84
Hepherd St. WA5 —1A 156
Herald Clo. L11 —3D 33
Heralds Clo. WA8 —2A 118
Herbarth Clo. L9 —3B 30
Herbert Pl. L41 —1C 85
Herberts La. L60 —4B 122
Herbert St. WA9 —2C 57
Herbert Taylor Clo. L6 —3B 46
Herculaneum Ct. L8 —3D 87
Herculaneum Rd. L8 —3C 87
Herdman Clo. L25 —2A 92
Hereford Av. L49 —1C 81
Hereford Dri. L30 —2D 19
Hereford Rd. L15 —1D 89
Hereford Rd. L21 —4C 17
Heriot St. L5 —3B 44
Heriot Wlk. L5 —3B 44
Hermes Clo. L30 —3C 19
Hermes Rd. L11 —1C 33
Hermitage Gro. L20 —4B 18
Heron Clo. WA7 —4B 134
Heron Ct. L26 —1C 115
Herondale Rd. L18 —2D 89
Heronpark Way. L63 —2C 125
Heron Rd. L47 & L48 —4D 59
Hero St. L20 —4A 30
Herrick St. L13 —1D 69
Herschell St. L5 —3D 45
Hertford Clo. WA1 —3A 152
Hertford Dri. L45 —3B 42
Hertford Pl. WA1 —3B 152
Hertford Rd. L20 —4D 29
Hertford St. WA9 —4B 38
Hesketh Av. L42 —1B 106
Hesketh Clo. WA5 —1B 154
Hesketh Dri. L31 —4D 5
Hesketh Dri. L60 —3B 122
Hesketh Rd. L24 —3A 130
Hesketh St. L17 —3B 88
Hesketh St. WA5 —1A 156
Hesketh St. N. WA5 —1A 156
Heskin Clo. L31 —2B 4
Heskin Clo. L32 —4C 23
Heskin Clo. L35 —1A 76
Heskin Rd. L32 —4C 23
Heskin Wlk. L32 —4C 23
Hessle Dri. L60 —4B 122
Hesslewell Ct. L60 —3B 122
Heswall Mt. L61 —4A 104
Heswall Rd. L9 —4A 20
Heswell Av. L63 —1B 106
Heswell Av. WA9 —4A 56
Hetherlow Tower. L4 —3B 30
Heward Av. WA9 —2B 56
Hewitson Av. L13 —3D 47
Hewitson Rd. L13 —3D 47
Hewitt Av. WA10 —2B 36
Hewitt's La. L34 & L33 —4C 25
Hewitts Pl. L2 —2B 66
Hewitt St. WA4 —1D 157
Hexagon, The. L20 —3D 29
Hexham Clo. WA9 —2B 54
Heyburn Rd. L13 —3C 47
Heydale Rd. L18 —2D 89
Heydean Rd. L18 —1B 112
Heydean Wlk. L18 —1B 112
Heyes Dri. L45 —4B 40
Heyes Dri. WA13 —2D 161
Heyes La. WA4 —4B 158
Heyes Mt. L35 —2A 76
Heyes Rd. WA8 —2A 118
Heyes St. L5 —3D 45
Heyes, The. L25 —4A 92
Heyes, The. WA7 —3C 133
Heygarth Dri. L49 —3C 81
Hey Grn. Rd. L15 —3C 69
Hey Pk. L36 —2D 73
Hey Rd. L36 —2D 73
Heys Av. L62 —3D 125
Heyscroft Rd. L25 —4A 92
Heysham Clo. WA7 —1D 139
Heysham Lawn. L27 —3D 93
Heysham Rd. L27 —3D 93
Heysham Rd. L30 —1D 19
Heysmoor Heights. L8 —1A 88
Heysome Clo. WA11 —1A 26
Heythrop Dri. L60 —4D 123
Heyville Rd. L63 —3C 107
Heywood Boulevd. L61 —3D 103
Heywood Clo. L61 —3D 103
Heywood Ct. L15 —3B 70
Heywood Rd. L15 —3B 70
Heyworth St. L5 —3D 45
Hibbert St. WA8 —1A 120
Hickmans Rd. L41 —2A 64
Hickory Clo. WA1 —3B 152
Hickson Av. L31 —3B 4
Hicks Rd. L21 —4D 17
Hicks Rd. L22 —2C 17
Highacre Rd. L45 —2A 42
Higham Av. WA5 —1B 148
Higham Sq. L5 —4C 45
High Bank Clo. L43 —2C 83
Highbank Dri. L19 —3C 113
Highbanks. L31 —2A 4
High Beeches. L16 —2D 71
High Clere Cres. L36 —4C 51
Highcroft Av. L63 —4D 107
Highcroft, The. L63 —4D 107
Higher Ashton. WA8 —3C 97
Higher Bebington Rd. L63
—3C 107
Higher End Pk. L30 —3C 9
Higher La. L9 —4B 20 to 2A 32
Higher Parr St. WA9 —3A 38
Higher Rd. L25, L26 & WA8
—2B 114 to 3C 117
Highfield. L33 —3C 13
Highfield Av. WA4 —3A 162
Highfield Av. WA5 —4C 147
Highfield Clo. L44 —1A 64
Highfield Cres. L42 —1D 107
Highfield Cres. WA8 —4D 97
Highfield Dri. L49 —3C 81
Highfield Dri. WA13 —3D 161
Highfield Gro. L23 —4D 7
Highfield Gro. L42 —1D 107
Highfield La. WA2 —1A 142
Highfield Pk. L31 —4D 5
Highfield Pl. L34 —3B 52
Highfield Rd. L9 —2B 30
Highfield Rd. L13 —1D 69
Highfield Rd. L21 —3D 17
Highfield Rd. L42 —4D 85
Highfield Rd. WA8 —1D 119
Highfield Rd. WA13 —2D 161
Highfields. L34 —3B 52
Highfields. L60 —3B 122
Highfield S. L42 —2D 107
Highfield St. L3 —1B 66
Highfield St. WA9 —2B 56
Highfield View. L13 —1D 69
Highgate Clo. L60 —2B 122
Highgate Ct. L7 —3A 68
Highgate Rd. L31 —3B 4
High Gates Clo. WA5 —3B 148
Highgate St. L7 —2A 68
Highgreen Rd. L42 —3B 84
Highgrove Pk. L19 —2D 111
Highlands Rd. WA7 —3D 131
Highoaks Rd. L25 —4A 92
Highpark Rd. L42 —3B 84
High Pk. St. L8 —2D 87
High St. L2 —2B 66
High St. L15 —4D 69
High St. L24 —3A 130
High St. L25 —4D 91
High St. L34 —3B 52
High St. L62 —3D 125
High St. WA7 —2D 131
Hightor Rd. L25 —3D 91
Highville Rd. L16 —1B 90
Highwood Ct. L33 —4C 13
Highwood Rd. WA4 —1A 162
Hignett Av. WA9 —4D 39
Hilary Av. L14 —2C 71
Hilary Clo. L4 —1B 46
Hilary Clo. L34 —2C 53
Hilary Clo. WA5 —3A 146
Hilary Clo. WA8 —3C 99
Hilary Dri. L49 —1D 81
Hilary Rd. L4 —1B 46
Hilberry Av. L13 —3C 47
Hilbre Av. L44 —4A 42
Hilbre Ct. L48 —1A 100
Hilbre Rd. L48 —1A 100
Hilbre St. L3 —2C 67
Hilbre St. L41 —4B 64
Hilbre View. L48 —4B 78
Hilda Rd. L12 —3C 49
Hildebrand Clo. L4 —1B 46
Hildebrand Rd. L4 —1B 46
Hilden Rd. WA2 —1A 150
Hillam Rd. L45 —3C 41
Hillary Cres. L31 —4C 5
Hillary Dri. L23 —4A 8
Hillary Wlk. L23 —4A 8
Hill Bark Rd. L48 —4A 80
Hillberry Cres. WA4 —2D 157
Hillbrae Av. WA11 —3B 26
Hill Cliffe Rd. WA4 —4C 157
Hill Crest. L20 —3A 30
Hillcrest. L31 —1C 11
Hillcrest. WA7 —3C 133
Hillcrest Av. L36 —2A 74
Hillcrest Dri. L49 —3B 80
Hillcrest Pde. L36 —2A 74
Hillcrest Rd. L4 —4D 31
Hillcrest Rd. L23 —4D 7
Hillcroft Rd. L25 —3C 91
Hillcroft Rd. L44 —1B 64
Hillfield. WA7 —4B 134
Hillfield Dri. L61 —2B 122
Hillfoot Av. L25 —3A 114
Hillfoot Clo. L43 —3B 62
Hillfoot Cres. WA4 —4D 157
Hillfoot Grn. L25 —2A 114
Hillfoot Rd. L25
—1D 113 to 3A 114
Hill Gro. L46 —4C 61
Hillhead Rd. L20 —4A 30
Hillingden Av. L26 —2D 115
Hillingdon Av. L61 —2B 122
Hillingdon Rd. L15 —1A 90
Hillock La. WA1 —2D 151
Hill Ridge. L43 —2B 82
Hill Rd. L43 —4C 63
Hill School Rd. WA10 —1A 54
Hillside. L25 —2A 92
Hillside Av. L36 —3B 50
Hillside Av. WA7 —4C 131
Hillside Av. WA10 —1C 37
Hillside Clo. L20 —4A 30
Hillside Ct. L25 —4A 92
Hillside Ct. L41 —3C 85
Hillside Cres. L36 —2B 50
Hillside Dri. L25 —3A 92
Hillside Gro. WA5 —1B 154
Hillside Rd. L18 —2A 90
Hillside Rd. L36 —3C 51
Hillside Rd. L41 —3C 85
Hillside Rd. L43 —4C 63
Hillside Rd. L44 —4C 41
Hillside Rd. L48 —4C 79
Hillside Rd. L60 —4B 122
Hillside Rd. WA4 —3A 162
Hillside St. L6 —1D 67
Hillside View. L43 —3D 83
Hills Moss Rd. WA9 —2D 57
Hill St. L8 —1C 87
(in two parts)
Hill St. L23 —4D 7
Hill St. L34 —3B 52
Hill St. WA1 —4D 149
Hill St. WA7 —2D 131
Hill St. WA10 —2D 37
Hill St. Bus. Cen. L8 —1C 87
(off Hill St.)
Hilltop La. L60 —4C 123
Hilltop Rd. L16 —4B 70
Hill Top Rd. WA1 —2D 151
Hill Top Rd. WA4 —1B 140
(Dutton)
Hill Top Rd. WA4 —3B 158
(Stockton Heath)
Hilltop Rd. WA13 —3D 161
Hillview. L17 —4C 89
Hill View. WA8 —2D 97
Hillview Av. L48 —3A 78
Hillview Ct. L43 —3B 62
Hill View Dri. L49 —1A 82
Hillview Gdns. L25 —3C 91
Hillview Mans. L48 —3A 78
(off Lang La.)
Hill View Rd. L61 —3B 102
Hillwood Clo. L63 —3A 124
Hilton Av. WA5 —4D 147
Hilton Clo. L41 —1B 84
Hilton Ct. L30 —4B 8
Hilton Gro. L48 —3A 78
Hinchley Grn. L31 —4A 4
Hindburn Av. L31 —3C 5
Hinderton Dri. L48 —4C 79
Hinderton Dri. L60 —4B 122
Hinderton Rd. L41 —2C 85
Hindle Av. WA5 —1B 148
Hindley Beech. L31 —3A 4
Hindley Wlk. L24 —2B 128
Hindlip St. L8 —3A 88
Hind St. L41 —1C 85
Hinson St. L41 —1C 85
Hinton Cres. WA4 —4B 158
Hinton Rd. WA7 —3A 132
Hinton St. L6 —1B 68
Hinton St. L21 —1C 29
Hitchen's Clo. WA7 —1A 140
Hitchin Ct. L19 —3B 112
Hobart St. L5 —3C 45
Hobart St. WA9 —2C 55
Hobhouse Ct. L43 —1A 84
Hob La. L32 —2A 22
Hoblyn Rd. L43 —3C 63
Hockenhall All. L2 —2B 66
Hockenhull Clo. L63 —2B 124
Hodder Av. L31 —4D 5
Hodder Clo. WA11 —4C 27
Hodder Pl. L5 —3D 45
Hodder Rd. L5 —3D 45
Hodder St. L5 —2C 45
Hodgkinson Av. WA5 —1B 148
Hodson Pl. L6 —4D 45
Hogarth St. L21 —4A 18
Hogarth Wlk. L4 —1C 45
Hoghton Clo. WA9 —1D 57
Hoghton Rd. L24 —3A 130
Hoghton Rd. WA9 —1C 57
Holbeck. WA7 —4B 134
Holbeck St. L4 —2A 46
Holborn Hill. L41 —2C 85
Holborn Sq. L41 —2C 85
Holborn St. L6 —2D 67
Holbrook Clo. WA5 —4B 146
Holbrook Clo. WA9 —3B 56
Holcombe Clo. L49 —2B 80
Holden Gro. L22 —2B 16
Holden Rd. L22 —2A 16
Holden Rd. L35 —4B 52
Holden Rd. E. L22 —1B 16
Holden St. L8 —4A 68
Holden Ter. L22 —2A 16
Holdsworth St. L7 —2A 68
Holes La. WA1 —2D 151
Holford Av. WA5 —2B 148
Holgate. L23 —2A 8
Holgate Pk. L23 —2A 8
Holin Ct. L43 —4D 63
Holingsworth Ct. WA10 —2A 38
Holland Ct. L30 —4B 8
Holland Gro. L60 —3B 122
Holland Pl. L7 —2A 68
Holland Rd. L24 —2C 129
Holland Rd. L26 —3C 115
Holland Rd. L45 —2B 42
Holland St. L7 —1C 69
Holland St. WA5 —4B 148
Holland Way. L26 —3C 115
Holley Ct. L35 —1B 76
Holliers Clo. L31 —4C 5
Hollies Rd. L26 —2D 115
Hollies, The. L25 —3C 91
Hollingbourne Pl. L11 —3B 32
Hollingbourne Rd. L11 —3B 32
Hollingworth Clo. L9 —3C 31
Hollinhey. L30 —4A 10
Hollin Hey Clo. WN5 —1D 27
Hollins Dri. WA2 —1C 141
Hollins La. WA2 —1C 141
Hollins Way. WA8 —4A 118
Hollocombe Rd. L12 —3D 33
Holloway. WA7 —3D 131
Hollow Croft. L28 —1A 50
Hollow Dri. WA4 —3A 158
Hollows, The. L48 —3C 101
Holly Av. L63 —1A 124
Holly Bank Gro. WA9 —2B 38
Hollybank Rd. L18 —1C 89
Hollybank Rd. L41 —2B 84
Hollybank Rd. WA7 —3C 133
Holly Bank St. WA9 —2B 38
Holly Bush La. WA3 —2D 153
Holly Clo. L24 —3A 130
Holly Clo. WA10 —2A 36
Hollycourt. L5 —3D 45
Holly Ct. L20 —1C 29
Hollydale Rd. L18 —2D 89
Holly Farm Rd. L19 —3B 112
Hollyfield Rd. L9 —1B 30
Holly Gro. L21 —1B 28
Holly Gro. L36 —2A 72
Holly Gro. L42 —3C 85
Holly Gro. WA1 —2C 151
Holly Hey. L35 —2B 74
Hollymead Clo. L25 —3A 92
Holly Mt. L12 —2A 48
Holly Pl. L46 —4D 61
Holly Rd. L7 —2B 68
Holly Rd. WA5 —4B 146
Holly Rd. WA11 —1D 39
Holly St. L20 —2D 29
Holly Ter. WA5 —4C 147
Hollytree Rd. L25 —3A 92
Hollywood Rd. L17 —3C 89
Holman Rd. L19 —3B 112
Holm Cotts. L43 —4D 83
Holme Clo. L34 —2D 53
Holmefield Av. L19 —1D 111
Holmefield Gro. L31 —4B 4
Holmefield Rd. L19 —1D 111
Holme Rd. WA10 —3A 36
Holmes Ct. WA3 —2D 143
Holmesfield Rd. WA1 —4A 150
Holmes La. L21 —4A 18
(off Wellington Rd.)
Holmes St. L8 —4B 68
Holme St. L5 —2A 44
Holmesway. L61 —1B 122
Holmfield. L43 —4D 83
Holmfield Av. WA7 —2B 132
Holmfield Gro. L36 —3D 73
Holm Hey Rd. L43 —4D 83
Holmlands Cres. L43 —4C 83
Holmlands Dri. L43 —4C 83
Holmlands Way. L43 —4C 83
Holm La. L43 —4D 83
Holmleigh Rd. L25 —1A 92
Holmrook Rd. L11 —3B 32
Holmside Clo. L46 —3D 61
Holmside La. L43 —4D 83
Holm View Clo. L43 —3D 83
Holmville Rd. L63 —3C 107
Holmway. L63 —4C 107
Holmwood Av. L61 —4B 104
Holmwood Dri. L61 —4B 104
Holt Av. L46 —3C 61
Holt Hill. L41 —2C 85
Holt Hill Ter. L41 —2C 85
Holt La. L27 —4C 73 & 1C 93
Holt La. L35 —4D 53
Holt La. WA7 —4D 133
Holt Rd. L7 —2A 68
Holt Rd. L41 —3C 85
Holt Way. L32 —1B 22
Holy Cross Clo. L3 —1B 66
Holyrood. L23 —4A 6
Holyrood Av. WA8 —2D 97
Holywell Clo. WA9 —3B 56
Home Farm Clo. L49 —4B 82
Home Farm Rd. L34 —4D 35
Home Farm Rd. L49 —4A 82
Homer Rd. L34 —3D 35
Homerton Rd. L6 —1B 68
Homestall Rd. L11 —4B 32
Homestead Av. L30 —4A 10
Homestead Clo. L36 —1D 73
Homestead M. L48 —4A 78
Honeybourne Dri. L35 —3D 53
Honey Hall Rd. L26 —3C 115
Honey's Grn. Clo. L12 —4B 48
Honey's Grn. La. L12 —4B 48
Honeys Grn. Precinct. L12
—3C 49
Honey St. WA9 —2B 54
Honeysuckle Clo. L26 —4C 93
Honeysuckle Clo. WA8 —2A 98
Honeysuckle Dri. L9 —3C 31
Honister Av. WA2 —4D 141
Honister Av. WA11 —3C 27

Honister Clo.—Kemberton Dri.

Honister Clo. L27 —3D 93
Honister Gro. WA7 —2A 138
Honister Wlk. L27 —3D 93
Honiston Av. L35 —4A 54
Honiton Rd. L17 —1C 111
Honiton Way. WA5 —1B 154
Hood La. WA5 —4A 148
Hood La. N. WA5
—4A 148 to 3D 147
Hood Mnr. Cen. WA5 —4D 147
Hood Rd. WA8 —1D 119
Hood St. L44 —1C 65
Hook, The. WA10 —1A 36
Hoole Rd. L49 —3A 82
Hoose Ct. L47 —4B 58
Hooton Rd. L9 —4A 20
Hope Clo. WA10 —2C 37
Hope Pl. L1 —3C 67
Hope St. L1 —4C 67
Hope St. L34 —2B 52
Hope St. L41 —4B 64
Hope St. L45 —1A 42
Hope Ter. L42 —3C 85
Hope Way. L8 —4D 67
Hopfield Rd. L46 —4D 61
Hopkins Clo. WA10 —2B 36
Hopwood St. L5 —4B 44
(in two parts)
Hopwood St. WA1 —4D 149
(in two parts)
Horace St. WA10 —2C 37
Horatio St. L41 —1B 84
Hornbeam Clo. L46 —3A 60
Hornbeam Clo. WA7 —3B 134
Hornbeam Clo. WA11 —1C 39
Hornbeam Rd. L9 —3D 31
Hornbeam Rd. L26 —2D 115
Hornby Av. L20 —2C 29
Hornby Av. L62 —3C 125
Hornby Boulevd. L21 & L20
—1C 29
Hornby Chase. L31 —2C 11
Hornby Clo. L9 —2B 30
Hornby Ct. L62 —3C 125
Hornby Cres. WA9 —4B 56
Hornby Flats. L21 —1C 29
Hornby La. L18 —2B 90
Hornby La. WA2 —1C 141
Hornby Pk. L18 —2C 91
Hornby Pl. L9 —2B 30
Hornby Rd. L9 —2B 30
Hornby Rd. L20 —2C 29 & 2D 29
Hornby Rd. L62 —3C 125
Hornby St. L5 —4B 44
Hornby St. L21 —4A 18
Hornby St. L23 —4C 7
Hornby St. L41 —1D 85
Hornby Wlk. L5 —4B 44
Horne St. L6 —4A 46
Hornhouse La. L33 —3A 24
Hornsey Rd. L4 —2A 46
Hornspit La. L12 —1D 47
Horringford Rd. L19 —1C 111
Horrocks Av. L19 —3B 112
Horrocks Clo. L36 —4C 51
Horrocks La. WA1 —4D 149
Horrocks Rd. L36 —1B 72
Horseman Pl. L44 —2C 65
Horsemarket St. WA1 —4D 149
Horseshoe Cres. WA2 —3B 142
Horsfall Gro. L8 —2C 87
Horsfall St. L8 —2C 87
Horwood Av. L35 —4A 54
Hoscar Ct. WA8 —2B 118
Hoscote Pk. L48 —4A 78
Hose Side Rd. L45 —2D 41
Hospital Rd. L62 —3A 108
Hospital St. WA10 —2A 38
Hospital Way. WA7 —1B 138
Hostock Clo. L35 —2B 74
Hotham St. L3 —2C 67
Hothfield Rd. L44 —1B 64
Hotspur St. L20 —1B 44
Hough Grn. Rd. WA8 —4D 95
Houghton Ct. L49 —3A 82
Houghton Croft. WA8 —1A 96
Houghton La. L1 —2C 67
Houghton Rd. L49 —3A 82
Houghton St. L1 —2B 66
Houghton St. L34 —3C 53
Houghton St. L35 —1B 76
Houghton St. WA2 —3D 149
Houghton St. WA8 —4B 98
Houghton Way. L1 —2C 67
(off St John's Precinct)
Hougoumont Av. L22 —3C 17
Hougoumont Gro. L22 —3C 17
Houlding St. L4 —3A 46
Houlston Rd. L32 —2A 22
Houlston Wlk. L32 —2A 22
Houlton St. L7 —1A 68
House La. WA8 —2D 119
Hove, The. WA7 —1D 139
(in two parts)
Howard Av. L62 —3D 125
Howard Clo. L21 —2B 18
Howard Clo. L31 —4D 5
Howard Ct. WA7 —1B 134
Howard Dri. L19 —2D 111
Howard Florey Av. L30 —4D 9
Howards Rd. L61 —3A 104
Howard St. WA10 —1B 54
Howarth Ct. WA7 —2A 132
Howbeck Clo. L43 —1D 83
Howbeck Ct. L43 —1D 83
Howbeck Dri. L43 —1D 83
Howbeck Rd. L43 —1D 83
Howden Dri. L36 —1A 72
Howell Dri. L49 —4B 80
Howells Clo. L31 —3B 4
Howe St. L20 —4C 29
Howley La. WA1 —4A 150
Howley Quay. WA1 —4A 150
Howley Quay Ind. Est. WA1
—4A 150
Howson Rd. WA2 —4D 141
Howson St. L42 —4D 85
Hoylake Clo. WA7 —1D 139
(in two parts)
Hoylake Gro. WA9 —4A 56
Hoylake Rd. L43 & L41 —2B 62
Hoylake Rd. L46 —4A 60
Hoyle Rd. L47 —3A 58
Hoyle St. WA5 —3C 149
Huddleston Clo. L49 —3A 82
Hudleston Rd. L15 —3A 70
Hudson Clo. WA5 —2A 148
Hudson Rd. L31 —2C 11
Hudson Rd. L46 —4A 40
Hudson St. WA9 —2B 38
Hughenden Rd. L13 —3D 47
Hughes Av. L35 —4B 52
Hughes Av. WA2 —4A 142
Hughes Clo. L7 —3B 68
Hughes Dri. L20 —1A 30
Hughes La. L43 —3A 84
Hughes Pl. WA2 —4A 142
Hughes St. L6 —4A 46
(in two parts)
Hughes St. L19 —4B 112
Hughes St. WA4 —1A 158
Hughes St. WA9 —1B 56
Hughestead Gro. L19 —3A 112
Hughson St. L8 —1C 87
Hulmewood. L63 —2D 107
Hulton Av. L35 —1D 75
Humber Clo. L4 —1C 45
Humber Clo. WA8 —3C 99
Humber Cres. WA9 —3B 56
Humber Rd. WA2 —4A 142
Humber St. L41 —3D 63
Hume Ct. L47 —3B 58
Hume St. WA1 —3A 150
Hummocks Dri. L48 —3C 101
Humphreys Hey. L23 —3A 8
Humphrey St. L20 —1D 29
Humphries Clo. WA7 —4B 134
Huncote Av. WA11 —1B 38
Hunslet Rd. L9 —1C 31
Hunstanton Clo. L49 —4D 61
Hunter Av. WA2 —4C 141
Hunters Ct. WA7 —1A 138
Hunters La. L15 —4D 69
Hunter St. L3 —2C 67
Hunter St. WA9 —4A 38
Huntingdon Gro. L31 —2B 4
Huntington Clo. L46 —3A 60
Huntley Av. WA9 —2B 56
Huntley Gro. WA9 —2B 56
Huntley St. WA5 —1A 156
Huntly Rd. L6 —1B 68
Hunt Rd. L31 —4B 4
Hunts Cross Av. L25
—3A 92 & 4A 92
Hunts Cross Shopping Pk. L24
—3A 114
Hunts La. WA4 —2B 158
Huntsman Wood. L12 —1C 49
Hunt St. L5 —4A 46
Hurley Clo. WA5 —4D 147
Hurlingham Rd. L4 —4D 31
Hurrell Rd. L41 —2C 63
Hursley Rd. L9 —2A 32
Hurst Bank. L42 —2D 107
Hurst Gdns. L13 —2D 69
Hurstlyn Rd. L18 —1B 112
Hurst Pk. Clo. L36 —4D 51
Hurst Pk. Dri. L36 —1D 73
Hurst Rd. L31 —1C 11
Hurst St. L1 —4B 66
Hurst St. L13 —2D 69
Hurst St. WA8 —1D 131
Huskisson St. L8 —4D 67
Hutchinson St. L6 —1A 68
Hutchinson St. WA8 —3D 119
Hutchinson Wlk. L6 —1A 68
Huxley Clo. L46 —3A 60
Huxley St. L13 —2C 47
Huyton Av. WA10 —1C 37
Huyton Chu. Rd. L36 —2C 73
Huyton Hey Rd. L36 —2C 73
Huyton Ho. Clo. L36 —4A 50
Huyton Ho. Rd. L36 —4A 50
Huyton La. L36 & L34
—1C 73 to 3A 52
Huyton Whiston Ind. Est. L36
—2D 73
Hyde Clo. WA7 —1D 137
Hyde Rd. L22 —3C 17
Hydro Av. L48 —1A 100
Hygeia St. L6 —4A 46
Hylton Av. L44 —4A 42
Hylton Rd. L19 —1B 112
Hyslop St. L8 —1C 87
Hythe Av. L21 —3B 18
Hythedale Clo. L17 —4B 88

Ibbotson's La. L17 —3C 89
Ibstock Rd. L20 —1C 29
Iffley Clo. L49 —2B 80
Ikin Clo. L43 —3B 62
Ilchester Rd. L16 —3C 71
Ilchester Rd. L41 —3D 63
Ilchester Rd. L44 —1B 64
Ilex Av. WA2 —1D 141
Ilford Av. L23 —3B 6
Ilford Av. L44 —1A 64
Ilford St. L3 —2C 67
Ilfracombe Rd. WA9 —4B 56
Iliad St. L5 —4C 45
Ilkley Wlk. L24 —1B 128
Ilsley Clo. L49 —2D 81
Imber Rd. L32 —3D 23
Imison St. L9 —3A 30
Imison Way. L9 —3A 30
Imperial Av. L45 —3B 42
Imrie St. L4 —3B 30
Ince Av. L4 —2A 46
Ince Av. L21 —4A 18
Ince Av. L23 —4B 6
Ince Clo. L43 —3D 83
Ince Gro. L43 —3D 83
Ince La. L23 —1D 7
Incemore Rd. L18 —1A 112
Ince Rd. L23 —1D 7
Inchcape Rd. L16 —3C 71
Inchcape Rd. L45 —3C 41
Index St. L4 —4B 30
Ingestre Rd. L43 —3A 84
Ingham Rd. WA8 —2D 97
Ingleborough Rd. L42 —4B 84
Ingleby Rd. L44 —1D 63
Ingleby Rd. L62 —2A 108
Ingledene Rd. L18 —2B 90
Ingle Grn. L23 —3A 6
Inglegreen. L60 —4C 123
Ingleholme Rd. L19 —1D 111
Inglemere Rd. L42 —4C 85
Inglenook Rd. WA5 —1A 154
Ingleside Ct. L23 —1B 16
Ingleton Clo. L49 —3B 80
Ingleton Dri. WA11 —2C 27
Ingleton Grn. L32 —3D 23
Ingleton Gro. WA7 —2D 137
Ingleton Rd. L18 —2D 89
Ingleton Rd. L32 —3D 23
Inglewood. L12 —3B 34
Inglewood. L46 —4C 61
Inglewood Av. L46 —4C 61
Inglewood Clo. WA3 —1D 145
Inglis Rd. L9 —4A 20
Ingoe Clo. L32 —2A 22
Ingoe La. L32 —3A 22 & 2A 22
Ingrave Rd. L4 —4D 31
Ingrow Rd. L6 —1A 68
Inigo Rd. L13 —4A 48
Inley Clo. L63 —2B 124
Inley Rd. L63 —2A 124
Inman Av. WA9 —4D 39
Inman Rd. L21 —4B 18
Inman Rd. L49 —1C 81
Inner Central Rd. L24 —4C 115
Inner East Rd. L24 —4D 115
Inner Forum. L11 —3A 32
Inner South Rd. L24 —4C 115
Inner West Rd. L24 —4C 115
Insall Rd. L13 —2A 70
Insall Rd. WA2 —4B 142
Interchange Motorway Ind. Est.
L36 —3A 74
International Bus. & Management
Cen. L41 —1C 85
Inveresk Ct. L43 —1C 83
Invincible Clo. L30 —3C 19
Invincible Way. L11 —1D 33
Inwood Rd. L19 —2B 112
Iona Clo. L12 —3B 34
Ionic Rd. L13 —1D 69
Ionic St. L21 —4D 17
Ionic St. L42 —4D 85
Irby Av. L44 —4A 42
Irby Rd. L4 —1A 46
Irby Rd. L61 —4B 102 to 2B 122
Irbyside Rd. L48 —1A 102
Ireland Rd. L24 —3A 130
(in two parts)
Ireland St. WA2 —2D 149
Ireland St. WA8 —4B 98
Irene Av. WA11 —4C 27
Irene Rd. L16 —1B 90
Ireton St. L4 —4B 30
Iris Av. L41 —4D 63
Iris Clo. WA8 —4B 96
Irlam Dri. L32 —1C 23
Irlam Pl. L20 —3C 29
Irlam Rd. L20 —3C 29
Ironside Rd. L36 —1C 73
Irvine Rd. L42 —4B 84
Irvine St. L7 —2A 68
Irvine Ter. L62 —1A 108
Irwell Clo. L17 —3C 89
Irwell Ho. L17 —3C 89
Irwell La. L17 —3C 89
Irwell La. WA7 —2A 132
Irwell Rd. WA4 —2C 157
Irwell St. L3 —3A 66
Irwell St. WA8 —4D 119
Irwin Rd. WA9 —2B 56
Isaac St. L8 —2D 87
Isabel Gro. L13 —2C 47
Isherwood Clo. WA2 —4C 143
Island Pl. L19 —3B 112
Island Rd. L19 —3B 112
Island Rd. S. L19 —3B 112
Islands Brow. WA11 —1A 38
Islington. L3 —2C 67
Islington. L23 —4C 7
Islington Sq. L3 —1D 67
Islip Clo. L61 —2C 103
Ismay Dri. L44 —3B 42
Ismay Rd. L21 —4A 18
Ismay St. L4 —4B 30
Ivanhoe Rd. L17 —3A 88
Ivanhoe Rd. L23 —4B 6
Ivanhoe St. L20 —3C 29
Ivatt Way. L7 —3B 68
Iveagh Clo. WA7 —4A 134
Iver Clo. WA8 —1B 96
Ivernia Rd. L4 —4C 31
Ivor Rd. L44 —4B 42
Ivory Dri. L33 —3C 13
Ivy Av. L19 —2A 112
Ivy Av. L35 —4D 53
Ivy Av. L63 —4C 107
Ivychurch M. WA7 —2B 132
Ivydale Rd. L9 —2C 31
Ivydale Rd. L18 —2D 89
Ivydale Rd. L42 —3C 85
Ivy Farm Rd. L35 —4A 54
Ivyhurst Clo. L19 —1D 111
Ivy La. L46 —2C 61
Ivy Leigh. L13 —3C 47
Ivy Rd. WA1 —2A 152
Ivy St. L41 —1D 85
Ivy St. WA7 —3D 131

Jackfield Way. L19 —3D 111
Jack McBain Ct. L3 —4B 44
Jacksfield Rd. L19 —3D 111
Jackson Av. WA1 —3B 150
Jackson Clo. L35 —3C 77
Jackson Clo. L63 —2D 107
Jackson Ho. L42 —4D 85
Jackson Quay. L3 —1B 86
Jackson St. L19 —3B 112
Jackson St. L41 —1C 85
Jackson St. WA9 —3A 38
Jackson St. WA11 —1D 39
Jacob St. L8 —2D 87
Jacqueline Ct. L36 —2B 72
Jacqueline Dri. L36 —4D 51
Jade Clo. L33 —1D 23
Jamaica St. L1 —4C 67
Jamesbrook Clo. L41 —3A 64
James Clarke St. L5 —4B 44
James Clo. WA8 —4D 119
James Ct. L25 —4A 92
James Ct. Apartments. L25
—4A 92
James Gro. WA10 —3C 37
James Holt Av. L32 —2B 22
James Hopkins Way. L4 —2C 45
James Horrigan Ct. L30 —1B 18
James Larkin Way. L4 —2C 45
James Rd. L25 —4A 92
James Simpson Way. L30 —4D 9
James St. L2 —3B 66
James St. L19 —3B 112
James St. L43 —2A 84
James St. L44 —2C 65
James St. WA1 —4D 149
Jamieson Av. L23 —4A 8
Jamieson Rd. L15 —4C 69
Jane St. WA9 —2C 57
Janet St. L7 —2A 68
Jarrett Rd. L33 —4D 13
Jarrett Wlk. L33 —4A 14
Jarrow Clo. L43 —2A 84
Jasmine Clo. L5 —4D 45
Jasmine Clo. L49 —4D 61
Jasmine Ct. L36 —4C 51
Jasmine Gro. WA8 —1B 118
Jasmine M. L17 —4D 87
Jason St. L5 —3C 45
Jason Wlk. L5 —3C 45
Java Rd. L4 —4D 31
Jay Clo. WA3 —3C 145
Jay's Clo. WA7 —4C 135
Jean Wlk. L10 —4A 22
Jedburgh Dri. L33 —3B 12
Jeffereys Cres. L36 —2A 72
Jeffreys Dri. L36 —1D 71
Jeffreys Dri. L49 —2C 81
Jellicoe Clo. L48 —3B 100
Jenkinson St. L3 —1C 67
Jensen Ct. WA7 —2B 132
Jericho Clo. L17 —4C 89
Jericho Farm Clo. L17 —1B 110
Jericho Farm Wlk. L17 —1B 110
Jericho La. L17 —1B 110
Jermyn St. L8 —1A 88
Jerningham Rd. L11 —3D 31
Jerome Gdns. WA9 —2B 56
Jersey Av. L21 —2A 18
Jersey Clo. L20 —3D 29
Jersey St. L20 —3D 29
Jersey St. WA9 —4B 56
Jervis Clo. WA2 —4C 143
Jesmond St. L15 —4C 69
Jessamine Rd. L42 —3C 85
Jessica Ho. L20 —1B 44
Jeudwine Clo. L25 —1A 114
Joan Av. L46 —3C 61
Joan Av. L49 —2C 81
Jocelyn Clo. L63 —1B 124
Jockey St. WA2 —2D 149
John Bagot Clo. L5 —3C 45
John F. Kennedy Heights. L3
—1C 67
John Hunter Way. L30 —1D 19
John Lennon Dri. L6 —1A 68
John Middleton Clo. L24
—3A 130
John Moores Clo. L7 —3D 67
John Rd. WA13 —2D 161
Johns Clo. WA7 —3D 131
Johnson Av. L35 —4B 52
Johnson Gro. L12 —3C 49
Johnson Rd. L43 —1D 105
Johnson's La. WA8 —1C 121
Johnson St. L3 —2B 66
Johnson St. WA9 —2B 38
Johnson Wlk. L7 —3B 68
(off Claughton Clo.)
Johnston Av. L20 —4C 19
John St. L3 —1C 67
John St. L41 —4D 65
John St. WA2 —4D 149
John St. WA10 —3D 37
John Willis Ho. L42 —4D 85
Jones Farm Rd. L25 —2B 92
Jonville Rd. L9 —4B 20
Jordan St. L1 —4C 67
Joseph Lister Clo. L30 —1D 19
Joseph Morgan Heights. L10
—4D 21
Joseph St. WA8 —4A 98
Joseph St. WA9 —2C 57
Joyce Wlk. L10 —4A 22
Jubilee Av. L14 —2B 70
Jubilee Av. WA1 —2B 150
Jubilee Av. WA5 —1B 154
Jubilee Cres. L62 —3A 108
Jubilee Dri. L7 —2A 68
Jubilee Dri. L30 —2D 19
Jubilee Dri. L35 —2B 74
Jubilee Dri. L48 —3A 78
Jubilee Gro. L44 —1C 65
Jubilee Gro. WA13 —1D 161
Jubilee Ho. WA7 —4B 132
Jubilee Rd. L21 —4A 18
Jubilee Rd. L23 —1B 16
Jubilee Way. WA8 —4C 97
Jubit's La. WA8 & WA9 —4D 77
Juddfield St. WA11 —1D 39
Judges Dri. L6 —4B 46
Judges Way. L6 —4B 46
Julian Way. WA8 —2D 97
Julie Gro. L12 —4C 49
Juliet Av. L63 —2C 107
Juliet Gdns. L63 —2C 107
July Rd. L6 —3B 46
July St. L20 —1D 29
Junction La. WA9 —2C 57
June Av. L62 —3D 125
June Rd. L6 —3B 46
June St. L20 —2D 29
Juniper Clo. L28 —2A 50
Juniper Clo. L49 —4B 80
Juniper Clo. WA10 —2B 36
Juniper Cres. L12 —1D 49
Juniper Gdns. L23 —3A 8
Juniper La. WA3 —2C 153
Juniper St. L20 —2B 44
Jupiter Clo. L6 —3A 46
Jurby Ct. WA2 —1B 150
Justan Way. L35 —4A 54
Juvenal Pl. L3 —1C 67
Juvenal St. L3 —1C 67

Kaigh Av. L23 —3B 6
Kale Clo. L48 —1A 100
Karan Way. L31 —1A 22
Karonga Rd. L10 —4C 21
Karonga Way. L10 —4D 21
Karslake Rd. L18 —2D 89
Karslake Rd. L44 —1B 64
Katherine Wlk. L10 —4A 22
Kearsley Clo. L4 —2C 45
Kearsley St. L4 —2C 45
Keates St. WA9 —1C 57
Keats Av. L35 —1D 75
Keats Gro. L36 —3D 73
Keats Gro. WA2 —4D 141
Keble Dri. L10 —1B 20
Keble Dri. L45 —3B 40
Keble Rd. L20 —4D 29
Keble St. L6 —1A 68
Keble St. WA8 —2A 120
Keckwick La. WA7 & WA4
—1D 135
Kedleston St. L8 —3D 87
Keele Clo. L43 —2B 62
Keenan Dri. L20 —1A 30
Keene Ct. L30 —4B 8
Keepers La. L63 —4A 106
Keepers Wlk. WA7 —2D 133
Keighley Av. L45 —4C 41
Keightley St. L41 —4B 64
Keir Hardie Av. L20 —1A 30
Keir Murren Ho. L8 —2D 87
Keith Av. L4 —4B 30
Keith Av. WA5 —3A 146
Keithley Wlk. L24 —1C 129
Kelburn Ct. WA3 —1C 145
Kelday Clo. L33 —1C 23
Kelkbeck Clo. L31 —3D 5
Kellet's Pl. L42 —3D 85
Kellett Rd. L46 —1A 62
Kellitt Rd. L15 —4C 69
Kelly Dri. L20 —2A 30
Kelly St. L34 —3C 53
Kelmscott Dri. L44 —4C 41
Kelsall Av. WA9 —4A 56
Kelsall Clo. L43 —3D 83
Kelsall Clo. WA3 —3A 144
Kelsall Clo. WA8 —4C 97
Kelso Clo. L33 —2B 12
Kelso Rd. L6 —1B 68
Kelton Gro. L17 —4C 89
Kelvin Clo. WA3 —1A 144
Kelvin Gro. L8 —1A 88
Kelvin Rd. L41 —3C 85
Kelvin Rd. L44 —2C 65
Kelvinside. L23 —1D 17
Kelvinside. L44 —2C 65
Kemberton Dri. WA8 —2D 97

Kemble St.—Lapwing Gro.

Kemble St. L6 —1A 68
Kemble St. L34 —3B 52
Kemmel Av. WA4 —2D 157
Kempsell Wlk. L26 —3D 115
Kempsell Way. L26 —3D 115
Kempsey Gro. WA9 —2C 55
Kempson Ter. L63 —1A 124
Kempston St. L3 —2C 67
Kempton Clo. L36 —3B 72
Kempton Clo. WA7 —1D 137
Kempton Pk. Rd. L10 —1C 21
Kempton Rd. L15 —3C 69
Kempton Rd. L62 —2A 108
Kemsley Rd. L14 —1D 71
Kenbury Clo. L33 —4D 13
Kenbury Rd. L33 —4D 13
Kendal Av. WA2 —4A 142
Kendal Clo. L63 —3D 107
Kendal Dri. L31 —3C 5
Kendal Dri. L35 —1D 75
Kendal Dri. WA11 —3C 27
Kendal Mt. WA11 —3C 27
Kendal Pk. L12 —3B 48
Kendal Rise. WA7 —2D 137
Kendal Rd. L16 —4C 71
Kendal Rd. L44 —2A 64
Kendal Rd. WA8 —1B 118
Kendal St. L41 —1C 85
Kendricks Fold. L35 —1A 76
Kendrick St. WA1 —4C 149
Kenilworth Av. WA7 —4A 132
Kenilworth Clo. L25 —3C 91
Kenilworth Dri. L61 —4C 103
Kenilworth Dri. WA1 —2C 151
Kenilworth Gdns. L49 —1C 81
Kenilworth Rd. L16 —4C 71
Kenilworth Rd. L23 —4B 6
Kenilworth Rd. L44 —1C 65
Kenilworth St. L20 —3C 29
Kenilworth Way. L25 —3C 91
Kenley Av. WA8 —1B 96
Kenley Clo. L6 —4B 46
Kenley Pde. L6 —4B 46
Kenmare Rd. L15 —1C 89
Kenmay Wlk. L33 —1D 23
Kenmore Rd. L43 —4C 83
Kennelwood Av. L33 —1D 23
Kennessee Clo. L31 —1C 11
Kenneth Clo. L30 —1C 19
Kenneth Rd. WA8 —2B 118
Kennet Rd. L63 —4C 107
Kennford Rd. L11 —1D 33
Kensington. L7 —1A 68
Kensington Av. WA4 —2D 159
Kensington Av. WA9 —2A 56
Kensington Gdns. L46 —3C 61
Kensington St. L6 —1A 68
Kent Av. L21 —3B 18
Kent Clo. L20 —2D 29
Kent Clo. L63 —4C 125
Kent Gdns. L1 —3C 67
Kent Gro. WA7 —3A 132
Kentmere Av. WA11 —3D 27
Kentmere Dri. L61 —1B 122
Kentmere Pl. WA2 —3C 141
Kent M. L43 —2A 84
Kenton Rd. L26 —2D 115
Kent Pl. L41 —1C 85
Kent Rd. L44 —1D 63
Kent Rd. WA5 —1D 155
Kent Rd. WA9 —2B 56
Kents Bank. L12 —4D 33
Kent St. L1 —4C 67
Kent St. L43 —2A 84
Kent St. WA4 —1D 157
Kent St. WA8 —1A 120
Kenview Clo. WA8 —4D 117
Kenwright Cres. WA9 —2B 56
Kenwyn Rd. L45 —3A 42
Kenyon Av. WA5 —4A 146
Kenyon Rd. L15 —1D 89
Kenyons La. L31 —2C 5
Kenyon's Lodge. L31 —3C 5
Kenyon Ter. L43 —2A 84
Kepler St. L21 —1C 29
Kerfoot Bus. Pk. WA2 —2C 149
Kerfoot St. WA2 —2C 149
Kerr Gro. WA9 —3C 39
Kerris Clo. L17 —4A 88
Kerr St. L6 —4A 46
Kerrysdale Clo. WA9 —2B 56
Kersey Rd. L32 —3D 23
Kersey Wlk. L32 —3D 23
Kershaw Av. L23 —1D 17
Kershaw St. WA8 —4C 97
Kerswell Clo. WA9 —2B 56
Keston Wlk. L26 —3C 115
Kestrel Av. L49 —1B 80
Kestrel Clo. L49 —1B 80
Kestrel Dene. L10 —4D 21
Kestrel Gro. L26 —4C 93
Kestrel La. WA3 —3B 144
Kestrel Rd. L46 —3B 60
Kestrel Rd. L60 —4D 123
Kestrel's Way. WA7 —1A 138
Keswick Av. WA2 —4D 141
Keswick Clo. L31 —3C 5
Keswick Clo. WA8 —1B 118
Keswick Cres. WA2 —4D 141
Keswick Dri. L21 —3C 19
Keswick Pl. L43 —3C 63
Keswick Rd. L18 —4B 90
Keswick Rd. L45 —2C 41
Keswick Rd. WA10 —2C 37
Keswick Way. L16 —3D 71
Kevelioc Clo. L63 —2A 124
Kew St. L5 —4C 45
Keybank Rd. L12 —1D 47
Keyes Clo. WA3 —3C 145
Keyes Gdns. WA3 —2C 145
Kiddman St. L9 —3B 30
Kidstone Clo. WA9 —2B 56
Kilburn Gro. WA9 —2C 55
Kilburn St. L21 —1C 29
Kildale Clo. L31 —3B 4
Kildare Clo. L24 —3A 130
Kildonan Rd. L17 —4C 89
Kildonan Rd. WA4 —2C 159
Kilford Clo. WA5 —1B 148
Kilgraston Gdns. L17 —1C 111
Killarney Gro. L44 —1D 63
Killarney Rd. L13 —1A 70
Killester Rd. L25 —2A 92
Killington Way. L4 —2C 45
Killingworth La. WA3 —2C 145
Kilmalcolm Clo. L43 —2D 83
Kilmore Clo. L9 —3B 20
Kilmory Av. L25 —4B 92
Kiln Clo. WA10 —2A 36
Kilncroft. WA7 —2C 139
(in two parts)
Kiln Hey. L12 —3A 48
Kiln La. WA10 —1A 36
Kiln Rd. L49 —3A 82
Kilnyard Rd. L23 —4C 7
Kilrea Clo. L11 —1D 47
Kilrea Rd. L11 —1C 47 & 1D 47
Kilsail Rd. L32 —4D 23
Kilsby Dri. WA8 —4C 99
Kilshaw St. L6 —4A 46
(in two parts)
Kilsyth Clo. WA2 —3C 143
Kimberley Av. L23 —1B 16
Kimberley Av. WA9 —2C 55
Kimberley Clo. L8 —4D 67
Kimberley Dri. L23 —4C 7
Kimberley Dri. WA4 —3D 157
Kimberley Rd. L45 —3A 42
Kimberley St. L43 —3D 63
Kimberley St. WA5 —4B 148
Kindale Rd. L43 —1C 105
Kinder St. L6 —1D 67
King Arthur's Wlk. WA7 —3D 133
King Av. L20 —1A 30
King Edward Clo. L35 —4A 54
King Edward Dri. L62 —3A 108
King Edward Pde. L3 —2A 66
King Edward Rd. L35 —4A 54
King Edward Rd. WA10 —1C 37
King Edward St. L3 —2A 66
King Edward St. WA1 —3B 150
Kingfield Rd. L9 —1B 30
Kingfisher Clo. L27 —2C 93
Kingfisher Clo. L33 —2C 13
Kingfisher Clo. WA3 —3B 144
Kingfisher Ct. WA7 —2B 138
Kingfisher Gro. L12 —4B 34
Kingfisher Way. L49 —1B 80
King George Cres. WA1 —3B 150
King George Dri. L44 —3B 42
King George's Dri. L62 —3A 108
King George's Way. L43 —4C 63
Kingham Clo. L25 —4B 92
Kingham Clo. WA8 —1C 121
King James Ct. WA7 —1A 138
Kinglake Rd. L44 —4C 43
Kinglake St. L7 —3A 68
Kinglass Rd. L62 —1C 125
King's Av. L47 —3C 59
Kingsbrook Way. L63 —1C 107
King's Brow. L63 —3B 106
Kingsbury. L48 —4B 78
Kings Clo. L17 —4B 88
Kings Clo. L63 —2B 106
Kings Ct. L21 —4D 17
Kings Ct. L47 —4A 58
Kings Ct. L63 —3C 107
Kingscourt Rd. L12 —3B 48
Kingsdale Av. L35 —1B 76
Kingsdale Av. L42 —4C 85
Kingsdale Rd. L18 —2A 90
Kingsdale Rd. WA5 —2B 146
Kings Dock Rd. L1 —4B 66
Kingsdown Rd. L11 —1A 48
Kingsdown St. L41 —2C 85
Kings Dri. L25 —3B 92
(Gateacre)
Kings Dri. L25 —4A 92
(Woolton)
King's Dri. L48 —2B 100
King's Dri. L61 —3D 103
King's Dri. N. L48 —1C 101
Kingsfield Rd. L31 —2B 10
King's Gap, The. L47 —1A 78
Kingshead Clo. WA7 —2D 133
Kingsheath Av. L14 —4C 49
Kingsland Cres. L11 —3A 32
Kingsland Grange. WA1 —1A 152
Kingsland Rd. L11 —3A 32
Kingsland Rd. L42 —3B 84
King's La. L63 —2C 107
Kingsley Clo. L31 —2A 4
Kingsley Clo. L61 —1B 122
Kingsley Cres. WA7 —3D 131
Kingsley Dri. WA4 —4D 157
Kingsley Rd. L8 —1A 88 to 4A 68
Kingsley Rd. L44 —1A 64
Kingsley Rd. WA7 —3D 131
Kingsley Rd. WA10 —1B 36
Kingsley St. L41 —4D 63
Kingsmead Dri. L25 —2A 114
Kingsmead Gro. L43 —1D 83
Kings Meadow. WA7 —4B 134
Kingsmead Rd. L43 —1D 83
Kingsmead Rd. L46 —2D 61
Kingsmead Rd. N. L43 —1D 83
Kingsmead Rd. S. L43 —2D 83
Kings M. WA4 —4D 157
Kings Mt. L43 —2A 84
Kingsnorth. L35 —2D 75
Kings Pde. L3 —4B 66
King's Pde. L45 —1C 41 to 1A 42
King's Rd. L20 —4D 29
Kings Rd. L23 —4B 6
King's Rd. L63 —1B 106
Kings Rd. WA2 —4C 143
Kings Rd. WA10 —4B 36
King's Sq. L41 —1D 85
Kingsthorne Pk. L25 —3B 114
Kingsthorne Rd. L25 —3B 114
Kingston Av. WA5 —4B 146
Kingston Clo. L12 —4C 49
Kingston Clo. L46 —3C 61
Kingston Clo. WA7 —2C 133
King St. L19 —4A 112
King St. L22 —3C 17
King St. L34 —3B 52
King St. L42 —1D 107
King St. L44 —4B 42
King St. WA7 —1D 131
King St. WA10 —3D 37
Kingsville Rd. L63 —4C 107
King's Wlk. L42 —1D 107
Kings Wlk. L48 —4B 78
Kingsway. L22 —2C 17
Kingsway. L35 —4B 52
Kingsway. L36 —4B 50
Kingsway. L44 —1D 65
(Second Mersey Tunnel)
Kingsway. L45 —3D 41
Kingsway. L63 —2B 106
Kingsway. WA8 —2D 119
Kingsway. WA11 —3B 26
Kingsway N. WA1 —3B 150
Kingsway Pde. L36 —4B 50
Kingsway Pk. L3 —4C 45
Kingsway S. WA1 & WA4 —4B 150 to 2B 158
Kingsway Tunnel App. L44 —1C 63 to 2C 65
Kingswell Clo. L7 —3A 68
Kings Wharf. L41 —2C 65
Kingswood Av. L9 —4A 20
Kingswood Av. L22 —2D 17
Kingswood Boulevd. L63 —2C 107
Kingswood Ct. L33 —4D 13
Kingswood Dri. L23 —1C 17
Kingswood Rd. L44 —4B 42
Kingswood Rd. WA5 —1C 147
Kington Rd. L48 —3A 78
Kinley Gdns. L20 —1A 30
Kinloch Clo. L26 —3D 115
Kinloss Rd. L49 —3B 80
Kinmel Clo. L4 —1B 46
Kinmel Clo. L41 —4C 65
Kinmel St. L8 —1D 87
Kinmel St. WA9 —1B 56
Kinnaird Rd. L45 —3D 41
Kinnaird St. L8 —3A 88
Kinnerton Clo. L46 —3A 60
Kinross Clo. WA2 —3B 142
Kinross Rd. L10 —4C 21
Kinross Rd. L22 —3C 17
Kinross Rd. L45 —3C 41
Kinsale Dri. WA3 —3A 144
Kintore Dri. WA5 —3A 146
Kintore Rd. L19 —2A 112
Kinver Clo. L26 —3C 115
Kipling Av. L36 —3D 73
Kipling Av. L42 —1D 107
Kipling Av. WA2 —1D 149
Kipling Cres. WA8 —1D 119
Kipling Gro. WA9 —1D 77
Kipling St. L20 —1C 29
Kirby Clo. L48 —1B 100
Kirby Mt. L48 —1B 100
Kirby Pk. L48 —1B 100
Kirby Pk. Mans. L48 —1A 100
Kirby Rd. L20 —1D 29
Kirkbride Clo. L27 —2D 93
Kirkbride Lawn. L27 —3D 93
Kirkbride Wlk. L27 —3D 93
(off Winster Dri.)
Kirkby Bank Rd. L33 —2A 24
Kirkby Dri. L32 —2C 23
Kirkby Ind. Est. L33 —2A 24
Kirkby Rank La. L33 —2C 25
Kirkby Row. L32 —1B 22
Kirkcaldy Av. WA5 —3A 146
Kirk Cotts. L45 —2A 42
Kirkdale Rd. L5 —3C 45
Kirkdale Vale. L4 —2C 45
Kirket Clo. L63 —4D 107
Kirket La. L63 —4D 107
Kirkfield Gro. L42 —1A 108
Kirkham Clo. WA5 —1D 155
Kirkham Rd. WA8 —4A 98
Kirkland Av. L42 —4C 85
Kirkland Clo. L9 —4D 19
Kirkland Rd. L45 —1B 42
Kirklands, The. L48 —4B 78
Kirkland St. WA10 —2C 37
Kirkmaiden Rd. L19 —1A 112
Kirkman Fold. L35 —1A 76
Kirkmore Rd. L18 —4A 90
Kirkmount. L49 —2A 82
Kirk Rd. L21 —1C 29
Kirkside Clo. L12 —3D 33
Kirkstone Av. WA2 —4D 141
Kirkstone Av. WA11 —3C 27
Kirkstone Cres. WA7 —2B 138
Kirkstone Rd. N. L21 —2B 18
Kirkstone Rd. S. L21 —3B 18
Kirkstone Rd. W. L21 —2A 18
Kirk St. L5 —2C 45
Kirkwall Dri. WA5 —2C 155
Kirkway. L45 —2A 42
Kirkway. L49 —2C 81
Kirkway. L63 —2B 106
Kitchener Dri. L9 —1B 30
Kitchener St. WA10 —2C 37
Kitchen St. L1 —4B 66
Kitling Rd. L34 —1C 35
Kiverley Clo. L18 —3C 91
Knaresborough Rd. L44 —4D 41
Knighton Rd. L4 —4D 31
Knightsbridge Av. WA4 —2D 159
Knightshouse Pk. WA8 —2C 99
Knight St. L1 —3C 67
Knightsway. L22 —2D 17
Knoclaid Rd. L13 —2C 47
Knoll, The. L43 —3A 84
Knoll, The. WA7 —4D 133
Knowle Clo. L12 —3D 33
Knowles St. L41 —4B 64
Knowles St. WA8 —4B 98
Knowl Hey Rd. L26 —3D 115
Knowsley Clo. L42 —1D 107
Knowsley Ct. L42 —1A 108
Knowsley Heights. L36 —4C 51
Knowsley Ind. Est. L34 —1B 34
Knowsley Ind. Pk. L33
(in two parts) —2A 24 & 3A 24
Knowsley Ind. Pk. L34 —1B 34
Knowsley La. L34 & L36 —1D 35 to 3D 51
Knowsley Pk. La. L34 —2A 52
Knowsley Rd. L19 —3D 111
Knowsley Rd. L20 —1B 28
Knowsley Rd. L35 —2B 76
Knowsley Rd. L42 —1D 107
Knowsley Rd. L45 —3D 41
Knowsley Rd. WA10 —3A 36
Knowsley St. L4 —4B 30
Knox Clo. L62 —3A 108
Knox St. L41 —1D 85
Knutsford Grn. L46 —3C 61
Knutsford Old Rd. WA4 —2C 159
Knutsford Rd. L46 —3C 61
Knutsford Rd. WA4 & WA13 —1D 157 to 4B 160
Knutsford Wlk. L31 —2B 4
Kramar Wlk. L33 —1D 23
Kremlin Dri. L13 —4D 47
Kylemore Av. L18 —3D 89
Kylemore Clo. L61 —1A 122
Kylemore Dri. L61 —1A 122
Kylemore Rd. L43 —3A 84
Kylemore Way. L26 —3C 115
Kylemore Way. L61 —1A 122
(in two parts)
Kynance Rd. L11 —1A 34

Laburnum Av. L36 —3C 73
Laburnum Av. WA1 —2A 152
Laburnum Av. WA11 —4D 27
Laburnum Ct. L8 —2D 87
(off Weller Way)
Laburnum Cres. L32 —1B 22
Laburnum Gro. L15 —4D 69
(off Chestnut Gro.)
Laburnum Gro. L31 —4C 5
Laburnum Gro. L61 —3C 103
Laburnum Gro. WA7 —4A 132
Laburnum La. WA5 —4B 146
Laburnum Pl. L20 —3D 29
Laburnum Rd. L7 —1C 69
Laburnum Rd. L43 —2A 84
Laburnum Rd. L45 —2A 42
Lace St. L3 —1B 66
Lacey Ct. WA8 —2A 120
Lacey Rd. L34 —3C 53
Lacey St. WA8 —2D 119
Lacey St. WA10 —1B 54
Ladies' Wlk. WA2 —1C 141
Lad La. L3 —2A 66
Ladybower Clo. L7 —3A 68
Ladycroft Clo. WA1 —3B 152
Ladyewood Rd. L44 —1B 64
Ladyfields. L12 —4A 48
Lady La. WA3 —1D 143
Lady Mountford Ho. L18 —3D 89
Ladypool. L24 —3A 130
Ladysmith Rd. L10 —4C 21
Ladywood Rd. WA5 —1A 148
Laffak Rd. WA11 —3D 27
Laggan St. L7 —2A 68
Lagrange Arc. WA10 —3D 37
Laira Ct. WA2 —3D 149
Laira St. WA2 —3D 149
Laird Clo. L41 —3D 63
Lairds Pl. L3 —4B 44
Laird St. L41 —3D 63
Lakeland Clo. L1 —3B 66
Lakenheath Rd. L26 —3C 115
Lake Pl. L47 —4A 58
Lake Rd. L15 —4D 69
Lake Rd. L47 —4A 58
Lakeside Clo. WA8 —2D 117
Lakeside Ct. L45 —1B 42
Lakeside Dri. WA1 —2C 157
Lakeside Lawn. L27 —3D 93
Lakeside View. L22 —3C 17
Lake St. L4 —2D 45
Lake View. L35 —3C 75
Laleston Clo. WA8 —2C 119
Lamber Ct. WA8 —2A 120
Lambert St. L3 —2C 67
Lambert Way. L3 —2C 67
Lambeth Rd. L5 & L4 —2B 44
Lambeth Wlk. L4 —2C 45
Lambourn Av. WA8 —1B 96
Lambourne Gro. WA9 —3D 39
Lambourne Rd. L4 —4A 32
Lambshear La. L31 —2B 4
Lambsickle Clo. WA7 —1B 136
Lambsickle La. WA7 —1B 136
Lambs La. WA1 —2C 151 & 3C 151
Lambton Rd. L17 —3A 88
Lammermoor Rd. L18 —4A 90
Lampeter Rd. L6 —3B 46
Lamport Clo. WA8 —3C 99
Lamport St. L8 —1C 87
Lancashire Gdns. WA10 —4C 37
Lancaster Av. L17 —1B 88
Lancaster Av. L23 —1B 16
Lancaster Av. L35 —1B 74
Lancaster Av. L45 —4A 42
Lancaster Av. WA7 —4C 131
Lancaster Av. WA8 —4D 95
Lancaster Clo. L5 —3C 45
Lancaster Clo. L31 —4D 5
Lancaster Clo. L62 —3A 108
Lancaster Ct. WA4 —3B 158
Lancaster Rd. L36 —1D 73
Lancaster Rd. WA8 —3A 98
Lancaster St. L5 —3C 45
Lancaster St. L9 —3B 30
Lancaster St. WA5 —4B 148
Lancaster Wlk. L5 —3C 45
Lancaster Wlk. L36 —1D 73
Lance Clo. L5 —4D 45
Lancefield Rd. L9 —1B 30
Lance Gro. L15 —4A 70
Lance La. L15 —4A 70
Lancelots Hey. L3 —2A 66
Lancelyn Ct. L63 —1B 124
Lancelyn Precinct. L63 —1B 12
(off Spital Rd.)
Lancelyn Ter. L63 —1A 124
Lancing Av. WA2 —3C 141
Lancing Clo. L25 —1B 114
Lancing Dri. L10 —2C 21
Lancing Rd. L25 —1B 114
Lancing Way. L25 —1B 114
Lancots La. WA9 —2B 56
Landcut La. WA3 —3A 144
Lander Clo. WA5 —2A 148
Lander Rd. L21 —1C 29
Landford Av. L9 —2A 32
Landford Pl. L9 —2A 32
Landican La. L49 & L63 —1B 104 to 4A 106
Landican Rd. L49 —2A 104
Landseer Av. WA4 —3D 157
Landseer Rd. L5 —4D 45
Lanfranc Clo. L16 —3C 71
Lanfranc Way. L16 —3C 71
Langbar. L35 —2C 75
Langdale Av. L61 —1B 122
Langdale Clo. L32 —2D 23
Langdale Clo. WA2 —4B 142
Langdale Clo. WA8 —1A 118
Langdale Dri. L31 —4C 5
Langdale Gro. WA11 —4C 27
Langdale Rd. L15 —1C 89
Langdale Rd. L45 —2D 41
Langdale Rd. L63 —1A 124
Langdale Rd. WA7 —3A 132
Langdale St. L20 —3D 29
Langford Rd. L19 —2D 111
Langford Rd. L24 —3A 130
Langham Av. L17 —3B 88
Langham Ct. L4 —1D 45
Langham St. L4 —1D 45
Langholme Heights. L11 —2B 32
Langland Clo. L4 —1B 46
Langland Clo. WA5 —1B 148
Lang La. L48 —3A 78
Lang La. S. L48 —4B 78
Langley Clo. L12 —3B 34
Langley Clo. L63 —2B 124
Langley Rd. L63 —2B 124
Langley Rd. WA2 —1D 149
Langley St. L8 —1C 87
Langrove St. L5 —4C 45
Langsdale St. L3 —1C 67 & 1D 67
Langshaw Lea. L27 —2D 93
Langstone Av. L49 —4B 80
Langton Clo. WA8 —3A 96
Langton Grn. WA1 —3A 152
Langton Rd. L15 —4B 68
Langton Rd. L33 —4C 13
Langton St. L20 —4B 28
Langtree St. WA9 —3A 38
Langtry Clo. L4 —1C 45
Langtry Rd. L4 —1C 45
Langwell Clo. WA3 —2C 145
Lansbury Av. WA9 —3C 39
Lansbury Rd. L36 —2D 73
Lansdowne. L12 —3A 48
Lansdowne Clo. L41 —3D 63
Lansdowne Ct. L43 —3D 63
Lansdowne Pl. L5 —3D 45
Lansdowne Pl. L43 —3D 63
Lansdowne Rd. L43 & L41 —3D 63
Lansdowne Rd. L45 —2D 41
Lansdowne Way. L36 —2C 73
Lanville Rd. L19 —1A 112
Lanyork Rd. L3 —1A 66
Lapford Cres. L33 —4D 13
Lapford Wlk. L33 —4D 13
Lapwing Clo. L12 —4A 34
Lapwing Ct. L26 —1C 115
Lapwing Gro. WA7 —1B 138

Lapwing La.—Lomond Rd.

Lapwing La. WA4
—4B 154 to 4D 155
Lapworth St. L5 —3B 44
Larch Av. WA5 —4B 146
Larch Av. WA8 —4A 98
Larch Clo. L19 —2D 111
Larch Clo. WA7 —4B 132
Larch Ct. L8 —2D 87
(off Weller Way)
Larchdale Gro. L9 —2C 31
Larchfield Rd. L23 —3A 8
Larch Gro. L15 —3D 69
Larch Gro. L43 —3C 63
Larch Lea. L6 —4A 46
Larch Rd. L36 —2B 72
Larch Rd. L42 —2B 84
Larch Rd. WA7 —4B 132
Larch Towers. L33 —1D 23
Larchways. WA4 —2A 162
Larchwood Av. L31 —2B 10
Larchwood Clo. L25 —2A 92
Larchwood Clo. L61 —2B 122
Larchwood Dri. L63 —2C 107
Larcombe Av. L49 —2D 81
Larkfield Av. WA1 —3C 151
Larkfield Clo. L17 —4B 88
Larkfield Gro. L17 —4B 88
Larkfield Rd. L17 —4B 88
Larkfield View. L15 —3C 69
Larkhill Av. L49 —4D 61
(in two parts)
Larkhill Clo. L13 —2C 47
Larkhill La. L13 —2C 47
Larkhill Pl. L13 —2C 47
Larkhill View. L13 —2D 47
Larkhill Way. L49 —4D 61
Lark La. L17 —3A 88
Larkspur Clo. WA7 —2B 138
Larkstoke Clo. WA4 —2B 162
Larksway. L60 —4C 123
Lark Way. L17 —3A 88
Larton Rd. L48 —3C 79
Lascelles Rd. L19 —2B 112
Lascelles St. WA9 —3B 38
Laskey La. WA4 —1B 160
Latchford St. WA4 —2C 159
Latham Av. WA7 —3A 132
Latham St. L5 —3B 44 to 2C 45
Latham St. WA8 —4B 98
Latham St. WA9 —2B 38
Latham Way. L63 —2B 124
Lathbury La. L17 —1C 89
Lathom Av. L21 —4D 17
Lathom Av. L44 —4A 42
Lathom Av. WA2 —2D 149
Lathom Clo. L21 —4D 17
Lathom Dri. L31 —3C 5
Lathom Rd. L20 —1D 29
Lathom Rd. L36 —1C 73
Lathum Clo. L35 —4C 53
Lathwaite Clo. WA9 —4A 56
Latimer St. L5 —3B 44
Latrigg Rd. L17 —4C 89
Lauder Clo. L33 —3B 12
Launceston Clo. WA7 —1C 139
Launceston Dri. WA5 —1B 154
Laund, The. L45 —3D 41
Laurel Av. L60 —3B 122
Laurel Av. L63 —4C 107
Laurel Av. WA1 —2A 152
Laurel Bank. WA8 —3D 97
Laurelbanks. L60 —3A 122
Laurel Gro. L8 —1B 88
Laurel Gro. L22 —1B 16
Laurel Gro. L36 —3C 73
Laurelhurst Av. L61 —1B 122
Laurel Rd. L7 —1B 68
Laurel Rd. L34 —3C 53
Laurel Rd. L42 —2B 84
Laurel Rd. WA10 —3B 36
Laurel Rd. WA11 —1D 39
Laurels, The. L46 —1C 61
Laurence Deacon Ct. L41 —4B 64
Lauriston Rd. L4 —4D 31
Lavan Clo. L6 —1D 67
Lavan St. L6 —1D 67
Lavan St. WA9 —2C 55
Lavender Clo. WA7 —3B 132
Lavender Cres. L34 —3C 53
Lavender Gdns. L23 —3A 8
Lavender Way. L9 —2C 31
Lavrock Bank. L8 —2C 87
Lawford Dri. L60 —4D 123
Lawler St. L21 —4A 18
Lawn Av. WA1 —2B 150
Lawns, The. L43 —4B 62
Lawrence Clo. L19 —2D 111
Lawrence Gro. L15 —4C 69
Lawrence Rd. L15 —4B 68
Lawrence Rd. WA10 —1B 36
Lawrenson St. WA10 —3C 37
Lawson Clo. WA1 —3B 152
Lawson Wlk. L12 —3A 34
Lawton Av. L20 —1A 30
Lawton Rd. L22 —2C 17
Lawton Rd. L35 —2B 76
Lawton Rd. L36 —2B 72
Lawton St. L1 —3C 67
Laxey Av. WA1 —3A 152
Laxey St. L8 —1C 87
Laxton Rd. L25 —3B 114
Layford Clo. L36 —3C 51
Layford Rd. L36 —3B 50
Layton Av. L43 —4D 83
Layton Clo. L25 —4B 92
Layton Clo. WA3 —3B 144
Layton Rd. L25 —4B 92
Leachcroft. L28 —2A 50
Leach La. WA9 —4B 56
Leach St. WA10 —2D 37
Leach Way. L61 —3B 102
Lea Clo. L43 —2C 83
Leacroft Rd. WA3 —1C 145
Lea Cross Gro. WA8 —3B 96
Leadenhall Clo. L5 —3D 45
Leadenhall St. L5 —3D 45
Leafield Clo. L61 —3D 103
Leafield Rd. L25 —3A 114
Lea Grn. Ind. Est. WA9 —4C 55
Lea Grn. Rd. WA9
—1D 77 to 3D 55
Leamington Clo. WA5 —2C 147
Leamington Gdns. L49 —3A 82
Leamington Rd. L11 —4A 32
Leander Rd. L45 —4D 41
Lea Rd. L44 —4B 42
Leaside. WA7 —3B 132
Leasowe Av. L45 —3C 41
Leasowe Gdns. L46 —1C 61
Leasowe Rd. L9 —4A 20
Leasowe Rd. L46, L45 & L44
—1C 61 to 3C 41
Leasoweside. L46 —4A 40
Leas, The. L45 —2C 41
Leas, The. L61 —3A 104
Lea St. L41 —4C 65
Leatham Clo. WA3 —4A 144
Leatherbarrows La. L31 —2A 12
Leather La. L2 —2B 66
Leathers La. L26 —3D 115
Leathwood. L31 —1C 11
Leaway. L49 —2C 81
Leawood Gro. L46 —3D 61
Leckwith Rd. L30 —2A 20
Leda Gro. L17 —3B 88
Ledbury Clo. L12 —2B 34
Ledbury Clo. L43 —4C 83
Ledbury Clo. WA10 —3A 36
Ledger Rd. WA11 —1D 39
Ledsham Clo. L43 —2C 83
Ledsham Clo. WA3 —3A 144
Ledsham Rd. L32 —2B 22
Ledsham Wlk. L32 —2B 22
Ledston Clo. WA7 —3B 134
Ledyard Clo. WA5 —2A 148
Leece St. L1 —3C 67
Lee Clo. L35 —2B 76
Leecourt Clo. L12 —3C 49
Leeds St. L3 —1A 66
Lee Hall Rd. L25 —2B 92
Leeming Clo. L19 —4B 112
Lee Pk. Av. L25 —2B 92
Lee Rd. L47 —4B 58
Lee Rd. WA5 —4D 147
Lees Av. L42 —4D 85
Leeside Av. L32 —3C 23
Leeside Clo. L32 —3C 23
Lees La. L12 —2C 49
Lees Moor Way. L7 —3A 68
Lees Rd. L33 —3A 24
Lee St. WA9 —2C 57
Leeswood Rd. L49 —3D 81
Lee Vale Rd. L25 —2A 92
Legh Rd. L62 —2A 108
Legh Rd. WA11 —1D 39
Legh St. WA1 —4C 149
Legion La. L62 —3D 125
Legion Rd. WA10 —1B 54
Leicester Av. L22 —1B 16
Leicester Rd. L20 —2A 30
Leicester St. WA5 —4B 148
Leicester St. WA9 —2B 54
Leigh Av. WA8 —1D 119
Leigh Grn. Clo. WA8 —1B 118
Leigh Pl. L1 —3B 66
Leigh Rd. L7 —3B 68
Leigh Rd. L48 —3A 78
Leighs Hey Cres. L32 —2C 23
Leigh St. L1 —2B 66
Leighton Av. L31 —3B 4
Leighton Av. L47 —3C 59
Leighton Rd. L41 —2C 85
Leighton St. L4 —1C 45
Leinster Rd. L13 —1A 70
Leinster St. WA7 —2C 131
Leison St. L4 —2B 44
Leiston Clo. L61 —2C 103
Lemon Clo. L7 —3B 68
Lemon Gro. L8 —1B 88
Lemon St. L5 —3B 44
Lemon Tree Wlk. WA10 —4B 36
Lenfield Dri. WA11 —1D 39
Lenham Way. L24 —1A 128
Lennox Av. L45 —2A 42
Lennox La. L43 —2B 62
Lenthall St. L4 —4B 30
Lenton Rd. L25 —2B 92
Leominster Rd. L44 —4A 42
Leonara St. L8 —2D 87
Leonard Cheshire Dri. L30
—1D 19
Leonards Clo. L36 —3B 50
Leonard St. WA2 —3D 149
Leonard St. WA4 —3A 158
Leonard St. WA7 —4B 130
Leonard St. WA9 —2C 57
Leon Clo. WA5 —3A 146
Leopold Gro. WA9 —3A 56
Leopold Rd. L7 —2A 68
Leopold Rd. L22 —2A 16
Leopold St. L44 —1C 65
Leslie Av. L49 —4B 80
Leslie Rd. WA10 —1A 54
Lesseps Rd. L8 —4B 68
Lessingham Rd. WA8 —3D 97
Lester Clo. L4 —2C 45
Lester Dri. L61 —2B 102
Lester Dri. WA10 —2A 36
Lestock St. L8 —4C 67
Leta St. L4 —1D 45
Letchworth St. L6 —3A 46
Lethbridge Clo. L5 —3B 44
Letitia St. L8 —2D 87
Letterstone Clo. L6 —4D 45
Letterstone Wlk. L6 —4D 45
Levens Hey. L46 —3C 61
Leven St. L4 —1C 45
Levens Way. WA8 —1A 118
Lever Av. L44 —2C 65
Lever Causeway. L63 —3A 106
Leveret Rd. L24 —1D 129
Leverhulme Ct. L63 —1B 124
Lever St. WA9 —4B 56
Lever Ter. L42 —3C 85
Leveson Rd. L13 —2A 70
Lewis Av. WA5 —1B 148
Lewis Cres. WA8 —2D 119
Lewis Gro. WA8 —1C 119
Lewisham Rd. L11 —4B 32
Lewisham Rd. L62 —3B 108
Lewis St. WA10 —3C 37
Lexden St. WA5 —3B 148
Lexham Rd. L14 —1A 70
Leybourne Clo. L25 —1D 91
Leybourne Grn. L25 —1D 91
Leybourne Gro. L25 —1D 91
Leybourne Rd. L25 —1D 91
Leyburn Clo. L32 —4C 23
Leyburn Rd. L45 —3D 41
Ley Clo. WA9 —4B 56
Leyfield Clo. L12 —3B 48
Leyfield Ct. L12 —3B 48
Leyfield Ho. L12 —4C 49
Leyfield Rd. L12 —3B 48
Leyfield Wlk. L12 —3B 48
Leyland St. L34 —3B 52
Leyton Clo. WA7 —1C 137
Liberton Ct. L5 —3D 45
Liberty St. L15 —4C 69
Librex Rd. L20 —1D 29
Libson Clo. WA2 —3C 143
Lichfield Av. L22 —1B 16
Lichfield Clo. L30 —2D 19
Lichfield Rd. L15 —1A 90
Lichfield Rd. L26 —3C 115
Lichfield St. L45 —2B 42
Lickers La. L35 —2C 75
Liddell Av. L31 —4A 12
Liddell Ct. L45 —4B 40
Liddell Rd. L12 —2D 47
Lidderdale Rd. L15 —1C 89
Liebig St. WA8 —2A 120
Liffey St. L8 —4A 68
Lifton Rd. L33 —2D 23
Lightbody St. L5 —4A 44
Lightburn St. WA7 —3D 131
Lightfoot Clo. L60 —4C 123
Lightfoot La. L60 —4C 123
Lighthouse Rd. L24 —4A 130
Lighthouse Rd. L47 —1A 78
Lightwood Dri. L7 —3B 68
Lilac Av. WA5 —4C 147
Lilac Av. WA8 —4A 98
Lilac Cres. WA7 —4A 132
Lilac Gro. L36 —3B 72
Lilac Gro. WA4 —3A 158
Lilac Gro. WA11 —1D 39
Lilford Av. L9 —1B 30
Lilford Av. WA5 —2B 148
Lilford Dri. WA5 —3B 146
Lilford St. WA5 —3C 149
(in two parts)
Lilian Rd. L4 —3A 46
Lilley Rd. L7 —1B 68
Lillie Clo. L43 —3B 62
Lilly Grn. L4 —4C 31
Lilly Gro. L4 —4C 31
Lilly St. L42 —4D 85
Lilly Vale. L7 —1B 68
Lily Gro. L7 —3A 68
Lily Rd. L21 —4A 18
Limbo La. L49 & L61
—1D 103 to 3D 103
Lime Av. L63 —4C 107
Lime Av. WA8 —4B 98
Lime Clo. L13 —4D 47
Lime Ct. L33 —3C 13
Limedale Rd. L18 —2A 90
Lime Gro. L8 —1A 88
Lime Gro. L21 —1B 28
Lime Gro. WA7 —4B 132
Limekiln Ct. L5 —4B 44
Limekiln La. L5 & L3 —4B 44
Limekiln La. L44 —1D 63
Limekiln Row. WA7 —3D 133
Limes, The. L49 —1D 81
Lime St. L1 —2C 67
Limetree Av. WA1 —2C 151
Lime Tree Av. WA4 —3B 158
Limetree Clo. L9 —2C 31
Lime Tree Gro. L60 —3D 123
Lime Vale Rd. WN5 —1D 27
Linacre Ho. L20 —3D 29
Linacre La. L20 —1D 29
Linacre Rd. L21 —4A 18
Linbridge Rd. L14 —3D 49
Lincoln Clo. L6 —4A 46
Lincoln Clo. L36 —1A 74
Lincoln Clo. WA1 —3B 152
Lincoln Clo. WA7 —1C 137
Lincoln Cres. WA11 —1A 38
Lincoln Dri. L10 —1B 20
Lincoln Dri. L45 —3B 42
Lincoln Gdns. L41 —3D 63
Lincoln Grn. L31 —1A 10
Lincoln Ho. WA10 —2D 37
Lincoln Rd. WA10 —4B 36
Lincoln Sq. WA8 —4A 98
Lincoln St. L19 —4B 112
Lincoln St. L41 —3D 63
Lincoln Way. L35 —2B 76
Lincoln Way. L36 —1A 74
Lincombe Rd. L36 —1A 72
Lindale Dri. WA9 —4B 56
Lindale Rd. L7 —1C 69
Lindby Clo. L32 —3A 24
Lindby Rd. L32 —3D 23
Linden Av. L23 —4B 6
Linden Av. L30 —1C 19
Linden Clo. WA1 —2A 152
Linden Ct. WA8 —2D 97
Linden Dri. L36 —3C 73
Linden Dri. L43 —1C 105
Linden Gro. L45 —2A 42
Linden Gro. WN5 —1D 27
Linden Rd. L27 —1C 93
Lindens, The. L31 —2B 10
Lindens, The. L43 —1B 84
Linden Way. WA8 —2D 97
Linden Way. WA10 —2A 36
Lindeth Av. L44 —1A 64
Lindi Av. WA4 —3D 159
Lindisfarne Dri. L12 —3B 34
Lindley Av. WA4 —1B 158
Lindley Clo. L7 —4B 68
Lindley St. L8 —4B 68
Lindrick Clo. L35 —4D 53
Lindsay Rd. L4 —1B 46
Lind St. L4 —4B 30
Lindsworth Clo. WA5 —3D 147
Lindwall Clo. L43 —3B 62
Linear Pk. L46 —3B 60
Lineside Clo. L25 —1A 92
Linford Gro. WA11 —1B 38
Lingdale Av. L43 —1D 83
Lingdale Ct. L43 —4D 63
Lingdale Rd. L43 —4D 63
Lingdale Rd. L48 —3A 78
Lingdale Rd. N. L41 —4D 63
Lingfield Clo. L36 —3B 72
Lingfield Gro. L14 —2B 70
Lingfield Rd. L14 —2B 70
Lingfield Rd. WA7 —3C 131
Lingham Clo. L46 —2B 60
Lingham La. L46
—1B 60 & 2B 60
Lingholme Rd. WA10 —2C 37
Lingley Grn. Av. WA5 —3A 146
Lingley Rd. WA5 —3A 146
Lingmell Av. WA11 —2C 27
Lingmell Rd. L12 —1A 48
Ling St. L7 —2A 68
Lingtree Rd. L32 —1A 22
Lingwood Rd. WA5 —3B 146
Linhope Way. L17 —3A 88
Link Av. L23 —3A 8
Link Av. WA11 —1C 39
Link Rd. L36 —3A 74
Links Clo. L45 —2D 41
Links Hey Rd. L48 —3C 101
Linkside. L63 —2B 106
Linkside Av. WA2 —1D 141
Linkside Ct. L23 —3A 6
Linkside Rd. L25 —1B 114
Links Rd. L32 —3D 23
Linkstor Rd. L25 —4D 91
Links View. L43 —2C 83
Links View. L45 —1D 41
Links View Clo. L25 —4C 91
Linksview Tower. L25 —4D 91
Linksway. L45 —2D 41
Linkway. WA7 —4A 132
Link Way. WA10 —1A 36
Linkway W. WA10 —3D 37
Linner Rd. L24 —2B 128
Linnet Clo. L17 —2B 88
Linnet Clo. WA2 —4A 142
Linnet Gro. WA3 —3B 144
Linnet Ho. L8 —2A 88
Linnet La. L17 —2A 88
Linnets Way. L60 —4A 122
Linnet Way. L33 —2C 13
Linosa Clo. L6 —4B 46
Linslade Clo. L33 —4D 13
Linslade Cres. L33 —4D 13
Linton St. L4 —4B 30
Linville Av. L23 —4A 6
Linwood Clo. WA7 —2C 139
Linwood Gro. L35 —2C 75
Linwood Rd. L42 —3C 85
Lionel St. WA9 —2C 57
Lions Clo. L43 —1D 83
Lipton Clo. L20 —4C 29
Lisburn La. L13 —2C 47 to 3C 47
Lisburn Rd. L17 —4C 89
Liscard Cres. L44 —4A 42
Liscard Gro. L44 —4A 42
Liscard Ho. L44 —4A 42
Liscard Rd. L15 —4B 68
Liscard Rd. L44 —4A 42
Liscard Village. L45 —4A 42
Liscard Way. L44 —4A 42
Liskeard Clo. WA7 —1C 139
Lisleholme Clo. L12 —3B 48
Lisleholme Cres. L12 —2B 48
Lisleholme Rd. L12 —3B 48
Lismore Ct. L23 —4B 6
Lismore Rd. L18 —4A 90
Lister Cres. L7 —2B 68
Lister Dri. L13 —4C 47
Lister Rd. L7 —1B 68
Lister Rd. WA7 —2B 132
Liston St. L4 —3B 30
Litcham Clo. L49 —4A 62
Litchborough Gro. L35 —3D 53
Litherland Av. L46 —3C 61
Litherland Cres. WA11 —4C 27
Litherland Pk. L21 —3A 18
Litherland Rd. L20 —1D 29
Lit. Acre. L31 —1C 11
Lit. Bongs. L14 —1B 70
Littlebourne. WA7 —1A 140
Lit. Brook La. L32 —3B 22
Lit. Canning St. L8 —4D 67
Lit. Catharine St. L8 —4D 67
Littlecote Gdns. WA4 —3A 162
Little Ct. L3 —4B 44
Lit. Croft. L35 —1C 75
Lit. Crosby Rd. L23 —1C 7
Littledale. L14 —1B 70
Littledale Rd. L44 —1B 64
Littledale Rd. WA5 —3C 147
Littlegate. WA7 —4C 133
Lit. Hardman St. L1 —3C 67
Lit. Heath Rd. L24 —2C 129
Lit. Hey. L30 —4B 8
Lit. Heys La. L23 —1D 7
Lit. Howard St. L3 —1A 66
Lit. Huskisson St. L8 —4D 67
Littlemore Clo. L49 —2B 80
Lit. Moss Hey. L28 —2A 50
Lit. Parkfield Rd. L17 —2A 88
Littler Rd. WA11 —1D 39
Lit. St Bride St. L8 —4D 67
Littlestone Clo. WA8 —3D 97
Lit. Storeton La. L63 —3A 106
Little St. WA9 —1C 57
Littleton Clo. L43 —2C 83
Littleton Clo. WA5 —1A 156
Lit. Woolton St. L7 —2D 67
Littondale Av. L35 —2C 77
Liver Ind. Est. L9 —2D 31
Livermore Ct. L8 —1B 88
Liverpool Outer Ring Rd. L31, L32,
L34, L28 & L35
—4B 10 to 4B 74
Liverpool Pl. WA8 —1B 118
Liverpool Rd. L23 —4C 7
Liverpool Rd. L31 —3B 4
Liverpool Rd. L34 —3A 52
Liverpool Rd. L36 & L34
—4A 50 to 3A 52
Liverpool Rd. WA5 & WA1
—3A 146 to 4C 149
Liverpool Rd. WA8 —1A 118
Liverpool Rd. WA10 —3C 37
Liverpool Rd. N. L31 —3B 4
Liverpool Rd. S. L31
—4B 4 to 2B 10
Liverpool St. WA10 —3D 37
Liversidge Rd. L42 —3C 85
Liver St. L1 —3B 66
Livingston Av. L17 —3B 88
Livingston Dri. L17 —3B 88
Livingston Dri. N. L17 —3B 88
Livingston Dri. S. L17 —3B 88
Livingstone Clo. WA5 —3A 148
Livingstone Gdns. L41 —4B 64
Livingstone Rd. L46 —1A 62
Livingstone St. L41 —4B 64
Llanrwst Clo. L8 —2C 87
Lloyd Av. L41 —4A 64
Lloyd Clo. L6 —4D 45
Lloyd Dri. L49 —3B 80
Lloyd Rd. L34 —2C 53
Lloyd St. WA11 —1D 39
Lobelia Av. L9 —2C 31
Lobelia Gro. WA7 —2B 138
Lochinvar St. L9 —3B 30
Lochmore Rd. L18 —1A 112
Lochryan Rd. L19 —1A 112
Loch St. WA7 —2D 131
(in two parts)
Locker Av. WA2 —4D 141
Lockerbie Clo. WA2 —3B 142
Lockerby Rd. L7 —1B 68
Locker Pk. L49 —3B 80
Locke St. L19 —4B 112
Lockett Rd. WA8 —4A 98
Lockett St. WA4 —2B 158
Lockgate E. WA7 —2B 134
Lockgate W. WA7 —2A 134
Locking Stumps Cen. WA3
—3A 144
Locking Stumps La. WA2 & WA3
—3D 143
Lock Rd. WA1 —3C 151
Lock St. WA9 —1A 38
Lockton La. WA5 —3B 148
Lockton Rd. L34 —1C 35
Loddon Clo. L49 —4A 62
Lode Rd. L11 —1D 33
Lodge La. L8 —4A 68
Lodge La. L62 —3A 108
Lodge La. WA5 —2B 148
Lodge La. WA7 —3C 133
Lodge La. WA8 —2A 96
Lodge Rd. WA8 —1A 118
Lodwick St. L20 —1A 44
Lofthouse Ga. WA8 —3C 97
Logan Rd. L41 —2A 64
Logan Towers. L5 —3B 44
Lognor Rd. L32 —1B 22
Lognor Wlk. L32 —1B 22
Logwood Rd. L36 —4D 73
Lois Ct. L45 —3B 42
Lombard Rd. L46 —2D 61
Lombardy Av. L49 —4A 80
Lomond Gro. L46 —3D 61
Lomond Rd. L7 —2C 69

Mardale Rd.—Millbank Ct.

Mardale Rd. L27 —3D 93
Mardale Rd. L36 —3B 50
Mardale Wlk. L27 —3D 93
Mardale Wlk. L36 —4B 50
Mareth Clo. L18 —4A 90
Marford Rd. L12 —2A 48
Marfords Av. L63 —4C 125
Margaret Av. L20 —4B 18
Margaret Av. WA1 —2D 151
Margaret Av. WA9 —2B 56
Margaret Clo. L6 —4D 45
Margaret Ct. WA8 —2A 120
Margaret Ct. WA10 —1C 55
Margaret Rd. L4 —4A 30
Margaret Rd. L23 —3A 6
Margaret St. L6 —4D 45 & 1D 67
Margery Rd. WA10 —1B 54
Marian Clo. L35 —2A 76
Marian Clo., The. L30 —4C 9
Marian Dri. L35 —2A 76
Marian Dri. L46 —4C 61
Marian Sq. L30 —4C 9
Marian Way, The. L30 —4C 9
Maria Rd. L9 —3B 30
Marie Curie Av. L30 —4D 9
(in two parts)
Marie Dri. WA4 —3A 160
Marina Av. L21 —4A 18 & 3A 18
Marina Av. WA5 —1D 155
Marina Av. WA9 —2B 56
Marina Cres. L30 —2D 19
Marina Cres. L36 —3B 72
Marina Dri. WA2 —1D 149
Marina Gro. WA7 —2A 132
Marina La. WA7 —1A 140
Marina Village. WA7 —4C 135
Marine Cres. L22 —3B 16
Marine Dri. L60 —4A 122
Marine Pk. L48 —3A 78
Marine Prom. L45 —1A 42
Marine Rd. L47 —4A 58
Mariners Clo. WA7 —1D 139
Mariners Pde. L1 —3B 66
Mariners' Pk. L44 —3B 42
(off Cunard Av.)
Mariners Rd. L23 —1A 16
Mariners Rd. L45 —2B 42
Mariners Way. L20 —3D 29
Mariners Wharf. L3 —1B 86
Marine Ter. L22 —3B 16
Marine Ter. L45 —2B 42
Marion Dri. WA7 —1B 136
Marion Gro. L18 —4A 90
Marion Rd. L20 —4B 18
Marion St. L41 —1C 85
Maritime Ct. L12 —2A 48
Maritime Ct. L30 —3D 9
Maritime Ct. L49 —4A 82
(off Childwall Grn.)
Maritime Grange. L44 —2C 65
Maritime Gro. L43 —1A 84
Maritime Pk. L43 —1B 84
Maritime Pl. L3 —1C 67
Maritime View. L42 —3B 84
Maritime Way. L1 —3B 66
Mariton Clo. L18 —4B 90
Marius Clo. L4 —1D 45
Market Ga. WA1 —4D 149
Market Pl. L34 —3B 52
Market Pl. S. L41 —1C 85
Market Sq. L1 —2C 67
(off St John's Precinct)
Market Sq. L32 —2C 23
Market St. L41 —1C 85
Market St. L47 —4A 58
Market St. WA8 —2D 119
Market St. WA10 —3D 37
Market Way. L1 —2C 67
(off St John's Precinct)
Markfield Cres. L25 —1B 114
Markfield Cres. WA11 —1B 38
Markfield Rd. L20 —1C 29
Mark Rake. L62 —3D 125
Mark St. L5 —2C 45
Mark St. L44 —2C 65
Marks Way. L61 —1B 122
Marlborough Av. L30 —2D 19
Marlborough Av. L31 —3B 4
Marlborough Cres. WA4 —3B 158
Marlborough Cres. WA8 —2D 97
Marlborough Gro. L43 —2A 84
Marlborough Pl. L3 —1B 66
Marlborough Rd. L13 —3C 47
Marlborough Rd. L22 —3C 17
Marlborough Rd. L23 —1C 17
Marlborough Rd. L34 —2C 53
Marlborough Rd. L45 —2A 42
Marlborough St. L3 —1B 66
Marlbrook Rd. L25 —1A 92
Marldon Av. L23 —1C 17
Marldon Rd. L12 —1A 48
Marled Hey. L28 —1D 49
Marley Clo. L35 —3C 77
Marlfield La. L61 —4A 104
Marlfield Rd. L12 —3A 48
Marlfield Rd. WA4 —2C 159
Marline Av. L63 —4C 125
Marling Pk. WA8 —4A 96
Marlow Clo. WA3 —2A 144
Marlowe Clo. L19 —4B 112
Marlowe Dri. L12 —3D 47
Marlowe Rd. L44 —4D 41
Marl Rd. L30 —1A 20
Marl Rd. L33 —1B 24
Marlsford St. L6 —1B 68
Marlston Av. L61 —3D 103
Marlston Pl. WA7 —1C 137
Marlwood Av. L45 —3C 41
Marmaduke St. L7 —2A 68
Marmion Av. L20 —4C 19
Marmion Rd. L17 —2A 88
Marmion Rd. L47 —4A 58
Marmonde St. L4 —1C 45
Marnwood Rd. L32 —2B 22
Marnwood Wlk. L32 —2B 22
Marple Clo. L43 —3C 83
Marquis St. L3 —2C 67
Marquis St. L41 —2C 85
Marquis St. L62 —2A 108
Marron Av. WA2 —4D 141
Marsden Av. WA4 —1C 159
Marsden Av. WA10 —2B 36
Marsden Clo. L44 —4B 42
Marsden Rd. L26 —3D 115
Marsden St. L6 —1D 67
Marsden Way. L6 —1D 67
Marshall Av. WA5 —1C 149
Marshall Av. WA9 —1A 56
Marshall Clo. L33 —3D 13
Marshall Pl. L3 —1B 66
Marshall Rd. WA1 —3A 152
Marshalls Clo. L31 —2B 4
Marshalls Cross Rd. WA9 —3A 56
Marshall St. L41 —4B 64
Marsham Clo. L49 —4D 61
Marsham Rd. L25 —2B 92
Marsh Av. L20 —1A 30
Marshfield Clo. L36 —1C 73
Marshfield Ct. L46 —1C 61
Marshfield Rd. L11 —4C 33
Marshgate. WA8 —3A 118
Marshgate Rd. L12 —3D 33
Marsh Hall Pad. WA8 —2A 98
Marsh Hall Rd. WA8 —3A 98
Marsh Ho. La. WA2 & WA1 —3D 149
Marshlands Rd. L45 —3C 41
Marsh La. L20 —2C 29
Marsh La. L63 —2B 106
Marsh La. WA5 —3A 154
Marsh St. L20 —1B 44
Marsh St. WA1 —3A 150
Marsh St. WA8 —3D 119
Marsh St. WA9 —3B 38
Marsland Gro. WA9 —1C 57
Marson Rd. WA2 —3C 149
Marston Clo. L43 —4D 83
Marten Av. L63 —4C 125
Martensen St. L7 —2A 68
Martham Clo. WA4 —2C 159
Martin Av. WA2 —1A 150
Martin Av. WA10 —1C 37
Martin Clo. L18 —1D 111
Martin Clo. L35 —4A 54
Martin Clo. L61 —3B 102
Martin Clo. WA7 —4A 134
Martindale Gro. WA7 —2A 138
Martindale Rd. L18 —2B 90
Martindale Rd. L62 —3D 125
Martindale Rd. WA11 —2C 27
Martine Clo. L31 —4A 12
Martin Gro. L35 —4C 53
Martinhall Rd. L9 —2B 32
Martin Rd. L18 —1D 111
Martinscroft Grn. WA1 —3B 152
Martin's La. L44 —4B 42
Martland Av. L10 —1C 21
Martland Rd. L25 —2B 92
Martlesham Cres. L49 —3A 80
Martlett Rd. L12 —3B 48
Martock. L35 —2D 75
Martock Clo. L24 —2C 129
Marton Clo. L24 —2C 129
Marton Grn. L24 —2C 129
Marton Rd. L36 —3C 51
Marvin St. L6 —1A 68
Marwood Tower. L5 —3C 45
Marybone. L3 —1B 66
Maryhill Rd. WA7 —4D 131
Maryland La. L46 —3C 61
Maryland St. L1 —3C 67
Marylebone Av. WA9 —3C 55
Mary Rd. L20 —1D 29
Mary Stockton Ct. L21 —4D 17
Mary St. WA8 —2B 120
Maryville Rd. L34 —3C 53
Marywell Clo. WA9 —2B 56
Masefield Av. WA8 —2D 119
Masefield Cres. L30 —3C 19
Masefield Gro. L16 —3C 71
Masefield Gro. WA10 —1B 36
Masefield Pl. L30 —3C 19
Masefield Rd. L23 —3B 8
Maskell Rd. L13 —1D 69
Mason Av. L41 —2C 63
Mason Av. WA1 —2B 150
Mason Av. WA8 —3A 98
Mason St. L7 —2A 68
Mason St. L21 —4B 18
Mason St. L22 —3B 16
Mason St. L25 —4A 92
Mason St. L45 —1A 42
Mason St. WA1 —4A 150
Mason St. WA7 —2A 132
Massey Av. WA5 —1B 148
Massey Av. WA13 —2C 161
Massey Brook La. WA13 —2C 161
Masseyfield Rd. WA7 —2B 138
Massey Pk. L45 —3A 42
Massey St. L41 —3B 64
Massey St. WA9 —1B 56
Mather Av. L18 & L19 —2A 90 to 2C 113
Mather Av. WA7 —4C 131
Mather Av. WA9 —3C 39
Mather Rd. L43 —2A 84
Mathers Clo. WA2 —3C 143
Mathew St. L2 —2B 66
Mathieson Rd. WA8 —4C 119
Matlock Av. L9 —1B 30
Matlock Clo. WA5 —1C 147
Matthews St. WA1 —3A 150
Matthew St. L44 —2C 65
Maud St. L8 —1D 87
Maunders Ct. L23 —3D 7
Maureen Wlk. L10 —4A 22
Mauretania Rd. L4 —4C 31
Maurice Jones Ct. L46 —2C 61
Mavis Dri. L49 —3B 80
Mawdsley Av. WA1 —2B 152
Mawson Clo. WA5 —2A 148
Max Rd. L14 —3D 49
Maxton Rd. L6 —1B 68
Maxwell Clo. L49 —1A 82
Maxwell Pl. L13 —3D 47
Maxwell Rd. L13 —3D 47
Maxwell St. WA10 —3C 37
May Av. L44 —1B 64
Maybank Gro. L17 —1C 111
Maybank Rd. L42 —2B 84
Mayberry Gro. WA2 —1C 151
Maybrook Pl. WA4 —2B 158
Maybury Way. L17 —4B 88
May Clo. L21 —1C 29
Mayer Av. L63 —1A 124
Mayew Rd. L61 —3D 103
Mayfair Av. L14 —1D 71
Mayfair Av. L23 —3C 7
Mayfair Clo. L6 —4A 46
Mayfair Clo. WA5 —3A 146
Mayfair Gro. WA8 —1C 119
Mayfayre Av. L31 —1A 4
Mayfield Av. WA8 —1A 118
Mayfield Av. WA9 —1C 55
Mayfield Clo. L12 —3B 48
Mayfield Gdns. L19 —2D 111
Mayfield Rd. L19 —2D 111
Mayfield Rd. L45 —3C 41
Mayfield Rd. L63 —1B 124
Mayfield Rd. WA4 —2C 159
Mayfields. L4 —1C 45
Mayfields N. L62 —2A 108
Mayfields S. L62 —2A 108
Mayfields, The. L62 —2A 108
Maynard St. L8 —4A 68
May Pl. L3 —3C 67
Maypole Ct. L30 —3C 9
May Rd. L60 —3B 122
May St. L3 —3C 67
May St. L20 —2D 29
Maythorn Av. WA3 —1C 143
Maytree Clo. L27 —4B 72
Mayville Rd. L18 —1A 90
Mazzini St. L5 —4C 45
Mead Av. L21 —3B 18
Meade Clo. L35 —3B 76
Meade Rd. L13 —3C 47
Meadfoot Rd. L46 —2C 61
Meadow Av. WA4 —2C 157
Meadow Bank. L31 —4A 4
Meadow Bank. L32 —4A 12
Meadowbank Clo. L12 —4C 49
Meadowbrook Rd. L46 —4B 60
Meadow Clo. WA8 —3C 97
Meadow Ct. L25 —3A 92
Meadow Cres. L49 —4A 82
Meadow Croft. L60 —3D 123
Meadowcroft. WA9 —3B 56
Meadowcroft Pk. L12 —4B 48
Meadowcroft Rd. L47 —3C 59
Meadow Dri. L36 —3D 73
Meadowfield Clo. L42 —4D 85
Meadow Hey. L20 —1B 28
Meadow Hey Clo. L25 —3A 92
Meadow La. L12 —1A 48
Meadow La. L31 —4C 5
Meadow La. L42 —4D 85
Meadow La. WA2 —4C 143
Meadow La. WA9 —4C 39
Meadow Oak Dri. L25 —2A 92
Meadow Rd. L48 —4D 79
Meadow Row. WA7 —3D 133
Meadowside. L46 —4A 40
Meadowside Rd. L62 —4D 125
Meadows, The. L35 —1B 76
Meadow St. L45 —1D 41
Meadow, The. L49 —4A 82
Meadow View. L21 —1A 18
Meadow View. WA13 —1D 161
Meadow Wlk. L61 —1A 122
Meadow Way. L12 —1A 48
Mead Rd. WA1 —2C 151
Meadway. L15 —3A 70
Meadway. L30 —2D 19
Meadway. L31 —1A 10
Meadway. L35 —4C 53
Meadway. L45 —3D 41
Meadway. L49 —1A 82
Meadway. L60 —4B 122
Meadway. L62 —2C 125
Meadway. WA7 —3C 133
Meadway. WA8 —1A 118
Meander, The. L12 —1C 49
Measham Clo. WA11 —1B 38
Measham Way. L12 —3A 34
Medbourne Cres. L32 —3D 23
Meddowcroft Rd. L45 —3D 41
Medea St. L5 —3C 45
Medea Tower. L5 —3C 45
Medlock St. L4 —2C 45
Medway. L20 —3D 29
Medway Clo. WA2 —4A 142
Medway Rd. L42 —4D 85
Meerbrook Gro. L33 —3C 13
Meeting La. WA5 —4A 146
Melbourne St. L45 —1D 41
Melbourne St. WA9 —2C 55
Melbreck Rd. L18 —1A 112
Melbury Ct. WA3 —1B 144
Melbury Rd. L14 —3A 50
Melda Clo. L6 —1D 67
Meldon Clo. L12 —3D 33
Meldrum Rd. L15 —1A 90
Melford Ct. WA1 —2A 152
Melford Dri. L43 —1C 105
Melford Dri. WA7 —3A 132
Melford Gro. L6 —3B 46
Meliden Gdns. L42 —3C 85
Meliden Gdns. WA9 —2C 57
Melksham Dri. L61 —2B 102
Melling Av. L9 —4B 20
Melling Dri. L32 —1C 23
Melling La. L31 —2C 11
Melling Rd. L9 —3A 20
Melling Rd. L20 —2D 29
Melling Rd. L45 —2B 42
Melling Way. L32 —1C 23
Melloncroft Dri. L48 —2B 100
Melloncroft Dri. W. L48 —2B 100
Mellor Clo. L35 —4D 73
Mellor Clo. WA7 —3B 134
Mellor Rd. L42 —4A 84
Melly Rd. L17 —4A 88
Melrose. L46 —3D 61
Melrose Av. L23 —1C 17
Melrose Av. L47 —4A 58
Melrose Av. WA4 —4A 158
Melrose Av. WA10 —1A 36
Melrose Gdns. L43 —1D 105
Melrose Rd. L4 —1B 44
Melrose Rd. L22 —3C 17
Melrose Rd. L33 —3B 12
Melton Av. WA4 —4D 157
Melton Clo. L49 —2C 81
Melton Rd. WA7 —1C 137
Melverley Rd. L32 —1A 22
Melville Av. L42 —1D 107
Melville Clo. WA2 —3D 149
Melville Clo. WA3 —1B 120
Melville Clo. WA8 —4C 99
Melville Clo. WA10 —2B 36
Melville Pl. L7 —3D 67
Melville Rd. L20 —4B 18
Melville Rd. L63 —4C 107
Melville St. L8 —2D 87
Melwood Dri. L12 —2A 48
Memphis St. L7 —3A 68
Menai Rd. L20 —1D 29
Menai St. L41 —1B 84
Mendell Clo. L62 —4D 125
Mendip Av. WA2 —4D 141
Mendip Clo. L26 —2C 115
Mendip Clo. L42 —4B 84
Mendip Gro. WA9 —3D 39
Mendip Rd. L15 —1A 90
Mendip Rd. L42 —4B 84
Menin Av. WA4 —2D 157
Menlo Av. L61 —3D 103
Menlo Clo. L43 —2C 83
Menlove Av. L18 & L25 —2A 90 to 4D 91
Menlove Ct. L18 —2A 90
Menlove Gdns. N. L18 —1A 90
Menlove Gdns. S. L18 —2A 90
Menlove Gdns. W. L18 —2A 90
Menlove Mans. L18 —1B 90
Menlow Clo. WA4 —3D 159
Menstone Rd. L13 —4D 47
Mentmore Cres. L11 —4C 33
Mentmore Gdns. WA4 —2B 162
Mentmore Rd. L18 —4D 89
Menzies St. L8 —3D 87
Meols Ct. L24 —3A 128
Meols Dri. L48 & L47 —3A 78
Meols Pde. L47 —3B 58
Mercer Av. L32 —2B 22
Mercer Ct. L12 —3C 49
Mercer Ct. L20 —2D 29
(off Clairville Clo.)
Mercer Dri. L4 —2C 45
Mercer Heights. L32 —2B 22
Mercer Pl. L12 —2B 48
Mercer Rd. L43 —3C 63
Mercer St. L19 —3B 112
Mere Bank. L17 —2C 89
Merebank. L43 —2C 83
Merecliff. L28 —1A 50
Merecroft Av. L44 —2B 64
Meredale Rd. L18 —2D 89
Meredith Av. WA4 —2D 159
Meredith St. L19 —4C 113
Mere Farm Gro. L43 —2D 83
Mere Farm Rd. L43 —2C 83
Mere Grn. L4 —1D 45
Mere Gro. WA11 —3C 27
Mereheath. L46 —1C 61
Mereheath Gdns. L46 —1C 61
(off Mereheath)
Mere Hey. WA10 —3A 36
Mereland Way. WA9 —4D 39
Mere La. L5 —3D 45
Mere La. L45 —2C 41
Mere La. L60 —2A 122
Mere Pk. L23 —4B 6
Mere Pk. Rd. L49 —3B 80
Mere Rd. WA2 —4C 143
Merevale Clo. WA7 —1A 138
Mereview Cres. L12 —3A 34
Meribel Clo. L23 —3D 7
Meriden Av. L63 —3B 124
Meriden Clo. WA11 —4D 27
Meriden Rd. L25 —1A 92
Merlin Av. L49 —1B 80
Merlin Clo. L49 —1B 80
Merlin Clo. WA7 —3D 133
Merlin Ct. L26 —4C 93
Merlin St. L8 —1D 87
Merrick Clo. WA2 —4B 142
Merriford Grn. L4 —4C 31
Merrills La. L49 —2A 82
Merrilocks Grn. L23 —3A 6
Merrilocks Rd. L23 —3A 6
Merrilox Av. L31 —3B 4
Merrion Clo. L25 —3D 91
Merritt Av. L41 —3A 64
Merrivale Rd. L25 —4B 92
Merriwood. L23 —3A 6
Mersey Av. L19 —2D 111
Mersey Av. L31 —4D 5
Merseybank Rd. L62 —2A 108
Mersey Bus. Cen. L33 —4B 14
Mersey Ct. L23 —1B 16
Mersey Ho. L20 —2C 29
Mersey La. S. L42 —4A 86
Mersey Mt. L42 —3C 85
Mersey Rd. L17 —2C 111
Mersey Rd. L23 —1B 16
Mersey Rd. L42 —4D 85
Mersey Rd. WA7 —1D 131
Mersey Rd. WA8 —1D 131
Merseyside Ho. L1 —3B 66
(off S. John St.)
Merseyside Trading Pk. L24 —4A 114
Mersey St. L44 —2C 65
Mersey St. WA1 —1D 157
Mersey St. WA9 —3D 39
Mersey View. L19 —3B 112
Mersey View. L22 —1B 16
Mersey View. L63 —3B 106
Mersey View. WA7 —4B 130
Mersey View. WA8 —1D 131
Mersey View Rd. WA8 —4A 118
Mersey Wlk. WA4 —4C 151
Mersey Way. WA8 —4B 118
Merstone Clo. L26 —2D 115
Merthyr Gro. L16 —3C 71
Merton Bank Rd. WA9 —1B 38
Merton Clo. L36 —2A 72
Merton Cres. L36 —2A 72
Merton Dri. L36 —1D 71
Merton Dri. L49 —3A 82
Merton Gro. L20 —3D 29
Merton Gro. L23 —1A 16
Merton Ho. L20 —3D 29
Merton Pl. L43 —1B 84
Merton Rd. L20 —3D 29
Merton Rd. L45 —4A 42
Merton St. WA9 —2A 38
Merton Towers. L20 —3D 29
Mertoun Rd. WA4 —3D 157
Mervin Way. L32 —2B 22
Mesham Clo. L49 —2C 81
Meteor Cres. WA2 —4A 142
Methuen St. L15 —4C 69
Methuen St. L41 —3D 63
Mevagissey Rd. WA7 —2D 139
Mews Ct. L28 —2A 50
Mews, The. L17 —1D 111
Mews, The. L28 —2B 50
Meyrick Rd. L11 —4A 32
Micawber Clo. L8 —1D 87
Michael Dragonetti Ct. L3 —4B 44
Micklefield Rd. L15 —1D 89
Micklegate. WA7 —1A 140
Middlefield Rd. L18 —3C 91
Middleham Clo. L32 —2B 22
Middlehey Av. L34 —2D 35
Middlehurst Av. WA10 —2D 37
Middlehurst Clo. L34 —2D 53
Middlehurst Rd. WA4 —2C 159
Middlemas Hey. L27 —2C 93
Middle Rd. L24 —4D 115
Middle Rd. L62 —3A 108
Middlesex Rd. L20 —2A 30
Middleton Rd. L7 —1C 69
Middleton Rd. L22 —2D 17
Middle Way. L11 —2D 33
Midghall St. L3 —1B 66
Midhurst Rd. L12 —3B 34
Midland St. L43 —2B 84
Midland St. WA8 —1A 120
Midland Ter. L22 —3B 16
Midlothian Dri. L23 —4B 6
Midway Rd. L36 —4C 51
Mid Wirral Motorway. L63 —1B 62 to 2A 124
Midwood St. WA8 —2A 120
Mildenhall Rd. L25 —1A 92
Mildenhall Way. L25 —4A 72
Mildmay Rd. L11 —4A 32
Mildmay Rd. L20 —1C 29
Mile End. L5 —4B 44
Miles Clo. L49 —4B 80
Miles Clo. WA3 —4B 144
Miles La. L49 —4B 80
Miles St. L8 —2D 87
Milestone Hey. L28 —1A 50
Milford Dri. L12 —3A 34
Milford Gdns. WA4 —3A 162
Milford St. L5 —3A 44
Milk St. WA10 —3D 37
Millachip Ct. L6 —4A 46
Millar Cres. WA8 —2D 119
Mill Av. WA5 —3B 146
Mill Bank. L13 —3D 47
Millbank Cotts. L31 —3C 5
Millbank Ct. L9 —3B 20

Millbank Est.—Nairn Clo.

Millbank Est. L31 —3D 5
Millbank La. L31 & L39 —3D 5
Millbank Rd. L44 —1A 64
Millbeck Gro. WA11 —2C 27
Millbrook Cres. L32 —1C 23
Millbrook Dri. L32 —1C 23
Millbrook La. WA10 —2A 36
Millbrook Rd. L41 —2A 64
Millbrook Wlk. L32 —1C 23
Mill Brow. L63 —3B 106
Mill Brow. WA8 —4B 98
Mill Brow. WA9 —3B 56
Mill Brow. WA10 —2A 36
Mill Brow Clo. WA9 —3B 56
Millburn Heights. L5 —4C 45
Millbut Clo. L63 —3B 106
Mill Clo. L23 —3C 7
Mill Clo. WA2 —3B 142
Mill Ct. L30 —4C 9
Millcroft. L23 —3D 7
Millcroft Rd. L25 —1B 114
Miller Av. L23 —3C 7
Miller Clo. L8 —3D 87
Millers Bri. L20 —4C 29
Millers Bri. Ind. Est. L20 —4C 29
Millers Clo. L46 —4A 60
Millerscroft. L32 —4A 12
Millersdale. WA9 —4B 56
Millersdale Av. L9 —4A 20
Millersdale Gro. WA7 —2D 137
Millersdale Rd. L18 —3D 89
Miller St. WA4 —1D 157
Millers Way. L46 —4B 60
Mill Farm Clo. WA2 —4B 142
Millfield Clo. L13 —3D 47
Millfield Clo. L63 —3B 106
Millfield Rd. WA8 —4A 98
Millfields. WA10 —3A 36
Millgreen Clo. L12 —3A 34
Mill Grn. La. WA8
—2B 98 to 2C 99
Mill Gro. L21 —3A 18
Mill Hey. L35 —3C 77
Mill Hey Rd. L48 —3C 101
Mill Hill. L43 —3A 84
Mill Hill Rd. L61 —1B 102
Millhouse Av. WA4 —3A 158
Millhouse Clo. L46 —3A 60
Millhouse La. L46 —3A 60
Mill Ho. La. WA3 —1C 143
Millington Clo. L43 —1C 105
Millington Clo. WA7 —3A 138
Mill La. L1 —2C 67
Mill La. L12 —3D 47
Mill La. L13 & L15
—2D 69 to 4D 69
Mill La. L20 —3D 29
Mill La. L32 —4B 12
Mill La. L34 —2D 35
Mill La. L35 —2A 76
Mill La. L44 —1D 63
Mill La. L49 —3B 80
Mill La. L60 —4C 123
Mill La. WA2 —3B 142
(Houghton Green)
Mill La. WA2 —3C 141
(Winwick)
Mill La. WA4 —4B 156
(Higher Walton)
Mill La. WA4 —3A 158 & 3B 158
(Stockton Heath)
Mill La. WA5 —4B 148
Mill La. WA6 —4A 138
Mill La. WA8 —2B 98
Mill La. WA9 —3A 56
Millom Av. L35 —4A 54
Millom Gro. L12 —4D 33
Millom Gro. WA10 —1B 54
Mill Rd. L6 —1D 67
(in two parts)
Mill Rd. L61 —3A 104
Mill Rd. L62 —1D 125
(Bromborough)
Mill Rd. L63 —3B 106
(Bebington)
Mill Spring Ct. L20 —3D 29
Mill Sq. L10 —2C 21
Millstead Rd. L15 —4A 70
Millstead Wlk. L15 —4A 70
Mill Stile. L25 —4D 91
Mill St. L8 —1C 87 to 3D 87
Mill St. L25 —4A 92
Mill St. L34 —3B 52
Mill St. L42 —2C 85
Mill St. WA10 —2D 37
Mill Ter. L63 —3B 106
Millthwaite Rd. L44 —4D 41
Millvale St. L6 —1A 68
Mill View. L8 —2C 87
Mill View Dri. L63 —3B 106
Millway Rd. L24 —1D 129
Millwood. L63 —3B 106
Millwood Ct. L24 —1D 129
Millwood Est. L24 —1D 129
Millwood Gdns. L35 —2C 75
Millwood Rd. L24 —1C 129
Milman Clo. L49 —2D 81
Milman Ct. L25 —3C 91
Milman Rd. L4 —4B 30
Milner Cop. L60 —4B 122
Milne Rd. L13 —2C 47
Milner Rd. L17 —4C 89
Milner Rd. L60 —4B 122
Milner St. L8 —4A 68
Milner St. L41 —3D 63
Milner St. WA5 —4B 148
Milnthorpe Clo. L4 —2C 45
Milnthorpe St. L19 —3B 112
Milroy St. L7 —3A 68
Milton Av. L14 —2C 71
Milton Av. L35 —1C 75
Milton Av. WA8 —2D 119
Milton Clo. L35 —1C 75
Milton Cres. L60 —3B 122
Milton Gro. WA4 —2A 158
Milton Pavement. L41 —1C 85
Milton Rd. L4 —3A 30
Milton Rd. L7 —2C 69
Milton Rd. L22 —2C 17
Milton Rd. L42 —2B 84
Milton Rd. L48 —3A 78
Milton Rd. WA8 —2D 119
Milton Rd. E. L42 —2B 84
Milton St. L20 —2C 29
Milton St. WA8 —4D 119
Milton St. WA9 —2D 77
Milton Way. L31 —4A 4
Milvain Dri. WA2 —1D 149
Milverton St. L6 —1B 68
Mimosa Rd. L15 —4A 70
Mindale Rd. L15 —3D 69
Minehead Gro. WA9 —4B 56
Minehead Rd. L17 —1C 111
Miners Way. L24 —1D 129
Miners Way. WA8 —2A 120
Minerva Clo. WA4 —2A 158
Mines Av. L17 —2D 111
Mine's Av. L34 —3C 53
Minshull St. L7 —2D 67
Minstead Av. L33 —2D 23
Minster Ct. L7 —3D 67
Minster Ct. WA7 —4C 131
Minto Clo. L7 —2A 68
Minton Way. WA8 —2A 98
Mintor Rd. L33 —2D 23
Minto St. L7 —1A 68
Minver Rd. L12 —2B 48
Miranda Av. L63 —2C 107
Miranda Pl. L20 —1B 44
Miranda Rd. L20 —4D 29
Mirfield Clo. L26 —3D 115
Mirfield St. L6 —1A 68
Miriam Pl. L41 —3D 63
Miriam Rd. L4 —2A 46
Miskelly St. L20 —1B 44
Missouri Rd. L13 —2B 46
Mistle Thrush Way. L12 —3B 34
Miston St. L20 —2B 44
Misty Clo. WA8 —4B 96
Mitchell Cres. L21 —3A 18
Mitchell Rd. L34 —3A 52
Mitchell Rd. WA10 —1A 54
Mitchell St. WA4 —4A 158
Mithril Clo. WA8 —3C 99
Mitre Clo. L35 —3B 74
Mitylene St. L5 —3A 45
Mobberley Clo. WA4 —1A 160
Mockbeggar Dri. L45 —2C 41
Mockbeggar Wharf. L45 —2C 41
Modred St. L8 —1D 87
Moel Famau View. L17 —4A 88
Moffatdale Rd. L4 —1B 46
Moffatt Rd. L9 —4A 20
Moffatt Rd. W. L9 —4A 20
Moira St. L6 —2D 67
Molesworth Gro. L16 —3C 71
Molineux Av. L14 —2B 70
Molland Clo. L12 —2B 48
Mollington Av. L11 —4B 32
Mollington Rd. L32 —2A 22
Mollington Rd. L44 —1B 64
Mollington St. L41 —2C 85
Molly Pitcher Way. WA5 —4D 147
Molly's La. L33 —4B 24
Molton Rd. L16 —3B 70
Molyneux Av. WA5 —2B 148
Molyneux Clo. L35 —4B 52
Molyneux Clo. L36 —2D 73
Molyneux Clo. L49 —2D 81
Molyneux Ct. L11 —3C 33
Molyneux Dri. L35 —4B 52
Molyneux Dri. L45 —1A 42
Molyneux Rd. L6 —1A 68
Molyneux Rd. L18 —2D 89
Molyneux Rd. L22 —2C 17
Molyneux Rd. L31 —2D 11
Molyneux Way. L10 —1B 20
Monaghan Clo. L9 —4D 19
Monash Rd. L11 —2C 47
Monastery La. WA9 —2C 57
Monastery Rd. L6 —2B 46
Monastery Rd. WA9 —2C 57
Mona St. L20 —4B 18
Mona St. L41 —4D 63
Mona St. WA10 —3B 36
Mond Rd. L10 —4D 21
Mond Rd. WA8 —1D 119
Monfa Rd. L20 —4B 18
Monica Dri. WA8 —2D 97
Monica Rd. L25 —1A 114
Monkfield Way. L19 —1B 126
Monk Rd. L44 —4A 42
Monksdown Rd. L11 —1D 47
Monks Ferry. L41 —1D 85
Monksferry Wlk. L19 —3D 111
Monk St. L5 —3D 45
Monk St. L41 —1D 85
Monks Way. L25 —4A 92
Monks Way. L48 —4A 78
Monks Way. L63 —4D 107
Monkswell Dri. L15 —4D 69
Monkswell St. L8 —3D 87
Monkswood Clo. WA5 —1B 148
Monmouth Clo. WA1 —3A 152
Monmouth Dri. L10 —2D 21
Monmouth Gro. WA9 —4B 38
Monmouth Rd. L44 —4D 41
Monro Clo. L8 —2D 87
Monroe Clo. WA1 —2D 151
Monro St. L8 —3D 87
Mons Sq. L20 —3D 29
Montague Rd. L13 —2A 70
Montclair Dri. L18 —1A 90
Montclare Cres. WA4 —3B 158
Montcliffe Clo. WA3 —2A 144
Monterey Rd. L13 —2A 71
Montfort Dri. L19 —2D 111
Montgomery Clo. L35 —1B 74
Montgomery Hill. L48 —2D 101
Montgomery Rd. L9 —4D 19
Montgomery Rd. L36 —4C 51
Montgomery Rd. WA8 —2B 118
Montgomery Way. L6 —4A 46
Montpelier Av. WA7 —1B 136
Montpellier Cres. L45 —1D 41
Montpellier Ho. L45 —1D 41
Montrose Av. L44 —2C 65
Montrose Bus. Pk. L7 —2C 69
Montrose Clo. WA2 —3B 142
Montrose Ct. L12 —2C 49
Montrose Pl. L26 —3D 115
Montrose Rd. L13 —2C 47
Montrose Way. L13 —2D 69
Montrovia Cres. L10 —4D 21
Monument Pl. L3 —2C 67
Monville Rd. L9 —4B 20
Moon St. WA8 —1A 120
Moorbridge Clo. L30 —4D 9
Moor Clo. L23 —3D 7
Moor Coppice. L23 —3D 7
Moor Ct. L10 —4A 22
Moorcroft Rd. L18 —4B 90
Moorcroft Rd. L45 —4C 41
Moor Dri. L23 —3C 7
Moore Av. L42 —4C 85
Moore Av. WA4 —2A 160
Moore Av. WA9 —3D 39
Moore Clo. WA8 —4C 99
Moore La. WA4 —4D 155
Moore St. L20 —2C 29
Mooreway. L35 —2C 77
Moorfield. L33 —3D 13
Moorfield Rd. L23 —4D 7
Moorfield Rd. WA8 —2B 98
Moorfield Rd. WA10 —1B 36
Moorfields. L2 —2B 66
Moorfoot Rd. WA9 —3D 39
Moorfoot Rd. Ind. Est. WA9
—3D 39
Moorfoot Way. L33 —2C 13
Moorgate Av. L23 —1C 17
Moorgate La. L32 —3A 24
Moorgate Rd. L32 & L33 —4D 23
Moorgate St. L7 —3A 68
Moor Hey Rd. L31 —3B 10
Mooring Clo. WA7 —1D 139
Moorings, The. L41 —2C 85
Moorland Av. L23 —3C 7
Moorland Clo. L60 —4B 122
Moorland Dri. WA7 —4C 135
Moorland Pk. L60 —4C 123
Moorland Rd. L31 —2B 10
Moorland Rd. L42 —3C 85
Moorlands Rd. L23 —2A 8
Moor La. L4 —3B 30
Moor La. L10 —4A 22
(in two parts)
Moor La. L23 —4C 7 to 3D 7
Moor La. L29 —1B 8
Moor La. L32 —3A 22
Moor La. L60 —3B 122
Moor La. WA8 —2D 119
(in two parts)
Moor La. Ind. Est. WA8 —2D 119
Moor La. S. WA8 —3D 119
Moor Pl. L3 —2C 67
Moorside Clo. L23 —4D 7
Moorside Ct. WA8 —2D 119
Moorside Rd. L23 —4D 7
Moor St. L2 —3B 66
Moorway. L60 —4C 123
Moorwood Cres. WA9 —4B 56
Moray Clo. WA10 —1C 37
Morcott La. L24 —3A 130
Morcroft Rd. L36 —4C 51
Morden St. L6 —1A 68
Morecambe St. L6 —4B 46
Morecroft Rd. L42 —4D 85
Morella Rd. L4 —1B 46
Morello Clo. WA10 —2D 37
Morello Dri. L63 —2B 124
Moresby Clo. WA7 —4C 135
Moret Clo. L23 —3D 7
Moreton Av. WA9 —4A 56
Moreton Gro. L45 —3C 41
Moreton Rd. L49 —1D 81
Morgan Av. WA2 —4D 141
Morgan St. WA9 —3B 38
Morland Av. L62 —4D 125
Morley Av. L41 —4A 64
Morley Ct. L14 —4C 49
Morley La. L4 —2C 45
Morley Rd. L44 —1D 63
Morley Rd. WA4 —3C 157
Morley Rd. WA7 —3D 131
Morley St. L4 —2C 45
Morley St. WA1 —3A 150
Morley St. WA8 —2B 120
Morley St. WA10 —1D 37 & 2D 37
(in two parts)
Morley Way. WA10 —2D 37
Morningside. L23 —1D 17
Morningside Pl. L11 —1C 47
Morningside Rd. L11 —1C 47
Morningside Rd. L20 —3D 29
Morningside View. L11 —1D 47
Morningside Way. L11 —1D 47
Mornington Av. L23 —1C 17
Mornington Rd. L45 —2A 42
Mornington St. L8 —2C 87
Morpeth Clo. L46 —3A 60
Morpeth Rd. L47 —1A 78
Morpeth Wharf. L41 —3C 65
Morris Av. WA4 —1B 158
Morris Clo. WA11 —1D 39
Morris Ct. L43 —2D 83
Morrison Clo. WA5 —4C 147
Morrissey Clo. WA10 —2B 36
Morris St. WA9 —1C 57
Morston Av. L32 —3C 23
Morston Cres. L32 —3C 23
Morston Wlk. L32 —3C 23
Mort Av. WA4 —1C 159
Mortimer Av. WA2 —2D 149
Mortimer St. L41 —1D 85
Mortlake Clo. WA8 —3B 96
Morton Clo. WA5 —2D 147
Morton Ho. L18 —3D 89
Morton Rd. WA7 —3B 134
Morton St. L8 —1D 87
Mortuary Rd. L45 —3A 42
Morvah Clo. L12 —4D 33
Morval Cres. L4 —4A 30
Morval Cres. WA7 —3B 132
Morven Clo. WA2 —4B 142
Moscow Dri. L13 —4D 47
Mosedale Av. WA11 —2C 27
Mosedale Gro. WA7 —2A 138
Mosedale Rd. L9 —1B 30
Mosedale Rd. L62 —2D 125
Moseley Av. L45 —4A 42
Moseley Av. WA4 —1C 159
Moseley Rd. L63 —3B 124
Moses St. L8 —2D 87
Moss Bank Pl. L21 —3A 18
Moss Bank Rd. WA8 —2B 120
Moss Bank Rd. WA11 —3B 26
Mossbrow Rd. L36 —4C 51
Moss Clo. WA4 —3B 158
Mosscraig. L28 —2B 50
Mosscroft. L33 —3D 13
Mosscroft Clo. L36 —4A 52
Mossdale Clo. WA5 —3C 147
Mossdale Dri. L35 —1B 76
Mossdale Rd. L33 —3D 13
Mossdene Rd. L44 —4D 41
Moss End Way. L33 —1C 25
Mossfield Rd. L9 —1A 30
Moss Ga. WA3 —2C 145
Moss Ga. Gro. L14 —1D 71
Moss Ga. Rd. L14 —1D 71
Moss Grn. Way. WA9 —4D 39
Moss Gro. L8 —1A 88
Moss Gro. L42 —4A 84
Mosshill Clo. L31 —3B 4
Mosslands Dri. L45 & L44
—4C 41
Moss La. L20 & L9
—1A 30 to 1B 30
Moss La. L21 —3A 18
Moss La. L23 —1B 6
Moss La. L31 —1A 4
Moss La. L33 —1A 24
Moss La. L42 —4A 84
Moss La. WA1 —2A 152
Moss La. WA8 —2C 121
Moss La. WA9 —4D 39
Mosslawn Rd. L32 —3D 23
Mosslea Pk. L18 —3D 89
Mossley Av. L18 —1C 89
Mossley Av. L62 —4D 125
Mossley Ct. L18 —3D 89
Mossley Hill Dri. L17 —2B 88
Mossley Hill Rd. L18 & L19
—4D 89 & 1D 111
Mossley Rd. L42 —3C 85
Moss Nook La. L31 —1A 12
Moss Pits Clo. L10 —4C 21
Moss Pits La. L10 —4C 21
Moss Pits La. L15 —1A 90
Moss Rd. WA4 —2C 159
Moss Side. L14 —1D 71
Moss Side La. WA4 —4B 154
Moss St. L6 —2D 67
Moss St. L19 —3B 112
Moss St. L34 —2B 52
Moss St. WA8 —2B 120
Moss View. L21 —3B 18
Moss View. L31 —4D 5
Mossville Clo. L18 —4A 90
Mossville Rd. L18 —4A 90
Moss Way. L11 —2D 33
Mossy Bank Rd. L44 —4B 42
Moston St. WA13 —2D 161
Mostyn Av. L10 —1B 20
Mostyn Av. L19 —2B 112
Mostyn Av. L48 —1A 100
Mostyn Av. L60 —4A 122
Mostyn Clo. L4 —2C 45
Mostyn St. L44 —1A 64
Motorway M53. L44, L45, L46,
L49 & L63 —1C 63 to 4A 124
Motorway M57. L31, L32, L34,
L28 & L35 —4B 10 to 3B 74
Motorway M58. L31
—3B 10 to 1A 12
Motorway M62. L14, L36, L35 &
WA8 —2B 70 to 3D 77
Mottershead Clo. WA8 —2D 119
Mottershead Rd. WA8 —2D 119
Mottram Clo. L33 —2D 23
Mottram Clo. WA4 —2D 159
Moughland La. WA7 —3D 131
Moulders La. WA1 —1D 157
Mould St. L5 —3C 45
Moulton Clo. WA7 —3B 138
Mounsey Rd. L42 —2B 84
Mount Av. L20 —4B 18
Mount Av. L60 —4B 122
Mount Av. L63 —2B 106
Mount Clo. L32 —4B 12
Mount Ct. L45 —1D 41
Mount Cres. L32 —4A 12
Mount Dri. L63 —2B 106
Mount Gro. L41 —2B 84
Mount Gro. Pl. L41 —2B 84
Mt. Haven Clo. L49 —2A 82
Mt. Merrion. L25 —2A 92
Mt. Olive. L43 —3A 84
Mount Pk. L25 —3D 91
Mount Pk. L63 —2B 106
Mount Pk. Ct. L25 —3D 91
Mt. Pleasant. L3 —3C 67
Mt. Pleasant. L22 —3B 16
Mt. Pleasant. L43 —3A 84
Mt. Pleasant. WA8 —4A 98
Mt. Pleasant Av. WA9 —3D 39
Mt. Pleasant Rd. L45 —2D 41
Mount Rd. L32 —1A 22
Mount Rd. L42 & L63
—4B 84 to 3A 124
Mount Rd. L45 —1D 41
Mount Rd. L48 —1B 100
Mount Rd. L49 —2A 82
Mount Rd. WA7 —3D 133
Mount St. L1 —3C 67
Mount St. L22 —2B 16
Mount St. L25 —4D 91
Mount St. WA8 —4A 98
Mount, The. L44 —4B 42
Mount, The. L60 —4B 122
Mount, The. L63 —4D 107
Mt. Vernon. L7 —2A 68
Mt. Vernon Grn. L7 —2A 68
Mt. Vernon Rd. L7 —2D 67
Mt. Vernon St. L7 —2D 67
Mt. Vernon View. L7 —2D 67
Mountway. L63 —2B 106
Mt. Wood Rd. L42 —1B 106
Mowbray Av. WA11 —1B 38
Mowbray Gro. L13 —2D 69
Mowcroft La. WA5 —2A 154
Moxen Dale. L27 —2D 93
Moxon Av. WA4 —4B 150
Moxon St. WA10 —3B 36
Mozart Clo. L8 —1A 88
Muirfield. WA2 —3C 143
Muirfield Clo. L12 —3C 49
Muirfield Rd. L36 —3B 72
Muirhead Av. L11 —1D 47
Muirhead Av. L13 —3C 47
Muirhead Av. E. L11 —1D 47
Mulberry Av. WA10 —3B 36
Mulberry Clo. L33 —3D 13
Mulberry Clo. WA1 —3B 152
Mulberry Ct. WA4 —3A 158
Mulberry Gro. L44 —1C 65
Mulberry Pl. L7 —3D 67
(off Mulberry St.)
Mulberry Rd. L42 —4D 85
Mulberry St. L7 —3D 67
(in two parts)
Mulcrow Clo. WA9 —2B 38
Mulgrave Sq. L8 —4D 67
Mulgrave St. L8 —4D 67
Mullen Clo. WA5 —1C 149
Mulliner St. L7 —4B 68
Mullion Clo. L26 —1C 115
Mullion Clo. WA7 —1C 139
Mullion Gro. WA2 —1C 151
Mullion Rd. L11 —2D 33
Mullion Wlk. L11 —2D 33
Mulveton Rd. L63 —2A 124
Mumfords Gro. L47 —3C 59
Mumfords La. L47 —3C 59
Muncaster Clo. L62 —3D 125
Munster Rd. L13 —1A 70
Murat Gro. L22 —2B 16
Murat St. L22 —2B 16
Murcote Rd. L14 —4D 49
Murdishaw Av. WA7 —2D 139
Murdishaw Av. S. WA7 —1A 140
Muriel Clo. WA5 —3A 146
Muriel St. L4 —1D 45
Murphy Gro. WA9 —2C 39
Murrayfield Dri. L46 —1D 61
Murrayfield Rd. L25 —1A 92
Murrayfield Wlk. L25 —1A 92
Murray Gro. L48 —3A 78
Museum St. WA1 —1C 157
Musker Dri. L30 —1B 18
Musker Gdns. L23 —1D 17
Musker St. L23 —1D 17
Muspratt Rd. L21 —1B 28
Muttocks Rake. L30 —3C 9
Myddleton La. WA2 —1C 141
Myerscough Av. L20 —2A 30
Myers Gdns. WA9 —2B 56
Myers Rd. E. L23 —1C 17
Myers Rd. W. L23 —1C 17
Mynsule Rd. L63 —2A 124
Myrtle Gro. L22 —1B 16
Myrtle Gro. L44 —1C 65
Myrtle Gro. WA4 —2A 158
Myrtle Gro. WA8 —1B 118
Myrtle Pde. L7 —3D 67
Myrtle St. L7 —3D 67

Nairn Clo. WA2 —3C 143

Nansen Clo.—Okell Dri.

Nansen Clo. WA5 —3A 148
Nansen Gro. L4 —4B 30
Nant Pk. Ct. L45 —1B 42
Nantwich Clo. L49 —4A 82
Napier Clo. WA10 —3C 37
Napier Dri. L46 —4D 61
Napier Rd. L62 —2A 108
Napier St. L20 —4C 29
Napier St. WA1 —4D 149
(in two parts)
Napier St. WA10 —3C 37
Naples Rd. L44 —1B 64
Napps Clo. L25 —4D 71
Napps Wlk. L25 —4D 71
(off Hartsbourne Av.)
Napps Way. L25 —4D 71
Napps Way. L61 —2B 122
Nares Ct. WA5 —1A 148
Narrow La. WA4 —3D 159
Naseby Clo. L43 —2B 82
Naseby St. L4 —4B 30
Nash Gro. L3 —1C 67
Nasty La. Rd. L31 —4D 5
Natal Rd. L9 —1C 31
Naughton Lea. WA8 —3B 96
Naughton Rd. WA8 —2D 119
Navigation Clo. L30 —4D 9
Navigation Clo. WA7 —1D 139
Navigation St. WA1 —4A 150
Naylor Rd. L43 —3C 63
Naylor Rd. WA8 —1B 120
Naylorsfield Dri. L27 & L25 —1B 92
Naylors Rd. L27 —1B 92
Naylor St. L3 —1B 66
Naylor St. WA1 —4D 149
Nazeby Av. L23 —1D 17
Neale Dri. L49 —3C 81
Neasham Clo. L26 —2D 115
Nedens Gro. L31 —2B 4
Nedens La. L31 —3B 4
Needham Clo. WA7 —2B 132
Needham Cres. L43 —2B 82
Needham Rd. L7 —2B 68
Needwood Dri. L63 —1A 124
Neilson Rd. L17 —3A 88
Neil St. WA8 —4A 98
Nell's La. L39 —1D 5
Nelson Av. L35 —2C 75
Nelson Ct. L42 —1D 107
Nelson Dri. L61 —1A 122
Nelson Dri. WA7 —1B 136
Nelson Pl. L35 —2C 75
Nelson Rd. L7 —3A 68
Nelson Rd. L21 —4A 18
Nelson Rd. L42 —1D 107
Nelson Rd. WA3 —2A 144
Nelson's Croft. L63 —1B 124
Nelson St. L1 —4C 67
Nelson St. L15 —4C 69
Nelson St. L20 —4C 29
Nelson St. L45 —2B 42
Nelson St. WA8 —3D 119
Nelson St. WA9 —2B 56
Nelville Rd. L9 —4B 20
Neptune Clo. WA7 —4C 135
Neptune St. L41 —4B 64
Ness Gro. L32 —2B 22
Neston Av. WA9 —4A 56
Neston St. L4 —1D 45
Netherby St. L8 —3D 87
Netherfield. WA8 —2C 119
Netherfield Clo. L43 —2B 82
Netherfield Rd. N. L5 —2C 45
Netherfield Rd. S. L5 —4C 45
Netherley Rd. L35 & WA8 —2D 93 to 4D 95
Netherton Grange. L30 —1A 20
Netherton Grn. L30 —4D 9
Netherton La. L30 —3D 9
(in two parts)
Netherton Pk. Rd. L21 —3C 19
Netherton Rd. L18 —1D 111
Netherton Rd. L20 —1D 29
Netherton Rd. L46 —3C 61
Netherton Way. L30 —3C 19
Netherwood Rd. L11 —4A 32
Netley St. L4 —1C 45
Nettlestead Rd. L11 —1A 48
Neva Av. L46 —3B 60
Neville Av. WA2 —1A 150
Neville Av. WA9 —4D 39
Neville Clo. L43 —2B 82
Neville Cres. WA5 —1C 155
Neville Rd. L22 —2C 17
Neville Rd. L44 —4D 41
Neville Rd. L62 —4D 125
Nevin St. L6 —1D 67
Nevison St. L7 —3A 68
Nevitte Clo. L28 —1D 49
New Acres Clo. L43 —3B 62
Newark Clo. L30 —4A 10
Newark Clo. L43 —2B 82
Newark St. L4 —1C 45
New Bank Pl. WA8 —1A 118
New Bank Rd. WA8 —1A 118
New Barnet. WA8 —3D 97
New Bird St. L1 —4C 67
Newbold Cres. L48 —3C 79
Newbold Gro. L12 —4B 34
Newborough Av. L18 —2D 89
Newborough Av. L23 —4D 7
Newbridge Clo. L49 —3A 82
Newbridge Clo. WA7 —1C 139
Newburgh Clo. WA7 —3B 134
Newburn. L43 —2A 84
Newburns La. L43 —3A 84
Newburn St. L4 —4B 30
Newbury Clo. L36 —3B 72
Newbury Clo. WA8 —3D 97
Newbury Way. L12 —4C 49
Newby Av. L35 —1D 75
Newby Dri. L36 —1A 72
Newby Gro. L12 —4D 33
Newby Pl. WA11 —3B 26
Newby St. L4 —1D 45
Newcastle Rd. L15 —1D 89
New Chester Rd. L41, L42 & L62 —2D 85 to 4D 125
Newcombe Av. WA2 —2A 150
Newcombe St. L6 —3A 46
Newcroft Rd. L25 —3D 91
New Cross St. L34 —2C 53
New Cross St. WA10 —2D 37
New Cut La. L33 —4D 25
New Cut La. WA1 —3D 151
Newdales Clo. L43 —4B 62
Newdown Rd. L11 —1D 33
Newdown Wlk. L11 —1D 33
Newell Rd. L44 —4A 42
Newenham Cres. L14 —1C 71
New Ferry By-Pass. L62 —2A 108
New Ferry Rd. L62 —2A 108
Newfield Clo. L23 —3B 8
Newfield Rd. WA13 —2D 161
Newfort Way. L20 —1C 29
New Glade Hill. WA11 —1C 39
New Hall La. L11 —1C 47
New Hall La. L47 —1A 78
New Hall Pl. L3 —2A 66
Newhall St. L1 —4C 67
Newhaven Rd. L45 —2B 42
Newhaven Rd. WA2 —3D 141
New Hedley Gro. L5 —3B 44
New Henderson St. L8 —1C 87
New Hey. L12 —4A 48
New Hey Rd. L49 —3A 82
Newholme Clo. L12 —3A 34
Newhouse Rd. L15 —4C 69
New Hutte La. L26 —3C 115
Newick Rd. L32 —2B 22
Newington. L1 —3C 67
New Islington. L3 —2C 67 & 1C 67
Newland Clo. WA8 —3B 96
Newland Ct. L17 —3B 88
Newland Dri. L44 —4D 41
Newlands Clo. L6 —4D 45
Newlands Rd. L63 —4A 108
Newlands Rd. WA4 —2B 158
Newlands Rd. WA11 —4C 27
Newlands St. L6 —4D 45
Newlands Wlk. L6 —4D 45
New La. WA3 —1C 143
Newling St. L41 —4B 64
Newlyn Av. L21 —2A 18
Newlyn Av. L31 —4C 5
Newlyn Clo. L47 —2C 59
Newlyn Clo. WA7 —1C 139
Newlyn Gdns. WA5 —2A 154
Newlyn Gro. WA11 —4D 27
Newlyn Rd. L11 —1D 33
Newlyn Rd. L47 —2C 59
Newman St. L4 —2B 44
Newman St. WA4 —1C 159
New Market Wlk. WA1 —4D 149
New Mill Stile. L25 —3D 91
Newmoore La. WA7 —1C 135
Newmorn Ct. L17 —4B 88
Newport Av. L45 —2C 41
Newport Clo. L43 —2B 82
Newport Ct. L5 —3B 44
Newport St. L5 —3A 44
New Quay. L3 —2A 66
Newquay Clo. WA7 —1C 139
Newquay Ter. L3 —2A 66
New Rd. L13 —3C 47
New Rd. L34 —2C 53
New Rd. WA4 —1D 157
(in two parts)
New Rd. Ct. L13 —4C 47
Newsham Clo. WA8 —3A 96
Newsham Dri. L6 —4B 46
Newsham St. L5 —4C 45
Newstead Av. L23 —1A 16
Newstead Rd. L8 —4B 68
Newstet Rd. L33 —1A 24
New St. L44 —2C 65
New St. WA7 —2D 131
New St. WA8 —1A 120
New St. WA9 —3B 56
Newton Clo. L12 —1A 48
Newton Ct. L13 —2C 69
Newton Cross La. L48 —4C 79
Newton Dri. L48 —4C 79
Newton Gro. WA2 —4B 142
Newton Pk. Rd. L48 —4C 79
Newton Rd. L13 —1C 69
Newton Rd. L44 —4A 42
Newton Rd. L47 —4B 58
Newton Rd. WA2 —1C 141
Newton Rd. WA9 —3D 39
Newton St. L41 —4B 64
Newton Wlk. L20 —2C 29
Newton Way. L3 —2D 67
Newton Way. L49 —2D 81
New Tower Ct. L45 —1B 42
Newtown Gdns. L32 —2C 23
New Way Bus. Cen. L44 —2B 64
Nicander Rd. L18 —1D 89
Nicholas Rd. L23 —4A 6
Nicholas Rd. WA8 —1B 118
Nicholas St. L3 —1B 66
Nicholls Dri. L61 —1B 122
Nicholls St. WA4 —2D 159
Nichol Rd. WA10 —1A 36
Nichol's Gro. L18 —4B 90
Nicholson St. L5 —3C 45
Nicholson St. WA1 —4C 149
Nicholson St. WA9 —3C 39
Nickleby Clo. L8 —1D 87
Nickleby St. L8 —1D 87
Nicola Ct. L45 —3B 42
Nicol Av. WA3 —1B 152
Nidderdale Av. L35 —1B 76
Nigel Rd. L60 —3D 123
Nigel Wlk. WA7 —2D 133
Nightingale Clo. L27 —2D 93
Nightingale Clo. WA3 —3B 144
Nightingale Clo. WA7 —2B 138
Nightingale Rd. L12 —3B 34
Nimrod St. L4 —1D 45
Nithsdale Rd. L15 —1C 89
Nixon St. L4 —4B 30
Noble Clo. WA3 —3B 144
Noctorum Av. L43 —2B 82
Noctorum Dell. L43 —3C 83
Noctorum La. L43 —1C 83
Noctorum Rd. L43 —1C 83
Noctorum Way. L43 —3C 83
Noel St. L8 —4A 68
Nook La. WA2 —4D 143
Nook La. WA4 —1C 159
Nook La. WA9 —1C 57
Nook Rise. L15 —3A 70
Nook, The. L25 —3A 92
Nook, The. L43 —1A 84
Nook, The. L48 —4A 80
Nora St. WA1 —4A 150
Norbreck Av. L14 —2C 71
Norbreck Clo. WA5 —1C 155
Norbury Av. L18 —2D 89
Norbury Av. L63 —4C 107
Norbury Av. WA2 —2A 150
Norbury Clo. L32 —1B 22
Norbury Clo. L63 —4C 107
Norbury Fold. L35 —3C 77
Norbury Gdns. L42 —3C 85
Norbury Rd. L32 —1B 22
Norbury Wlk. L32 —1B 22
Norcliffe Rd. L35 —4A 54
Norcott Av. WA4 —3A 158
Norden Clo. WA3 —2D 143
Norfolk Clo. L20 —2D 29
Norfolk Clo. L43 —2B 82
Norfolk Dri. L48 —1B 100
Norfolk Dri. WA5 —3B 146
Norfolk Pl. L21 —4A 18
Norfolk Pl. WA8 —2B 118
Norfolk Rd. L31 —2B 10
Norfolk Rd. WA10 —4B 36
Norfolk St. L1 —4B 66
Norfolk St. WA7 —2A 132
Norgate St. L4 —2D 45
Norgrove Clo. WA7 —4C 135
Norlands Ct. L63 —1C 107
Norland's La. L35 —3C 77
Norlands La. WA8 —1D 97
Norland St. WA8 —4B 98
Norleane Cres. WA7 —4A 132
Norley Dri. WA10 —3A 36
Norley Pl. L26 —3C 115
Normanby Sq. L8 —4A 68
Normandale Rd. L4 —1C 47
Normandy Rd. L36 —1C 73
Norman Rd. L20 —4B 18
Norman Rd. L23 —1C 17
Norman Rd. L44 —2C 65
Norman Rd. WA7 —3D 131
Normans Rd. WA9 —2D 57
Normanston Clo. L43 —2A 84
Normanston Rd. L43 —2A 84
Norman St. L3 —2D 67
Norman St. L41 —3D 63
Norman St. WA2 —3D 149
Normanton Av. L17 —3B 88
Norma Rd. L22 —2C 17
Normington Clo. L31 —2B 4
Norreys Av. WA5 —2B 148
Norris Clo. L43 —2B 82
Norris Grn. Cres. L11 —4B 32
Norris Grn. Rd. L12 —3A 48
Norris Grn. Way. L11 —1D 47
Norris Rd. L34 —3B 52
Norris St. WA2 —2A 150
Norseman Clo. L12 —1A 48
North Av. L10 —2C 21
North Av. L24 —3A 114
North Av. WA2 —2D 149
N. Barcombe Rd. L16 —4C 71
Northbrook Clo. L8 —4A 68
Northbrooke Way. L48 —3A 82
Northbrook Rd. L44 —1B 64
Northbrook St. L8 —4D 67 & 4A 68
N. Cantril Av. L12 —1C 49
N. Cheshire Trading Est. L43 —1C 105
North Clo. L62 —2C 125
Northcote Clo. L5 —4D 45
Northcote Rd. L45 —3C 41
Northdale Rd. L15 —3D 69
Northdale Rd. WA1 —2C 151
N. Dingle. L4 —1C 45 & 2C 45
North Dri. L12 —3A 48
North Dri. L15 —3D 69
North Dri. L45 —1D 41
North Dri. L60 —4B 122
N. Eaton Rd. L12 —2A 48
N. End La. L26 —3C 93
Northern La. WA8 —3A 96
Northern Perimeter Rd. L30 —3C 9 to 4A 10
Northern Rd. L24 —1C 129
Northern Rd. The. L23 —4C 7
Northfield Rd. L20 & L9 —1A 30
North Front. L35 —3C 75
Northgate Rd. L13 —4D 47
North Gro. L18 —1B 112
N. Hill St. L8 —2D 87
N. John St. L2 —2B 66
N. John St. WA10
(in two parts) —2D 37 & 3D 37
N. Linkside Rd. L25 —1B 114
N. Manor Way. L25 —4B 92
N. Meade. L31 —3A 4
Northmead Rd. L19 —2C 113
N. Mossley Hill Rd. L18 —2D 89
N. Mount Rd. L32 —4A 12
Northolt Ct. WA2 —1B 150
Northop Rd. L45 —3D 41
North Pde. L24 —2C 129
North Pde. L32 —2C 23
North Pde. L47 —4A 58
N. Park Brook Rd. WA5 —1B 148
N. Park Ct. L44 —1C 65
N. Park Rd. L32 —4A 12
N. Parkside Wlk. L12 —1A 48
N. Perimeter Rd. L33 —4A 14
Northridge Rd. L61 —4D 103
North Rd. L14 —2B 70
North Rd. L19 —3D 111
North Rd. L24 —3C 115
North Rd. L42 —3B 84
North Rd. L48 —4A 78
North Rd. WA10 —1D 37
North St. L3 —2B 66
N. Sudley Rd. L17 —4C 89
North Ter. L47 —3C 59
Northumberland Gro. L8 —2C 87
Northumberland St. L8
(in two parts) —2C 87 & 1D 87
Northumberland Ter. L5 —3C 45
Northumberland Way. L30 —1B 18
North View. L7 —2A 68
North View. L36 —2A 74
North View. WA5 —3B 146
N. Wallasey App. L45 —3B 30 & 4B 30
Northway. L15 —3A 70
Northway. L31 & L39 —2B 10 to 1D 5
Northway. L60 —3D 123
Northway. WA2 —1D 149
Northway. WA7 —4D 133
Northway. WA8 —1B 118
Northways. L62 —1D 125
Northwich Clo. L23 —2A 8
Northwich Rd. WA7 & WA4 —3A 140
N. William St. L44 —2C 65
Northwood Rd. L36 —4C 51
Northwood Rd. L43 —4D 83
Northwood Rd. WA7 —2C 133
Norton Av. WA5 —4B 146
Norton Dri. L61 —2B 102
Norton Ga. WA7 —4B 134
Norton Gro. L31 —3B 10
Norton Gro. WA9 —2B 54
Nortonhill. WA7 —2B 134
Norton La. WA7 —3A 134
Norton Rd. L48 —3A 78
Norton Sta. Rd. WA7 —4B 134
Norton St. L3 —2C 67
Norton St. L20 —2C 29
Norton View. WA7 —4D 133
Norton Village. WA7 —3B 134
Nortonwood La. WA7 —3B 134
Norville Rd. L14 —2B 70
Norwich Dri. L49 —4D 61
Norwich Rd. L15 —1D 89
Norwich Way. L32 —2C 23
Norwood Av. L21 —3A 18
Norwood Clo. L6 —4A 46
Norwood Ct. L49 —3C 81
Norwood Gro. L6 —4A 46
Norwood Rd. L44 —1A 64
Norwood Rd. L49 —3C 81
Norwood Way. L6 —4A 46
Norwyn Rd. L11 —3A 32
Nottingham Clo. L35 —4A 54
Nottingham Clo. WA1 —3A 152
Nottingham Rd. L36 —3B 72
Nowshera Av. L61 —3D 103
Nuffield Clo. L49 —2D 81
Nun Clo. L43 —3A 84
Nunn St. WA9 —3C 39
Nunsford Clo. L21 —2B 18
Nunthorpe Av. L34 —1C 35
Nurse Rd. L61 —3A 104
Nursery Clo. L25 —2B 114
Nursery Clo. L43 —3A 84
Nursery Clo. WA8 —3C 99
Nursery La. L19 —2B 112
Nursery Rd. L31 —2A 4
Nursery Rd. WA1 —2B 150
Nursery Rd. WA9 —2B 54
Nursery St. L5 —3C 45
Nutfield Rd. L24 —1D 129
Nutgrove Av. WA9 —2B 54
Nutgrove Hall Dri. WA9 —2B 54
Nutgrove Rd. WA9 —3B 54
Nut St. WA9 —2B 54
Nuttall Ct. WA3 —3D 143
Nuttall St. L7 —3A 68
Nuttall St. WA10 —4C 37
Nyland Rd. L36 —4C 51
Oak Av. L9 —1C 31
Oak Av. L49 —1B 80
Oak Bank. L41 —2B 84
Oakbank Rd. L18 —2C 89
Oakbank St. L44 —1B 64
Oakbourne Clo. L17 —4B 88
Oak Clo. L12 —1D 49
Oak Clo. L35 —1C 75
Oak Clo. L46 —4C 61
Oak Ct. L8 —2D 87
(off Weller Way)
Oakdale Av. L44 —2B 64
Oakdale Av. WA4 —3A 158
Oakdale Dri. L49 —4B 80
Oakdale Rd. L18 —2D 89
Oakdale Rd. L22 —2C 17
Oakdale Rd. L44 —2B 64
Oakdene Av. WA1 —3C 151
Oakdene Ct. L35 —2B 76
Oakdene Rd. L4 —2A 46
Oakdene Rd. L42 —3B 84
Oak Dri. WA7 —4B 132
Oakenholt Rd. L46 —3C 61
Oakes St. L3 —2D 67
Oakfield. L4 —3A 46
Oakfield Av. L25 —2A 92
Oakfield Clo. WA9 —2B 54
Oakfield Dri. L36 —3D 73
Oakfield Dri. WA8 —2D 117
Oakfield Gro. L36 —3D 73
Oakfield Rd. L4 —3A 46
Oakfield Rd. L62 —4C 125
Oakfield View. L41 —4B 64
Oakham Dri. L10 —2D 21
Oakham Dri. L46 —3A 60
Oakham St. L8 —1C 87
Oakhill Clo. L12 —3D 33
Oakhill Clo. L31 —3B 4
Oakhill Cottage La. L31 —2B 4
Oakhill Dri. L31 —2B 4
Oakhill Pk. L13 —2A 70
Oakhill Rd. L13 —2A 70
Oakhill Rd. L31 —3B 4
Oakhurst Clo. L25 —2A 92
Oakland Clo. L21 —4A 18
Oakland Dri. L49 —1A 82
Oakland Rd. L19 —1D 111
Oaklands. L35 —1B 76
Oaklands Av. L23 —3C 7
Oaklands Dri. L61 —2B 122
Oaklands Dri. L63 —3D 107
Oaklands Ter. L61 —2B 122
Oakland St. WA1 —2B 150
Oakland St. WA8 —4D 119
Oakland Vale. L45 —1B 42
Oak La. L11 —4C 33
Oakleaf M. L43 —2B 82
Oaklea Rd. L61 —3D 103
Oak Leigh. L13 —3C 47
Oakleigh Gro. L63 —3D 107
Oakley Clo. L12 —3A 34
Oakmere Dri. L49 —3B 80
Oakmere Dri. WA5 —1B 154
Oakmere St. WA7 —2D 131
Oakridge Clo. L62 —2C 125
Oakridge Rd. L62 —2C 125
Oak Rd. L35 —1C 75
Oak Rd. L36 —3B 72
Oak Rd. L63 —2D 107
Oak Rd. WA5 —1B 154
Oak Rd. WA13 —2D 161
Oaks La. L61 —1B 122
Oaksmeade Clo. L12 —3B 34
Oaks, The. L12 —3A 34
Oaks, The. L62 —3C 125
Oaks, The. WA9 —4B 56
Oakston Av. L35 —2B 76
Oak St. L20 —2D 29
Oak St. WA9 —1C 57
Oak Ter. L7 —2B 68
Oak Towers. L33 —1D 23
Oak Tree Pl. L42 —3D 85
Oaktree Rd. WA10 —1A 36
Oak Vale. L13 —2A 70
Oak View. L24 —1D 129
Oakways. WA4 —2A 162
Oakwood Av. WA1 —3A 150
Oakwood Clo. L25 —2A 92
Oakwood Dri. L36 —2D 73
Oakwood Dri. L43 —3C 63
Oakwood Ga. WA3 —3A 144
Oakwood Mt. WA3 —3C 145
Oakwood Rd. L26 —2C 115
Oakworth Clo. L33 —4C 13
Oakworth Dri. L35 —4D 73
Oakworth Dri. L62 —2B 108
Oarside Dri. L45 —2A 42
Oatfield La. L21 —1A 18
Oatlands Rd. L32 —2A 22
Oatlands, The. L48 —4B 78
Oban Dri. L60 —4B 122
Oban Gro. WA2 —3C 143
Oban Rd. L4 —3A 46
Oberon St. L20 —1B 44
O'Brien Gro. WA9 —2C 39
Observatory Rd. L43 —3C 63
Oceanic Rd. L13 —2D 69
Ocean Rd. L21 —4A 18
O'Connell Rd. L3 —4B 44
Octavia Hill Rd. L21 —2B 18
Odsey St. L7 —2B 68
Odyssey Cen. L41 —3B 64
Ogden Clo. L13 —2D 47
Ogle Clo. L35 —4C 53
Oglet La. L24 —2B 128 to 3D 129
Oil St. L3 —1A 66
O'Keefe Rd. WA9 —2B 38
Okehampton Rd. L16 —3B 70
Okell Dri. L26 —4C 93

Okell St.—Patricia Av.

Okell St. WA7 —2D 131
Old Barn Rd. L4 —3A 46
Old Barn Rd. L44 —1A 64
Old Bidston Rd. L41 —3A 64
Oldbridge Rd. L24 —2D 129
Old Chester Rd. L41, L42 & L63 —2C 85 to 3A 108
Old Church Yd. L2 —2A 66
Old Colliery Rd. L35 —1B 74
Old Distillery Rd. L24 —4A 114
Old Dover Rd. L36 —3B 72
Old Eccleston La. WA10 —3A 36
Old Farm Rd. L23 —4D 7
Old Farm Rd. L32 —4D 23
Oldfield. L35 —4D 53
Oldfield Clo. L60 —2A 122
Oldfield Dri. L60 —2A 122 & 3A 122
Oldfield Farm La. L60 —2A 122
Oldfield Gdns. L60 —3A 122
Oldfield La. L48 —2D 79
Oldfield Rd. L19 —1A 112
Oldfield Rd. L45 —3D 41
Oldfield Rd. L60 —2A 122
Oldfield Rd. WA13 —1D 161
Oldfield St. WA10 —1D 37
Oldfield Way. L60 —2A 122
Oldgate. WA8 —3A 118
Old Gorsey La. L44 —2A 64
Old Greasby Rd. L49 —2D 81
Old Hall. L35 —3C 75
Old Hall Clo. L31 —2B 10
Old Hall Clo. WA4 —4C 157
Old Hall La. L32 —1B 22
Old Hall Rd. L31 —1B 10
Old Hall Rd. L62 —3D 125
Old Hall Rd. WA5 —2A 148
Old Hall St. L3 —2A 66
Oldham Pl. L1 —3C 67
Oldham St. L1 —3C 67
Oldham St. WA4 —1A 158
Old Haymarket. L1 —2B 66
Old Higher Rd. WA8 —4B 116
Old Hutte La. L24 & L26 —3D 115
Old La. L31 —2C 5
Old La. L34 & L35 —2C 53
Old La. L35 —1A 76 to 2A 76
Old La. L60 —3D 123
Old La. WA8 —1B 118
Old Leeds St. L3 —2A 66
Old Market Pl. WA1 —4C 14
(off Horsemarket St.)
Old Marylands La. L46 —3C 61
Old Meadow. L34 —2D 35
Old Meadow Rd. L61 —1A 122
Old Mill Av. WA9 —3B 56
Old Mill Clo. L15 —3A 70
Old Mill Clo. L60 —4C 123
Old Mill La. L15 —3A 70
Old Mill La. L34 —2D 35
Old Nook La. WA11 —1C 39
Old Northwich Rd. WA7 —2C 139
Old Pewterspear La. WA4 —3A 162
Old Post Office Pl. L1 —3B 66
(off School La.)
Old Pump La. L49 —3B 80
Old Quarry, The. L25 —4D 91
Old Quay St. WA7 —1A 132
Old Racecourse Rd. L31 —1A 10
Old Rectory Grn. L29 —2C 9
Old Riding. L14 —3D 49
Old Rd. WA4 —1D 157
Old Ropery. L2 —2B 66
Old Rough La. L33 —1C 23
Old School Ho. La. WA2 —1C 141
Old Smithy La. WA13 —2D 161
Old Thomas La. L14 —2B 70
Old Upton La. WA8 —3C 97
Old Whint Rd. WA11 —1D 39
Old Wood La. L27 —3D 93
Old Wood Rd. L61 —1B 122
Oleander Dri. WA10 —2B 36
O'Leary St. WA2 —3A 150
Olga Rd. WA9 —2B 56
Olinda St. L62 —2A 108
Olive Cres. L41 —2C 85
Olivedale Rd. L18 —2D 89
Olive Gro. L15 —3D 69
Olive Gro. L30 —3A 20
Olive Gro. L36 —2B 72
Olive La. L15 —3D 69
Olive Mt. L41 —2C 85
Olive Mt. Heights. L15 —3A 70
Olive Mt. Rd. L15 —3A 70
Olive Mt. Vs. L15 —3D 69
Olive Mt. Wlk. L15 —3A 70
Oliver Lyme Ho. L34 —3C 53
Oliver Lyme Rd. L34 —3C 53
Olive Rd. L22 —3C 17
Oliver Rd. WA10 —1B 54
Oliver St. L41 —1B 84
Oliver St. WA2 —3D 149
Oliver St. E. L41 —1C 85
Olivetree Rd. L15 —3A 70
Olive Vale. L15 —4D 69
Olivia Clo. L43 —2B 82
Olivia M. L43 —2B 82
Olivia St. L20 —4D 29
Ollerton Clo. L43 —3B 82
Ollerton Clo. WA4 —2D 159
Ollery Grn. L30 —4A 10
Ollier St. WA8 —3D 119
Olney St. L4 —4B 30
Olton St. L15 —3C 69
Olympic Way. L30 —3A 20
O'Neil St. L20 —2C 29
Onslow Rd. L6 —1B 68
Onslow Rd. L45 —2A 42
Onslow Rd. L62 —1A 108
Openfields Clo. L26 —4C 93
Oppenhiem Av. WA10 —2A 54
Orange Gro. L8 —1A 88
Orange Gro. WA2 —4B 142
Orange Tree Clo. L28 —2A 50
Oran Way. L36 —1C 73
Orb Clo. L11 —3D 33
Orb Wlk. L11 —3D 33
Orchard Av. L14 —3B 70
Orchard Clo. L34 —2D 53
Orchard Clo. L35 —3C 75
Orchard Clo. WA11 —4D 27
Orchard Ct. L31 —4C 5
Orchard Ct. L41 —3D 85
Orchard Dale. L23 —4D 7
Orchard Dene. L35 —1B 76
Orchard Gdns. L35 —3C 75
Orchard Grange. L46 —4B 60
Orchard Hey. L30 —4A 10
Orchard Hey. L31 —1C 11
Orchard Hey. WA10 —3A 36
Orchard Rd. L46 —3C 61
Orchard St. WA1 —4D 149
Orchard St. WA2 —4C 143
Orchard St. WA4 —4A 158
Orchard, The. L17 —1D 111
Orchard, The. L35 —4A 54
Orchard, The. L36 —2C 73
Orchard, The. L45 —2A 42
Orchard Way. L63 —3B 106
Orchard Way. WA8 —3A 96
Orchid Gro. L17 —4D 87
Ordnance Av. WA3 —3B 144
O'Reilly Ct. L3 —4B 44
Orford Av. WA2 —2D 149
Orford Clo. L24 —3A 130
Orford Grn. WA2 —1A 150
Orford La. WA2 —3D 149
Orford Rd. WA2 & WA1 —2A 150
Orford St. L1 —3B 66
Orford St. L15 —4D 69
Orford St. WA1 —4D 149
Oriel Clo. L2 —2B 66
Oriel Clo. L10 —1C 21
Oriel Cres. L20 —1B 44
Oriel Dri. L10 —1B 20
Oriel Lodge. L20 —3D 29
Oriel Rd. L20 —1B 44
Oriel Rd. L42 —3C 85
Oriel St. L3 —1B 66
Orient Dri. L25 —3A 92
Origen Rd. L16 —3C 71
Oriole Clo. WA10 —2A 54
Orkney Clo. WA8 —3C 99
Orkney Clo. WA11 —4D 27
Orlando Clo. L43 —2B 82
Orlando St. L20 —4D 29
Orleans Rd. L13 —1A 70
Ormande St. WA9 —4A 38
Ormesby Gro. L63 —4B 124
Ormiston Rd. L45 —2A 42
Ormond Clo. WA8 —4B 96
Ormonde Av. L31 —1B 10
Ormonde Cres. L33 —2D 23
Ormonde Dri. L31 —1B 10
Ormond M. L43 —2B 82
Ormond St. L3 —2B 66
Ormond St. L45 —3A 42
Ormond Way. L43 —3B 82
Ormsby St. L15 —4C 69
Ormside Gro. WA9 —2B 56
Ormskirk Rd. L9, L10 & L30 —3A 20
Ormskirk Rd. L34 —1D 35
Ormskirk St. WA10 —2D 37 & 3D 37
Orphan Dri. L6 —4C 47 to 1C 69
Orphan St. L7 —3D 67
Orrell Clo. WA5 —4C 147
Orrell Hey. L20 —4B 18
Orrell La. L9 & L20 —4C 19
Orrell Mt. L20 —4B 18
Orrell Mt. Ind. Est. L20 —4B 18
Orrell Rd. L21 L20 —3B 18
Orrell Rd. L45 —2B 42
Orrell St. WA9 —3B 38
Orret's Meadow Rd. L49 —3A 82
Orrysdale Rd. L48 —3A 78 & 4A 78
Orry St. L5 —3B 44
Orsett Rd. L32 —3C 23
Orston Cres. L63 —2B 124
Ortega Clo. L62 —2B 108
Orthes St. L3 —3D 67
Orton Rd. L16 —3B 70
Orville St. WA9 —2C 57
Orwell Rd. L4 —2B 44
Osbert Rd. L23 —4A 6
Osborne Av. L45 —2A 42
Osborne Av. WA2 —1A 150
Osborne Gro. L45 —2A 42
Osborne Rd. L13 —3C 47
Osborne Rd. L21 —3A 18
Osborne Rd. L43 —1A 84
Osborne Rd. L45 —2B 42
Osborne Rd. WA4 —3D 157
Osborne Rd. WA10 —1A 36
Osborne Vale. L45 —2A 42
Osmaston Rd. L42 —4A 84
Osprey Clo. L27 —2C 93
Osprey Clo. WA2 —4A 142
Osprey Clo. WA7 —2B 138
Ossett Clo. L43 —3B 82
Osterley Gdns. L9 —1B 30
O'Sullivan Cres. WA11 —1C 39
Oteley Av. L62 —4D 125
Othello Clo. L20 —1B 44
Otterburn Clo. L46 —4A 60
Otterspool Dri. L17 —1B 110
Otterspool Rd. L17 —1C 111
Otterton Rd. L11 —1D 33
Ottley St. L6 —1B 68
Otway St. L19 —4B 112
Oulton Clo. L31 —2A 4
Oulton Clo. L43 —3C 83
Oulton Ct. WA4 —2C 159
Oulton La. L36 —3B 72
Oulton Rd. L16 —1B 90
Oulton Way. L43 —4C 83
Oundle Dri. L10 —1B 20
Oundle Pl. L25 —2A 114
Oundle Rd. L46 —2C 61
Ounley Clo. WA3 —2C 145
Ouse St. L8 —2D 87
Outer Central Rd. L24 —4C 115
Outer Forum. L11 —3A 32
Out La. L25 —4A 92
Outlet La. L31 —1C 13
Oval, The. L45 —3D 41
Overbury St. L7 —3A 68
Overchurch Rd. L49 —1C 81
Overdale Av. L61 —4B 104
Overdene Wlk. L32 —2D 23
Overgreen Gro. L46 —3C 61
Overton Av. L21 —2A 18
Overton Clo. L32 —2B 22
Overton Clo. L43 —3D 83
Overton Grn. L32 —2B 22
Overton Rd. L44 —4A 42
Overton St. L7 —3A 68
Overton Way. L43 —3D 83
Ovington Clo. WA7 —3A 138
Ovolo Rd. L13 —4A 48
Owen Clo. WA10 —1B 54
Owen Dri. L24 —2A 128
Owen Rd. L4 —1B 44
Owen Rd. L33 —4B 24
Owen Rd. L35 —2B 76
Owen St. L62 —3A 108
Owen St. WA2 —3C 149
Owen St. WA10 —1B 54
Oxborough Clo. WA8 —3D 97
Oxbow Rd. L12 —1C 49
Oxendale Clo. L6 —1A 68
Oxenham Rd. WA2 —3C 141
Oxenholme Cres. L11 —4B 32
Oxford Av. L20 —3A 30
Oxford Av. L21 —3A 18
Oxford Clo. L17 —4B 88
Oxford Dri. L22 —2B 16
Oxford Dri. L26 —1D 115
Oxford Rd. L9 —3A 20
Oxford Rd. L20 —3A 30
Oxford Rd. L22 —2B 16
Oxford Rd. L36 —1D 73
Oxford Rd. L44 —4B 42
Oxford Rd. WA7 —4A 132
Oxford St. L7 —3D 67
Oxford St. WA4 —1A 158
Oxford St. WA8 —2A 120
Oxford St. WA10 —2D 37
Oxford St. E. L7 —3A 68
Oxheys. WA7 —3B 134
Ox La. L35 —2A 94 to 4B 74
Oxley Av. L46 —1A 62
Oxley St. WA9 —2B 56
Oxmead Clo. WA2 —1D 151
Oxmoor Clo. WA7 —2B 138
Oxton Clo. L17 —4B 88
Oxton Clo. L32 —3A 22
Oxton Clo. WA8 —3B 96
Oxton Rd. L41 —2B 84
Oxton Rd. L44 —1A 64
Oxton St. L4 —1D 45

Pacific Rd. L20 —2C 29
Pacific Rd. L41 —4D 65
Packenham Rd. L13 —3D 47
Paddington. L7 —2D 67 & 2A 68
Paddington Bank. WA1 —3B 150
Paddock Clo. L23 —2A 6
Paddock Hey. L27 —1B 92
Paddock Rise. WA7 —3A 138
Paddock, The. L25 —2A 92
Paddock, The. L32 —4C 23
Paddock, The. L34 —2D 53
Paddock, The. L46 —4B 60
Paddock, The. L49 —2A 82
Paddock, The. L60 —4D 123
Padeswood Clo. WA9 —3B 56
Padgate Bus. Cen. WA1 —2C 151
Padgate La. WA1 —3A 150 & 2B 150
Padstow Clo. L26 —1C 115
Padstow Clo. WA5 —1B 154
Padstow Dri. WA10 —1A 36
Padstow Rd. L16 —3B 70
Padstow Rd. L49 —4B 80
Padstow Sq. WA7 —2C 139
Pagebank Rd. L14 —1D 71
Pagefield Rd. L15 —1D 89
Page Grn. L36 —1A 72
Page La. WA8 —1B 120
Page Moss Av. L36 —4A 50
Page Moss La. L14 —1D 71
Page Moss Pde. L36 —1A 72
Pagett Clo. L43 —3B 82
Page Wlk. L3 —1C 67
Pagewood Clo. L43 —3B 82
Paignton Clo. L36 —1A 74
Paignton Clo. WA5 —1B 154
Paignton Rd. L16 —3B 70
Paignton Rd. L45 —3C 41
Paisley Av. WA11 —4D 27
Paisley St. L3 —1A 66
Palace Fields Av. WA7 —1B 138
Palace Rd. L9 —4A 20
Palatine, The. L20 —3D 29
Palatine Arc. WA10 —3D 37
Palatine Ind. Est. WA4 —2D 157
Palatine Rd. L44 —2C 65
Palatine Rd. L62 —3C 125
Paley Clo. L4 —2D 45
Palin Dri. WA5 —3C 147
Palladio Rd. L13 —4A 48
Palliser Clo. WA3 —3C 145
Pall Mall. L3 —1A 66
Palm Clo. L9 —3C 31
Palm Ct. L8 —2D 87
(off Weller Way)
Palmer Clo. WA10 —2C 37
Palmer Cres. WA5 —2A 148
Palmerston Av. L21 —4A 18
Palmerston Clo. L18 —3D 89
Palmerston Cres. L19 —3B 112
Palmerston Dri. L21 —4A 18
Palmerston Rd. L18 —3D 89
Palmerston Rd. L19 —3B 112
Palmerston Rd. L44 —1D 63
Palmerston St. L42 —4D 85
Palm Gro. L25 —1A 114
Palm Gro. L43 —1A 84
Palm Hill. L43 —2A 84
Palmwood Av. L35 —2C 77
Palmwood Clo. L43 —4C 83
Palmyra Ho. WA1 —4C 149
Palmyra Sq. N. WA1 —4C 149
Palmyra Sq. S. WA1 —4C 149
Paltridge Way. L61 —1B 122
Pamela Clo. L10 —4A 22
Pampas Gro. L9 —2C 31
Pangbourne Clo. WA4 —2B 162
Pankhurst Rd. L21 —2B 18
Pansy St. L5 —2B 44
Parade Cres. L24 —2C 129
Parade St. WA10 —2D 37
Parade, The. L15 —3A 70
Paradise Gdns. L15 —4D 69
Paradise La. L35 —2B 74
Paradise St. L1 —3B 66
Paragon Clo. WA8 —2A 98
Parbold Av. WA11 —1B 38
Parbold Ct. WA8 —2B 118
Parbrook Clo. L36 —3B 50
Parbrook Rd. L36 —3B 50
Park Av. L9 —4B 20
Park Av. L18 —3C 89
Park Av. L23 —3C 7
Park Av. L31 —3C 5
Park Av. L34 —2D 53
Park Av. L35 —1A 76
Park Av. L44 —1B 64
Park Av. WA4 —2A 158
Park Av. WA8 —4A 98
Park Av. WA11 —1D 39
Park Boulevd. WA1 —1C 157
Parkbourn. L31 —3D 5
Parkbourn Dri. L31 —3D 5
Parkbourn N. L31 —3D 5
Parkbourn Sq. L31 —3D 5
Parkbridge Rd. L42 —3B 84
Park Brow Dri. L32 —3D 23
Parkbury Ct. L43 —3D 83
Park Clo. L32 —4A 12
Park Clo. L41 —1B 84
Park Ct. L22 —3C 17
Park Ct. L32 —1B 22
Park Ct. WA7 —4D 131
Park Cres. WA4 —1A 162
Parkdale Rd. WA1 —3C 151
Park Dri. L23 —4A 6
Park Dri. L43 & L41 —4D 63 to 1B 84
Parkend Rd. L42 —3B 84
Parker Av. L21 —4C 17
Parkers Ct. WA7 —1A 138
Parker St. L1 —3C 67
Parker St. WA1 —1C 157
Parker St. WA7 —2A 132
Parkfield Av. L30 —3A 20
Parkfield Av. L41 —1C 85
Parkfield Av. WA4 —1C 159
Parkfield Dri. L44 —4A 42
Parkfield Gro. L31 —4B 4
Parkfield Pl. L41 —1B 84
Parkfield Rd. L17 —2A 88
Parkfield Rd. L22 —2C 17
Parkfield Rd. L63 —1B 124
Parkfields La. WA2 —4C 143
Parkgate Rd. WA4 —3A 158
Parkgate Way. WA7 —1D 139
Park Gro. L41 —2B 84
Park Hill Ct. L8 —3D 87
Park Hill Rd. L8 —3D 87
Parkhill Rd. L42 —4B 84
Park Ho. St. WA9 —2A 38
Parkhurst Rd. L11 —4B 32
Parkhurst Rd. L42 —4B 84
Parkinson Rd. L9 —2B 30
Parkland Ct. L43 —3B 62
Parklands. L34 —3D 35
Parklands. WA8 —3B 96
Parklands Ct. L49 —4A 82
(off Childwall Grn.)
Parklands Dri. L60 —4C 123
Park La. L1 —3B 66
Park La. L20 —4C 19
Park La. L30 —2D 19
Park La. L47 —2D 59
Park La. W. L30 —1C 19
Park Pl. L8 —1C 87
Park Pl. L20 —3D 29
Park Pl. WA1 —4C 149
Park Rd. L8 —1D 87
Park Rd. L22 —2C 17
Park Rd. L32 —1A 22
Park Rd. L34 —2B 52
Park Rd. L42 —3C 85
Park Rd. L44 —1B 64
Park Rd. L47 —3C 59
Park Rd. L48 —4A 78
Park Rd. L60 —3C 123
Park Rd. L62 —4A 108
(in two parts)
Park Rd. WA2 —1A 150
Park Rd. WA5 —3A 146
Park Rd. WA7 —4D 131
Park Rd. WA8 —1A 120
Park Rd. WA9 & WA11 —2B 38
Park Rd. E. L41 —1B 84
Park Rd. N. L41 —4D 63
Park Rd. S. L43 —1A 84
Park Rd. W. L43 —4D 63
Parkside. L20 —3D 29
Parkside. L44 —1B 64
Parkside Av. WA9 —4A 56
Parkside Clo. L27 —2C 93
Parkside Clo. L63 —3D 107
Parkside Dri. L12 —1A 48
Parkside Rd. L42 —3C 85
Parkside Rd. L63 —3A 108
Parkside St. L6 —1D 67
Parkstile La. L11 —2C 33
Parkstone Rd. L42 —3B 84
Park St. L8 —2C 87
Park St. L20 —3D 29
Park St. L41 —1C 85
Park St. L44 —4A 42
Park St. WA9 —3B 38
Park St. WA11 —1D 39
Parksway. WA1 —3A 152
Park Ter. L22 —3C 17
Park, The. L36 —3C 73
Park, The. WA5 —2A 154
Parkvale Av. L43 —1C 105
Park Vale Rd. L9 —1C 31
Park View. L6 —4B 46
Park View. L9 —2B 30
Park View. L21 —3D 17
Park View. L22 —2B 16
Park View. L23 —2A 8
Park View. L36 —4B 50
Park View. L62 —3C 125
Park View. WA2 —4B 142
Parkview Dri. L27 —2C 93
Parkview Rd. L11 —1D 33
Park Wall Rd. L29 —1D 7
Park Way. L8 —4D 67
(in two parts)
Parkway. L23 —1D 17
Parkway. L30 —3C 9
Park Way. L36 —2B 50
Parkway. L45 —2C 41
Park Way. L47 —3C 59
Parkway. L61 —3D 103
Parkway Clo. L61 —3D 103
Parkway E. L32 —1A 22
Parkway W. L32 —1A 22
Park W. L60 —4A 122
Parkwood Clo. L62 —3D 125
Parkwood Rd. L25 —3D 91
Parlane St. WA9 —2B 88
(in two parts)
Parliament Clo. L1 —4C 67
Parliament Pl. L8 —4D 67
Parliament St. L8 —4C 67
Parliament St. WA9 —2C 55
Parlington Clo. WA8 —2B 118
Parlow Rd. L11 —1C 47
Parren Av. L35 —3B 74
Parr Gro. L49 —3B 80
Parr Gro. WA11 —1D 39
Parr Ind. Est. WA9 —4C 39
Parr Mt. Ct. WA9 —3B 38
Parr Mt. St. WA9 —3B 38
Parr's Rd. L43 —3A 84
Parr Stocks Rd. WA9 —3B 38
Parr St. L1 —3C 67
Parr St. L21 —3A 18
Parr St. WA1 —1D 157
(in two parts)
Parr St. WA8 —4A 98
Parr St. WA9 —3A 38
Parry Dri. WA4 —2A 160
Parry's La. WA7 —3D 131
Parry St. L44 —2C 65
Parsonage Rd. WA8 —1D 131
Parsonage Way. WA5 —4C 147
Parthenon Dri. L11 —3A 32
Partington Av. L20 —2A 30
Parton St. L6 —1B 68
Partridge Clo. WA3 —3B 144
Partridge Rd. L23 —4A 6
Passway. WA11 —3C 27
Pasture Av. L46 —2C 61
Pasture Clo. L25 —1A 114
Pasture Clo. WA9 —4A 56
Pasture Cres. L46 —2C 61
Pasture Dri. WA3 —1C 143
Pasture La. WA2 —1D 151
Pasture Rd. L46 —1C 61
Pastures, The. L48 —4D 79
Pateley Clo. L32 —2B 22
Pateley Wlk. L24 —1C 129
Paterson St. L41 —1B 84
Paton Clo. L48 —3B 78
Patricia Av. L41 —2D 63

Patricia Gro.—Price St.

Patricia Gro. L20 —4B 18
Patrick Av. L20 —4C 19
Patrivale Clo. WA1 —3C 151
Pattens Clo. L30 —4C 9
Patten St. L41 —3A 64
Patten's Wlk. L34 —2D 35
Patterdale Av. WA2 —4D 141
Patterdale Cres. L31 —4C 5
Patterdale Dri. WA10 —1A 54
Patterdale Rd. L15 —1C 89
Patterdale Rd. L63 —1A 124
Patterson Clo. WA3 —4B 144
Paul Clo. WA5 —3A 146
Pauldings La. L21 —3A 18
Pauline Wlk. L10 —4A 22
Paul McCartney Way. L6 —1A 68
Paul Orr Ct. L3 —4B 44
Paulsfield Dri. L46 —4D 61
Paul St. L3 —1B 66
Paul St. WA2 —3C 149
Paveley Bank. L27 —1B 92
Pavilion Clo. L8 —4A 68
Paxton Rd. L36 —1C 73
Paxton Rd. L43 —3B 82
Paxton Way. L43 —2B 82
Payne Clo. WA5 —4A 148
Peacehaven Clo. L16 —3D 71
Peach Gro. L31 —4A 12
Peach St. L7 —3D 67
Peach Tree Clo. L24 —3B 130
Peacock Av. WA1 —3B 150
Pearce Clo. L25 —1D 91
Pear Gro. L6 —1A 68
Pearson Av. WA4 —2A 158
Pearson Dri. L20 —4C 19
Pearson Rd. L41 —2C 85
Pearson St. L15 —4D 69
Pear Tree Av. L12 —1D 49
Pear Tree Av. WA7 —4B 132
Pear Tree Clo. L24 —3A 130
Pear Tree Clo. L60 —3D 123
Pear Tree Pl. WA4 —1D 157
Pear Tree Rd. L36 —3C 73
Peasefield Rd. L14 —4D 49
Peasley Clo. WA2 —1C 151
Peasley Cross La. WA9 —3A 38
Peasley View. WA9 —4B 38
(in two parts)
Peatwood Av. L32 —4D 23
Peckers Hill Rd. WA9 —2C 57
Peckfield Clo. WA7 —2C 139
Peckforton Dri. WA7 —3A 138
Peckmill Grn. L27 —2C 93
Pecksniff Clo. L8 —1D 87
Peebles Av. WA10 —4D 27
Peebles Clo. L33 —3B 12
Peel Av. L42 —3D 85
Peel Clo. L35 —1C 75
Peel Clo. WA1 —3A 152
Peel Cottage. L31 —4A 4
Peel Ho. La. WA8 —3A 98
Peel Pl. WA10 —2D 37
Peel Rd. L20 —2B 28
Peel St. L8 —2D 87
Peel St. WA7 —2D 131
Peel Wlk. L31 —4A 4
Peet Av. WA10 —3A 36
Peet St. L7 —2A 68
Pelham Gro. L17 —3B 88
Pelham Rd. L44 —1D 63
Pemberton Rd. L13 —1A 70
Pemberton Rd. L49 —3A 82
Pemberton St. WA10 —3C 37
Pembrey Way. L25 —1B 114
Pembroke Av. L46 —4C 61
Pembroke Ct. L41 —2C 85
Pembroke Gdns. L3 —2D 67
Pembroke Gdns. WA4 —3A 162
Pembroke Pl. L3 —2C 67
Pembroke Rd. L20 —3D 29
Pembroke St. L3 —2D 67
Pembury Clo. L12 —3A 34
Penare. WA7 —2C 139
Penarth Clo. L7 —3A 68
Pencombe Rd. L36 —4A 50
Pendennis Rd. L44 —1B 64
Pendennis St. L6 —3A 46
Pendine Clo. L6 —4B 46
Pendine Clo. WA5 —1A 148
Pendle Av. WA11 —1B 38
Pendlebury St. WA4 —1C 159
Pendlebury St. WA9 —4B 56
Pendle Clo. L49 —1C 81
Pendle Dri. L21 —4B 8
Pendleton Grn. L26 —2C 115
Pendleton Rd. L4 —4C 31
Pendle View. L21 —4B 8
Pendle Vs. L21 —4B 8
Penfold. L31 —4C 5
Penfold Clo. L18 —2C 91
Penfolds. WA7 —3C 133
Pengallow Hey. L27 —1C 93
Pengwern Gro. L15 —3C 69
Pengwern St. L8 —2D 87
Pengwern Ter. L45 —2B 42
Penhale Clo. L17 —4A 88
Peninsula Ho. WA2 —2A 150
Penketh Av. WA5 —2B 148
Penketh Bus. Pk. WA5 —1D 155
Penketh Ct. WA7 —2A 132
Penketh Grn. L24 —1C 129
Penketh Rd. WA5 —1C 155
Penketh's La. WA7 —2A 132
Penkett Ct. L45 —3B 42
Penkett Gdns. L45 —3B 42
Penkett Gro. L45 —3B 42
Penkett Rd. L45 —3A 42
Penlake Ind. Est. WA9 —2C 57
Penlake La. WA9 —2C 57
Penley Cres. L32 —1A 22
Penmann Clo. L26 —2D 115
Penmann Cres. L26 —2D 115
Penmon Dri. L61 —1B 122
Pennant Av. L12 —1A 48
Pennant Clo. WA3 —3C 145
Pennard Av. L36 —3B 50
Pennine Clo. WA9 —3C 39
Pennine Dri. WA9 —3C 39
Pennine Rd. L42 —1B 106
Pennine Rd. L44 —4D 41
Pennine Rd. WA2 —4B 142
Pennine Way. L32 —4B 12
Pennington Av. L20 —4C 19
Pennington Pl. L36 —2C 73
Pennington Rd. L21 —1C 29
Pennington St. L4 —4B 30
Penn La. WA7 —2C 131
Pennsylvania Rd. L13 —2B 46
Penny La. L18 —2D 89
Penny La. L35 & WA8 —4D 75 to 1B 96
Penny La. WA8 —1A 96
Penny La. Neighbourhood Cen. L15 —1D 89
Pennystone Clo. L49 —1C 81
Penrhos Rd. L47 —1A 78
Penrhyd Rd. L61 —4B 102
Penrhyn Av. L21 —4A 18
Penrhyn Av. L61 —3A 104
Penrhyn Cres. WA7 —4A 132
Penrhyn Rd. L34 —1C 35
Penrhyn St. L5 —4C 45
Penrith Av. WA2 —4D 141
Penrith Cres. L31 —3C 5
Penrith Rd. WA10 —2A 54
Penrith St. L41 —2B 84
Penrose Av. E. L14 —2C 71
Penrose Av. W. L14 —2C 71
Penrose St. L5 —3C 45
Penryn Av. WA11 —4D 27
Penryn Clo. WA5 —1B 154
Pensall Dri. L61 —2B 122
Pensarn Rd. L13 —2D 69
Pensby Clo. L61 —4D 103
Pensby Hall La. L61 —2B 122
Pensby Rd. L60 & L61 —3B 122 to 3A 104
Pensby St. L41 —4A 64
Pentire Av. WA10 —1A 36
Pentire Clo. L10 —1C 33
Pentland Av. L4 —4B 30
Pentland Av. WA2 —3D 141
Pentland Av. WA9 —3D 39
Pentland Pl. WA2 —3D 141
Pentland Rd. L33 —4D 13
Penuel Rd. L4 —4B 30
Peover St. L3 —1C 67
Peploe Rd. L4 —4D 31
Peplow Rd. L32 —2A 22
Pepper St. L24 —3A 130
Percival La. WA7 —3C 131
Percival St. WA1 —4D 149
Percy Rd. L44 —2C 65
Percy St. L8 —4D 67
Percy St. L20 —2C 29
Percy St. WA5 —4B 148
(in two parts)
Percy St. WA9 —2D 57
Peregrine Way. L26 —1C 115
Perimeter Rd. L33 —3B 24
Perrey St. WA7 —2A 132
Perriam Rd. L19 —2C 113
Perrin Av. WA7 —4C 131
Perrin Rd. L45 —4C 41
Perry St. L8 —1C 87
Perry St. WA7 —2A 132
Pershore Rd. L32 —3C 23
Perth Av. WA9 —2C 55
Perth Clo. L33 —3B 12
Perth Clo. WA2 —3B 142
Perth St. L6 —1A 68
Peterborough Dri. L30 —4C 9
Peterborough Rd. L15 —1D 89
Peterlee Clo. WA9 —2D 55
Peterlee Way. L30 —2D 19
Peter Mahon Way. L20 —2C 29
Peter Price's La. L63 —1A 124
Peter Rd. L4 —4A 30
Peter Salem Dri. WA5 —4D 147
Petersfield Clo. L30 —2D 19
Petersgate. WA7 —4C 135
Petersham Dri. WA4 —2B 162
Peter's La. L1 —3B 66
Peter St. L1 —2B 66
Peter St. L44 —2C 65
Peter St. WA10 —2C 37
Peterwood. L42 —1A 108
Petherick Rd. L11 —2D 33
Petton St. L5 —3D 45
Petunia Clo. L14 —4D 49
Petworth Av. WA2 —3D 141
Petworth Clo. L24 —4A 114
Peveril Clo. WA4 —4A 158
Peveril St. L9 —3B 30
Pewterspear Grn. Rd. WA4 —4A 162
Pewterspear La. WA4 —3A 162
Pheasant Clo. WA3 —3B 144
Pheasantfields. L24 —3A 130
Pheasant Gro. L26 —4C 93
Philbeach Rd. L4 & L11 —4D 31
Philip Gro. WA9 —2B 56
Philip Rd. WA8 —2A 118
Phillimore Rd. L6 —1B 68
Phillip Gro. L12 —3C 49
Phillips Clo. L23 —3A 8
Phillips Dri. WA5 —3B 146
Phillips St. L3 —1B 66
Phillips Way. L60 —4A 122
Phoenix Av. WA5 —1B 148
Phythian Clo. L6 —1A 68
Phythian Cres. WA5 —1C 155
Phythian St. L6 —1D 67
Phythian St. WA11 —1D 39
Pichael Nook. WA4 —1C 159
Pickerill Rd. L49 —3C 81
Pickering Cres. WA4 —2A 160
Pickering Rake. L30 —4B 8
Pickering Rd. L45 —1A 42
Pickerings Clo. WA7 —1C 137
Pickerings Rd. WA8 —4A 118
Pickering St. L6 —4A 46
Pickmere Dri. WA7 —2C 139
Pickmere St. WA5 —1B 156
Pickop St. L3 —1B 66
Pickwick St. L8 —1D 87
Picow Farm Ind. Est. WA7 —3C 131
Picow Farm Rd. WA7 —3C 131
Picow St. WA7 —2D 131
Picton Av. WA7 —3A 132
Picton Clo. L43 —3D 83
Picton Clo. WA3 —3A 144
Picton Cres. L15 —3C 69
Picton Gro. L15 —3C 69
Picton Rd. L15 —3B 68
Picton Rd. L22 —2B 16
Pier Head. L3 —3A 66
Pierpoint St. WA5 —3C 149
Pighue La. L7 & L13 —2C 69
Pighue St. WA7 —2D 131
Pigot Pl. WA4 —4C 151
Pigot St. WA10 —3C 37
Pigotts Rake. L30 —3C 9
Pike Ho. Rd. WA10 —2A 36
Pike Pl. WA10 —2A 36
Pikes Hey Rd. L48 —2D 101
Pike St. WA4 —3A 158
Pilchbank Rd. L14 —4C 49
Pilch La. L14 —4C 49
Pilch La. E. L36 —2D 71
Pilgrim Clo. WA2 —1C 141
Pilgrim St. L1 —4C 67
Pilgrim St. L41 —1D 85
Pilling La. L31 —1A 4
Pilot Gro. L15 —3C 69
Pimbley Gro. E. L31 —3B 10
Pimbley Gro. W. L31 —3B 10
Pimhill Clo. L8 —1D 87
Pincroft Way. L4 —2B 44
Pine Av. L63 —1A 124
Pine Av. WA8 —4A 98
Pine Av. WA10 —1C 37
Pine Clo. L32 —1B 22
Pine Clo. L35 —1C 75
Pine Clo. L36 —4B 50
Pine Ct. L8 —2D 87
(off Byles St.)
Pine Ct. L41 —1C 85
Pinedale Clo. L43 —2B 82
Pine Gro. L8 —4A 68
Pine Gro. L20 —2D 29
Pine Gro. L22 —1B 16
Pine Gro. WA1 —2C 151
Pinehurst Av. L4 —2A 46
Pinehurst Av. L22 —1B 16
Pinehurst Rd. L4 —2A 46
Pine M. L1 —4C 67
Pinemore Rd. L18 —4D 89
Pineridge Clo. L62 —2C 125
Pine Rd. L60 —3C 123
Pine Rd. WA7 —4B 132
Pines, The. L12 —2B 34
Pines, The. L63 —1B 124
Pinetree Av. L43 —2B 82
Pine Tree Clo. L46 —3D 61
Pinetree Ct. L44 —4D 41
Pinetree Dri. L48 —1C 101
Pine Tree Gro. L46 —4D 61
Pinetree Rd. L36 —3B 72
Pine View Dri. L61 —2B 122
Pine Walks. L42 —1A 106
Pine Way. L60 —2A 122
Pineways. WA4 —2A 162
Pinewood Av. L12 —3D 33
Pinewood Av. WA1 —3A 150
Pinewood Clo. L27 —1C 93
Pinewood Dri. L60 —4C 123
Pinewood Gdns. L33 —3C 13
Pinfold. L48 —3A 78
Pinfold Clo. L30 —3C 9
Pinfold Ct. L23 —4C 7
Pinfold Cres. L32 —3D 23
Pinfold Dri. WA10 —3A 36
Pinfold La. L34 —3C 35
Pinfold La. W. L48 —3A 78
Pinfold Rd. L25 —2B 114
Pingwood La. L33 —3D 13
Pinners Brow. WA2 —3D 149
Pinnington Rd. L35 —1C 75
Piper's Clo. L60 —3A 122
Piper's End. L60 —3A 122
Piper's La. L60 —3A 122
(in two parts)
Pipit Clo. L26 —4C 93
Pipit La. WA3 —3B 144
Pippits Row. WA7 —2A 138
Pirrie Rd. L9 —3D 31
Pitchbank Rd. L14 —4C 49
Pitch Clo. L49 —2B 80
Pit La. WA8 —3D 97
Pitsmead Rd. L32 —3C 23
Pitt Pl. L25 —4D 91
Pitts Heath La. WA7 —1C 135
Pitt St. L1 —3B 66
Pitt St. WA5 —3C 149
Pitt St. WA8 —3D 119
Pitt St. WA9 —3A 38
(in two parts)
Pitville Av. L18 —3D 89
Pitville Clo. L18 —4A 90
Pitville Gro. L18 —3A 90
Pitville Rd. L18 —3A 90
Pitville Ter. WA8 —2A 118
Plane Clo. L9 —3C 31
Planetree Rd. L12 —2C 49
Plane Tree Rd. L63 —4C 107
Plantation Clo. WA7 —3D 133
Planters, The. L30 —4A 10
Planters, The. L49 —2B 80
Platt Gro. L42 —1A 108
Platts St. WA11 —1D 39
Plattsville Rd. L18 —1A 90
Playfield Rd. L12 —2D 49
Playfield Wlk. L12 —2C 49
Pleasant Hill St. L8 —1C 87
Pleasant St. L3 —3C 67
Pleasant St. L20 —3C 29
Pleasant St. L45 —2A 42
Pleasant View. L7 —2C 69
Pleasant View. L20 —3C 29
Pleasington Clo. L43 —3C 83
Pleasington Dri. L43 —3C 83
Plemont Rd. L13 —4D 47
Plimsoll St. L7 —2A 68
Plinston Av. WA4 —1B 158
Plover Dri. WA7 —4B 134
Pluckington Rd. L36 —1A 74
Plumbers Way. L36 —2D 73
Plumer St. L15 —4C 69
Plumer St. L41 —3D 63
Plumpton St. L6 —1D 67
Plumpton St. WA5 —1A 156
Plumpton Wlk. L6 —1D 67
Plumpton Way. L6 —1D 67
Plumtree Av. WA5 —2C 149
Plum Tree Clo. L28 —2A 50
Plum Tree Clo. L35 —3D 53
Plymouth Clo. WA7 —1A 140
Plymyard Av. L62 —4C 125
Poachers La. WA4 —1C 159
Pochard Rise. WA7 —4B 134
Pocket Nook St. WA9 —2A 38
Pocklington Ct. WA2 —1B 150
Podium Rd. L13 —4A 48
Poets Corner. L62 —4A 108
Poets Grn. L35 —1D 75
Pollard Rd. L15 —3A 70
Poll Hill Rd. L60 —3B 122
Pollitt Cres. WA9 —4B 56
Pollitt Sq. L62 —2A 108
Pollitt St. WA9 —4B 56
Polperro Clo. WA5 —2B 154
Pomfret St. L8 —1D 87
Pomona St. L3 —3C 67
Pond Grn. Way. WA9 —4D 39
Pond View Clo. L60 —4D 123
Pond Wlk. WA9 —4D 39
Ponsonby Rd. L45 —3C 41
Ponsonby St. L8 —1A 88
Pool Bank. L62 —3A 108
Poolbank Rd. L62 —3A 108
Poole Av. WA2 —4D 141
Poole Cres. WA2 —4D 141
Pool End. WA9 —4C 39
Poole Rd. L44 —3B 42
Poole Wlk. L8 —2D 87
Pool Hey. L28 —1A 50
Pool Hollow. WA7 —3A 132
Pool La. L49 —4A 82
Pool La. L62 —4B 108
Pool La. WA4 —3C 157
Pool La. WA7 —1A 132
Pool La. WA13 —1D 161
Poolside Rd. WA7 —3A 132
Pool St. L41 —4C 65
Pool St. WA8 —2A 120
Poolwood Rd. L49 —3A 82
Pope St. L20 —1C 29
Poplar Av. L23 —3D 7
Poplar Av. L49 —2D 81
Poplar Av. WA5 —1B 154
Poplar Av. WA7 —4B 132
Poplar Bank. L36 —2C 73
Poplar Clo. WA7 —1D 137
Poplar Ct. L8 —2D 87
(off Weller Way)
Poplar Dri. L5 —4D 45
Poplar Dri. L32 —1B 22
Poplar Dri. L63 —4A 108
Poplar Farm Clo. L46 —1B 80
Poplar Gro. L8 —3A 88
Poplar Gro. L21 —1B 28
Poplar Gro. L35 —4C 53
Poplar Gro. L42 —2B 84
Poplar Gro. WA10 —3B 36
Poplar Rd. L25 —4D 91
Poplar Rd. L43 —3A 84
Poplars Av. WA2 —3C 141 to 1A 150
Poplars Pl. WA2 —4A 142
Poplars, The. WA13 —1D 161
Poplar Ter. L45 —2A 42
Poplar Way. L4 —1C 45
Poppleford Clo. L25 —2B 92
Porchester Rd. L11 —4B 32
Porlock Av. L16 —1C 91
Porlock Av. WA9 —4B 56
Porlock Clo. L60 —4C 123
Porlock Clo. WA5 —1B 154
Portal M. L61 —1B 122
Portal Rd. L61 —1B 122
Portbury Clo. L62 —3A 108
Portbury Wlk. L62 —3A 108
Portbury Way. L62 —3B 108
Port Causeway. L62 —1D 125
Portelet Rd. L13 —4D 47
Porter Clo. L35 —2C 77
Porter St. L3 —4A 44
Porter St. WA7 —2B 132
Porthcawl Clo. WA8 —3B 96
Porthleven Rd. WA7 —2C 139
Portia Av. L63 —2C 107
Portia Gdns. L63 —2C 107
Portia St. L20 —1B 44
Portico Av. L35 —3D 53
Portico Ct. L35 —3D 53
Portico La. L35 & L34 —3D 53
Portland Av. L22 —2B 16
Portland Ct. L45 —1D 41
Portland Gdns. L5 —4B 44
Portland Pl. L5 —4C 45
Portland St. L5 —4B 44
(in two parts)
Portland St. L41 —4D 63
Portland St. L45 —1D 41
Portland St. WA7 —1D 131
Portland Way. WA9 —4D 39
Portlemouth Rd. L11 —1D 33
Portloe Av. L26 —1D 115
Portman Rd. L15 —4B 68
Porto Hey Rd. L61 —4C 103
Portola Clo. WA4 —3D 159
Porton Rd. L32 —2B 22
Portreath Way. WA10 —1A 36
Portree Clo. L9 —2B 30
Portrush St. L13 —2C 47
Portsmouth Pl. WA7 —1A 140
Portway. L25 —2B 114
Portwood Clo. L8 —4A 68
Post Office La. WA7 —4B 130
Potter's La. WA8 —4D 117
Pottery Clo. L35 —1B 74
Pottery Fields. L34 —3C 53
Pottery La. L35 —1A 74
Poulsom Dri. L30 —1B 18
Poulter Rd. L9 —4A 20
Poulton Bri. Rd. L41 & L44 —2D 63
Poulton Clo. L26 —3C 115
Poulton Cres. WA1 —1A 152
Poulton Dri. WA8 —2B 118
Poulton Grn. Clo. L63 —2A 124
Poulton Hall Rd. L44 —1D 63
Poulton Hall Rd. L63 —4B 124
Poulton Rd. L44 —1A 64
Poulton Rd. L63 —2B 124
Poulton Royd Dri. L63 —2A 124
Poverty La. L31 —1C 11
Povey Rd. WA2 —1A 150
Powell Dri. WN5 —1D 57
Powell St. L43 —3D 63
Powell St. WA4 —2B 158
Powell St. WA9 —2C 57
Power Rd. L42 —1D 107
Powis St. L8 —1D 87
Pownall Sq. L3 —2B 66
Pownall St. L1 —3B 66
Powys St. WA5 —4B 148
Poynter St. WA9 —2C 55
Poynton Clo. WA4 —2D 159
Pratt Rd. L34 —3B 52
Precincts, The. L23 —4C 7
Preesall Way. L11 —1D 33
(in two parts)
Premier St. L5 —4D 45
Prentice Rd. L42 —1C 107
Prenton Av. WA9 —4A 56
Prenton Dell Av. L43 —1D 105
Prenton Dell Rd. L43 —1C 105
Prenton Farm Rd. L43 —1A 106
Prenton Grn. L24 —1C 129
Prenton Hall Rd. L43 —4D 83
Prenton La. L42 —1A 106
Prenton Pk. Rd. L42 —3B 84
Prenton Rd. E. L42 —4B 84
Prenton Rd. W. L42 —4A 84
Prenton Village Rd. L43 —1D 105
Prenton Way. L43 —1C 105
Prentonwood Ct. L42 —1B 106
Prescot By-Pass. L34 —3A 52
Prescot Cen. L34 —3B 52
Prescot Dri. L6 —1C 69
Prescot Rd. L7 & L13 —1B 68
Prescot Rd. L31 —1B 12
Prescot Rd. WA8 & L35 —2D 95
Prescot Rd. WA10 —1A 54 to 3C 37
Prescot Row. L2 —2B 66
Prescot St. L7 —2D 67
Prescot St. L45 —1D 41
Prescott St. WA4 —2A 158
Preseland Rd. L23 —4C 7
Prestbury Av. L43 —4C 83
Prestbury Dri. WA4 —1A 160
Prestbury Rd. L11 —2B 32
Preston Av. L34 —3B 52
Preston Gro. L6 —4B 46
Preston St. L1 —2B 66
Preston St. WA9 —2D 77
Preston Way. L23 —4A 8
Prestwick Dri. L23 —3B 6
Prestwood Ct. WA3 —1D 145
Prestwood Cres. L14 —4D 49
Prestwood Rd. L14 —4D 49
Pretoria Rd. L9 —4A 20
Price Gro. WA9 —4D 39
Price's La. L43 —2A 84
Price St. L1 —3B 66
Price St. L41 —3A 64

Priestley Ind. Est.—Ribbler's La.

Priestley Ind. Est. WA5 —4B 148
Priestley St. WA5 —4B 148
Primrose Clo. WA2 —1A 150
Primrose Clo. WA7 —3D 133
Primrose Clo. WA8 —1C 119
Primrose Ct. L45 —1A 42
Primrose Dri. L36 —4C 51
Primrose Gro. L44 —2C 65
Primrose Hill. L3 —2B 66
Primrose Hill. L62 —3A 108
Primrose Rd. L18 —2B 90
Primrose Rd. L41 —4D 63
Primrose St. L4 —2B 44
Primula Dri. L9 —2C 31
Prince Albert M. L1 —4C 67
Prince Alfred Rd. L15 —4D 69
Prince Andrew's Gro. WA10 —1B 36
Prince Edward St. L41 —4B 64
Prince Edwin La. L5 —4C 45
Prince Edwin St. L5 —4C 45
Prince Henry Sq. WA1 —4D 149
Princes Av. L8 —4D 67
Princes Av. L23 —4B 6
Princes Av. L48 —4A 78
Princes Boulevd. L63 —1C 107
Prince's Clo. WA7 —3C 133
Princes Gdns. L3 —1B 66
Princes Ga. E. L8 —1A 88
Princes Ga. W. L8 —1A 88
Princes Pde. L3 —2A 66
Princes Pk. Mans. L8 —1A 88
Princes Pavement. L41 —1C 85
Princes Pl. L41 —3C 85
Princes Pl. WA8 —4C 97
Princes Rd. L8 —4D 67
Princes Rd. WA10 —4B 36
Princess Av. WA1 —3B 150
Princess Av. WA5 —3B 146
Princess Av. WA10 —1C 37
Princess Cres. WA1 —3B 150
Princess Dri. L12 & L14 —2C 49 to 4A 50
Princess Rd. L45 —2A 42
Princess Rd. WA13 —2D 161
Princess St. WA5 —1A 156
Princess Ter. L43 —2B 84
Princes St. L2 —2B 66
Princes St. L20 —4C 29
Princes St. WA7 —2D 131
Princes St. WA8 —1A 120
Princess Way. L21 —4D 17
Prince St. L22 —3C 17
Princesway. L45 —3D 41
Princes Way. WA11 —3B 26
Prince William St. L8 —1C 87
Priors Clo. L25 —4A 92
Priorsfield. L46 —3C 61
Priorsfield Rd. L25 —4A 92
Prior St. L20 —1C 29
Priory Clo. L17 —4A 88
Priory Clo. L35 —2B 74
Priory Clo. L63 —1B 124
Priory Clo. WA7 —3D 133
Priory Farm Clo. L19 —2D 111
Priory Gdns. WA10 —4A 26
Priory Ridge. WA7 —3D 133
Priory Rd. L4 —1D 45
Priory Rd. L44 —1C 65
Priory Rd. L48 —4B 78
Priory Rd. WA7 —2A 134
Priory St. L19 —4B 112
Priory St. L41 —1D 85
Priory St. WA4 —2D 157
Priory Way. L25 —4A 92
Priory Wharf. L41 —1D 85
Pritchard Av. L21 —4D 17
Pritt St. L3 —1C 67
Private Dri. L61 —4B 104
Prizett Rd. L19 —2A 112
Probyn Rd. L45 —3C 41
Procter Rd. L42 —1A 108
Proctor Ct. L30 —4C 9
Proctor Rd. L47 —1B 78
Proctors Clo. WA8 —4B 98
Progress Pl. L2 —2B 66 (off Stanley St.)
Promenade. L47 —3A 58
Promenade Gdns. L17 —3D 87
Promenade, The. L17 —1B 110
Prophet Wlk. L8 —1C 87
Prospect Ct. L6 —1B 68
Prospect La. WA3 —4D 145
Prospect Rd. L42 —1A 106
Prospect Rd. WA9 —2B 38
Prospect Row. WA7 —1A 136
Prospect St. L6 —2D 67
Prospect Vale. L6 —1B 68
Prospect Vale. L45 —3D 41
Prospect Way. L30 —1A 20
Providence Cres. L8 —1C 87
Provident St. WA9 —3D 39
Province Pl. L20 —1D 29
Province Rd. L20 —1D 29
Prussia St. L3 —2A 66 (Old Hall St.)
Prussia St. L3 —2B 66 (Pall Mall)
Public Hall St. WA7 —2D 131
Pudsey St. L1 —2C 67
Pugin Pl. L4 —2D 45
Pugin St. L4 —2C 45
Pulford Av. L43 —4D 83
Pulford Clo. WA7 —1A 138
Pulford Rd. L63 —4D 107
Pulford St. L4 —2D 45
Pullman Clo. L60 —3D 123
Pump La. L41 —3C 65
Pump La. WA7 —4D 133
Purbeck Dri. L61 —2B 102
Purdy Clo. WA5 —1A 148
Purley Gro. L18 —4D 89
Purley Rd. L22 —1B 16
Purser Gro. L15 —3C 69
Pyecroft Clo. WA5 —3A 146
Pyecroft Rd. WA5 —3A 146
Pye Rd. L60 —3B 122
Pyes Gdns. WA11 —4C 27
Pyes La. L28 —2B 50
Pye St. L15 —4D 69
Pye St. WA9 —2D 57
Pygon's Hill La. L31 —1B 4
Pym St. L4 —4B 30
Pyramids, The. L41 —1C 85

Quadrangle, The. L18 —3A 90
Quadrant Clo. WA7 —1D 139
Quadrant, The. L47 —1A 78 (off Station Rd.)
Quail Clo. WA2 —4A 142
Quaker La. L60 —3A 122
Quakers All. L2 —2B 66
Quakers Meadow. L34 —2D 35
Quarry Av. L63 —1A 124
Quarry Bank. L33 —1D 23
Quarry Bank. L41 —2B 84
Quarrybank Pl. L41 —1B 84
Quarrybank St. L41 —1B 84
Quarry Clo. L13 —3D 47
Quarry Clo. L33 —1D 23
Quarry Clo. L61 —2B 122
Quarry Clo. WA7 —3B 132
Quarry Ct. WA8 —1A 118
Quarry Dale. L33 —1D 23
Quarry Grn. L33 —1D 23
Quarry Grn. Flats. L33 —1D 23
Quarry Hey. L33 —1D 23
Quarry La. L61 —3A 104
Quarry La. WA4 —1A 162
Quarry Pl. L25 —4D 91
Quarry Rd. L13 —4D 47
Quarry Rd. L20 —4A 30
Quarry Rd. L23 —2A 8
Quarry Rd. E. L60 & L61 —3A 122
Quarry Rd. E. L63 —1B 124
Quarry Rd. W. L60 —3A 122
Quarryside Dri. L33 —1D 23
Quarry St. L25 —3C 91
Quarry St. S. L25 —4D 91
Quay Fold. WA5 —4B 148
Quay Pl. WA7 —4C 135
Quayside. WA6 —4D 137
Quay, The. WA6 —4D 137
Quebec Rd. WA2 —2A 150 (in two parts)
Queen Anne Pde. L3 —2A 66
Queen Anne St. L3 —1C 67
Queen Av. L2 —2B 66
Queen Elizabeth Ct. L21 —3A 18
Queen Mary's Dri. L62 —3A 108
Queen's Av. L47 —4B 58
Queens Av. WA1 —3B 150
Queen's Av. WA8 —1A 118
Queensbury. L48 —4C 79
Queensbury Av. L62 —3D 125
Queensbury St. L8 —1D 87
Queens Clo. L19 —3B 112
Queens Clo. WA7 —3D 131
Queens Ct. L6 —4D 45
Queenscourt Rd. L12 —4B 48
Queens Cres. WA1 —2C 151
Queensdale Rd. L18 —2A 90
Queens Dock Commercial Cen. L1 —4B 66
Queens Dri. L13 —4A 48 (Stoneycroft)
Queens Dri. L13 —1C 47 (West Derby)
Queens Dri. L15 —3B 70 to 1B 90 (Wavertree)
Queens Dri. L18 —3C 89 to 1A 90 (Mossley Hill)
Queen's Dri. L43 —4D 83
Queens Dri. L60 —3A 122
Queens Dri. WA4 —2C 159
Queens Dri. WA10 —1B 36
Queens Dri. Flyover. L13 & L15 —2B 70
Queens Dri. Walton. L4 —3B 30 to 1C 47
Queensland Av. WA9 —2C 55
Queensland Pl. WA9 —2C 55
Queensland St. L7 —3A 68
Queens M. L6 —4D 45
Queens Pl. L41 —3C 85
Queen Sq. L1 —2C 67
Queens Rd. L6 —4D 45
Queen's Rd. L20 —4D 29
Queen's Rd. L23 —4C 7
Queens Rd. L34 —3C 53
Queens Rd. L42 —1D 107
Queens Rd. L44 —1C 65
Queen's Rd. L47 —4A 58
Queen's Rd. WA7 —3D 131
Queens Rd. WA10 —4B 36
Queen St. L19 —3B 112
Queen St. L22 —3C 17
Queen St. L41 —2C 85
Queen St. L45 —4A 42
Queen St. WA7 —1D 131
Queen St. WA10 —2D 37
Queensway. L22 —2D 17
Queensway. L41 & L3 —4D 65 (Mersey Tunnel)
Queensway. L45 —3D 41
Queensway. WA8 & WA7 —3C 119 to 2D 131
Queensway. WA11 —3B 26
Queens Wharf. L3 —4B 66
Queenswood Av. L63 —2C 107
Quernmore Rd. L33 —1D 23
Quernmore Wlk. L33 —1D 23
Quickswood Clo. L25 —2D 91
Quickswood Dri. L25 —1D 91
Quickswood Grn. L25 —2D 91
Quickthorn Cres. L28 —2A 50
Quigley Av. L30 —3D 19
Quigley St. L41 —3C 85
Quinesway. L49 —2D 81
Quinn St. WA8 —2A 120
Quintbridge Clo. L26 —2C 115
Quorn St. L7 —2A 68

Raby Clo. L60 —4B 122
Raby Clo. L63 —4B 124
Raby Clo. WA8 —4C 99
Raby Dri. L46 —4C 61
Raby Dri. L63 —4B 124
Raby Gro. L42 —1B 106
Raby Mere Rd. L63 —4A 124
Racecourse Ind. Est. L9 —2A 20
Rachel St. L5 —4C 45
Radburn Clo. L23 —3A 8
Radburn Rd. L23 —3A 8
Radcliffe Av. L63 —2B 124
Raddon Pl. WA4 —1B 158
Radford Clo. WA8 —2B 118
Radlett Clo. WA5 —2A 154
Radley Dri. L10 —1B 20
Radley La. WA2 —3A 142
Radley Rd. L44 —4D 41
Radleys Ct. L8 —1D 87
Radley St. WA9 —2C 55
Radmore Rd. L14 —1B 70
Radnor Av. L60 —3B 122
Radnor Clo. L26 —3C 115
Radnor Dri. L20 —2A 30
Radnor Dri. L45 —3B 42
Radnor Dri. WA8 —4B 96
Radnor Pl. L6 —4B 46
Radnor Pl. L43 —1B 84
Radnor St. WA5 —3B 148
Radshaw Ct. L33 —3C 13
Radstock Gro. WA9 —4B 56
Radstock Rd. L6 —1B 68
Radstock Rd. L44 —4C 41
Radstock Wlk. L26 —3D 115
Radway Rd. L36 —3C 51
Raeburn Av. L48 —3B 78
Raffles Rd. L42 —2B 84
Raffles St. L1 —4C 67
Rafter Av. L20 —4C 19
Raglan Ct. WA3 —1B 144
Raglan St. L19 —4B 112
Raglan Wlk. L19 —4B 112
Raikes Clo. WA5 —4D 147
Railside Ct. L5 —3B 44
Railton Av. L35 —2B 76
Railton Clo. L35 —2B 76
Railton Rd. L11 —4A 32
Railway Cotts. L25 —2B 114
Railway Rd. L42 —4D 85
Railway St. L19 —4B 112
Railway St. WA10 —2A 38
Railway Ter. WA9 —2C 57
Railway View. L32 —1B 22
Rainbow Clo. WA8 —3B 96
Rainbow Dri. L26 —1C 115
Rainbow Dri. L31 —4A 12
Raines Clo. L49 —3C 81
Rainford Av. L20 —1A 30
Rainford Gdns. L2 —2B 66
Rainford Hall Cotts. WA11 —2A 26
Rainford Rd. WA10 —1B 36
Rainford Sq. L2 —2B 66
Rainham Clo. L19 —1B 112
Rainhill Rd. L35 —1A 76 to 3B 54
Rake Clo. L49 —2D 81
Rake Hey. L46 —3A 60
Rake Hey Clo. L46 —4B 60
Rake La. L45 —3A 42
Rake La. L49 —2D 81
Rake M. L49 —2D 81
Rakersfield Ct. L45 —1B 42
Rakes La. L23 & L29 —2B 8
Rake, The. L62 —3D 125
Raleigh Av. L35 —2C 75
Raleigh Clo. WA5 —1A 148
Raleigh Rd. L46 —4A 40
Raleigh St. L20 —4C 29
Rame Clo. L10 —1C 33
Ramford St. WA9 —4B 38
Ramilies Rd. L18 —1D 89
Ramsay Clo. WA3 —3B 144
Ramsbrook Clo. L24 —1B 128
Ramsbrook La. L24 —2A 130
Ramsbrook La. WA8 —4B 116
Ramsbrook Rd. L24 —1B 128
Ramsey Clo. L19 —2B 112
Ramsey Clo. L35 —1C 75
Ramsey Clo. WA8 —3C 99
Ramsey Ct. L48 —1A 100
Ramsey Rd. L19 —2B 112
Ramsfield Rd. L24 —1D 129
Ramsons Clo. L26 —1C 115
Randall Dri. L30 —1B 18
Randle Clo. L63 —2B 124
Randle Heights. L12 —1A 34
Randles Rd. L34 —1B 34
Randolph St. L4 —2D 45
Randon Gro. WA10 —2D 37
Ranelagh Av. L21 —3D 17
Ranelagh Dri. N. L19 —2D 111
Ranelagh Dri. S. L19 —2D 111
Ranelagh St. L1 —3C 67
Ranfurly Rd. L19 —2A 112
Rangemoor Clo. WA3 —2C 145
Rangemore Rd. L18 —4D 89
Rankin St. L44 —2A 64
Ranworth Clo. L11 —3A 32
Ranworth Dri. WA5 —3B 146
Ranworth Pl. L11 —3A 32
Ranworth Sq. L11 —3A 32
Ranworth Way. L11 —3B 32
Rappart Rd. L44 —1C 65
Rashid Mufti Ct. L8 —1D 87
Ratcliff Pl. L35 —4A 54
Rathbone Rd. L15 & L13 —3D 69
Rathlin Clo. WA8 —3C 99
Rathmore Av. L18 —3D 89
Rathmore Clo. L43 —3A 84
Rathmore Dri. L43 —3A 84
Rathmore Rd. L43 —3D 83
Raven Ct. L26 —2D 115
Ravenfield Clo. L26 —2C 115
Ravenfield Dri. WA8 —3B 96
Ravenglass Av. L31 —4C 5
Ravenhead Av. L32 —4C 23
Ravenhead Rd. WA10 —4C 37
Ravenhill Cres. L46 —1D 61
Ravenhurst Ct. WA3 —2B 144
Ravenhurst Way. L35 —3B 74
Ravenna Rd. L19 —1C 113
Ravenscroft Rd. L43 —1B 84
Ravenside Retail Pk. L24 —4D 113
Ravenside Retail Warehouse Pk. & Depot. L24 —4D 113
Ravensthorpe Grn. L11 —3B 32
Ravenstone Dri. WA9 —2B 56
Ravenstone Rd. L19 —2A 112
Ravenswood Av. L42 —1D 107
Ravenswood Rd. L13 —1A 70
Ravenswood Rd. L61 —2B 122
Raven Way. L20 —3D 29
Rawcliffe Clo. WA8 —3D 97
Rawcliffe Rd. L9 —2B 30
Rawcliffe Rd. L42 —2B 84
Rawdon Clo. WA7 —4D 133
Rawdon St. L7 —2C 69
Rawlings Clo. WA3 —4B 144
Rawlinson Cres. L26 —1A 116
Rawlinson Rd. L13 —1D 69
Rawlins St. L7 —1C 69
Rawson Clo. L21 —4D 17
Rawson Rd. L21 —4D 17
Raydale Clo. L9 —3C 31
Raymond Av. L30 —3A 20
Raymond Av. WA4 —3A 158
Raymond Pl. L5 —4B 44
Raymond Rd. L44 —1B 64
Raymond Way. L43 —2B 82
Raynham Rd. L13 —1D 69
Reade Clo. L63 —3B 124
Reading Clo. L5 —2B 44
Reading St. L5 —2B 44
Reads Ct. L9 —4D 19
Reaper Clo. WA5 —3A 148
Reapers Way. L30 —4A 10
Rear Common Pas. L6 —1C 69
Reay Ct. L44 —1C 65
Reay St. WA8 —4A 98
Rebbecca Gdns. WA9 —2B 56
Recreation St. WA9 —3B 38
Rector Rd. L6 —2B 46
Rectory Clo. L42 —2C 85
Rectory Clo. L60 —4A 122
Rectory Clo. WA2 —1C 141
Rectory Dri. L26 —1D 115
Rectory Gdns. WA9 —3B 56
Rectory La. L60 —4A 122
Rectory La. WA2 —1C 141
Rectory Rd. L48 —4A 78
Red Banks. L48 —3C 101
Redbourn Av. L26 —3D 115
Redbourne Dri. WA8 —3A 96
Redbourn St. L6 —3B 46
Redbrook St. L6 —3A 46
Red Brow La. WA4 —4C 135
Redbrow Way. L33 —4C 13
Redburn Clo. L8 —2D 87
Redcar M. L6 —3A 46
Redcar Rd. L45 —3B 40
Redcar St. L6 —3A 46
Redcroft. L49 —3B 80
Redcross St. L1 —3B 66
Red Cut La. L33 —3C 25
Redditch Clo. L49 —3B 80
Redesdale Clo. WA2 —4B 142
Redesmere Clo. WA4 —3B 158
Redfern St. L20 —1B 44
Redfield Clo. L44 —1B 64
Redford Clo. L49 —3B 80
Redford St. L6 —3B 46
Redgate Av. L23 —4A 8
Redgate Dri. WA9 —3B 38
Redgrave St. L7 —2B 68
Redhill Av. L32 —3D 23
Red Hill Rd. L63 —4A 106
Redhouse Bank. L48 —3A 78
Redhouse La. L48 —3A 78
Redington Rd. L19 —1C 113
Redland Rd. L9 —3A 20
Red La. WA4 —4D 157
Red Lion Clo. L31 —4B 4
Red Lomes. L30 —4B 8
Redmain Way. L12 —3A 34
Redmere Dri. L60 —4D 123
Redmires Clo. L7 —3A 68
Redmont St. L41 —2C 85
Redmoor Cres. L33 —4C 13
Redpoll Gro. L26 —4C 93
Redpoll La. WA3 —3B 144
Red Rock St. L6 —4A 46
Red Rum Clo. L9 —3B 20
Redruth Av. WA11 —4D 27
Redruth Clo. WA7 —1C 139
Redruth Rd. L11 —2D 33
Redshank La. WA3 —3B 144
Redstone Clo. L47 —3B 58
Redstone Pk. L45 —1D 41
Redvales Ct. WA3 —3D 143
Redvers Dri. L9 —1B 30
Redwing La. L25 —2D 91
Redwing Way. L26 —4C 93
Redwood Av. L31 —3B 4
Redwood Clo. L25 —2A 92
Redwood Clo. WA1 —3B 152
Redwood Ct. L8 —2D 87 (off Byles St.)
Redwood Dri. WA11 —1C 39
Redwood Rd. L25 —2A 92
Redwood Way. L33 —3C 13
Reedale Clo. L18 —2A 90
Reedale Rd. L18 —2A 90
Reeds Av. E. L46 —1D 61
Reeds Av. W. L46 —1D 61
Reeds Ct. L46 —2D 61
Reeds La. L46 —1D 61
Reeds Rd. L36 —4C 51
Reedville. L43 —2A 84
Reedville Gro. L46 —2D 61
Reedville Rd. L63 —4D 107
Reeves Av. L20 —1A 30
Reeves St. WA9 —3C 39
Refuge Sq. WA5 —3C 149
Regal Cres. WA8 —1A 118
Regal Dri. WA10 —1B 36
Regal Rd. L11 —3D 33
Regal Tower. L11 —3D 33
Regal Wlk. L4 —2C 45
Regency Pl. WA5 —1C 147
Regent Av. L14 —2C 71
Regent Av. L30 —1D 19
Regent Av. WA1 —2C 151
Regent Rd. L20, L5 & L3 —2B 28 to 4A 44
Regent Rd. L23 —4B 6
Regent Rd. L45 —3C 41
Regent Rd. WA8 —1A 120
Regents Clo. L61 —3A 104
Regents Rd. WA10 —4B 36
Regent St. L3 —4A 44
Regent St. WA1 —4C 149
Regent St. WA7 —2D 131
Regents Way. L63 —2B 106
Regina Av. L22 —1B 16
Reginald Rd. WA9 —3C 57
Reginald Rd. Ind. Est. WA9 —3D 57
Regina Rd. L9 —1C 31
Reid Av. WA5 —2B 148
Reigate Clo. L25 —4B 92
Rendal Clo. L5 —4D 45
Rendcombe Grn. L11 —3B 32
Rendelsham Clo. L49 —2C 81
Rendel St. L41 —4C 65
Rendlesham Clo. WA3 —2C 145
Renfrew Av. WA11 —4D 27
Renfrew St. L7 —2D 67
Rennell Rd. L14 —1B 70
Rennie Av. WA10 —3B 36
Renown Clo. WA3 —3A 144
Renshaw St. L1 —3C 67
Renton Av. WA7 —2C 133
Renville Rd. L14 —2B 70
Renwick Av. L35 —1D 75
Renwick Rd. L9 —1C 31
Repton Gro. L10 —2B 20
Repton Rd. L16 —4B 70
Reservoir Rd. L25 —3D 91
Reservoir Rd. L42 —1A 106
Reservoir Rd. N. L42 —4A 84
Reservoir St. L6 —4D 45
Reservoir St. WA9 —2B 54
Rest Hill Rd. L63 —4A 106
Retail Mkt. L1 —2C 67 (off St John's Precinct)
Retford Rd. L33 —1D 23
Retford Wlk. L33 —1D 23
Reva Rd. L14 —1C 71
Rex Cohen Ct. L17 —1C 89
Rexmore Rd. L18 —4D 89
Rexmore Way. L15 —4C 69
Reynolds Clo. L6 —4A 46
Reynolds St. WA4 —1B 158
Reynolds Way. L25 —4A 92
Rhiwlas St. L8 —1A 88
Rhodesia Rd. L9 —4A 20
Rhodes St. WA2 —2D 149
Rhodesway. L60 —4C 123
Rhona Dri. WA5 —4B 146
Rhosesmor Clo. L32 —4D 23
Rhosesmor Rd. L32 —4D 23
Rhyl St. L8 —2D 87
Rhyl St. WA8 —2D 119
Ribble Av. L31 —3C 5
Ribble Av. L35 —1A 76
Ribble Clo. WA8 —3C 99
Ribble Cres. WN5 —1D 27
Ribbledale Rd. L18 —3D 89
Ribble Ho. L25 —3B 92
Ribble Rd. L25 —3B 92
Ribbler's Ct. L32 —4D 23
Ribbler's La. L32 —4B 22

Ribbler's La.—Russian Dri.

Ribbler's La. L34 —1B 34
Ribblesdale Av. L9 —4A 20
Ribble St. L41 —3D 63
Ribchester Way. L35 —4A 74
Rice Hey Rd. L44 —4B 42
Rice La. L9 —3B 30
Rice La. L44 —4B 42
Rice St. L1 —3C 67
Richard Allen Way. L5 —4C 45
Richard Chubb Dri. L44 —3B 42
Richard Clo. WA7 —3D 133
Richard Gro. L12 —3C 49
Richard Hesketh Dri. L32 —2A 22
Richard Kelly Clo. L4 —1C 47
Richard Kelly Dri. L4 —3D 31 to 1B 46
Richard Kelly Pl. L4 —2C 47
Richard Martin Rd. L21 —2B 18
Richard Rd. L23 —3A 6
Richards Gro. WA9 —2C 39
Richardson Rd. L42 —1C 107
Richardson St. L7 —4B 68
Richardson St. WA2 —2D 149
Richland Rd. L13 —4C 47
Richmond Av. L21 —3D 17
Richmond Av. WA4 —1B 158
Richmond Av. WA7 —2C 133
Richmond Clo. L63 —3D 107
Richmond Ct. L21 —4A 18
Richmond Cres. L30 —1D 19
Richmond Gro. L31 —2C 5
Richmond Pde. L3 —2A 66
Richmond Pk. L6 —3A 46
Richmond Rd. L23 —3C 7
Richmond Rd. L63 —3D 107
Richmond Row. L3 —1C 67
Richmond St. L1 —2B 66
Richmond St. L45 —1A 42
Richmond St. WA4 —2C 159
Richmond St. WA8 —4A 98
Richmond Ter. L6 —4A 46
Richmond Way. L35 —4D 73
Richmond Way. L61 —2B 122
Rich View. L43 —3A 84
Rickaby Clo. L63 —4C 125
Rickman St. L4 —2C 45
Rickman Way. L36 —4D 73
Ridding La. WA7 —2C 139
Riddock Rd. L21 —1C 29
Ridgefield Rd. L61 —4D 103
Ridgemere Rd. L61 —4D 103
Ridge, The. L60 —2A 122
Ridgetor Rd. L25 —3D 91
Ridgeview Rd. L43 —2B 82
Ridgeway. WA7 —1D 139
Ridgeway Dri. L31 —2C 5
Ridgeway, The. L25 —3D 91
Ridgeway, The. L47 —4C 59
Ridgeway, The. L60 —4C 123
Ridgeway, The. L63 —2B 106
Ridgeway, The. WA8 —1B 96
Ridgewood Dri. L61 —4C 103
Ridgewood Dri. WA9 —3B 56
Ridgmont Av. L11 —3B 32
Ridgway St. WA2 —2A 150
Riding Clo. WA9 —4B 56
Ridingfold. L26 —4B 92
Riding Hill Rd. L34 —3D 35
Riding Hill Wlk. L34 —3D 35
Ridings Hey. L43 —2B 82
Ridings, The. L43 —2B 82
Riding St. L3 —2C 67
Ridley Dri. WA5 —1D 155
Ridley Gro. L48 —3A 78
Ridley La. L31 —4C 5
Ridley Rd. L6 —1B 68
Ridley St. L43 —2B 84
Ridsdale. WA8 —1A 118
Ridsdale Lawn. L27 —3D 93
Rigby Dri. L49 —4B 80
Rigby Rd. L31 —3A 4
Rigby St. L3 —2A 66
Rigby St. WA10 —2D 37 & 3D 37
Riley Av. L20 —1A 30
Riley Dri. WA7 —3D 131
Rimmer Av. L16 —3D 71
Rimmerbrook Rd. L25 —4A 72
Rimmer Clo. L21 —3A 18
Rimmer Gro. WA9 —3C 39
Rimmer St. L3 —2C 67
Rimmington Rd. L17 —4C 89
Rimrose Rd. L20 —2B 28
Rimrose Valley Rd. L23 —1A 18
Rindlebrook La. L34 —3B 52
Ringcroft Rd. L13 —1A 70
Ringo Starr Dri. L6 —1A 68
Ringsfield Rd. L24 —2D 129
Ringway Rd. L25 —2B 92
Ringway Rd. WA7 —2B 132
Ringways. L62 —1D 125
Ringwood. L43 —3D 83
Ringwood Av. L14 —2D 71
Ringwood Clo. WA3 —2D 145
Ripley Av. L21 —2A 18
Ripley Clo. L31 —4C 5
Ripley St. WA5 —3B 148
Ripon Clo. L30 —2D 19
Ripon Clo. L36 —1A 74
Ripon Rd. L45 —3C 41
Ripon Row. WA7 —1D 137
Ripon St. L4 —4B 30
Ripon St. L41 —2C 85
Risbury Rd. L11 —4B 32
Rishton Clo. L5 —4D 45
Risley Employment Area. WA3 —1C 145
Risley Rd. WA3 —2B 144
Ritchie Av. L9 —4A 20
Ritherup La. L35 —1B 76
Ritson St. L8 —1A 88
Riva La. L60 —2A 122
River Avon St. L8 —4A 68
Riverbank Rd. L19 —2A 112
Riverdale Rd. L21 —4D 17
River Gro. L62 —1A 108
River Rd. WA4 —1D 157
Riversdale. WA1 —3B 152
Riversdale. WA6 —4D 137
Riversdale Ct. L19 —2D 111
Riversdale M. L19 —2D 111
Riversdale Rd. L19 —2C 111
Riversdale Rd. L21 —4D 17
Riversdale Rd. L44 —4C 43
Riversdale Rd. L48 —4A 78
Riversdale Rd. WA7 —3C 133
Riverside. L12 —1C 49
River Side. L48 —1A 100
Riverside. L62 —4A 108
Riverside Bus. Pk. L3 —3D 87
Riverside Clo. L20 —1B 28
Riverside Clo. WA1 —1A 158
Riverside Dri. L3 & L17 —4D 87
Riverside Trading Est. WA5 —3A 154
Riverside View. L17 —1B 110
Riverside Wlk. L3 —3A 66 & 1B 86
Riverslea Rd. L23 —1A 16
River View. L22 —2A 16
River View. L62 —1B 108
River View Heights. L19 —2D 111
Riverview Rd. L44 —1C 65
Riverview Wlk. L8 —3D 87
River Way. L25 —3B 92
Riviera Dri. L42 —1C 107
Rivington Av. L43 —3C 83
Rivington Av. WA10 —1C 37
Rivington Ct. WA1 —2B 152
Rivington Rd. L44 —1B 64
Rivington Rd. WA7 —3A 140
Rivington Rd. WA10 —3B 36
Rivington St. WA10 —3B 36
Rixton Av. WA5 —2B 148
Road Hey. L30 —1B 18
Robarts Rd. L4 —3A 46
Robeck Rd. L13 —2A 70
Robert Dri. L49 —3C 81
Robert Gro. L12 —3C 49
Roberts Av. WA11 —1D 39
Roberts Ct. L21 —3A 18
Roberts Ct. WA7 —1A 138
Roberts Dri. L20 —4C 19
Roberts Fold. WA3 —3A 144
Robertson St. L8 —1C 87
Roberts St. L3 —1A 66
Robert St. L41 —4C 65
Robert St. WA5 —4B 148
Robert St. WA7 —2A 132
Robert St. WA8 —1A 120
Robina Rd. WA9 —2B 56
Robin Clo. WA7 —4B 134
Robins La. WA9 —1B 56
Robinson Pl. WA9 —3B 38
Robinson Rd. L21 —2B 18
Robinson St. WA9 —3B 38
Robin Way. L49 —4A 82
Robsart St. L5 —4C 45
Robson St. L5 —2D 45
Robson St. L13 —2D 69
Robson St. WA1 —3A 150
Roby Clo. L35 —4B 54
Roby Gro. WA5 —4C 147
Roby Mt. Av. L36 —2B 72
Roby Rd. L14 & L36 —2C 71 to 2B 72
Roby St. L15 —4C 69
Roby St. L20 —2D 29
Roby St. WA10 —4B 36
Rochester Av. L30 —2D 19
Rochester Clo. WA5 —4D 147
Rochester Gdns. WA10 —4B 36
Rochester Rd. L42 —4D 85
Rock Av. L60 —3B 122
Rock Bank. L49 —2D 81
Rockbank Rd. L13 —4C 47
Rockbourne Av. L25 —2D 91
Rockbourne Grn. L25 —2D 91
Rockbourne Way. L25 —2D 91
Rock Clo. L42 —4D 85
Rock Cotts. L45 —2A 42
Rock Ct. L13 —1D 69
Rocket Trading Cen. L14 —2B 70
Rock Ferry By-Pass. L41 —3D 85
Rockfield Gdns. L31 —4B 4
Rockfield Rd. L4 —2D 45
Rockford Av. L32 —4C 23
Rockford Clo. L32 —4C 23
Rockford Wlk. L32 —4C 23
Rock Gro. L13 —1D 69
Rockhill Rd. L25 —4A 92
Rockhouse St. L6 —4B 46
Rockingham Clo. WA3 —2D 145
Rockingham Ct. L33 —4D 13
Rockland Rd. L22 —2C 17
Rockland Rd. L45 —2D 41
Rocklands Av. L63 —2D 107
Rock La. L31 —2D 11
Rock La. WA8 —3C 97
Rock La. E. L42 —1A 108
Rock La. W. L42 —1D 107
Rockley St. L4 —1C 45
(in two parts)
Rockmount Clo. L25 —3D 91
Rockmount Pk. L25 —3D 91
Rockmount Rd. L17 —1D 111
Rock Pk. L42 —4A 86
Rock Pk. Rd. L42 —1A 108
Rockpoint Av. L45 —2B 42
Rock Rd. WA4 —1B 158
Rockside Rd. L18 —4D 89
Rock St. L13 —1D 69
Rock St. WA10 —2B 54
Rock View. L5 —2C 45
Rock View. L31 —4A 12
Rockville Rd. L14 —2B 70
Rockville St. L42 —4D 85
Rockwell Clo. L12 —2C 49
Rockwell Rd. L12 —1C 49
Rockybank Rd. L42 —3B 84
Rocky La. L6 —4B 46
Rocky La. L16 —3B 70
Rocky La. L60 —4B 122
Rocky La. S. L60 —4B 122
Roderick Rd. L4 —4B 30
Roderick St. L3 —1C 67
Rodick St. L25 —4D 91
Rodmell Rd. L9 —1C 31
Rodney St. L1 —3C 67
Rodney St. L20 —4C 29
Rodney St. L41 —2C 85
Rodney St. WA2 —3D 149
Rodney St. WA10 —3C 37
Roe All. L1 —3C 67
Roeburn Way. WA5 —2A 154
Roedean Clo. L25 —1A 114
Roedean Clo. L31 —3B 4
Roehampton Dri. L23 —3B 6
Roemarsh Clo. L12 —3D 33
Roemarsh Ct. WA7 —1A 138
Rogers Av. L20 —1A 30
Rogersons Grn. L26 —4C 93
Rokeby Clo. L3 —1C 67
Rokeby Ct. WA7 —1C 135
Rokeby St. L3 —1C 67
Roker Av. L44 —1A 64
Rokesmith Av. L7 —4B 68
Roland Av. L63 —3C 107
Roland Av. WA7 —3D 131
Roland Av. WA11 —4C 27
Rolands Wlk. WA7 —2C 133
Roleton Clo. L30 —4A 10
Rolleston Dri. L45 —2D 41
Rolleston Dri. L63 —4D 107
Rolleston St. WA2 —4C 149
Rolling Mill La. WA9 —1D 57
Rollo St. L4 —2C 45
Roman Clo. WA7 —2C 133
Roman Rd. L43 —1D 105
Roman Rd. L47 —3B 58
Roman Rd. L63 —3A 106
Roman Rd. WA4 —3D 157
Romer Rd. L6 —1B 68
Romford Way. L26 —3D 115
Romilly St. L6 —1A 68
Romilly St. L41 —1C 85
Romley St. L4 —4B 30
Romney Clo. WA8 —4C 99
Romulus St. L7 —2C 69
Ronald Clo. L22 —2D 17
Ronald Dri. WA2 —4C 143
Ronald Rd. L22 —3D 17
Ronald Ross Av. L30 —1D 19
Ronaldshay. WA8 —4C 99
Ronald St. L13 —1D 69
Ronaldsway. L10 —4A 22
Ronaldsway. L23 —3A 8
Ronaldsway. L26 —1D 115
Ronaldsway. L49 —1D 81
Ronaldsway. L60 —4B 122
Ronan Clo. L20 —2C 29
Ronan Rd. WA8 —4C 119
Rone Clo. L46 —4C 61
Rooks Way. L60 —4A 122
Rooley, The. L36 —2C 73
Roome St. WA2 —2D 149
Roosevelt Dri. L9 —3A 20
Roper's Bri. Clo. L35 —1C 75
Roper St. L8 —2D 87
Roper St. WA9 —2B 38
Rosalind Av. L63 —2C 107
Rosalind Way. L20 —4A 30
Rosam Ct. WA7 —1A 138
Rosclare Dri. L45 —3D 41
Roscoe Av. WA2 —2A 150
Roscoe Clo. L35 —4A 74
Roscoe Cres. WA7 —4C 131
Roscoe La. L1 —3C 67
Roscoe Pl. L1 —3C 67
Roscoe St. L1 —3C 67
Roscoe St. WA10 —3B 36
Roscommon St. L5 —4C 45
(in two parts)
Roscote Clo. L60 —4B 122
Roscote, The. L60 —4B 122
Roseacre. L48 —3A 78
Rose Av. L20 —4B 18
Rose Av. WA9 —2B 56
Rose Bank Rd. L16 —4B 70
Rosebank Rd. L36 —3B 50
Rosebank Way. L36 —3B 50
Roseberry Av. L44 —4B 42
Rosebery Av. L22 —1B 16
Rosebery Gro. L42 —4A 84
Rosebery Rd. WA10 —1B 36
Rosebery St. L8 —4D 67 & 4A 68
Rosebourne Clo. L17 —4A 88
Rose Brae. L18 —3A 90
Rosebrae Ct. L41 —4D 65
Rose Brow. L25 —2A 92
Rose Clo. WA7 —2D 139
Rose Ct. L15 —4C 69
Rose Ct. L41 —1B 84
Rose Cres. WA8 —2D 119
Rosecroft Ct. L47 —1A 78
Rosedale Av. L23 —4C 7
Rosedale Av. WA1 —2A 152
Rosedale Clo. L9 —2C 31
Rosedale Rd. L18 —2A 90
Rosedale Rd. L42 —3C 85
Rosefield Av. L63 —2C 107
Rosefield Rd. L25 —1B 114
Rosegarth Grn. L13 —1A 70
Roseheath Dri. L26 —3D 115
Roseheath Ho. L26 —2D 115
Rose Hill. L3 —1C 67
Rosehill Av. WA9 —3D 57
Rosehill Ct. L25 —2D 91
Roseland Clo. L31 —2A 4
Roselands Ct. L42 —1C 107
Rose La. L18 —3D 89
Rose Lea Clo. WA8 —2D 97
Rosemary Av. WA4 —3A 158
Rosemary Av. WA7 —2B 138
Rosemary Clo. L7 —3A 68
Rosemary Clo. L43 —3C 63
Rosemary Clo. WA5 —4D 147
Rosemead Av. L61 —1B 122
Rosemont Rd. L17 —4C 89
Rosemoor Dri. L23 —3D 7
Rosemoor Gdns. WA4 —2B 162
Rose Mt. L43 —3A 84
Rose Mt. Clo. L43 —3A 84
Rose Mt. Dri. L45 —2A 42
Rose Pl. L3 —1C 67
(in two parts)
Rose Pl. L42 —3D 85
Rose St. L1 —2C 67
(off St Georges Pl.)
Rose St. L25 —4D 91
Rose St. WA8 —2D 119
Rose Vale. L5 —4C 45
(in two parts)
Rose View Clo. WA8 —4D 97
Rose Vs. L15 —4D 69
Rosewarne Clo. L17 —4A 88
Rosewood Av. WA1 —3B 150
Rosewood Clo. L27 —1C 93
Rosewood Clo. L28 —2A 50
Rosewood Dri. L46 —3A 60
Rosewood Gdns. L11 —4C 33
Roskell Rd. L25 —2B 114
Roslind Way. L4 —4A 30
Roslin Rd. L43 —3A 84
Roslin Rd. L61 —3C 103
Roslyn St. L42 —3D 85
Rossall Av. L10 —1B 20
Rossall Clo. L24 —3A 130
Rossall Rd. L13 —2A 70
Rossall Rd. L46 —2D 61
Rossall Rd. WA5 —1D 155
Rossall Rd. WA8 —4B 98
Ross Av. L46 —1B 62
Rossclare Clo. L43 —2B 82
Ross Clo. L34 —3D 35
Ross Clo. WA5 —2A 148
Rossendale Clo. L43 —3C 83
Rossendale Dri. WA3 —2C 145
Rossett Av. L17 —1C 89
Rossett Clo. WA5 —1B 148
Rossett Rd. L23 —1B 16
Rossett St. L6 —4B 46
Rossini St. L21 —1B 28
Rosslyn Av. L31 —1A 10
Rosslyn Cres. L46 —3C 61
Rosslyn Dri. L46 —3C 61
Rosslyn Pk. L46 —4C 61
Rosslyn St. L17 —3A 88
Rossmore Gdns. L4 —2A 46
Ross St. WA8 —1A 120
Ross St. WA9 —2B 38
Ross Tower Ct. L45 —1B 42
Rostherne Av. L44 —1A 64
Rostherne Clo. WA5 —1A 156
Rostherne Cres. WA8 —4B 96
Rosthwaite Gro. WA11 —2C 27
Rosthwaite Rd. L12 —3A 48
Roswell Ct. L28 —2A 50
Rothay Dri. WA5 —2A 154
Rothbury Clo. L46 —3B 60
Rothbury Clo. WA7 —1A 138
Rothbury Rd. L14 —3D 49
Rotherwood Clo. L63 —3B 106
Rothesay Clo. WA7 —2D 133
Rothesay Clo. WA11 —4D 27
Rothesay Ct. L63 —4D 107
Rothesay Dri. L23 —1C 17
Rothesay Gdns. L43 —1D 105
Rothesay Sq. L5 —4C 45
Rothsay Clo. L5 —4C 45
Rothwells La. L23 —2A 8
Rothwell St. L6 —4A 46
Rotunda St. L5 —3C 45
Roughdale Av. L32 —4D 23
Roughdale Av. WA9 —4A 46
Roughdale Clo. L32 —4D 23
Roughley Av. WA5 —1A 156
Roughwood Dri. L33 —1D 23
Roundabout, The. WA8 —1B 96
Round Hey. L28 —1D 49
Round Meade, The. L31 —3A 4 & 4A 4
Roundwood Dri. WA9 —4A 38
Routledge St. WA8 —1A 120
Rowan Av. L12 —1C 49
Rowan Clo. WA5 —3B 146
Rowan Clo. WA7 —4A 132
Rowan Clo. WA11 —1D 39
Rowan Ct. L17 —4C 89
Rowan Ct. L49 —4A 80
Rowan Dri. L32 —1B 22
Rowan Gro. L36 —3B 72
Rowan Gro. L63 —4C 107
Rowan Tree Clo. L49 —3A 80
Rowena Clo. L23 —4C 7
Rowland Clo. WA2 —3C 143
Rowsley Gro. L9 —4A 20
Rowson St. L34 —2C 53
Rowson St. L45 —1A 42 to 2A 42
Rowthorn Clo. WA8 —2C 119
Rowton Clo. L43 —3C 83
Roxborough Wlk. L25 —3B 92
Roxburgh Av. L17 —3B 88
Roxburgh Av. L42 —4C 85
Roxburgh St. L20 & L4 —4A 30
Royal Av. WA8 —1A 118
Royal Croft. L12 —4A 48
Royal Gro. WA10 —1B 54
Royal Mail St. L3 —2C 67
Royal Pl. WA8 —1A 118
Royal St. L4 —2C 45
Royden Av. L44 —3B 42
Royden Av. WA7 —3D 131
Royden Rd. L49 —1C 81
(in two parts)
Royden St. L8 —3D 87
Royden Way. L3 —3C 87
Royston Av. L44 —4B 42
Royston Av. WA1 —3C 151
Royston St. L7 —2A 68
Royton Clo. L26 —3D 115
Royton Rd. L22 —2C 17
Rozel Cres. WA5 —1D 155
Rubbing Stone. L48 —3B 100
Ruby St. L8 —3D 87
(in two parts)
Rudd Av. WA9 —4D 39
Rudd St. L47 —4A 58
Rudgate. L35 —2C 75
Rudgrave Clo. L43 —2B 82
Rudgrave M. L44 —4B 42
Rudgrave Pl. L44 —4B 42
Rudgrave Sq. L44 —4B 42
Rudley Wlk. L24 —2D 129
Rudloe Ct. WA2 —1B 150
Rudston Rd. L16 —4B 70
Rudyard Clo. L14 —1B 70
Rudyard Rd. L14 —1B 70
Rufford Av. L31 —3C 5
Rufford Clo. L10 —3D 21
Rufford Clo. L35 —4C 53
Rufford Clo. WA8 —4B 96
Rufford Ct. WA1 —2A 152
Rufford Rd. L6 —1B 68
Rufford Rd. L20 —1D 29
Rufford Rd. L44 —1A 64
Rufford Way. WA11 —1C 39
Rugby Dri. L10 —2C 21
Rugby Rd. L9 —3A 20
Rugby Rd. L44 —4D 41
Ruislip Clo. L25 —4B 92
Ruislip Ct. WA2 —1B 150
Rullerton Rd. L44 —4D 41
Rumford Pl. L3 —2A 66
Rumford St. L2 —2B 66
Rumney Pl. L4 —1C 45
Rumney Rd. L4 —1C 45
Rumney Rd. W. L4 —1B 44
Runcorn Dock Rd. WA7 —2C 131
Runcorn Rd. WA7 & WA4 —1C 135
Runcorn Spur Rd. WA7 —2A 132
Runcorn St. L1 —3B 66
Rundle Rd. L17 —4C 89
Rundle St. L41 —3D 63
Runic St. L13 —2D 69
Runnell's La. L23 —3A 8
Runnymede. L36 —4B 50
Runnymede. WA1 —3A 152
Runnymede Clo. L25 —3A 92
Runnymede Dri. WA11 —1D 39
Runton Rd. L25 —1B 92
Rupert Rd. L36 —1B 72
Rupert Row. WA7 —3D 133
Ruscar Clo. L26 —4C 93
Ruscolm Clo. WA5 —3A 146
Ruscombe Rd. L14 —3D 49
Rushden Rd. L32 —2D 23
Rushey Hey Rd. L32 —2C 23
Rushfield Cres. WA7 —2C 139
Rushlake Dri. L27 —1B 92
Rushmere Rd. L11 —4B 32
Rushmore Gro. WA1 —3C 151
Rusholme Clo. L26 —3D 115
Rushton Clo. WA8 —3C 97
Rushton Pl. L25 —4D 91
Rushton's Wlk. L30 —4B 8
Ruskin Av. L42 —4D 85
Ruskin Av. L44 —1A 64
Ruskin Av. WA2 —1D 149
Ruskin Dri. WA10 —2B 36
Ruskin St. L4 —1C 45
Ruskin Way. L36 —3C 73
Rusland Av. L61 —1B 122
Rusland Rd. L32 —3C 23
Russell Ct. WA8 —3A 98
Russell Pl. L19 —3B 112
Russell Rd. L18 —1D 89
Russell Rd. L19 —3B 112
Russell Rd. L36 —2A 74
Russell Rd. L42 —4D 85
(in two parts)
Russell Rd. L44 —4C 41
Russell Rd. WA7 —3C 131
Russell St. L3 —2C 67
Russell St. L41 —4C 65
Russet Clo. L27 —2C 93
Russet Clo. WA10 —2D 37
Russian Av. L13 —4D 47
Russian Dri. L13 —4D 47

Rutherford Clo.—Sankey Mnr.

Rutherford Clo. L13 —3C 69
Rutherford Rd. L18 —1A 90
Rutherford Rd. L31 —1C 11
Rutherford Rd. WA10 —1A 36
Rutherglen Av. L23 —2D 17
Ruth Evans Ct. L35 —4D 53
Ruthin Wlk. L6 —1A 68
Ruthven Rd. L13 —2A 70
Ruthven Rd. L21 —4A 18
Rutland Av. L17 —1C 89
Rutland Av. L26 —1D 115
Rutland Av. WA4 —4D 157
Rutland Clo. L5 —3D 45
Rutland Ho. L17 —1B 88
Rutland St. L20 —2D 29
Rutland St. WA7 —2D 131
Rutland St. WA10 —1D 37
Rutland Way. L36 —1A 74
Rutter Av. WA5 —1B 148
Rutter St. L8 —2C 87
Rycot Rd. L24 —4A 114
Rycroft Rd. L10 —4C 21
Rycroft Rd. L44 —1B 64
Rycroft Rd. L47 —4C 59
Rydal Av. L23 —1D 17
Rydal Av. L34 —3C 53
Rydal Av. L43 —1B 82
Rydal Av. WA4 —2C 157
Rydal Bank. L44 —4B 42
Rydal Bank. L63 —2D 107
Rydal Clo. L10 —2C 21
Rydal Clo. L33 —4B 12
Rydal Clo. L61 —1B 122
Rydal Gro. WA7 —4A 132
Rydal Gro. WA11 —4B 26
Rydal Rd. L36 —2C 73
Rydal St. L5 —3A 46
Rydal St. L21 —1D 29
Rydal Way. WA8 —1B 118
Rydecroft. L25 —4D 91
Ryder Clo. L35 —4D 53
Ryder Rd. WA1 —2A 152
Ryder Rd. WA8 —2A 98
Rye Clo. WA9 —4B 56
Ryecote. L32 —4C 23
Rye Ct. L12 —3C 49
Rye Croft. L21 —1A 18
Ryecroft Rd. L60 —4D 123
Ryedale Clo. L8 —4A 68
Ryefield La. L21 —1A 18
Ryegate Rd. L19 —2A 112
Rye Gro. L12 —3C 49
Rye Hey Rd. L32 —2C 23
Ryland Pk. L61 —4D 103
Rylands Hey. L49 —3B 80
Rylands St. WA1 —4D 149
Rylands St. WA8 —1A 120
Ryleys Gdns. L2 —2B 66
(off Tempest Hey)
Rymer Gro. L4 —4B 30
Ryton Rd. L32 —2B 22

Sabre Clo. WA7 —4C 135
Sackville Rd. WA10 —1B 36
Saddlers Rise. WA7 —3B 134
Sadler St. WA8 —1B 120
Saffron Clo. WA2 —1D 151
Saffron M. L23 —3A 8
Sage Clo. WA2 —1D 151
St Agnes Rd. L4 —1B 44
St Agnes Rd. L36 —2C 73
St Aidan's Ct. L43 —1D 83
St Aidans Ter. L5 —3B 44
(off Latham St.)
St Aidan's Ter. L43 —1D 83
St Aidan's Way. L30 —4C 9
St Alban Rd. WA5 —4B 146
St Albans. L6 —4A 46
St Albans Ct. L5 —3B 44
St Alban's Rd. L20 —3D 29
St Alban's Rd. L43 —1D 83
St Albans Rd. L44 —4A 42
St Alban's Sq. L20 —4D 29
St Ambrose Croft. L30 —4C 9
St Ambrose Gro. L4 —3A 46
St Ambrose Rd. WA8 —1B 120
St Ambrose Way. L5 —1C 67
St Andrew Rd. L4 —3A 46
St Andrews Av. L12 —3C 49
St Andrews Clo. WA2 —3C 143
St Andrews Ct. L22 —3C 17
St Andrews Ct. WA10 —3D 37
St Andrew's Dri. L23 —2A 6
St Andrews Gdns. L3 —2C 67
St Andrew's Gro. L30 —1B 18
St Andrew's Gro. WA11 —4C 27
St Andrews Pl. L17 —3B 88
St Andrew's Rd. L20 —1D 29
St Andrew's Rd. L23 —2A 6
St Andrew's Rd. L43 —1A 84
St Andrew's Rd. L63 —1B 124
St Andrew St. L3 —2C 67
St Andrews View. L33 —3C 13
St Anne's Av. WA4 —2D 159
St Anne's Av. E. WA4 —3D 159
St Annes Clo. L41 —4C 65
St Anne's Cotts. L14 —1B 70
St Anne's Ct. L13 —1D 69
St Anne's Ct. L17 —1C 111
St Anne's Cres. L17 —1D 111
St Anne's Gdns. L17 —1C 111
St Anne's Gro. L17 —1C 111
St Annes Gro. L41 —4B 64
St Annes Ho. L20 —3D 29
St Annes Pl. L35 —4B 54
St Annes Pl. L41 —4B 64
St Anne's Rd. L17 —1C 111
St Anne's Rd. L36 —2C 73
St Anne's Rd. WA8 —4A 98
St Annes Ter. L41 —4B 64
St Anne St. L3 —1C 67
St Anne St. L41 —4B 64
(in three parts)
St Anne's Way. L41 —4B 64
St Ann's Rd. WA10 —3B 36
St Anthony's Gro. L30 —1B 18
St Anthony's Pl. L5 —4C 45
St Anthony's Rd. L23 —4A 6
St Asaph Gro. L30 —2D 19
St Augustine's Av. WA4 —1B 158
St Augustine St. L5 —4B 44
St Augustine's Way. L30 —4C 9
St Austell Clo. L46 —3A 60
St Austell Clo. WA5 —1B 154
St Austell Clo. WA7 —1C 139
St Austells Rd. L4 —4A 30
St Austins La. WA1 —1C 157
St Barnabas Pl. WA5 —4B 148
St Bartholomews Ct. L36 —1B 72
St Bartholomews Ct. WA10 —3D 37
St Benedicts Clo. WA2 —3D 149
St Benedict's Pl. WA2 —3D 149
St Benet's Way. L30 —1C 19
St Bernards Clo. L8 —4A 68
St Bernard's Clo. L30 —1B 18
St Bernard's Dri. L30 —1B 18
St Brides Clo. WA5 —2B 154
St Bride's Rd. L44 —4B 42
St Bride St. L8 —4D 67
St Bridget's Clo. WA2 —4B 142
St Bridget's Gro. L30 —1B 18
St Bridget's La. L48 —1A 100
St Brigids Cres. L5 —4B 44
St Catherine's Clo. L36 —2C 73
St Catherines Gdns. L42 —3B 84
St Catherine's Rd. L20 —3D 29
St Chad's Dri. L32 —2C 23
St Chad's Pde. L32 —2C 23
St Christopher's Av. L30 —4B 8
St Chrysostom's Way. L6 —4D 45
St Clare Rd. L15 —4C 69
St Columbia's Clo. L44 —4B 42
St Cuthberts Clo. L12 —3A 34
St Cyrils Clo. L27 —1B 92
St Cyrils Ct. L27 —1B 92
St Damian's Croft. L30 —1C 19
St David Rd. L43 —1D 83
St David's Clo. L35 —1B 76
St David's Dri. WA5 —1B 148
St David's Gro. L30 —1B 18
St David's La. L43 —1C 83
St David's Rd. L4 —3A 46
St David's Rd. L14 —3A 50
St Domingo Gro. L5 —3D 45
St Domingo Rd. L5 —2C 45
St Domingo Vale. L5 —3D 45
St Dunstan's Gro. L30 —1B 18
St Edmond's Rd. L20 —3D 29
St Edmunds Rd. L63 —4D 107
St Edwards Clo. L41 —4A 64
St Elmo Rd. L44 —4B 42
St Elphins Clo. WA1 —4A 150
St Gabriel's Av. L36 —2D 73
St George's Av. L42 —4C 85
St George's Av. WA10 —1B 36
St Georges Ct. L45 —3C 41
St Georges Ct. WA8 —1B 118
St George's Gro. L30 —1B 18
St George's Gro. L46 —3C 61
St George's Heights. L5 —4C 45
St George's Hill. L5 —4C 45
St George's Mt. L45 —1A 42
St George's Pk. L45 —1A 42
St George's Pl. L1 —2C 67
St George's Rd. L36 —3C 51
St George's Rd. L45 —3C 41
St George's Rd. WA10 —4B 36
St George's Way. L1 —2C 67
(off St Johns Precinct)
St Gerard's Clo. L5 —3B 44
St Gregory's Croft. L30 —4C 9
St Helen's Clo. L43 —1A 84
St Helens Retail Pk. WA9 —3A 38
St Helens Rd. L34 & WA10 —2C 53 to 1A 54
St Hilary Brow. L44 —4D 41
St Hilary Dri. L44 —4D 41
St Hugh's Clo. L43 —1A 84
St Hugh's Ho. L20 —3D 29
St Ives Ct. L43 —4D 63
St Ives Gro. L13 —1D 69
St Ives Rd. L43 —1D 83
St Ives Way. L26 —1C 115
St James' Clo. L12 —3A 48
St James Ct. L45 —1A 42
St James Ct. WA10 —3D 37
St James Dri. L20 —2C 29
St James Mt. L35 —2B 76
St James Pl. L8 —4C 67
St James' Rd. L34 —2C 53 to 3C 53
St James Rd. L35 —2B 76
St James Rd. L36 —3C 73
St James Rd. L41 —3D 63
St James Rd. L45 —1A 42
St James's Dri. L20 —2C 29
St James St. L1 —4C 67
St James Way. L30 —4C 9
St Jerome's Way. L30 —4C 9
St John Av. WA4 —3D 157
St John's Av. L9 —1B 30
St John's Brow. WA7 —2A 132
St John's Clo. L47 —3C 59
St John's Ct. L22 —2B 16
St Johns Ct. WA10 —3D 37
St John's Ho. L20 —3D 29
St John's La. L1 —2C 67
St John's Pavement. L41 —1B 84
St John's Pl. L22 —2B 16
St John's Precinct. L1 —2C 67
St John's Rd. L20 —4C 29
St John's Rd. L22 —2C 17
St John's Rd. L36 —3C 73
St John's Rd. L45 —3C 41
St John's Sq. L1 —2C 67
(off St John's Precinct)
St John's Sq. L41 —1C 85
St John's Ter. L20 —4C 29
St John St. L41 —1C 85
St John St. WA7 —2A 132
St John St. WA10 —1C 55
St John's Way. L1 —2C 67
(off St John's Precinct)
St Joseph's Clo. WA5 —4B 146
St Josephs Cres. L3 —1C 67
St Judes Ct. WA10 —3C 37
St Katherines Way. WA1 —4A 150
St Kilda's Rd. L46 —4C 61
St Lawrence Clo. L8 —2D 87
St Lawrence Gro. L32 —3D 23
St Leonard's Clo. L30 —4B 8
St Lucia Rd. L44 —4B 42
St Luke Cres. WA8 —2A 98
St Lukes Clo. L14 —2D 49
St Lukes Ct. WA10 —3D 37
St Luke's Gro. L30 —4B 8
St Luke's Pl. L1 —3C 67
St Luke's Rd. L23 —4C 7
St Lukes Rd. WA10 —3B 36
St Margaret's Av. WA2 —1A 150
St Margaret's Gro. L30 —1B 18
St Margaret's Rd. L47 —1A 78
St Mark's Gro. L30 —4B 8
St Mark's Rd. L36 —2C 73
St Mark's St. WA11 —1D 39
St Martins Gro. L32 —4D 23
St Martin's Ho. L20 —3D 29
St Martin's La. WA7 —1D 139
St Martin's Mkt. L5 —4C 45
St Martin's M. L5 —4C 45
St Mary's Arc. WA10 —3D 37
St Mary's Av. L4 —4B 30
St Mary's Av. L44 —4A 42
St Mary's Av. WN5 —1D 27
St Mary's Clo. L13 —2D 69
St Mary's Clo. L24 —3A 130
St Mary's Clo. WA4 —1A 162
St Mary's Ct. L25 —4D 91
St Mary's Ct. WA9 —2D 81
St Mary's Ga. L41 —1D 85
St Mary's Gro. L4 —4B 30
St Mary's Gro. L30 —1B 18
St Mary's Ho. WA10 —3D 37
St Mary's La. L4 —4B 30
St Mary's Mkt. WA10 —3D 37
St Mary's Pl. L4 —4B 30
St Mary's Rd. L19 —2A 112
St Mary's Rd. L22 —3D 17
St Mary's Rd. L36 —2C 73
St Mary's Rd. WA5 —4B 146
St Mary's Rd. WA7 —3D 133
St Mary's Rd. WA8 —4D 119
St Mary's St. L25 —4D 91
St Mary's St. L44 —4A 42
St Mary's St. WA4 —1D 157
St Mathews Clo. L4 —4D 31
St Matthew's Av. L21 —3B 18
St Matthews Clo. WA4 —1A 162
St Matthews Ct. WA10 —3D 37
St Matthew's Gro. WA10 —1B 54
St Mawe's Clo. WA8 —4C 97
St Mawes Way. WA10 —1A 36
St Mawgan Ct. WA2 —1B 150
St Michael's Chu. Rd. L17 —4A 88
St Michael's Clo. L17 —4B 88
St Michael's Clo. WA8 —3B 118
St Michaels Ct. L36 —1C 73
St Michael's Gro. L6 —1A 68
St Michael's Gro. L30 —1B 18
St Michael's Gro. L46 —3C 61
St Michael's Rd. L17 —3A 88
St Michael's Rd. L23 —3A 6
St Michael's Rd. WA8 —2B 118
St Michaels Rd. WA9 —1D 77
St Michael's Rd. Ind. Est. WA8 —3A 118
St Monica's Clo. WA4 —4A 158
St Monica's Dri. L30 —4C 9
St Nathaniels St. L8 —4A 68
St Nicholas' Dri. L30 —4C 9
St Nicholas Gro. WA9 —2B 56
St Nicholas Pl. L3 —2A 66
(in two parts)
St Nicholas Rd. L35 —3B 74
St Nicholas' Rd. L45 —3B 40
St Oswald Gdns. L13 —1D 69
St Oswald's Av. L43 —3B 62
St Oswalds Clo. WA2 —1D 141
St Oswald's Ct. L30 —1D 19
St Oswald's La. L30 —1C 19
St Oswald's M. L43 —4B 62
St Oswald's St. L13 —2D 69
St Paschal Baylon Boulevd. L16 —3D 71
St Patrick's Clo. L33 —3C 13
St Patrick's Dri. L30 —4B 8
St Paul's Av. L44 —2C 65
St Pauls Clo. L33 —3C 13
St Paul's Clo. L42 —4C 85
St Pauls Pl. L20 —3D 29
St Paul's Rd. L42 —4D 85 & 3D 85
St Paul's Rd. L44 —2C 65
St Paul's Rd. WA8 —2D 119
St Paul's Sq. L3 —2A 66
St Paul St. WA10 —3C 37
St Paul's Vs. L42 —4C 85
St Peters Clo. L33 —3C 13
St Peter's Clo. L60 —4B 122
St Peter's Ct. L17 —3A 88
St Peter's Ct. L42 —1A 108
St Peter's Ct. WA2 —3D 149
St Peters Ct. WA10 —3D 37
St Peter's Ho. L20 —4D 29
St Peter's M. L42 —1A 108
St Peter's Rd. L9 —4B 20
St Peter's Rd. L42 —1A 108
St Peters Row. L31 —2C 11
St Peter's Way. L43 —2B 82
St Peter's Way. WA2 —3D 149
St Philip's Av. L21 —3B 18
St Philips Ct. WA10 —3D 37
St Saviour's Sq. L8 —4D 67
St Seiriol Gro. L43 —1D 83
St Simons Ct. WA10 —3D 37
St Stephen Rd. WA5 —4B 146
St Stephen's Av. WA2 —4D 141
St Stephen's Clo. L25 —2B 92
St Stephen's Ct. L42 —1A 106
St Stephen's Gro. L30 —1B 18
St Stephen's Pl. L3 —1B 66
St Stephen's Rd. L42 —4A 84
St Teresa's Rd. WA10 —3B 36
St Thomas's Dri. L30 —4B 8
St Thomas Sq. WA10 —3D 37
St Vincent Rd. L43 —1D 83
St Vincent Rd. L44 —4B 42
St Vincents Clo. L12 —3C 49
St Vincent's Rd. WA5 —4B 146
St Vincent St. L3 —2C 67
St Vincent Way. L3 —2C 67
St Werburghs Sq. L41 —1C 85
St Wilfrid's Dri. WA4 —3D 159
St William Rd. L23 —3A 8
St William Way. L23 —3A 8
St Winifred Rd. L35 —4A 54
St Winifred Rd. L45 —2A 42
Saker St. L4 —2D 45
Salacre Clo. L49 —2A 82
Salacre Cres. L49 —2D 81
Salacre La. L49 —2D 81
Salacre Ter. L49 —2D 81
Salcombe Dri. L25 —2A 114
Salem View. L43 —3A 84
Salerno Dri. L36 —1C 73
Saleswood Av. WA10 —3A 36
Salisbury Av. L30 —3D 19
Salisbury Av. L48 —4A 78
Salisbury Dri. L62 —2A 108
Salisbury Ho. L20 —2C 29
Salisbury Ho. WA9 —3A 38
Salisbury Pk. L16 —1C 91
Salisbury Rd. L5 —3D 45
Salisbury Rd. L9 —3B 30
Salisbury Rd. L15 —4B 68
Salisbury Rd. L19 —3D 111
Salisbury Rd. L20 —2C 29
(in two parts)
Salisbury Rd. L45 —1A 42
Salisbury St. L3 —1C 67 & 1D 67
Salisbury St. L34 —2C 53
Salisbury St. L41 —1B 84
Salisbury St. WA1 —3A 150
Salisbury St. WA7 —3D 131
Salisbury St. WA8 —1A 120
Salisbury Ter. L15 —3D 69
Salop St. L4 —1C 45
Saltash Clo. L26 —1C 115
Saltash Clo. WA7 —1C 139
Saltburn Rd. L45 —3B 40 & 3C 41
Salthouse Quay. L3 —3B 66
Saltney St. L3 —4A 44
Saltpit La. L31 —1C 11
Saltwood Dri. WA7 —2C 139
Samaria Av. L62 —2B 108
Samuel St. WA5 —1B 156
Samuel St. WA9 —2B 54
Sandalwood Dri. L43 —2B 82
Sandalwood Gdns. WA9 —2B 56
Sandbec Gdns. WA8 —1B 96
Sandbeck St. L8 —3D 87
Sandbourne. L46 —3D 61
Sandbrook Ct. L46 —3C 61
Sandbrook La. L46 —3C 61
Sandbrook Rd. L25 —4D 71
Sandcliffe Rd. L45 —1C 41
Sandcroft Clo. WA3 —2D 143
Sandeman Rd. L4 —1B 46
Sanderling Rd. L33 —1D 23
Sanders Hey Clo. WA7 —2C 139
Sanderson Clo. WA5 —3A 146
Sanderson St. L5 —4C 45
Sandfield. L36 —2B 72
Sandfield Av. L47 —3B 58
Sandfield Clo. L12 —4B 48
Sandfield Clo. L63 —3C 107
Sandfield Cres. WA10 —3D 37
Sandfield Pk. L60 —4A 122
Sandfield Pk. E. L12 —3B 48
Sandfield Pl. L20 —2C 29
Sandfield Rd. L20 —3A 30
Sandfield Rd. L25 —3A 92
Sandfield Rd. L45 —2A 42
Sandfield Rd. L49 —4A 82
Sandfield Rd. L63 —3C 107
Sandfield Rd. WA10 —1A 36
Sandfield Ter. L45 —2A 42
Sandfield Wlk. L12 —4A 48
Sandford Dri. L31 —3B 4
Sandford St. L41 —4C 65
Sandforth Clo. L12 —3A 48
Sandforth Ct. L13 —3D 47
Sandforth Rd. L12 —3A 48
Sandgate Clo. L24 —1A 128
Sandham Gro. L60 —4D 123
Sandham Rd. L24 —1D 129
Sandhead St. L7 —4B 68
Sandhey Rd. L47 —3B 58
Sandheys Av. L22 —2B 16
Sandheys Clo. L4 —2C 45
Sandheys Gro. L22 —2B 16
Sandheys Rd. L45 —2A 42
Sandheys Ter. L22 —2B 16
Sandhills Bus. Pk. L5 —2B 44
Sandhills La. L5 —2A 44
Sandhills, The. L46 —1C 61
Sandhills View. L45 —4B 40
Sandhill Ter. WA4 —2A 158
Sandhurst. L23 —4B 6
Sandhurst Clo. L21 —4D 17
Sandhurst Dri. L10 —1C 21
Sandhurst Rd. L26 —3D 115
Sandhurst Rd. L35 —4A 54
Sandhurst St. L17 —3A 88
Sandhurst St. WA4 —2C 159
Sandhurst Way. L31 —1A 4
Sandicroft Rd. L12 —4A 34
Sandino St. L8 —1C 87
Sandiway. L35 —2B 74
Sandiway. L36 —3D 73
Sandiway. L47 —3B 58
Sandiway Av. WA8 —1D 117
Sandiways. L31 —4C 5
Sandiways Av. L30 —2D 19
Sandiways Rd. L45 —3C 41
Sandlea Pk. L48 —4A 78
Sandlewood Gro. L33 —4D 13
Sandon Clo. L35 —4A 54
Sandon Ind. Est. L5 —3A 44
Sandon Pl. WA8 —4C 99
Sandon Prom. L4 —4C 43
Sandon Rd. L44 —4C 43
Sandon St. L8 —4D 67
Sandon St. L22 —3B 16
Sandon St. WA10 —2B 54
Sandon Way. L5 —3A 44
Sandown Clo. WA7 —1C 137
Sandown Ct. L15 —3D 69
Sandown La. L15 —4D 69
Sandown Pk. Rd. L10 —1C 21
Sandown Rd. L15 —3D 69
Sandown Rd. L21 —4D 17
Sandpiper Clo. L49 —1B 80
Sandpiper Gro. L26 —1C 115
Sandridge Rd. L45 —2A 42
Sandridge Rd. L61 —4D 103
Sandringham Av. L22 —3C 17
Sandringham Av. L47 —4B 58
Sandringham Clo. L47 —4B 58
Sandringham Clo. L62 —2A 108
Sandringham Dri. L17 —3A 88
Sandringham Dri. L45 —1A 42
Sandringham Dri. WA5 —1D 155
Sandringham Dri. WA9 —3A 56
Sandringham Rd. L13 —3C 47
Sandringham Rd. L22 —3C 17
Sandringham Rd. L31 —1B 10
Sandringham Rd. WA8 —3D 97
Sandrock Rd. L45 —2A 42
Sands of Dee. L48 —3C 101
Sands Rd. L18 —3D 89
Sandstone. L45 —3B 42
Sandstone Clo. L35 —2B 76
Sandstone Dri. L35 —4D 53
Sandstone Dri. L48 —4C 79
Sandstone Rd. E. L13 —4D 47
Sandstone Rd. W. L13 —4D 47
Sandstone Wlk. L60 —4C 123
Sandway Cres. L11 —4C 33
Sandy Brow La. L33 —4C 25
Sandy Grn. L9 —1D 31
Sandy Gro. L13 —3D 47
Sandy Knowe. L15 —3A 70
Sandy La. L9 —4A 20
Sandy La. L13 —3D 47
Sandy La. L31 —1A 4
Sandy La. L45 —3C 41
Sandy La. L48 —1A 100
Sandy La. L60 —3B 122
Sandy La. L61 —2B 102
Sandy La. WA2 —4D 141 to 1A 150
Sandy La. WA4 —4A 158
Sandy La. WA5 —1C 155
Sandy La. WA7 —1A 140
(Preston Brook)
Sandy La. WA7 —4B 130
(Weston Point)
Sandy La. WA8 & WA5 —1D 99
(Bold Heath)
Sandy La. WA8 —2B 96
(Cronton)
Sandy La. WA11 —3A 26
Sandy La. N. L61 —2B 102
Sandy La. W. WA2 —4C 141
Sandymoor. WA7 —2B 134
Sandymount Dri. L45 —2D 41
Sandymount Dri. L63 —4D 107
Sandy Rd. L21 —3D 17
Sandyville Gro. L4 —1C 47
Sandyville Rd. L4 —1C 47
Sandy Way. L43 —1D 83
Sankey Bri. Ind. Est. WA5 —1A 156
Sankey Mnr. WA5 —3B 146

Sankey Rd.—Sleaford Rd.

Sankey Rd. L31 —2B **10**
Sankey Rd. WA11 —1C **39**
Sankey St. L1 —4C **67**
Sankey St. WA1 —4C **149**
Sankey St. WA8 —3D **119**
Sankey St. WA9 —3B **38**
Sankey Way. WA5
—4C **147** to 4B **148**
Santon Av. L13 —3C **47**
Sapphire Dri. L33 —3C **13**
Sapphire St. L13 —2D **69**
Sarah's Croft. L30 —1C **19**
Sarah St. L6 —4D **45**
Sark Rd. L13 —4D **47**
Sartfield Clo. L16 —3C **71**
Sarum Rd. L25 —4D **71**
Saughall Massie La. L49 —1C **81**
Saughall Massie Rd. L48 —3B **78**
Saughall Massie Rd. L49 —1B **80**
Saughall Rd. L46 —4B **60**
Saunby St. L19 —4B **112**
Saunders Av. L35 —1B **74**
Saundersfoot Clo. WA5 —1B **148**
Saville Av. WA5 —2C **149**
Saville Rd. L13 —2A **70**
Saville Rd. L31 —3B **4**
Savoy Ct. L22 —3C **17**
Savoylands Clo. L17 —4B **88**
Sawley Clo. WA7 —4C **135**
Sawpit La. L36 —2D **73**
Saxby Rd. L14 —3D **49**
Saxon Clo. L6 —4A **46**
Saxon Ct. WA10 —2C **37**
Saxonia Rd. L4 —4C **31**
Saxon Rd. L23 —1C **17**
Saxon Rd. L46 —2D **61**
Saxon Rd. L47 —3B **58**
Saxon Rd. WA7 —2A **132**
Saxon Ter. WA8 —1A **120**
Saxon Way. L33 —2C **13**
Saxony Rd. L7 —2A **68**
Sayce St. WA8 —1A **120**
Scafell Av. WA2 —4D **141**
Scafell Clo. L27 —3D **93**
Scafell Lawn. L27 —3D **93**
Scafell Rd. WA11 —3B **26**
Scafell Wlk. L27 —3D **93**
Scape La. L23 —3C **7**
Scargreen Av. L11 —3B **32**
Scarisbrick Av. L21 —4A **18**
Scarisbrick Clo. L31 —3C **5**
Scarisbrick Cres. L11 —3A **32**
Scarisbrick Dri. L11 —3A **32**
Scarisbrick Pl. L11 —3A **32**
Scarisbrick Rd. L11 —3D **31**
Scarsdale Rd. L11 —4B **32**
Sceptre Rd. L11 —3D **33**
Sceptre Tower. L11 —3D **33**
Sceptre Wlk. L11 —3D **33**
Scholar St. L7 —4B **68**
Scholes La. WA10 & WA9
—2A **54**
Scholes Pk. WA10 —2A **54**
Schomberg St. L6 —1A **68**
School Brow. WA1 —4D **149**
School Clo. L27 —4B **72**
School Clo. L46 —2C **61**
Schoolfield Clo. L49 —4A **42**
Schoolfield Rd. L49 —4A **82**
School Hill. L60 —4B **122**
School La. L1 —3B **66**
School La. L10 —2C **21**
School La. L21 —4A **18**
School La. L25 —2A **114**
School La. L31 —4D **5**
School La. L34 —1B **34**
School La. L35 —3C **77**
School La. L36 —2D **73**
School La. L43 —2B **62**
School La. L45 & L44 —4C **41**
(in three parts)
School La. L47 —3C **59**
(Great Meols)
School La. L47 —4A **58**
(Hoylake, in two parts)
School La. L61 —3A **102**
School La. L62 —2A **108**
School La. L63 —3B **106**
School La. WA3 —2D **145**
School La. WA7 —3D **133**
School Pl. L41 —4B **64**
School Rd. WA2 —1A **150**
School St. WA4 —1D **157**
School St. WA11 —1D **39**
School Way. L24 —1A **128**
School Way. WA8 —3B **98**
Schooner Clo. WA7 —1D **139**
Scone Clo. L11 —3D **33**
Scorecross. WA9 —1A **56**
Score La. L16 —3B **70** to 4C **71**
Scoresby Rd. L46 —1A **62**
Score, The. WA9
—3D **55** to 2A **56**
Scorton St. L6 —4B **46**
Scotchbarn La. L34 & L35
—3C **53**
Scoter Rd. L33 —1C **23**
Scotia Av. L62 —2B **108**
Scotia Rd. L13 —4A **48**
Scotland Rd. L3 & L5 —1B **66**
Scotland Rd. WA1 —4D **149**
Scots Pl. L41 —4D **63**
Scott Av. L35 —1D **75**
Scott Av. L36 —3D **73**
Scott Av. WA8 —1D **119**
Scott Av. WA9 —1D **77**
Scott Clo. L4 —2D **45**
Scott Clo. L31 —4C **5**
Scotts Quays. L41 —2C **65**
Scott St. L20 —2C **29**
Scott St. L45 —3A **42**
Scott St. WA2 —3D **149**
Scythes, The. L30 —4A **10**
Scythes, The. L49 —2B **80**
Scythia Clo. L62 —2B **108**
Seabank Av. L44 —3B **42**
Seabank Cotts. L47 —2C **59**
Seabank Rd. L41 —2D **85**
Seabank Rd. L45 & L44
—2A **42** to 4B **42**
Seabank Rd. L60 —4A **122**
Sea Brow. L1 —3B **66**
Seabury St. WA4 —1C **159**
Seacombe Prom. L44 —1C **65**
Seacombe Tower. L5 —3C **45**
Seacombe View. L44 —2C **65**
Sea Ct. Flats. L45 —2D **41**
Seacroft Clo. L14 —3D **49**
Seacroft Rd. L14 —3D **49**
Seafield Av. L23 —4C **7**
Seafield Dri. L45 —2D **41**
Seafield Rd. L9 —1B **30**
Seafield Rd. L20 —2C **29**
Seafield Rd. L62 —1A **108**
Seaford Clo. WA7 —3B **134**
Seaford Pl. WA2 —3C **141**
Seafore Clo. L31 —2A **4**
Seaforth Dri. L46 —4C **61**
Seaforth Rd. L21 —1B **28**
Seaforth Vale. N. L21 —4D **17**
Seaforth Vale. W. L21 —4D **17**
Seagram Clo. L9 —3B **20**
Sea La. WA7 —2C **133**
Sealy Clo. L63 —3B **124**
Seaman Rd. L15 —4C **69**
Sea Rd. L45 —1D **41**
Seascale Av. WA10 —1A **54**
Seath Av. WA9 —2C **39**
Seathwaite Clo. L23 —1A **16**
Seathwaite Clo. WA7 —2A **138**
Seathwaite Cres. L33 —4B **12**
Seaton Clo. L12 —3B **34**
Seaton Gro. WA9 —3B **54**
Seaton Rd. L42 —2B **84**
Seaton Rd. L45 —2A **42**
Sea View. L47 —4A **58**
Seaview Av. L45 —4A **42**
Seaview Av. L61 —3C **103**
Seaview La. L61 —3B **102**
Sea View Rd. L20 —2C **29**
Seaview Rd. L45 —3D **41**
Seaview Ter. L22 —2B **16**
Seawood Gro. L46 —4D **61**
Secker Av. WA4 —2A **158**
Secker Cres. WA4 —2A **158**
Second Av. L9 —4B **20**
Second Av. L23 —4C **7**
Second Av. L35 —4A **54**
Second Av. L43 —1A **82**
Second Av. WA7 —4C **133**
Sedberg Gro. L36 —1A **72**
Sedbergh Av. L10 —1B **20**
Sedbergh Gro. WA7 —2A **138**
Sedbergh Rd. L44 —4D **41**
Sedburn Rd. L32 —4D **23**
Seddon Rd. L19 —3A **112**
Seddon Rd. WA10 —1A **54**
Seddons Ct. L34 —2B **52**
Seddon St. L1 —3B **66**
Seddon St. WA10 —4B **26**
Sedgefield Clo. L46 —3D **61**
Sedgefield Rd. L46 —3D **61**
Sedgeley Wlk. L36 —4C **51**
Sedgemoor Rd. L11 —3A **32**
Sedley St. L6 —3A **46**
Seeds La. L9 —3B **20**
Seeley Av. L41 —4D **63**
Seel Rd. L36 —2D **73**
Seel St. L1 —3B **66**
Sefton Av. L21 —4A **18**
Sefton Av. WA8 —3D **97**
Sefton Bus. Pk. L30 —3A **20**
Sefton Clo. L32 —1A **22**
Sefton Dri. L8 —1A **88**
Sefton Dri. L10 —2C **21**
Sefton Dri. L23 —2A **8**
Sefton Dri. L31 —1A **10**
Sefton Dri. L32 —1B **22**
Sefton Gro. L17 —3B **88**
Sefton La. L31 —1A **10**
Sefton La. Ind. Est. L31 —1A **10**
Sefton Mill Ct. L29 —2D **9**
Sefton Mill La. L29 —2D **9**
Sefton Moss La. L30 —1C **19**
Sefton Moss Vs. L21 —3A **18**
Sefton Pk. Rd. L8 —1A **88**
Sefton Pl. WA10 —3D **37**
Sefton Retail Pk. L30 —1D **19**
Sefton Rd. L9 —2B **30**
Sefton Rd. L20 —1D **29**
Sefton Rd. L21 —3A **18**
Sefton Rd. L42 —1D **107**
Sefton Rd. L45 —2A **42**
Sefton Rd. L62 —2A **108**
Sefton St. L8 —1B **86**
Sefton St. L21 —4A **18**
Sefton View. L21 —3A **18**
Sefton View. L23 —4D **7**
Selborne. L35 —2D **75**
Selborne Clo. L8 —4D **67**
Selborne St. L8 —4D **67**
Selbourne Clo. L49 —3A **82**
Selby Clo. WA7 —1C **135**
Selby Clo. WA10 —4B **36**
Selby Gro. L36 —1A **74**
Selby Rd. L9 —4D **19**
Selby St. L45 —3A **42**
Selby St. WA5 —4B **148**
Seldon St. L6 —1A **68**
Selina Rd. L4 —4A **30**
(in two parts)
Selkirk Av. WA4 —2C **159**
Selkirk Dri. WA10 —1A **36**
Selkirk Rd. L13 —1D **69**
Sellar St. L4 —2C **45**
Selsdon Rd. L22 —1B **16**
Selsey Clo. L7 —3A **68**
Selside Lawn. L27 —3D **93**
Selside Rd. L27 —3D **93**
Selside Wlk. L27 —3D **93**
Selston Clo. L63 —2B **124**
Selworthy Dri. WA4 —2A **160**
Selworthy Grn. L16 —1C **91**
Selwyn Clo. WA8 —3C **99**
Selwyn St. L4 —4A **30**
Seneschal Ct. WA7 —1A **138**
Sennen Clo. WA7 —2C **139**
Sennen Rd. L32 —3D **23**
September Rd. L6 —3B **46**
Sergeant York Loop. WA5
—4D **147**
Sergrim Rd. L36 —1B **72**
Serpentine N., The. L23 —3A **6**
Serpentine Rd. L44 —4B **42**
Serpentine S., The. L23 —4A **6**
Serpentine, The. L19 —2D **111**
Serpentine, The. L23 —4A **6**
Servia Rd. L21 —4A **18**
Servite Clo. L22 —2B **16**
Servite Ct. L25 —1B **114**
Sessions Rd. L4 —2C **45**
Seth Powell Way. L36 —3B **50**
Settrington Rd. L11 —4B **32**
Seven Acre Rd. L23 —4A **8**
Seven Acres La. L61 —3A **104**
Seventh Av. L9 —4B **20**
Severn Clo. WA2 —4B **142**
Severn Clo. WA8 —3A **56**
Severn Clo. WN5 —1D **27**
Severn Rd. L33 —3D **13**
Severn Rd. L35 —1A **76**
Severn St. L5 —3D **45**
Severn St. L41 —3D **63**
Severs St. L6 —4A **46**
Sewell St. L34 —3B **52**
Sewell St. WA7 —2A **132**
Sextant Clo. WA7 —1D **139**
Sexton Way. L14 —2C **71**
Seymour Ct. L42 —3C **85**
Seymour Ct. WA7 —1B **134**
Seymour Dri. L31 —3C **5**
Seymour Dri. WA1 —2C **151**
Seymour Pl. E. L45 —1A **42**
Seymour Pl. W. L45 —1A **42**
Seymour Rd. L14 —2B **70**
Seymour Rd. L21 —4A **18**
Seymour St. L3 —2C **67**
Seymour St. L20 —4C **29**
Seymour St. L42 —3C **85**
Seymour St. L45 —1A **42**
Seymour St. WA9 —2C **57**
Shacklady Rd. L33 —4D **13**
Shackleton Clo. WA5 —1A **148**
Shackleton Rd. L46 —4A **40**
Shadewood Cres. WA4 —3D **159**
Shadwell St. L5 —3A **44**
Shaftesbury Av. WA5 —2B **154**
Shaftesbury Rd. L23 —4B **6**
Shaftesbury St. L8 —1C **87**
Shaftesbury Ter. L13 —1D **69**
Shaftsbury Av. L33 —3C **13**
Shakespeare Av. L42 —4D **85**
Shakespeare Clo. L6 —4A **46**
Shakespeare Gro. WA2
—4D **141** & 1D **149**
Shakespeare Rd. L44 —2B **64**
Shakespeare Rd. WA8 —1D **119**
Shakespeare Rd. WA9 —1D **77**
Shakespeare St. L19 —4B **112**
(in two parts)
Shakespeare St. L20 —2C **29**
Shalam Ct. L63 —3C **107**
Shaldon Clo. L32 —3D **23**
Shaldon Gro. L32 —3D **23**
Shaldon Rd. L32 —4D **23**
Shaldon Wlk. L32 —3D **23**
Shalford Gro. L48 —4C **79**
Shallcross Ct. L6 —4A **46**
Shallcross Pl. L6 —4A **46**
Shallmarsh Clo. L63 —4B **106**
Shallmarsh Ct. L63 —4B **106**
Shallmarsh Rd. L63 —3B **106**
Shalom Ct. L17 —1C **89**
Shamrock Rd. L41 —4D **63**
Shand St. L19 —4B **112**
Shanklin Clo. WA5 —3A **146**
Shanklin Rd. L15 —3D **69**
Shard Clo. L11 —2C **33**
Sharon Pk. Clo. WA4 —3A **160**
Sharpeville Clo. L4 —2C **45**
Sharples Cres. L23 —4D **7**
Sharp St. WA2 —3D **149**
Sharp St. WA8 —1D **119**
Shavington Av. L43 —3D **83**
Shawbury Av. L63 —3C **107**
Shawell Ct. WA8 —4C **99**
Shaw Entry. L35 —3D **75**
Shaw Hill St. L1 —2B **66**
Shaw La. L35 —4B **52**
Shaw La. L49 —4B **80**
Shaw Rd. L24 —4B **114**
Shaws All. L1 —3B **66**
Shaw's Av. WA2 —2D **149**
Shaws Dri. L47 —3B **58**
Shaw St. L6 —1D **67**
Shaw St. L41 —2B **84**
Shaw St. L47 —4A **58**
Shaw St. WA2 —3D **149**
Shaw St. WA7 —2D **131**
(in two parts)
Shaw St. WA10 —3A **38**
Shawton Rd. L16 —3B **70**
Shearman Clo. L61 —4D **103**
Shearman Rd. L61 —4D **103**
Shearwater Clo. L27 —2C **93**
Sheehan Heights. L5 —3B **44**
Sheen Rd. L45 —2B **42**
Sheerwater Clo. WA1 —2B **150**
Sheffield Clo. WA5 —4D **147**
Sheila Wlk. L10 —4A **22**
Sheil Pl. L6 —1B **68**
Sheil Rd. L6 —4B **46**
Shelagh Av. WA8 —1A **120**
Sheldon Clo. L63 —3B **124**
Sheldon Rd. L12 —1C **49**
Shelley Clo. L36 —3D **73**
Shelley Gro. L19 —4B **112**
Shelley Gro. WA4 —1C **159**
Shelley Pl. L35 —1C **75**
Shelley Rd. WA8 —4D **97**
Shelley St. L20 —2C **29**
Shelley St. WA9 —2D **77**
Shelley Way. L48 —2A **100**
Shellingford Rd. L14 —4D **49**
Shelton Clo. WA8 —3C **99**
Shelton Rd. L45 —3D **41**
Shenley Clo. L63 —3D **107**
Shenley Rd. L15 —3B **70**
Shenstone St. L7 —3A **68**
Shenton Av. WA11 —4D **27**
Shepcroft La. WA4 —4A **162**
Shepherd Clo. L49 —2B **80**
Shepherds Row. WA7 —2D **133**
Shepherd St. L6 —2D **67**
Sheppard Av. L16 —3A **72**
Shepperton Clo. WA4 —2B **162**
Shepston Av. L4 —4B **30**
Shepton Rd. L36 —3B **50**
Sherborne Av. L25 —1B **114**
Sherborne Av. L30 —4C **9**
Sherborne Clo. WA7 —1C **135**
Sherborne Rd. L44 —4D **41**
Sherburn Clo. L9 —3B **20**
Sherdley Ct. L35 —4B **54**
Sherdley Pk. Dri. WA9 —2A **56**
Sherdley Rd. WA9 —3C **55**
Sheridan St. L5 —4C **45**
Sheriff Clo. L5 —4C **45**
Sheringham Clo. L49 —4A **62**
Sheringham Clo. WA9 —3C **39**
Sheringham Rd. WA5 —4B **146**
Sherlock La. L44 —2A **64**
Sherlock St. L5 —2D **45**
Sherman Dri. L35 —2C **77**
Sherry Ct. L17 —1C **89**
Sherry La. L49 —4A **82**
Sherwell Clo. L15 —3D **69**
Sherwood Av. L23 —3B **6**
Sherwood Av. L61 —3B **102**
Sherwood Clo. L35 —4A **54**
Sherwood Clo. WA8 —1B **118**
Sherwood Ct. L12 —3A **34**
Sherwood Ct. L36 —2D **73**
Sherwood Dri. L63 —2C **107**
Sherwood Gro. L47 —4D **59**
Sherwood Rd. L23 —3B **6**
Sherwood Rd. L44 —1B **64**
Sherwood Rd. L47 —4D **59**
Sherwood's La. L10 —3C **21**
Sherwood St. L3 —4A **44**
Sherwyn Rd. L4 —2B **46**
Shetland Clo. WA2 —3B **142**
Shetland Clo. WA8 —4C **99**
Shetland Dri. L62 —3D **125**
Shevington Clo. WA8 —3C **99**
Shevington Clo. WA9 —2B **56**
Shevingtons La. L33 —3C **13**
Shevington Wlk. WA8 —3C **99**
Shewell Clo. L42 —2C **85**
Shiel Rd. L45 —2A **42**
Shiggins Clo. WA5 —3A **148**
Shillingford Clo. WA4 —2B **162**
Shimmin Gdns. WA9 —2B **56**
Shimmin St. L7 —3A **68**
Shipley Wlk. L24 —1C **129**
Ship St. WA6 —4C **137**
Shipton Clo. L43 —1C **105**
Shipton Clo. WA5 —2D **147**
Shipton Clo. WA8 —3B **96**
Shirdley Av. L32 —4D **23**
Shirdley Wlk. L32 —4C **23**
Shirebourne Av. WA11 —4C **27**
Shiregreen. WA9 —3B **56**
Shires, The. WA10 —4C **37**
Shirley Dri. WA4 —2C **159**
Shirley Rd. L19 —2A **112**
Shirley St. L44 —1C **65**
Shirwell Gro. WA9 —4B **56**
Shobdon Clo. L12 —2B **34**
Shop La. L31 —4B **4**
Shop Rd. L34 —2D **35**
Shore Bank. L62 —2B **108**
Shore Dri. L62 —3B **108**
Shorefields. L62
—2A **108** & 2B **108**
Shorefields Village. L8 —3D **87**
Shoreham Dri. WA5 —2C **155**
Shore La. L48 —2B **100**
Shore Rd. L41 —4C **65**
Shore Rd. L48 —2B **100**
Shortfield Rd. L49 —2A **82**
Shortfield Way. L49 —2A **82**
Short St. WA8 —4D **119**
Shortwood Rd. L14 —1D **71**
Shorwell Clo. WA5 —3A **146**
Shottesbrook Grn. L11 —3B **32**
Shrewsbury Av. L10 —1B **20**
Shrewsbury Av. L22 —1B **16**
Shrewsbury Clo. L43 —1D **83**
Shrewsbury Dri. L49 —1D **81**
Shrewsbury Pl. L19 —3B **112**
Shrewsbury Rd. L19 —3B **112**
Shrewsbury Rd. L43
—4D **63** to 2A **84**
Shrewsbury Rd. L44 —4D **41**
Shrewsbury Rd. L48 —4A **78**
Shrewsbury Rd. L60 —3B **122**
Shrewsbury St. WA4 —2A **158**
Shrewton Rd. L25 —4A **72**
Shropshire Clo. L30 —4D **9**
Shropshire Clo. WA1 —3B **152**
Sibford Rd. L12 —4B **48**
Siddeley St. L17 —3B **88**
Side Kerfoot St. WA2 —2C **149**
Sidgreave St. WA10 —3C **37**
Siding La. L33 —2B **14**
Sidings, The. L42 —4D **85**
Sidlaw Av. WA9 —3C **39**
Sidmouth Clo. WA5 —1B **154**
Sidney Av. L45 —1A **42**
Sidney Gdns. L42 —3C **85**
Sidney Pl. L7 —3A **68**
Sidney Powell Av. L32 —2B **22**
Sidney Rd. L20 —4A **30**
Sidney Rd. L42 —3C **85**
Sidney St. WA10 —2C **37**
Sidney Ter. L42 —3C **85**
Sidwell St. L19 —3B **112**
Signal Works Rd. L9 —3C **21**
Silcroft Rd. L32 —3C **23**
Silkhouse La. L2 —2B **66**
Silkstone Clo. L7 —3A **68**
Silkstone Clo. WA10 —3C **37**
Silkstone St. WA10 —3C **37**
Silver Av. WA11 —1D **39**
Silverbeech Av. L18 —2A **90**
Silverbeech Rd. L44 —1B **64**
Silverbirch Gdns. L44 —4C **41**
Silver Birch Way. L31 —1A **4**
Silverburn Av. L46 —3C **61**
Silverdale Av. L13 —3C **47**
Silverdale Clo. L36 —3C **73**
Silverdale Dri. L21 —3C **19**
Silverdale Gro. WA11 —3B **26**
Silverdale Rd. L43 —2D **83**
Silverdale Rd. L63 —2D **107**
Silverdale Rd. WA4 —3C **157**
Silver La. WA3 —1B **144**
Silverlea Av. L45 —4A **42**
Silver Leigh. L17 —4B **88**
Silverlime Gdns. WA9 —2B **54**
Silverstone Dri. L36 —3B **72**
Silverstone Gro. L31 —2A **4**
Silver St. WA2 —3D **149**
Silverton Rd. L17 —1C **111**
Silverwell Rd. L11 —1D **33**
Silverwell Wlk. L11 —1D **33**
Silvester St. L5 —4B **44**
Simkin Av. WA4 —1B **158**
Simms Av. WA9 —3C **39**
Simm's Rd. L6 —3B **46**
Simon Ct. L33 —3C **13**
Simonsbridge. L48 —3B **100**
Simons Clo. L35 —3B **74**
Simon's Croft. L30 —1B **18**
Simonside. WA8 —4B **96**
Simonstone Gro. WA9 —2B **56**
Simonswood La. L33 —2D **23**
Simonswood Wlk. L33 —2D **23**
Simpson St. L1 —4B **66**
Simpson St. L41 —1B **84**
Sim St. L3 —1C **67**
Sinclair Av. L35 —4C **53**
Sinclair Av. WA2 —4D **141**
Sinclair Av. WA8 —1D **119**
Sinclair Clo. L35 —3C **53**
Sinclair Dri. L18 —1A **90**
Sinclair St. L19 —4B **112**
Sineacre La. L33 & L39 —2B **14**
Singleton Av. L42 —3B **84**
Singleton Av. WA11 —1B **38**
Singleton Dri. L34 —3D **35**
Sirdar Clo. L7 —3A **68**
Sirdar St. L7 —3A **68**
Sir Howard St. L8 —4D **67**
Sir Howard Way. L8 —4D **67**
Sir Thomas St. L1 —2B **66**
Siskin Grn. L25 —2D **91**
Sisters Way. L41 —1B **84**
Sixpenny Wlk. WA1 —3D **149**
Sixth Av. L9 —4B **20**
Skeffington. L35 —2C **75**
Skelhorne St. L3 —2C **67**
Skellington Fold. L27 —1C **93**
Skelton Clo. WA11 —4C **27**
Skerries Rd. L4 —2A **46**
Skiddaw Clo. WA7 —2B **138**
Skiddaw Rd. L62 —2D **125**
Skipton Rd. L4 —2A **46**
Skipton Rd. L36 —1A **74**
Skirving Pl. L5 —3C **45**
Skirving St. L5 —3C **45**
Skye Clo. WA8 —3C **99**
Skypark Ind. Est. L24 —1A **128**
Slade St. L5 —3B **44**
Slater Pl. L1 —3C **67**
Slater St. L1 —3C **67**
Slater St. WA4 —1A **158**
Slatey Rd. L43 —1A **84**
Sleaford Rd. L14 —3A **50**

Sleepers Hill—Stoney La.

Sleepers Hill. L4 —2D 45
Slessor Av. L48 —3B 78
Slim Rd. L36 —1C 73
Slingsby Dri. L49 —2D 81
Slutchers La. WA1 —1C 157
Small Av. WA2 —4A 142
Small Cres. WA2 —4A 142
Smallwood M. L60 —3A 122
Smeaton St. L4 —1C 45
(in two parts)
Smeaton St. S. L4 —1C 45
Smethick Wlk. L30 —4A 10
Smilie Av. L46 —3B 60
Smith Av. L41 —3A 64
Smith Cres. WA2 —2A 150
Smithdown Gro. L7 —3A 68
Smithdown La. L7 —3D 67
Smithdown Pl. L15 —1D 89
Smithdown Rd. L7 & L15 —4A 68 to 1D 89
Smith Dri. L20 —1A 30
Smith Dri. WA2 —2A 150
Smithfield St. WA9 —3B 38
Smithills Clo. WA3 —2A 144
Smith Pl. L5 —2C 45
Smith Rd. WA8 —2D 119
Smith St. L5 —2C 45
Smith St. L34 —3C 53
Smith St. WA1 —4D 149
Smith St. WA9 —2C 57
Smithy Brow. WA3 —1B 142
Smithy Clo. WA8 —1B 96
Smithy Hey. L48 —4B 78
Smithy La. L4 —3B 30
Smithy La. WA3 —1C 143
Smithy La. WA8 —1B 96
Smollett St. L6 —1A 68
Smollett St. L20 —1C 29
Smyth Rd. WA8 —4B 98
Snaefell Av. L13 —3C 47
Snaefell Gro. L13 —4C 47
Snaefell Rise. WA4 —4A 158
Snave Clo. L21 —1C 29
Snowberry Clo. WA8 —3C 99
Snowberry Rd. L14 —2D 49
Snowden La. L5 —3B 44
Snowden Rd. L46 —3B 60
Snowdon Clo. WA5 —3B 146
Snowdon Gro. WA9 —2A 56
Snowdon Rd. L42 —4B 84
Snowdrop Av. L41 —4D 63
Snowdrop Clo. WA7 —2B 138
Snowdrop St. L5 —2B 44
Soho Pl. L3 —1C 67
Soho Sq. L3 —1C 67
Soho St. L3 —1C 67
Solar Rd. L9 —1C 31
Solly Av. L42 —4C 85
Solomon St. L7 —2A 68
Solway Clo. WA2 —2B 142
Solway Gro. WA7 —2D 137
Solway St. L41 —3D 63
Solway St. E. L8 —4A 68
Solway St. W. L8 —4A 68
Soma Av. L21 —3B 18
Somerford Ho. L23 —1A 16
Somerford Rd. L14 —4D 49
Somerford Wlk. WA8 —3C 99
(off Guernsey Rd.)
Somerset Pl. L6 —3B 46
Somerset Rd. L20 —2A 30
Somerset Rd. L23 —1B 16
Somerset Rd. L45 —4C 41
Somerset Rd. L48 —3B 78
Somerset Rd. L61 —1A 122
Somerset St. WA9 —3B 38
Somerset Way. WA1 —2D 151
Somerton St. L15 —3C 69
Somerville Gro. L22 —2B 16
Somerville Rd. L22 —2B 16
Somerville Rd. WA8 —2B 118
Somerville St. Clo. L5 —3C 45
Sommer Av. L12 —2A 48
Sonning Av. L21 —2A 18
Sonning Rd. L4 —4D 31
Sorany Clo. L23 —3A 8
Sorogold St. WA9 —3B 38
Sorrel Clo. L43 —2B 82
Sorrel Clo. WA2 —1D 151
S. Albert Rd. L17 —2A 88
Southampton Way. WA7 —1A 140
South Av. L34 —3A 52
South Av. WA2 —2D 149
South Av. WA4 —3D 157
South Bank. L43 —3A 84
S. Bank Rd. L7 —2C 69
S. Bank Rd. L19 —2A 112
S. Bank Ter. WA7 —1D 131
S. Barcombe Rd. L16 —4C 71
S. Boundary Rd. L33 —3A 24
Southbourne Rd. L45 —4C 41
Southbrook Rd. L27 —1B 92
Southbrook Way. L27 —1B 92
S. Cantril Av. L12 —2D 49
S. Chester St. L8 —1C 87
Southcroft Rd. L45 —4C 41
South Dale. WA5 —4B 146
Southdale Rd. L15 —4D 69
Southdale Rd. L42 —4C 85
Southdale Rd. WA1 —2C 151
Southdean Rd. L14 —3A 50
South Dri. L12 —3A 48
South Dri. L15 —3D 69
South Dri. L49 —1A 82
South Dri. L60 —4C 123
South Dri. L61 —4B 102
Southern Cres. L8 —1C 87
Southern Expressway. WA7 —1A 138
Southern Rd. L24 —2C 129
Southern St. WA4 —4D 157
Southey Gro. L31 —2B 10
Southey Rd. WA10 —1B 54
Southey St. L15 —4C 69
Southey St. L20 —2C 29
S. Ferry Quay. L3 —1B 86
Southfield Rd. L9 —1A 30
Southfields Av. WA5 —4B 146
South Front. L35 —3C 75
Southgate Clo. L12 —3A 34
Southgate Rd. L13 —1A 70
South Gro. L8 —3D 87
South Gro. L18 —1B 112
S. Hey Rd. L61 —4C 103
S. Highville Rd. L16 —1B 90
South Hill Gro. L8 —3D 87
S. Hill Gro. L43 —3A 84
S. Hill Rd. L8 —3D 87
S. Hill Rd. L43 —2A 84
S. Hunter St. L1 —3C 67
S. John St. L1 —3B 66
S. John St. WA9 —3B 38
Southlands Av. WA5 —1B 154
Southlands M. WA7 —3D 131
South La. WA8 —2C 99
South La. Entry. WA8 —2D 99
S. Manor Way. L25 —4B 92
S. Meade. L31 —4A 4
Southmead Gdns. L19 —3C 113
Southmead Rd. L19 —3C 113
S. Moor Dri. L23 —4C 7
S. Mossley Hill Rd. L19 —1A 112
South Pde. L23 —1D 17
South Pde. L24 —2C 129
South Pde. L32 —2C 23
South Pde. L48 —4A 78
South Pde. WA7 —4B 130
South Pk. Ct. L32 —1B 22
South Pk. Ct. L44 —1C 65
S. Park Rd. L32 —1A 22
S. Parkside Dri. L12 —2A 48
S. Parkside Wlk. L12 —1A 48
S. Park Way. L20 —4D 29
Southport Rd. L20 —1A 30
Southport Rd. L23 —1A 8
Southport Rd. L31 —1A 4
Southport St. WA9 —3D 39
Southridge Rd. L61 —4D 103
South Rd. L14 —1B 70
South Rd. L19 —3D 111
South Rd. L22 —3B 16
South Rd. L24 —1C 129
South Rd. L42 —4B 84
South Rd. L48 —1A 100
South Rd. WA7 —4B 130
S. Sefton Bus. Cen. L20 —4C 29
S. Station Rd. L25 —2A 92
South St. L8 —2D 87
South St. WA8 —1A 120
South St. WA9 —2B 54
S. Sudley Rd. L19 —1D 111
South View. L22 —3C 17
South View. L36 —2A 74
South View. L62 —4B 108
S. View Ter. WA5 —4D 99
South Vs. L45 —2A 42
Southwark Gro. L30 —2D 19
Southway. L15 —3A 70
Southway. WA7 —4C 133
Southway. WA8 —1B 118
Southway Av. WA4 —4A 158
Southwell Pl. L8 —1C 87
Southwell St. L8 —1C 87
Southwick Rd. L42 —3C 85
S. Wirral Retail Pk. L62 —2D 125
Southwood Av. WA7 —2A 134
Southwood Rd. L17 —4B 88
Southworth Av. WA5 —2B 148
Southworth La. WA2 & WA3 —1A 142
Sovereign Clo. WA7 —4C 135
Sovereign Ct. WA3 —2D 143
Sovereign Hey. L11 —3D 33
Sovereign Rd. L11 —3D 33
Sovereign Way. L11 —3D 33
(in two parts)
Spark La. WA7 —3D 133
Sparks La. L61 —3A 104
Sparling St. L1 —4B 66
(in two parts)
Sparrow Hall Clo. L9 —2A 32
Sparrow Hall Rd. L9 —2A 32
Sparrowhawk Clo. L26 —4C 93
Sparrowhawk Clo. WA7 —1C 139
Speakman Rd. WA10 —1C 37
Speakman St. WA7 —2D 131
Speedwell Clo. L60 —4D 123
Speedwell Dri. L60 —3D 123
Speedwell Rd. L41 —4D 63
Speke Boulevd. L24 —4A 114
Speke Chu. Rd. L24 —1A 128
Speke Hall Av. L24 —1A 128
Speke Hall Ind. Est. L24 —1A 128
Speke Hall Rd. L24 L25 —4A 114
Speke Ho. L24 —2D 129
Speke Ind. Pk. L24 —4D 113
Spekeland Rd. L7 —3B 68
Spekeland St. L7 —3A 68
Speke Rd. L19 & L24 —3B 112
Speke Rd. L25 —4A 92 to 2B 114
Speke Rd. L26 & WA8 —3B 116 to 2C 119
Speke Town La. L24 —1A 128
Spellow La. L4 —1D 45
Spellow Pl. L3 —2A 66
Spence Av. L20 —1A 30
Spencer Av. L46 —3D 61
Spencer Clo. L36 —4D 73
Spencer Gdns. WA9 —2B 56
Spencer Pl. L20 —4C 19
Spencers La. L31 —1C 21
Spencer St. L6 —4D 45
Spenser Av. L42 —1D 107
Spenser St. L20 —2C 29
Spicer Gro. L32 —2C 23
Spice St. L9 —1C 31
Spindus Rd. L24 —1A 128
Spinnaker Clo. WA7 —2D 139
Spinney Av. WA8 —1D 117
Spinney Clo. L33 —3B 24
Spinney Clo. WA9 —4A 56
Spinney Cres. L23 —3A 6
Spinney Grn. WA10 —3A 36
Spinney Rd. L33 —3B 24
Spinney, The. L28 —2A 50
Spinney, The. L34 —2B 52
Spinney, The. L48 —4C 79
Spinney, The. L49 —1D 81
Spinney, The. L63 —1C 125
Spinney View. L33 —3B 24
Spinney Wlk. WA7 —3D 133
Spinney Way. L36 —1B 72
Spital Heyes. L63 —1C 125
Spital Rd. L63 & L62 —1B 124 to 2D 125
Spofforth Rd. L7 —3B 68
Spooner Av. L21 —4B 18
Sprainger St. L3 —4A 44
Sprakeling Pl. L20 —4C 19
Spray St. WA10 —2C 37
Spreyton Clo. L12 —3D 33
Sprig Clo. L9 —3B 20
Springbank Clo. WA7 —1C 137
Spring Bank Rd. L4 —3A 46
Springbook Clo. WA10 —2A 36
Springbourne Rd. L17 —4A 88
Spring Ct. WA7 —2A 132
Springdale Clo. L12 —2B 48
Springfield. L3 —1C 67
(in two parts)
Springfield Av. L21 —3B 18
Springfield Av. L48 —4D 79
Springfield Av. WA1 —2C 151
Springfield Av. WA4 —2D 159
Springfield Clo. L49 —4B 82
Springfield Clo. WA10 —1B 54
Springfield La. WA10 —2A 36
Springfield Rd. L39 —1D 5
Springfield Rd. WA8 —1D 117
Springfield Rd. WA10 —1B 54
Springfield Sq. L4 —1D 45
Springfield St. WA1 —4C 149
Springfield Way. L12 —1C 49
Spring Gdns. L31 —1C 11
Spring Gro. L12 —3B 48
Springholme Dri. WA4 —4A 162
Spring La. WA3 —2D 143
Springmeadow Rd. L25 —2A 92
Spring St. L42 —3D 85
Spring St. WA8 —3D 119
Spring Vale. L45 —2C 41
Springville Rd. L9 —4B 20
Springwell Rd. L20 —4B 18
Springwood Av. L19 & L25 —2C 113
Springwood Ct. L19 —2C 11
(off Ramsey Rd.)
Springwood Gro. L32 —4D 23
Springwood Way. L63 —2D 107
Spruce Clo. WA1 —3B 152
Spruce Gro. L28 —2A 50
Spur Clo. L11 —3D 33
Spurgeon Clo. L5 —4D 45
Spurrier's La. L31 —1B 12
Spurstow Clo. L43 —3D 83
Spur, The. L23 —1B 16
Squires Av. WA8 —1D 119
Squires St. L7 —3A 68
Stable Clo. L49 —2B 80
Stables, The. L23 —3D 7
Stackfield, The. L48 —3D 79
Stadium Rd. L62 —1D 125
Stafford Clo. L36 —4A 52
Stafford Moreton Way. L31 —4B 4
Stafford Rd. WA4 —3A 158
Stafford Rd. WA10 —4B 36
Stafford St. L3 —2C 67
Stag La. L30 —2A 20
Stainburn Av. L11 —3A 32
Stainer Clo. L14 —3C 49
Staines Clo. WA4 —2B 162
Stainmore Clo. WA3 —1C 145
Stainton Clo. L26 —2C 115
Stainton Clo. WA11 —3C 27
Stairhaven Rd. L19 —1A 112
Stakes, The. L46 —1C 61
Stalbridge Av. L18 —2D 89
Staley Av. L23 —1D 17
Staley St. L20 —1D 29
Stalisfield Av. L11 —4B 32
Stalisfield Gro. L11 —4B 32
Stalisfield Pl. L11 —4B 32
Stalmine Rd. L9 —2B 30
Stamford Ct. L20 —3D 29
Stamfordham Dri. L19 —2B 112
Stamfordham Gro. L19 —2B 112
Stamfordham Pl. L19 —2B 112
Stamford St. L7 —2B 68
Stanbury Av. L63 —3D 107
Standale Rd. L15 —3D 69
Standard Pl. L42 —3D 85
Standard Rd. L11 —2D 33
Standen Clo. WA10 —2C 37
Stand Farm Rd. L12 —3A 34
Standish Ct. WA8 —2B 118
Standish St. L3 —1B 66
Standish St. WA10 & WA9 —2D 37
Stand Pk. Av. L30 —1D 19
Stand Pk. Clo. L30 —1D 19
Stand Pk. Rd. L16 —1B 90
Stand Pk. Way. L30 —1C 19
Standring Gdns. WA10 —1A 54
Stanfield Av. L5 —4D 45
Stanfield Dri. L63 —1A 124
Stanford Av. L45 —2A 42
Stanford Cres. L25 —1B 114
Stangate. L31 —4A 4
Stanhope Dri. L36 —1A 72
Stanhope Dri. L62 —2D 125 & 3D 125
Stanhope St. L8 —1C 87
(in two parts)
Stanhope St. WA10 —1D 37
Stanier Way. L7 —3B 68
Staniforth Pl. L16 —3B 70
Stanley Av. L45 —3C 41
Stanley Av. L63 —2A 106
Stanley Av. WA4 —2B 158
Stanley Av. WA5 —3A 146
Stanley Clo. L4 —2B 44
Stanley Clo. L44 —1C 65
Stanley Clo. WA8 —4A 98
Stanley Ct. L42 —3D 85
Stanley Cres. L34 —3B 52
Stanley Gdns. L9 —1B 30
Stanley Ho. L20 —2C 29
Stanley Ind. Est. L13 —1C 69
Stanley Pk. L21 —3A 18
Stanley Pk. Av. N. L4 —4C 31
Stanley Pk. Av. S. L4 —1A 46
Stanley Pl. WA4 —2B 158
Stanley Precinct. L20 —3D 29
Stanley Rd. L20 & L5 —1D 29 to 3B 44
Stanley Rd. L22 —3C 17
Stanley Rd. L31 —3B 10
Stanley Rd. L36 —1C 73
Stanley Rd. L41 —3D 63
Stanley Rd. L47 —1A 78
Stanley Rd. L62 —2A 108
Stanley St. L1 —2B 66
Stanley St. L7 —1C 69
Stanley St. L19 —4B 112
Stanley St. L44 —1C 65
Stanley St. WA1 —1C 157
Stanley St. WA7 —1A 132
Stanley Ter. L18 —3D 89
Stanley Ter. L45 —2A 42
Stanley Vs. WA7 —3D 131
Stanley Yd. L9 —3B 30
Stanlowe View. L19 —3D 111
Stanmore Pk. L49 —3A 80
Stanmore Rd. L15 —1A 90
Stanmore Rd. WA7 —2C 133
Stannyfield Clo. L23 —3A 8
Stanny Field Dri. L23 —3A 8
Stansfield Av. L31 —4D 5
Stansfield Av. WA1 —3B 150
Stanstead Av. WA5 —2C 155
Stanton Av. L21 —3A 18
Stanton Clo. L30 —3C 9
Stanton Cres. L32 —2B 22
Stanton Rd. L18 —2D 89
Stanton Rd. L63 —1A 124
Stanton Rd. WA4 —1A 160
Staplands Rd. L14 —2B 70
Stapleford Rd. L25 —1B 92
Staplehurst Clo. L12 —3A 34
Stapleton Av. L24 —1B 128
Stapleton Av. L35 —4B 54
Stapleton Av. L49 —3B 80
Stapleton Av. WA2 —2A 150
Stapleton Clo. L35 —4B 54
Stapleton Rd. L35 —4A 54
Stapleton Way. WA8 —4A 118
Stapley Clo. WA7 —3C 131
Starkey Gro. WA4 —1B 158
Star La. WA13 —1D 161
Starling Clo. WA7 —4B 134
Starling Gro. L12 —4B 34
Star St. L8 —1C 87
Startham Av. WN5 —1D 27
Starworth Dri. L62 —2B 108
Statham Av. WA2 —4D 141
Statham Av. WA13 —1D 161
Statham La. WA13 —4D 153
Statham Rd. L43 —3B 62
Station App. L46 —2C 61
Station App. L47 —3C 59
Station Clo. L25 —2B 114
Station M. L32 —1B 22
Station Rd. L25 —1A 92
Station Rd. L31 —1A 4
Station Rd. L34 —3B 52
Station Rd. L35 —1B 76
Station Rd. L36 —2B 72
Station Rd. L41 —3D 63
Station Rd. L44 —4D 41
Station Rd. L47 —1A 78
Station Rd. L60 —4B 122
Station Rd. L61 & L63 —4C 105
Station Rd. WA4 —2B 158
Station Rd. WA5 —4C 147
(Great Sankey)
Station Rd. WA5 —2A 154
(Penketh)
Station Rd. WA7 —2D 131
Station Rd. WA8 —2B 98
(in two parts)
Station Rd. WA9 —2C 57
Station Rd. Ind. Est. WA4 —2B 158
Station Rd. N. WA2 —4C 143
Station Rd. S. WA2 —1C 151
Station St. L35 —1B 76
Statton Rd. L13 —2A 70
Staveley Rd. L19 —2A 112
Stavert Clo. L11 —3C 33
Stavordale Rd. L46 —3D 61
Steble St. L8 —2D 87
Steel Av. L45 —2B 42
Steel Ct. L5 —3B 44
Steel St. WA1 —2A 150
Steeplechase Clo. L9 —3B 20
Steeple, The. L48 —3C 101
Steeple View. L33 —3C 13
Steers Croft. L28 —1D 49
Steers St. L6 —4D 45
Steinberg Ct. L3 —4B 44
Stella Precinct. L21 —4D 17
Stenhills Cres. WA7 —2A 132
Stephens La. L2 —2B 66
Stephenson Ct. L7 —3B 68
(off Crosfield Rd.)
Stephenson Rd. L13 —2D 69
Stephenson Way. L13 —3C 69
Stephenson Way. L15 —3C 69
Stephen St. WA1 —3A 150
Stephen Way. L35 —4A 54
Step Ho. La. WA3 —1C 143
Stepney Gro. L4 —4B 30
Sterling Way. L5 —3C 45
Sterndale Clo. L7 —3A 68
Sterrix Av. L30 —1B 18
Sterrix Grn. L21 —1B 18
Sterrix La. L21 & L30 —1B 18
Stetchworth Rd. WA4 —3D 157
Steve Biko Clo. L8 —4B 68
Stevenage Clo. WA9 —2C 55
Stevenson Cres. WA10 —2B 36
Stevenson Dri. L63 —2A 124
Stevenson St. L15 —3C 69
Stevens Rd. L60 —4D 123
Stevens St. WA9 —2B 54
Steventon. WA7 —1C 135
Steward Ct. L35 —4C 53
Stewards Av. WA8 —2C 119
Stewart Av. L20 —2A 30
Stewart Clo. L61 —2B 122
Stile Hey. L23 —3A 8
Stirling Av. L23 —1C 17
Stirling Clo. WA1 —3B 152
Stirling Cres. WA9 —3A 56
Stirling Rd. L24 —1A 128
Stirling St. L44 —1A 64
Stirrup Clo. WA2 —4C 143
Stockbridge La. L36 —4A 50
Stockbridge Pl. L5 —3D 45
Stockbridge St. L5 —3D 45
Stockdale Clo. L3 —1B 66
Stockham Clo. WA7 —4D 133
Stockham La. WA7 —4A 134 & 1C 139
Stockmoor Rd. L11 —3B 32
Stockpit Rd. L33 —2B 24
Stockport Rd. WA4 —2A 160 & 1C 161
Stocks Av. WA9 —3C 39
Stocks La. WA5 —4A 146
Stockswell Rd. WA8 —3D 95
Stockton Gro. WA9 —3B 54
Stockton La. WA4 —3B 158
Stockton Wood Rd. L24 —1B 128
Stockville Rd. L18 —3C 91
Stoddart Rd. L4 —4B 30
Stokesay. L43 —1B 82
Stokesley Av. L32 —2B 22
Stoke St. L41 —4A 64
Stoneacre Gdns. WA4 —3B 162
Stonebarn Dri. L31 —3B 4
Stone Barn La. WA7 —1B 138
Stonebridge La. L10 & L11 —1C 33
Stoneby Dri. L45 —2D 41
Stonechat Clo. L27 —2C 93
Stonechat Clo. WA7 —2A 138
Stonecrop. L18 —2C 91
Stonecrop Clo. WA3 —3A 144
Stonecrop Clo. WA7 —2B 138
Stonecross Dri. L35 —2B 76
Stonedale Cres. L11 —2C 33
Stonefield Rd. L14 —4D 49
Stonehaven Clo. L16 —3D 71
Stonehaven Dri. WA2 —3C 143
Stone Hey. L35 —2B 74
Stonehey Dri. L48 —1B 100
Stonehey Rd. L32 —3C 23
Stonehey Wlk. L32 —3C 23
Stonehill Av. L4 —3A 46
Stonehill Av. L63 —3D 107
Stonehill Clo. WA4 —3A 162
Stonehills La. WA7 —2B 132
Stonehill St. L4 —3A 46
Stonehouse M. L18 —3C 91
Stonehouse Rd. L44 —4C 41
Stonelea. WA7 —2A 134
Stoneleigh Gdns. WA4 —3A 160
Stoneleigh Gro. L42 —1D 107
Stoneridge Ct. L43 —3B 62
Stone Sq. L20 —1A 30
Stone St. L34 —3B 52
Stoneville Rd. L13 —4D 47
Stoneycroft Clo. L13 —4D 47
Stoneycroft Cres. L13 —4D 47
Stoney Hey Rd. L45 —2A 42
Stoneyhurst Av. L10 —1B 20
Stoney La. L35 —4D 53 to 1A 76

Stoney View—Threshers, The

Stoney View. L35 —1A 76
Stonham Clo. L49 —2C 81
Stonyfield. L30 —3C 9
Stonyholt. WA7 —4A 134
Stonyhurst Clo. WA11 —4C 27
Stonyhurst Rd. L25 —1A 114
Stopford St. L8 —3D 87
Stopgate La. L9 —2D 31
Stopgate La. L33 —3D 13
Store St. L20 —4A 30
Storeton Clo. L43 —3A 84
Storeton La. L61 —1D 123
Storeton Rd. L43 & L42 —3A 84
Stormont Rd. L19 —3A 112
Storrington Av. L11 —3C 33
Storrington Heys. L11 —3C 33
Storrsdale Rd. L18 —4A 90
Stour Av. L35 —1A 76
Stourcliffe Rd. L44 —1D 63
Stourport Clo. L49 —2B 80
Stourton Rd. L32 —3C 23
Stourton St. L44 —2B 64
Stourvale Rd. L26 —2D 115
Stowe Av. L10 —1C 21
Stowe Clo. L25 —2A 114
Stowell St. L1 —3D 67
Stowford Clo. L12 —3D 33
Strada Way. L3 —1D 67
Stradbroke Rd. L15 —1A 90
Strafford Dri. L20 —2A 30
Strand Rd. L20 —3C 29 & 3D 29
Strand Rd. L47 —4A 58
Strand Shopping Cen. L20
—3D 29
Strand St. L1 —3B 66
Strand, The. L2 —3B 66
Stratford Rd. L19 —2D 111
Strathallan Clo. L60 —2A 122
Strathcona Rd. L15 —4C 69
Strathcona Rd. L45 —3A 42
Strathearn Rd. L60 —4B 122
Strathmore Dri. L23 —1C 17
Strathmore Gro. WA9 —2A 56
Strathmore Rd. L6 —4B 46
Stratton Clo. L18 —4C 91
Stratton Clo. WA7 —1C 139
Stratton Pk. WA8 —2C 97
Stratton Rd. L32 —2B 22
Stratton Rd. WA5 —4D 147
Stratton Wlk. L32 —2B 22
Strauss Clo. L8 —1A 88
Strawberry Clo. WA3 —3D 143
Strawberry Rd. L11 —4A 32
Streatham Av. L18 —2D 89
Street 3 North. WA3 —2B 144
Street 10 North. WA3 —1B 144
Stretton Av. L44 —4A 42
Stretton Av. WA9 —3D 39
Stretton Clo. L12 —3B 34
Stretton Clo. L43 —3C 83
Stretton Rd. WA4 —4A 162
Stretton Way. L36 —4A 74
Strickland St. WA10 —2A 38
Stringer Cres. WA4 —1B 158
Stringhey Rd. L44 —3B 42
Stroma Rd. L18 —1A 112
Stromness Clo. WA2 —3C 143
Stroud Clo. L49 —3B 80
Stuart Av. L25 —2B 114
Stuart Av. L46 —3D 61
Stuart Clo. L46 —3D 61
Stuart Dri. L14 —1C 71
Stuart Dri. WA4 —2B 158
Stuart Gro. L20 —4D 29 & 4A 30
Stuart Rd. L20 & L4 —2A 30
Stuart Rd. L22 & L23 —2C 17
Stuart Rd. L31 —1A 22
Stuart Rd. L42 —3B 84
Stuart Rd. WA7 —1A 134
Stuart Rd. WA10 —1A 36
Studholme St. L20 —2B 44
Studland Rd. L9 —2A 32
Studley Rd. L45 —3C 41
Sturby Ct. WA2 —1B 150
Sturdee Rd. L13 —2A 70
Suburban Rd. L6 —3B 46
Sudbury Clo. L25 —4B 92
Sudbury Rd. L22 —1A 16
Sudbury Way. L24 —1A 128
Sudell Av. L31 —3D 5
Sudley Grange. L17 —4C 89
Sudwarth Rd. L45 —2A 42
Suez St. WA1 —4C 149
Suffield Rd. L4 —1C 45
Suffolk Clo. WA1 —3A 152
Suffolk Pl. WA8 —2B 118
Suffolk St. L1 —3C 67
Suffolk St. L20 —2D 29
Suffolk St. WA7 —1D 131
Sugar La. L34 —3D 35
Sugar St. L9 —1C 31
Sugnall St. L7 —3D 67
(in two parts)
Sulby Av. L13 —4C 47
Sulby Av. WA4 —2C 157
Sulgrave Clo. L16 —3B 70
Sullivan Av. L49 —2D 81
Sumley Clo. WA11 —1B 38
Summer Clo. WA7 —3D 133
Summerfield. L33 —4C 13
Summerfield. L62 —2D 125
Summerfield Av. WA5 —1B 148
Summerhill Dri. L31 —2D 11
Summer La. WA4 —1B 140
Summer La. WA7 —3D 133
Summers Av. L20 —2A 30
Summer Seat. L3 —1B 66
Summer Seat. L20 —3C 29
Summers Rd. L3 —2C 87
Summertrees Av. L49 —2B 80
Summertrees Clo. L49 —2B 80
Summerville Gdns. WA4
—3B 158
Summerwood. L61 —2C 103
Summit, The. L44 —4B 42
Summit Way. L25 —3D 91
Sumner Clo. L5 —3B 44
Sumner Clo. L35 —3B 76
Sumner Gro. L33 —3D 13
Sumner Rd. L41 —3D 63
Sumner St. WA11 —1D 39
Sunbeam Rd. L13 —1A 70
Sunbourne Rd. L17 —4A 88
Sunbury Gdns. WA4 —1B 162
Sunbury Rd. L4 —2A 46
Sunbury Rd. L44 —1B 64
Sunbury St. WA10 —1B 54
Suncroft Clo. WA1 —2B 152
Suncroft Rd. L60 —4D 123
Sundale Av. L35 —3D 53
Sundew Clo. L9 —4D 19
Sundridge St. L8 —3D 87
Sunfield Rd. L46 —2D 61
Sunlight St. L6 —4B 46
Sunloch Clo. L9 —3B 20
Sunningdale. L46 —4D 61
Sunningdale Av. WA8 —1A 118
Sunningdale Clo. L36 —3B 72
Sunningdale Dri. L23 —3B 6
Sunningdale Dri. L61 —4A 104
Sunningdale Rd. L15 —3D 69
Sunningdale Rd. L45 —2D 41
Sunnybank. L49 —1D 81
Sunny Bank. L63 —3C 107
Sunnybank Av. L43 —2B 82
Sunny Bank Rd. L16 —4C 71
Sunny Ga. Rd. L19 —1A 112
Sunnymede Dri. L31 —3B 4
Sunnyside. L8 —2A 88
Sunnyside. L46 —2C 61
Sunnyside. WA5 —3B 146
Sunnyside Rd. L23 —1B 16
Sunsdale Rd. L18 —2A 90
Surby Clo. L16 —3C 71
Surrey Av. L49 —1C 81
Surrey Dri. L48 —1B 100
Surrey St. L1 —3B 66
Surrey St. L20 —2D 29
Surrey St. L44 —1A 64
Surrey St. WA4 —1A 158
Surrey St. WA7 —2D 131
(in two parts)
Surrey St. WA9 —3B 38
Susan Dri. WA5 —4A 146
Susan Gro. L46 —4D 61
Susan St. WA8 —4B 98
Susan Wlk. L35 —4D 53
Sussex Clo. L20 —2D 29
Sussex Clo. L61 —4C 103
Sussex Gro. WA9 —4B 38
Sussex Rd. L31 —2B 10
Sussex Rd. L48 —3B 78
Sussex St. L20 —2D 29
Sussex St. L22 —1B 16
Sussex St. WA8 —4B 98
Sutcliffe St. L6 —1A 68
Sutherland Ct. WA7 —2A 132
Sutherland Rd. L34 —3C 53
Sutton Causeway. WA6 —4A 138
Sutton Heath Rd. WA9 —2C 55
Sutton Lodge Rd. WA9 —4A 38
Sutton Moss Rd. WA9 —1D 57
Sutton Oak Dri. WA9 —1B 56
Sutton Pk. Dri. WA9 —2A 56
Sutton Rd. L45 —2A 42
Sutton Rd. WA9 —4B 38
Sutton's La. WA8 —2A 120
Sutton St. L13 —4C 47
Sutton St. WA1 —1D 157
Sutton St. WA7 —2A 132
Suttons Way. L26 —1C 115
Sutton Wood Rd. L24 —1B 128
Suzanne Boardman Ho. L6
—4B 46
Swainson Rd. L10 —4C 21
Swale Av. L35 —1A 76
Swaledale Av. L35 —1A 76
Swaledale Clo. WA5 —3C 147
Swalegate. L31 —4A 4
Swallow Clo. L12 —3B 34
Swallow Clo. L27 —2C 93
Swallow Clo. L33 —2C 13
Swallow Clo. WA3 —3B 144
Swallow Fields. L9 —2A 32
Swallowhurst Cres. L11 —4C 33
Swanage Clo. WA4 —3B 158
Swan Av. WA9 —4D 39
Swan Cres. L15 —3A 70
Swanhey. L31 —1C 11
Swan La. L39 —1C 5
Swanside Av. L14 —1C 71
Swanside Pde. L14 —1C 71
Swanside Rd. L14 —1C 71
Swanston Av. L4 —4B 30
Swan St. L13 —1D 69
Swan Wlk. L31 —1C 11
Sweden Gro. L22 —2B 16
Sweeting St. L2 —2B 66
Swift Clo. WA2 —4A 142
Swift Gro. L12 —2B 34
Swift's Clo. L30 —4B 8
Swift's La. L30 —4B 8
Swift St. WA10 —2D 37
Swinbrook Grn. L11 —3B 32
Swinburne Clo. L16 —3C 71
Swinburne Rd. WA10 —1B 36
Swindale Av. WA2 —4D 141
Swindale Clo. L8 —4A 68
Swindon Clo. L5 —2B 44
Swindon Clo. L49 —3B 80
Swindon Clo. WA7 —2B 134
Swindon St. L5 —2B 44
Swinford Av. WA8 —4C 99
Swisspine Gdns. WA9 —2B 54
Swiss Rd. L6 —1B 68
Sword Clo. L11 —3D 33
Sword Wlk. L11 —3D 33
Swynnerton Way. WA8 —2A 98
Sybil Rd. L4 —2D 45
Sycamore Av. L23 —3D 7
Sycamore Av. L26 —3C 115
Sycamore Av. L49 —4B 60
Sycamore Av. WA8 —4A 98
Sycamore Av. WA11 —1D 39
Sycamore Clo. L9 —3D 31
Sycamore Clo. L49 —4B 60
Sycamore Clo. WA10 —2A 36
Sycamore Ct. L8 —2D 87
(off Weller Way)
Sycamore Dri. WA7 —2C 139
Sycamore Gdns. WA10 —1C 37
Sycamore La. WA5
—3D 147 & 4D 147
Sycamore Pk. L18 —4B 90
Sycamore Rise. L49 —4B 80
Sycamore Rd. L22 —2C 17
Sycamore Rd. L36 —3C 73
Sycamore Rd. L42 —2B 84
Sycamore Rd. WA7 —3B 132
Syddall St. WA10 —4B 26
Sydenham Av. L17 —1B 88
Sydenham Ho. L17 —2B 88
Syder's Gro. L34 —3D 35
Sydney St. L9 —4A 20
Sydney St. WA7 —1A 136
Sylvan Ct. L25 —1A 114
Sylvandale Gro. L62 —2D 125
Sylvania Rd. L4 —4C 31
Sylvia Clo. L10 —4A 22
Sylvia Cres. WA2 —1A 150
Synge St. WA2 —2D 149
Syren St. L20 —1B 44
Syston Av. WA11 —1B 38
Tabley Av. WA8 —4B 96
Tabley Clo. L43 —4D 83
Tabley Rd. L15 —4C 69
Tabley St. L1 —4B 66
Taggart Av. L16 —1B 90
Tagus Clo. L8 —1A 88
Tagus St. L8 —1A 88
Tailor's La. L31 —1C 11
Talbot Clo. WA3 —3A 144
Talbot Clo. WA10 —2D 37
Talbot Ct. L36 —2C 73
Talbot Ct. L43 —2A 84
Talbot Rd. L43 —3D 83
Talbot St. L20 —3C 29
Talbotville Rd. L13 —2A 70
Talgarth Way. L25 —4D 71
Taliesin St. L5 —3C 45
Talisman Clo. WA7 —4C 135
Talisman Way. L20 —2C 29
Talland Clo. L26 —1C 115
Tallarn Rd. L32 —1A 22
Talton Rd. L15 —4C 69
Tamarisk Gdns. WA9 —2B 54
Tamerton Clo. L18 —4C 91
Tamworth Gro. L46 —3A 60
Tamworth St. L8 —2C 87
Tamworth St. WA10 —2C 37
Tanar Clo. L62 —1C 125
Tanat Dri. L18 —2A 90
Tancred Rd. L4 —2D 45
Tancred Rd. L45 —4D 41
Tanhouse Ind. Est. WA8 —2C 121
Tanhouse La. WA8 —1B 120
Tanhouse Rd. L23 —3A 8
Tankersley Gro. WA5 —4C 147
Tanners La. WA2 —3C 149
Tannery La. WA5 —2A 154
Tanning Ct. WA1 —1D 157
Tansley Clo. L48 —4C 79
Tapley Pl. L13 —2D 69
Taplow Clo. WA4 —2B 162
Taplow St. L6 —3A 46
Tarbock Rd. L24 —1B 128
Tarbock Rd. L36 —2B 72
Tarbot Hey. L46 —4B 60
Tarbrock Ct. L30 —3C 9
Tariff St. L5 —3B 44
Tarleton Clo. L26 —2C 115
Tarleton St. L1 —2B 66
Tarlton Clo. L35 —4A 54
Tarnbeck. WA7 —4B 134
Tarncliff. L28 —1A 50
Tarn Clo. L27 —1B 92
Tarn Ct. WA1 —3B 152
Tarn Gro. WA11 —3C 27
Tarporley Clo. L43 —3D 83
Tarran Dri. L46 —2C 61
Tarran Rd. L46 —2C 61
Tarran Way. E. L46 —1C 61
Tarran Way Ind. Est. L46 —2C 61
Tarran Way. N. L46 —1B 60
Tarran Way. S. L46 —2C 61
Tarran Way. W. L46 —2B 60
Tarves Wlk. L33 —2D 23
Tarvin Clo. WA7 —1D 137
Tarvin Clo. WA9 —4A 56
Tasker Ter. L35 —1B 76
Tasman Clo. WA5 —2A 148
Tasman Gro. WA9 —2C 55
Tate St. L4 —1D 45
Tatlock St. L5 —4A 44
Tatlock Tower. L5 —4B 44
Tattersall Pl. L20 —4C 29
Tattersall Rd. L21 —4A 18
Tattersall Way. L7 —2C 69
Tatton Ct. WA1 —2A 152
Tatton Rd. L9 —4D 19
Tatton Rd. L42 —2B 84
Taunton Av. WA9 —4B 56
Taunton Dri. L10 —2C 21
Taunton Rd. L36 —1A 74
Taunton Rd. L45 —3C 41
Taunton St. L15 —3C 69
Tavistock Rd. L45 —3C 41
Tavistock Rd. WA5 —1B 154
Tavistock Wlk. L8 —2D 87
Tavlin Av. WA5 —1C 149
Tawd St. L4 —1C 45
Taylor Clo. WA9 —2C 57
Taylors Clo. L9 —3A 30
Taylors La. L9 —3A 30
Taylor's La. WA5 —4D 99
Taylor's Row. WA7 —2B 132
Taylor St. L5 —3C 45
Taylor St. L41 —4C 65
Taylor St. WA4 —3C 157
Taylor St. WA8 —4A 98
Taylor St. WA9 —2C 57
Taylor St. Ind. Est. L5 —3C 45
(off Taylor St.)
Teal Clo. WA2 —4B 142
Teal Gro. L26 —1C 115
Teal Gro. WA3 —3B 144
Teals Way. L60 —4A 122
Teasville Rd. L18 —3C 91
Tebay Clo. L31 —4C 5
Tebay Rd. L62 —4D 125
Teck St. L7 —2A 68
Tedburn Clo. L25 —2B 92
Tedbury Clo. L32 —3C 23
Tedbury Wlk. L32 —3C 23
Tedder Sq. WA8 —2B 118
Teddington Clo. WA4 —2B 162
Teehey Clo. L63 —3B 106
Teehey Gdns. L63 —3C 107
Teehey La. L63 —3C 107
Tees Clo. L4 —1C 45
Teesdale Clo. WA5 —3C 147
Teesdale Rd. L63 —1A 124
Teesdale Way. L35 —4B 54
Tees Pl. L4 —1C 45
Tees St. L4 —1C 45
Tees St. L41 —2D 63
Teilo St. L8 —1D 87
Telegraph La. L45 —3A 40
Telegraph Rd. L48, L61 & L60
—2D 101 to 4C 123
Telegraph Way. L32 —1C 23
Telford Clo. L43 —2A 84
Tempest Hey. L2 —2B 66
Temple Ct. L2 —2B 66
Temple La. L2 —2B 66
Templemore Av. L18 —3D 89
Templemore Rd. L43 —3A 84
Temple Rd. L42 —4B 84
Temple St. L2 —2B 66
Tenby Av. L21 —3D 17
Tenby Clo. WA5 —1B 148
Tenby Dri. L46 —4D 61
Tenby Dri. WA7 —2C 133
Tenby St. L5 —3D 45
Tennis St. WA10 —1C 37
Tennis St. N. WA10 —1C 37
Tennyson Av. L42 —1D 107
Tennyson Dri. WA2 —1D 149
Tennyson Rd. L36 —3D 73
Tennyson Rd. WA8 —4D 97
Tennyson St. L20 —2C 29
Tennyson St. WA9 —2D 77
Tennyson Wlk. L8 —1D 87
Tensing Rd. L31 —4C 5
Tenterden St. L5 —4B 44
Terence Av. WA1 —3B 150
Terence Rd. L16 —1B 90
Terminus Rd. L36 —4A 50
Terminus Rd. L62 —1D 125
Tern Clo. L33 —2C 13
Tern Clo. WA8 —2A 98
Ternhall Rd. L9 —2B 32
Ternhall Way. L9 —2B 32
Tern Way. L46 —2A 60
Tern Way. WA10 —2A 54
Terrace Rd. WA8 —4D 119
Terret Croft. L28 —2A 50
Tetbury St. L41 —2B 84
Tetchill Clo. WA7 —4B 134
Tetlow St. L4 —1D 45
Tetlow Way. L4 —1D 45
Teulon Clo. L4 —2C 45
Tewit Hall Clo. L24 —1B 128
Tewit Hall Rd. L24 —1B 128
Tewkesbury Clo. L12 —2B 34
Tewkesbury Clo. L25 —4B 92
Teynham Av. L34 —2D 35
Teynham Cres. L11 —4B 32
Thackeray Gdns. L30 —3B 18
Thackeray Pl. L8 —1D 87
Thackeray Sq. L8 —1D 87
Thackeray St. L8 —1D 87
Thackray Rd. WA10 —1B 54
Thames Clo. WA2 —4A 142
Thames Rd. WA9 —3B 56
Thames St. L8 —1A 88
Thatto Heath Rd. WA10 & WA9
—1B 54
Thelwall Ind. Est. WA4 —1A 160
Thelwall La. WA4 —2B 158
Thelwall New Rd. WA4
—2C 159 to 1A 160
Thermal Rd. L62 —4C 109
Thermopylae Ct. L43 —1C 83
Thermopylae Pas. L43 —1B 82
(in two parts)
Thetford Rd. WA5 —4B 146
Thewlis St. WA5 —4B 148
Thingwall Av. L14 —2B 70
Thingwall Dri. L61 —3D 103
Thingwall Hall Dri. L14 —2B 70
Thingwall La. L14 —1B 70
Thingwall Rd. L15 —4A 70
Thingwall Rd. L61 —3B 102
Thingwall Rd. E. L61 —3D 103
Third Av. L9 —4B 20
Third Av. L23 —4C 7
Third Av. L43 —1A 82
Third Av. WA7 —4C 133
Thirlmere Av. L21 —3B 18
Thirlmere Av. L43 —1B 82
Thirlmere Av. WA2 —3A 142
Thirlmere Av. WA11 —3C 27
Thirlmere Clo. L31 —4C 5
Thirlmere Dri. L21 —3B 18
Thirlmere Dri. L45 —3A 42
Thirlmere Grn. L5 —3D 45
Thirlmere Rd. L5 —3D 45
Thirlmere Wlk. L33 —4C 13
Thirlmere Way. WA8 —1A 118
Thirlstane St. L17 —3A 88
Thirsk Clo. WA7 —1C 37
Thistledown Clo. L17 —3D 87
Thistleton Av. L41 —4D 63
Thistlewood Rd. L7 —2C 69
Thistley Hey Rd. L32 —2C 23
Thomas Ct. WA7 —1A 138
Thomas Dri. L14 —2B 70
Thomas Dri. L35 —4B 52
Thomas La. L14 —2B 70
Thomas St. L41 —1C 85
Thomas St. WA7 —1A 132
Thomas St. WA8 —3D 119
Thomaston St. L5 —3C 45
(in three parts)
Thomas Winder Ct. L5 —3C 45
Thompson St. L41 —2C 85
Thompson St. WA10 —1B 54
Thomson Rd. L21 —4D 17
(in two parts)
Thomson St. L6 —4A 46
Thorburn Rd. L62 —1A 108
Thorburn St. L7 —3A 68
Thorley Clo. L15 —3D 69
Thornaby Gro. WA9 —3B 54
Thornbeck Clo. L12 —3A 34
Thornbridge Av. L21 —3B 18
Thornburn Clo. L62 —1A 108
Thornburn Ct. L62 —1A 108
Thornburn Cres. L62 —1A 108
Thornbury Rd. L4 —2B 46
Thorncliffe Rd. L44 —1D 63
Thorn Clo. WA5 —1C 155
Thorn Clo. WA7 —4B 132
Thorncroft Dri. L61 —4A 104
Thorndale La. L44 —4D 41
Thorndale Rd. L22 —2C 17
Thorndale St. L5 —2C 45
Thorndyke Clo. L35 —3C 77
Thornes Rd. L6 —1A 68
Thorness Clo. L49 —4B 80
Thorneycroft St. L41 —3D 63
Thornfield Hey. L63 —2B 124
Thornfield Rd. L9 —1B 30
Thornfield Rd. L23 —3D 7
Thornham Av. WA9 —1A 56
Thornham Clo. L49 —4A 62
Thornhead La. L12 —3B 48
Thornhill Rd. L15 —4A 70
Thornholme Cres. L11 —4B 32
Thornhurst. L32 —4C 23
Thornley Clo. WA13 —2D 161
Thornley Rd. L46 —4A 60
Thornridge. L41 —3D 61
Thorn Rd. WA1 —2C 151
Thorn Rd. WA7 —4B 132
Thorn Rd. WA10 —3B 36
Thorns Dri. L49 —4A 80 & 4B 80
Thornside Wlk. L25 —3A 92
Thorns, The. L31 —4A 4
Thornton. WA8 —2C 119
Thornton Av. L20 —4B 18
Thornton Av. L63 —1B 106
Thornton Comn. Rd. L63
—4A 124
Thornton Cres. L60 —4C 123
Thornton Gro. L36 —1A 72
Thornton Gro. L63 —2B 106
Thornton Pl. L8 —2C 87
Thornton Rd. L16 —3C 71
Thornton Rd. L20 —2D 29
Thornton Rd. L45 —3D 41
Thornton Rd. L63 & L42
—2B 106
Thornton Rd. WA5 —1D 155
Thornton St. L21 —4A 18
Thornton St. L41 —4D 63
Thorntree Clo. L17 —3D 87
Thorn Tree Clo. L24 —3B 130
Thornycroft Rd. L15 —4C 69
Thorpe Bank. L42 —2D 107
Thorstone Dri. L61 —2B 102
Thorsway. L42 —4D 85
Thorsway. L48 —2B 100
Three Butt La. L12 —2D 47
Threlfall St. L8 —2A 88
Thresher Av. L49 —2B 80
Threshers, The. L30 —4A 10

Throne Rd.—Victoria Rd.

Throne Rd. L11 —3D 33
Throne Wlk. L11 —3D 33
Thurne Way. L25 —1D 91
Thurnham St. L6 —4B 46
Thursby Clo. L32 —3D 23
Thursby Cres. L32 —3D 23
Thursby Rd. L62 —2D 125
Thursby Wlk. L32 —3D 23
Thurstaston Rd. L60 —3A 122
Thurstaston Rd. L61 —3A 102
Thurston Clo. WA5 —3A 148
Thurston Rd. L4 —2A 46
Thynne St. WA1 —1C 157
Tichbourne Way. L6 —1D 67
Tickle Av. WA9 —3C 39
Tidal La. WA1 —2B 150
Tide Way. L45 —1C 41
Tilbrook Dri. WA9 —3B 56
Tilbury Clo. WA7 —1A 140
Tildsley Cres. WA7 —1B 136
Tilley St. WA1 —4D 149
Tillotson Clo. L8 —2C 87
Tilman Clo. WA5 —2D 147
Tilney St. L9 —1B 30
Tilstock Av. L62 —1A 108
Tilstock Cres. L43 —4D 83
Tilston Av. WA4 —1C 159
Tilston Clo. L9 —3A 32
Tilston Rd. L9 —2A 32
Tilston Rd. L32 —2B 22
Tilston Rd. L45 —3D 41
Timberscombe Gdns. WA1 —3B 152
Timmis Clo. WA2 —4C 143
Timmis Cres. WA8 —1D 119
Timon Av. L20 —2A 30
Timor Av. WA9 —2C 55
Timperley Av. WA4 —1C 159
Timperley St. WA8 —2A 120
Timpron St. L7 —4A 68
Timway Dri. L12 —1C 49
Tinas Way. L49 —2D 81
Tinkersley Way. L7 —3A 68 (off Tunnel Rd.)
Tinsley Clo. L26 —4C 93
Tinsley St. L4 —2D 45
Tinsley St. WA4 —1B 158
Tintagel Clo. WA7 —2C 139
Tintagel Rd. L11 —1D 33
Tintern Clo. WA5 —1B 148
Tintern Dri. L46 —4C 61
Tiptree Clo. L12 —2B 34
Titchfield St. L5 & L3 —4B 44
Tithebarn Clo. L60 —4B 122
Tithebarn Gro. L15 —4A 70
Tithebarn La. L31 —3D 11
Tithe Barn La. L32 —3B 22 & 2B 22
Tithebarn Rd. L23 —4D 7
Tithebarn Rd. L34 —2D 35
Tithebarn St. L2 —2B 66
Tithings, The. WA7 —3C 133
Tiverton Av. L44 —4A 42
Tiverton Clo. L26 —3C 115
Tiverton Clo. L36 —1A 74
Tiverton Clo. WA8 —4B 96
Tiverton Rd. L26 —3C 115
Tiverton Sq. WA5 —1B 154
Tiverton St. L15 —3C 69
Tobermory Clo. WA11 —1D 39
Tobin Clo. L5 —4B 44
Tobin St. L44 —4C 43
Tobruk Rd. L36 —1B 72
Todd Rd. WA9 —3A 38
Toft St. L7 —2B 68
Toftwood Av. L35 —2C 77
Toftwood Gdns. L35 —2C 77
Toleman Av. L63 —4D 107
Toll Bar Pl. WA2 —3C 141
Toll Bar Rd. WA2 —3C 141
Tollemache Rd. L41 & L43 —4C 63
Tollemache St. L45 —1A 42
Tollerton Rd. L12 —2D 47
Tolpuddle Rd. L25 —3D 91
Tolpuddle Way. L4 —1B 44
Tolver St. WA10 —2D 37
Tomlinson Av. WA2 —2A 150
Tom Mann Clo. L3 —1C 67
Tonbridge Clo. L24 —1A 128
Tonbridge Dri. L10 —1C 21
Tontine Ho. WA10 —3D 37
Tontine Mkt. WA10 —3D 37
Topcliffe Gro. L12 —3B 34
Topgate Clo. L60 —3C 123
Topham Ter. L9 —3A 20
Topping Ct. WA3 —3D 143
Top Sandy La. WA2 —4D 141
Topsham Clo. L25 —2B 92
Torcross Way. L25 —2B 92
Torcross Way. L26 —1C 115
Toronto Clo. L36 —2B 50
Toronto St. L44 —1C 65
Torrington Dri. L26 —3C 115
Torrington Dri. L61 —3A 104
Torrington Gdns. L61 —3A 104
Torrington Rd. L19 —2A 112
Torrington Rd. L44 —4A 42
Torrisholme Rd. L9 —3D 31
Torr St. L5 —3C 45 (in two parts)
Torus Rd. L13 —4A 48
Tor View. L15 —1A 90
Torwood. L43 —1C 83
Tothale Turn. L27 —3D 93
Totland Clo. WA5 —3A 146
Totnes Av. L26 —1C 115
Totnes Rd. L11 —1D 33
Towcester St. L21 —1C 29
Tower Gdns. L2 —2A 66
Tower Hill. L42 —3C 85
Tower Ho. L33 —2B 14
Towerlands St. L7 —2A 68
Tower La. WA7 —4A 134
Tower Prom. L45 —1B 42
Tower Quays. L41 —4C 65
Tower Rd. L41 —4C 65
Tower Rd. L42 —1A 106 (Prenton)
Tower Rd. L42 —3C 85 (Tranmere)
Tower Rd. N. L60 —2A 122
Tower Rd. S. L60 —3B 122
Towers Av. L31 —3B 4
Towers Ct. WA5 —2B 148
Tower's Rd. L16 —1B 90
Towers, The. L42 —4C 85
Tower St. L3 —2C 87
Tower Way. L25 —3D 91
Tower Wharf. L41 —3C 65
Townfield Clo. L43 —3C 83
Townfield Gdns. L63 —2D 107
Townfield La. L43 —3C 83
Townfield La. L63 —2D 107
Townfield Rd. L48 —4A 78
Townfield Rd. WA7 —2B 134
Town Fields. L45 —3C 41
Townfield View. WA7 —2B 134
Townfield Way. L44 —4A 42
Town Hall Dri. WA7 —3A 132
Town Hill. WA1 —4D 149
Town La. L24 —3A 130
Town La. L63 —3C 107
Town Meadow La. L46 —3A 60
Town Rd. L42 —3C 85
Town Row. L12 —2A 48
Townsend Av. L13 & L11 —2C 47 to 3A 32
Townsend La. L6 & L13 —3A 46
Townsend St. L5 —3A 44
Townsend St. L41 —3C 63
Townsend View. L11 —3A 32
Townsend View. L21 —2A 18
Townsfield Rd. WA2 —2C 141
Townshend Av. L61 —4B 102
Towson St. L5 —3D 45 & 2D 45
Toxteth Gro. L8 —3D 87
Toxteth St. L8 —2C 87
Trafalgar Av. L44 —4B 42
Trafalgar Ct. WA8 —3D 119
Trafalgar Dri. L63 —4A 108
Trafalgar Rd. L44 —4B 42
Trafalgar St. WA10 —2C 37
Trafalgar Way. L6 —1D 67
Trafford Av. WA5 —2B 148
Trafford Cres. WA7 —1D 137
Tragan Dri. WA5 —1A 154
Tramway Rd. L17 —3B 88
Trapwood Clo. WA10 —3A 36
Travanson Clo. L10 —1C 33
Travers Entry. WA9 —2D 57
Traverse St. WA9 —3B 38
Travis St. WA8 —2A 120
Trawden Way. L21 —4B 8
Treborth St. L8 —2D 87
Trecastle Rd. L33 —4A 14
Treebank Clo. WA7 —3D 131
Tree View Ct. L31 —1C 11
Trefoil Clo. WA3 —2D 143
Treforris Rd. L45 —2D 41
Trefula Pk. L12 —3A 48
Tremore Clo. L12 —4D 33
Trenance Clo. WA7 —2C 139
Trendeal Rd. L11 —2D 33
Trent Av. L14 —1D 71
Trent Av. L31 —3D 5
Trent Clo. L12 —3A 34
Trent Clo. L35 —1A 76
Trent Clo. WA8 —2A 98
Trent Clo. WA9 —3B 56
Trentham Av. L18 —1D 89
Trentham Clo. WA8 —2A 98
Trentham Rd. L32 —2A 22
Trentham Rd. L44 —1B 64
Trentham St. WA7 —1C 131
Trentham Wlk. L32 —2B 22
Trent Pl. L35 —1A 76
Trent Rd. L35 —1A 76
Trent Rd. WN5 —1D 27
Trent St. L5 —3A 44
Trent St. L20 —2B 28
Trent St. L41 —3D 63
Trent Way. L60 —4C 123
Tressell St. L9 —3B 30
Trevelyan St. L9 —3B 30
Treviot Clo. L33 —2C 13
Trevor Dri. L23 —4D 7
Trevor Rd. L9 —1B 30
Triad, The. L20 —2D 29
Trident Ind. Est. WA3 —1B 144
Trimley Clo. L49 —2C 81
Trinity Ct. L47 —4A 58
Trinity Ct. WA3 —2B 144
Trinity Gro. L23 —1A 16
Trinity La. L41 —4C 65
Trinity Pl. L20 —3D 29
Trinity Pl. WA8 —2A 120
Trinity Rd. L20 —4D 29
Trinity Rd. L44 —4A 42
Trinity Rd. L47 —4A 58
Trinity St. L41 —4B 64
Trinity St. WA7 —2A 132
Trinity St. WA9 —3B 38
Trinity Wlk. L3 —1C 67
Trispen Clo. L26 —1C 115
Trispen Rd. L11 —2D 33
Trispen Wlk. L11 —2D 33
Tristram's Croft. L30 —1B 18
Troon Clo. L12 —3C 49
Troon Clo. WA11 —1D 39
Trossach Clo. WA2 —4B 142
Troutbeck Av. L31 —3C 5
Troutbeck Av. WA5 —2B 148
Troutbeck Clo. L49 —4A 82
Trout Beck Clo. WA7 —2B 138
Troutbeck Gro. WA11 —2C 27
Troutbeck Rd. L18 —2B 90
Trouville Rd. L4 —2B 46
Trowbridge St. L3 —2C 67
Trueman Clo. L43 —3B 62
Trueman St. L3 —2B 66
Truro Av. L30 —4D 9
Truro Clo. WA1 —2D 151
Truro Clo. WA7 —1D 139
Truro Clo. WA11 —3D 27
Truro Rd. L15 —1D 89
Tryon St. L1 —2B 66
Tudor Av. L44 —2C 65
Tudor Av. L63 —1B 124
Tudor Clo. L7 —3D 67
Tudor Clo. WA4 —2C 159
Tudor Ct. L19 —2D 111
Tudor Ct. WA4 —3B 158
Tudor Grange. L49 —3B 80
Tudor Rd. L23 —1C 17
Tudor Rd. L25 —2B 114
Tudor Rd. L42 —4C 85
Tudor Rd. WA7 —1A 134
Tudor St. L6 —1A 68
Tudor View. L33 —3C 13
Tudorville Rd. L63 —4D 107
Tudorway. L60 —4C 123
Tudwal St. L19 —4B 112
Tue La. WA8 —1A 96
Tuffins Corner. L27 —1B 92
Tulip Av. L41 —4D 63
Tulip Rd. L15 —4A 70
Tullimore Rd. L18 —1D 111
Tullis St. WA10 —3C 37
Tulloch St. L6 —1A 68
Tumilty Av. L20 —2A 30
Tunnel Rd. L7 —4A 68
Tunstall Clo. L49 —2C 81
Tunstall St. L7 —4B 68
Tunstalls Way. WA9 —4B 56
Tupman St. L8 —1D 87
Turmar Av. L61 —3A 104
Turnacre. L14 —1C 71
Turnall Rd. WA8 —2A 118
Turnberry Clo. L12 —3C 49
Turnberry Clo. L36 —3B 72
Turnberry Clo. L46 —3A 60
Turnberry Clo. WA13 —1D 161
Turnbridge Rd. L31 —3B 4
Turner Av. L20 —4C 19
Turner Clo. L8 —3A 88
Turner Clo. WA8 —3B 96
Turner St. L41 —2B 84
Turney Rd. L44 —4D 41
Turnstone Clo. L12 —3A 34
Turnstone Dri. L26 —1C 115
Turret Rd. L45 —3A 42
Turriff Rd. L14 —4D 49
Turton Clo. L24 —3A 130
Turton Clo. WA3 —2A 144
Turton St. L5 —3B 44
Tuscan Clo. WA8 —2A 98
Tuson Dri. WA8 —2D 97
Tweed Clo. L6 —1A 68
Tweedsmuir Clo. WA2 —3C 143
Tweed St. L41 —3D 63
Twenty Acre Rd. WA5 —2D 147
Twickenham Dri. L36 —3B 72
Twickenham Dri. L46 —1D 61
Twickenham St. L6 —3A 46
Twig La. L31 —4C 5
Twig La. L36 —1B 72
Twiss St. L8 —2D 87
Two Butt La. L35 —3A 54
Twomey Clo. L5 —4B 44
Twyford Av. L21 —2A 18
Twyford Clo. L31 —4C 5
Twyford Clo. WA8 —2A 98
Twyford La. WA8 —1B 98
Twyford Pl. WA9 —3B 38
Twyford St. L6 —3A 46
Tyberton Pl. L25 —3B 114
Tyburn Clo. L63 —2A 124
Tyburn Rd. L63 —2A 124
Tyndall Av. L22 —3C 17
Tyne Clo. L4 —1C 45
Tyne Clo. WA2 —4B 142
Tyne Clo. WA9 —3B 54
Tynemouth Clo. L5 —4D 45
Tynemouth Rd. WA7 —1D 139
Tyne St. L41 —2D 63
Tynron Gro. L43 —2C 83
Tynville Rd. L9 —4B 20
Tynwald Clo. L13 —4D 47
Tynwald Cres. WA8 —2D 97
Tynwald Dri. WA4 —4A 158
Tynwald Hill. L13 —4D 47
Tynwald Pl. L13 —4D 47
Tynwald Rd. L48 —4A 78
Tyrers Av. L31 —2A 4
Tyrer St. L1 —2B 66
Tyrer St. L41 —3D 63

Uldale Clo. L11 —4C 33
Uldale Way. L11 —4C 33
Ullet Rd. L8 L17 —2A 88
Ullet Wlk. L17 —1C 89
Ullswater Av. L43 —1B 82
Ullswater Av. WA2 —4A 142
Ullswater Av. WA11 —3C 27
Ullswater Clo. L33 —4C 13
Ullswater Gro. WA7 —2A 138
Ullswater St. L5 —3A 46
Ulster Rd. L13 —1A 70
Ultonia St. L19 —4B 112
Ulverscroft. L43 —2D 83
Ulverston Av. WA2 —3D 141
Ulverston Clo. L31 —4C 5
Ulverston Clo. WA11 —1D 39
Ulverston Lawn. L27 —3D 93
Umbria St. L19 —4B 112
Undercliffe Rd. L13 —4D 47
Underhill Rd. WA10 —3C 37
Underley St. L7 —4B 68
Underley Ter. L62 —2A 108
Underway, The. WA7 —3D 133
Unicorn Rd. L11 —2D 33
Union Bank La. WA8 —3D 77
Union Ct. L2 —2B 66
Union St. L3 —2A 66
Union St. L4 —4B 42
Union St. L42 —3C 85
Union St. WA1 —4D 149
Union St. WA7 —2A 132
Union St. WA10 —2D 37
Union Ter. L45 —1A 42
Unity Gro. L34 —1C 35
University Rd. L20 —3D 29
Unsworth Ct. WA2 —1B 150
Upavon Av. L49 —3A 80
Upland Clo. WA10 —1A 54
Upland Rd. L49 —1D 81
Upland Rd. WA10 —2A 54
Uplands Rd. L62 —2C 125
Uplands, The. WA7 —4D 133
Up. Baker St. L6 —1A 68
Up. Beau St. L5 —1C 67
Up. Beckwith St. L41 —3A 64
Up. Brassey St. L41 —4D 63
Up. Bute St. L5 —1C 67
Up. Canning St. L8 —4D 67
Up. Duke St. L1 —4C 67
Up. Essex St. L8 —2D 87
Up. Flaybrick Rd. L41 —4C 63
Up. Frederick St. L1 —3B 66 & 4C 67
Up. Hampton St. L8 —4D 67
Up. Harrington St. L8 —1C 87
Up. Hill St. L8 —1C 87 & 1D 87 (in three parts)
Up. Hope Pl. L7 —3D 67
Up. Huskisson St. L8 —4D 67
Up. Mann St. L8 —1C 87 (in two parts)
Up. Mason St. L7 —2A 68
Up. Mersey Rd. WA8 —4D 119
Up. Newington. L1 —3C 67
Up. Park St. L8 —2D 87
Up. Parliament St. L8 —4C 67
Up. Pitt St. L1 —4C 67 (in three parts)
Up. Pownall St. L1 —3B 66
Up. Rice La. L44 —4B 42
Up. Stanhope St. L8 —4C 67
Up. Warwick St. L8 —1D 87
Up. William St. L3 —4A 44
Uppingham Av. L10 —2C 21
Uppingham Rd. L13 —3D 47
Uppingham Rd. L44 —4D 41
Upton Barn. L31 —3B 4
Upton Bridle Path. WA8 —3D 97
Upton By-Pass. L49 —1C 81
Upton Clo. L24 —2C 129
Upton Clo. L49 —2D 81
Upton Ct. L49 —1D 81
Upton Dri. WA5 —4C 147
Upton Grange. WA8 —3B 96
Upton Grn. L24 —1C 129
Upton La. WA8 —3C 97
Upton Pk. Dri. L49 —1D 81
Upton Rd. L43 & L41 —1B 82 to 4D 63
Upton Rd. L46 —3C 61
Urmson Rd. L45 —3A 42
Ursula St. L20 —4A 30
Utkinton Clo. L43 —3D 83
Utting Av. L4 —2A 46 (in two parts)
Utting Av. E. L11 —4A 32
Uveco Bus. Cen. L41 —2A 64
Uxbridge St. L7 —3A 68

Vahler Ter. WA7 —2A 132
Vale Av. WA2 —2D 149
Vale Clo. L25 —4D 91
Vale Dri. L45 —2B 42
Vale Lodge. L9 —3B 30
Vale Lodge Clo. L9 —2B 30
Valencia Gro. L34 —2D 53
Valencia Rd. L15 —3D 69
Valentia Rd. L47 —1A 78
Valentine Gro. L10 —2C 21
Vale Owen Rd. WA2 —1A 150
Valerian Rd. L41 —4D 63
Valerie Clo. L10 —4A 22
Vale Rd. L23 —4C 7
Vale Rd. L25 —3C 91
Valescourt Rd. L12 —4B 48
Valeview Towers. L25 —4D 91
Valiant Clo. WA2 —4B 142
Valkyrie Rd. L45 —4A 42
Vallance Rd. L4 —2B 46
Valleybrook Gro. L63 —2C 125
Valley Clo. L10 —2D 21
Valley Clo. L23 —4A 8
Valley Ct. WA2 —1B 150
Valley Hall Est. L10 —4A 22
Valley Rd. L4 —3A 46
Valley Rd. L10 & L32 —3A 22
Valley Rd. L41 —2C 63
Valley Rd. L62 —3D 125
Valley Views. L25 —1D 91
Vanbrugh Cres. L4 —2B 46
Vanbrugh Rd. L4 —2B 46
Vanderbilt Av. L9 —3A 20
Vanderbyl Av. L62 —2C 125
Vandries St. L3 —1A 66
Vandyke St. L8 —4A 68
Vanguard Ct. WA3 —2A 144
Vanguard St. L5 —2D 45
Vardon St. L41 —4B 64
Varley Rd. L19 —1D 111
Varley Rd. WA9 —2B 38
Varthen St. L5 —2D 45
Vaudrey Dri. WA1 —3A 152
Vaughan Rd. L45 —2A 42
Vaughan St. L41 —3D 63
Vaux Cres. L20 —1A 30
Vauxhall Clo. WA5 —1C 155
Vauxhall Rd. L3 & L5 —1B 66
Vaux Pl. L20 —2A 30
Venables Clo. L63 —3B 124
Venables Dri. L63 —2B 124
Venice St. L5 —3D 45
Venmore St. L5 —3D 45
Venns Rd. WA2 —2A 150
Ventnor Clo. WA5 —3A 146
Ventnor Rd. L15 —3D 69
Verbena Clo. WA7 —3B 138
Verdala Towers. L18 —4B 90
Verdi Av. L21 —1B 28
Verdi St. L21 —1B 28
Verdi Ter. L21 —1B 28
Vere St. L8 —2C 87 (in two parts)
Vermont Av. L23 —4C 7
Vermont Rd. L23 —4B 6
Vermont Way. L20 —2D 29
Verney Cres. L19 —1B 112
Verney Cres. S. L19 —2B 112
Vernon Av. L44 —2B 64
Vernon St. L2 —2B 66
Vernon St. WA1 —1D 157
Vernon St. WA9 —2A 38
Verona St. L5 —3D 45
Verulam Clo. L8 —4D 67
Verwood Clo. L61 —3B 102
Verwood Dri. L12 —3B 34
Veryan Clo. L26 —1D 115
Vescock St. L5 —4B 44
Vesuvius Pl. L5 —3C 45
Vesuvius St. L5 —2C 45
Vetch Hey. L27 —2C 93
Viaduct St. WA8 —4D 119
Vicarage Clo. L18 —4A 90
Vicarage Clo. L24 —3A 130
Vicarage Clo. L42 —1A 106
Vicarage Gro. L44 —4B 42
Vicarage Lawn. L25 —2B 92
Vicarage Pl. L34 —3B 52
Vicarage Rd. WA8 —2D 119
Vicarage Wlk. WA4 —4D 157
Vicar Rd. L6 —2B 46
Vicar St. WA7 —2D 131
Viceroy St. L5 —3D 45
Vickers Rd. WA8 —4C 119
Vickers St. L8 —4D 67
Victoria Av. L14 —2B 70
Victoria Av. L15 —4D 69
Victoria Av. L23 —4B 6
Victoria Av. L60 —4B 122
Victoria Av. WA4 —2C 159
Victoria Av. WA5 —3A 146
Victoria Av. WA8 —3D 97
Victoria Av. WA11 —3B 26
Victoria Clo. L17 —3C 89
Victoria Ct. L13 —3D 69
Victoria Ct. L17 —2A 88
Victoria Cres. WA5 —1C 147
Victoria Dri. L9 —1B 30
Victoria Dri. L42 —1D 107
Victoria Dri. L48 —4A 78
Victoria Gdns. L43 —2A 84
Victoria Gro. WA8 —3D 97
Victoria Ho. L34 —3C 53
Victoria La. L43 —3A 84
Victoria Mt. L43 —3A 84
Victoria Pde. L45 —1A 42
Victoria Pk. Rd. L42 —4C 85
Victoria Pl. L35 —1B 76
Victoria Pl. L44 —2C 65
Victoria Pl. WA4 —3A 158
Victoria Prom. WA8 —1D 131
Victoria Rd. L13 —3C 47
Victoria Rd. L17 —4C 89
Victoria Rd. L22 —3C 17
Victoria Rd. L23 —4B 6
Victoria Rd. L36 —2C 73
Victoria Rd. L42 —2B 84
Victoria Rd. L45 —1A 42 (in two parts)
Victoria Rd. L48 —1A 100
Victoria Rd. L63 —3B 106
Victoria Rd. WA4 —2C 159 (Grappenhall)
Victoria Rd. WA4 —3A 158 (Stockton Heath)
Victoria Rd. WA5 —1D 155 (Great Sankey)
Victoria Rd. WA5 —1A 154 (Penketh)
Victoria Rd. WA7 —2D 131 to 2A 132

Western Dri.—Wolfenden Av.

Western Dri. L19 —3D 111
Westerton Rd. L12 —3C 49
Westfield Av. L14 —2C 71
Westfield Cres. WA7 —3C 131
Westfield Dri. L12 —3A 34
Westfield Rd. L9 —1A 30
Westfield Rd. L44 —2B 64
Westfield Rd. WA7 —3C 131
Westfield St. WA10 —3C 37
Westfield Wlk. L32 —2A 22
Westford Rd. WA4 —3C 157
Westgate. WA8 —2A 118
Westgate Rd. L15 —1D 89
Westgate Rd. L62 —4A 108
West Gro. L60 —4B 122
Westhay Cres. WA3 —2C 145
Westhead Av. L33 —1C 23
Westhead Clo. L33 —2D 23
Westhead Wlk. L33 —2D 23
(in two parts)
W. Heath Gro. WA13 —1D 161
West Hyde. WA13 —2D 161
W. Kirby Concourse. L48 —4A 78
W. Kirby Rd. L48 & L46 —2A 80
W. Knowe. L43 —2D 83
West La. WA7 —4C 133
Westleigh Pl. WA9 —4B 56
Westmains. L24 —1D 129
W. Meade. L31 —3A 4
Westminster Av. L30 —4C 9
Westminster Clo. L4 —1C 45
Westminster Clo. WA4 —2D 159
Westminster Clo. WA8 —2A 118
Westminster Ct. L43 —2D 83
Westminster Dri. L62 —4D 125
Westminster Pl. WA1 —4D 149
Westminster Rd. L4 —4A 30 to 2C 45
Westminster Rd. L44 —4A 42
W. Moor Dri. L23 —4C 7
Westmoreland Pl. L5 —4B 44
Westmoreland Rd. L45 —2B 42
Westmorland Av. L30 —1B 18
Westmorland Av. WA8 —4A 98
Westmorland Rd. L36 —2C 73
W. Oakhill Pk. L13 —2A 70
Weston Ct. L23 —1A 16
Weston Ct. WA7 —4C 131
Weston Cres. WA7 —1B 136
Weston Gro. L31 —2B 10
Weston Point Expressway. WA7 —3C 131 to 2C 137
Weston Rd. WA7 —4C 131
W. Orchard La. L9 —3C 21
Westover Clo. L31 —4B 4
Westover Rd. L31 —4B 4
Westover Rd. WA1 —2B 150
West Pk. Gdns. L43 —3B 62
W. Park Rd. WA10 —3B 36
West Rd. L14 —2B 70
West Rd. L24 —4C 115
West Rd. L43 —2C 83
West Rd. WA7 —4B 130
West Side. WA9 —4A 38
W. Side Av. WA11 —1D 39
W. Side Ind. Est. WA9 —4A 38
West St. L34 —3B 52
West St. L45 —4A 42
West St. WA2 —3D 149
West St. WA8 —4D 119
West St. WA10 —1B 54
West View. L36 —2A 74
West View. L41 —3D 85
West View. L45 —1A 42
West View. WA2 —1C 151
W. View Av. L36 —2A 74
Westview Clo. L43 —2B 82
Westward Ho. L48 —3C 101
Westward View. L8 —3D 87
Westward View. L22 —2A 16
Westway. L15 —3A 70
Westway. L31 —4B 4
West Way. L43 —2C 83
West Way. L46 —2C 61
Westway. L49 —2C 81
W. Way Sq. L46 —2C 61
Westwick Pl. L36 —1A 72
Westwood. WA7 —3A 134
Westwood Gro. L44 —4D 41
Westwood Rd. L18 —1B 112
Westwood Rd. L43 —1B 82
Westy La. WA4 —1B 158
Wetherby Av. L45 —4C 41
Wethersfield Rd. L43 —3C 83
Wexford Av. L24 —3A 130
Wexford Clo. L43 —2C 83
Wexford Rd. L43 —2C 83
Weybourne Clo. L49 —4A 62
Weybridge Clo. WA4 —1B 162
Weyman Av. L35 —1C 75
Weymoor Clo. L63 —2A 124
Weymouth Av. WA9 —4D 39
Weymouth Clo. L16 —3D 71
Weymouth Clo. WA7 —1A 140
Whaley La. L61 —3D 103
Whalley Av. WA10 —4A 26
Whalley Ct. L30 —4B 8
Whalley Gro. WA8 —3B 98
Whalley Rd. L42 —2B 84
Whalley St. L8 —3D 87
Whalley St. WA1 —4A 150
Wharfdale. WA7 —1C 139
Wharfdale Av. L42 —4A 84
Wharfdale Clo. WA5 —3C 147
Wharfdale Dri. L35 —1B 76
Wharfdale Rd. L45 —3D 41
Wharfedale St. L19 —4C 113
Wharf Ind. Est. WA1 —1A 158
Wharford La. WA7 —1C 135
Wharf Rd. L41 —2D 63
Wharfside Ct. WA4 —4B 158
Wharf St. L62 —4A 108
Wharf St. WA1 —1D 157
Wharf, The. WA4 —1B 140
Wharncliffe Rd. L13 —1A 70
Wharton Clo. L49 —1B 80
Wharton St. WA9 —1A 56
Whatcroft Clo. WA7 —1D 137
Wheatcroft Clo. WA5 —3D 147
Wheatcroft Rd. L18 —4B 90
Wheatear Clo. L27 —2C 93
Wheatfield Clo. L30 —1A 20
Wheatfield Clo. L46 —4D 61
Wheatfield Rd. WA8 —1B 96
Wheatfield View. L21 —2A 18
Wheat Hill Rd. L36 & L27 —4C 73
Wheathills Ind. Est. L27 —1C 93
Wheatland Bus. Pk. L44 —2C 65
Wheatland Clo. WA9 —4A 56
Wheatland La. L44 —1C 65
Wheatland Rd. L60 —4D 123
Wheatlands. WA7 —3C 133
Wheatlands Clo. L27 —1B 92
Wheatley Av. L20 —1A 30
Wheatsheaf Av. WA9 —3C 57
Wheeler Dri. L31 —4A 12
Whernside. WA8 —4B 96
Whetstone La. L41 —1B 84
Whetstone La. L48 —1B 100
Whimbrel Pk. L26 —1C 115
Whinbrel Clo. WA7 —2B 138
Whinchat Dri. WA3 —3B 144
Whincraig. L28 —2A 50
Whinfell Gro. WA7 —2A 138
Whinfell Rd. L12 —4A 48
Whinfield Rd. L9 —1B 30
Whinfield Rd. L23 —3A 8
Whinhowe Rd. L11 —4C 33
Whinmoor Clo. L43 —1C 83
Whinmoor Rd. L10 —4A 22
Whinmoor Rd. L12 —4B 48
Whinney Gro. E. L31 —3B 10
Whinney Gro. W. L31 —3B 10
Whiston La. L36 & L35 —4D 51 to 1A 74
Whitbarrow Rd. WA13 —1D 161
Whitburn Rd. L33 —4D 13
Whitby Av. L45 —4C 41
Whitby Av. WA2 —4A 142
Whitby Rd. WA7 —3A 132
Whitby St. L6 —3B 46
Whitchurch Way. WA7 —1D 137
Whitcroft Rd. L6 —1B 68
Whitebeam Clo. L33 —3D 13
Whitebeam Clo. WA7 —3B 134
Whitebeam Dri. L12 —3D 33
Whitebeam Gdns. WA9 —3B 54
Whitebeam Wlk. L49 —4A 80
Whitechapel. L1 —2B 66
Whitecross Rd. WA5 —4B 148
Whitefield Av. L4 —1C 45
Whitefield Dri. L32 —2A 22
Whitefield Gro. WA11 —1D 39
Whitefield La. L35 —1D 93
Whitefield Rd. L6 —4A 46
Whitefield Rd. WA4 —4D 157
Whitefield Rd. WA10 —1B 36
Whitefield Sq. L32 —2B 22
Whitefield Way. L6 —4D 45
Whitegate Clo. L34 —2D 35
Whitehall Clo. L4 —1C 45
Whitehart Clo. L4 —4C 31
Whiteheath Way. L46 —1D 61
Whitehedge Rd. L19 —3A 112
White Ho. Dri. WA1 —2B 152
Whitehouse Ind. Est. WA7 —2A 140
Whitehouse La. L60 —3D 123
Whitehouse Rd. L13 —2A 70
Whitelands Meadow. L49 —2C 81
White Lodge Av. L36 —1B 72
White Meadow Dri. L23 —3A 8
White Oak Lodge. L19 —2D 111
White Rock Ct. L6 —4A 46
White Rock St. L6 —4A 46
Whitesands Rd. WA13 —1D 161
Whiteside Av. WA11 —1C 39
Whiteside Clo. L5 —4B 44
Whiteside Clo. L49 —2A 82
Whitestone Clo. L34 —3D 35
White St. L1 —4C 67
White St. WA1 —4C 149
White St. WA4 —3D 157
White St. WA8 —4D 119
Whitethorn Av. WA5 —4C 147
Whitethorn Dri. L28 —2A 50
Whitethroat Wlk. WA3 —3B 144
Whitewell Dri. L49 —1D 81
Whitfield Av. WA1 —3B 150
Whitfield Ct. L42 —2B 84
Whitfield La. L60 —2B 122
Whitfield Rd. L9 —2B 30
Whitfield St. L42 —2B 84 & 2C 85
Whitford Rd. L42 —3B 84
Whitham Av. L23 —1D 17
Whithorn St. L7 —4B 68
Whitland Rd. L6 —1B 68
Whitley Av. WA4 —1C 159
Whitley Clo. WA7 —3D 131
Whitley Dri. L44 —3B 42
Whitley St. L3 —4A 44
Whitman St. L15 —4C 69
Whitmoor Clo. L35 —2C 77
Whitney Pl. L25 —4A 92
Whitney Rd. L25 —3A 92
Whitstone Clo. L18 —4C 91
Whittaker Av. WA2 —4A 142
Whittaker Clo. L13 —2D 69
Whittaker St. WA9 —1C 57
Whittier St. L8 —4B 68
Whittle Av. WA5 —1C 147 to 4C 147
Whittle Av. WA11 —1D 39
Whittle Clo. L5 —2C 45
Whittlehall La. WA5 —3C 147
Whittle St. L5 —2C 45
Whittle St. WA10 —1B 54
Whittlewood Clo. WA3 —2C 145
Whittlewood Ct. L33 —4D 13
Whitwell Clo. WA5 —3A 146
Whitworth Clo. WA3 —4B 144
Wholesale Mkt. L13 —2D 69
Wicket Clo. L11 —1A 34
Wickham Clo. L44 —2C 65
Wicksten Dri. WA7 —2A 132
Widdale Av. L35 —1B 76
Widdale Clo. WA5 —3B 146
Widmore Rd. L25 —2B 92
Widnes Rd. WA5 —2A 154
Widnes Rd. WA8 & WA5 —4D 99
Wiend, The. L42 —1B 106
Wiend, The. L63 —4A 108
Wightman St. L6 —1A 68
Wigmore Clo. WA3 —2C 145
Wilberforce Rd. L4 —4C 31
Wilbraham Pl. L5 —4C 45
Wilbraham St. L5 —4C 45
Wilbraham St. L41 —1C 85
Wilburn St. L4 —1D 45
Wilbur St. WA9 —2C 57
Wilcote Clo. WA8 —2A 98
Wildcherry Gdns. WA9 —2A 54
Wilderspool Causeway. WA4 —1D 157
Wilderspool Cres. WA4 —3D 157
Wilde St. L3 —2C 67
Wilding Av. WA7 —2A 132
Wild Pl. L20 —4C 19
Wildwood Gro. WA1 —3C 151
Wilfer Clo. L7 —4B 68
Wilkes Av. L46 —1A 62
Wilkie St. L15 —4C 69
Wilkinson Av. WA1 —3B 150
Wilkinson Clo. WA8 —4D 119
Wilkinson Ct. L15 —3C 69
Wilkinson St. WA2 —2D 149
Wilkin St. L4 —2C 45
Willan St. L43 —2A 84
Willard St. L20 —1D 29
Willaston Rd. L4 —4C 31
Willaston Rd. L46 —3C 61
Willedstan Av. L23 —1C 17
William Beamont Way. WA1 —4C 149
William Brown St. L1 —2C 67
William Harvey Clo. L30 —1D 19
William Henry St. L3 —1C 67
William Henry St. L20 —4C 29
William Morris Av. L20 —1A 30
William Moult St. L5 —3C 45
William Penn Clo. WA5 —1B 154
William Rd. WA11 —1D 39
William Roberts Av. L32 —1B 22
Williams Av. L20 —2A 30
Williamson Sq. L1 —2B 66
Williamson St. L1 —2B 66
Williamson St. WA9 —2B 38
Williams St. L34 —3B 52
William St. L41 —1C 85
(in two parts)
William St. L44 —2C 65
William St. WA8 —4B 98
William St. WA10 —2D 37
William Wall Rd. L21 —2A 18
Willingdon Rd. L16 —3C 71
Willink Rd. WA11 —4C 27
Willis Clo. L35 —2B 74
Willis La. L35 —2B 74
Willis St. WA1 —3A 150
Williton Rd. L16 —1C 91
Willmer Rd. L4 —2A 46
Willmer Rd. L42 —2B 84
Willoughby Clo. WA5 —1A 148
Willoughby Dri. WA10 —1A 54
Willoughby Rd. L14 —2C 71
Willoughby Rd. L22 —2C 17
Willoughby Rd. L44 —1D 63
Willow Av. L32 —1B 22
Willow Av. L35 —1C 75
Willow Av. L36 —3C 73
Willow Av. WA8 —4A 98
Willowbank Clo. L36 —3B 50
Willowbank Rd. L42 —3B 84
Willowbank Rd. L62 —3A 108
Willow Clo. WA7 —4A 132
Willow Cres. WA1 —2D 151
Willowcroft Rd. L44 —1B 64
Willowdale Rd. L9 —2C 31
Willowdale Rd. L18 —2D 89
Willow Dene. L11 —1D 33
Willow Dri. WA4 —3A 158
Willow Grn. L25 —2D 91
Willow Gro. L15 —3D 69
Willow Gro. L35 —4C 53
Willow Gro. L46 —4C 61
Willowherb Clo. L26 —4B 92
Willow Hey. L31 —2C 11
Willow Ho. L21 —1C 29
Willow La. WA4 —3A 162
Willow Lea. L43 —2D 83
Willowmeade. L11 —3C 33
Willow Pk. L49 —3B 80
Willow Rd. L15 —3C 69
Willow Rd. WA10 —3B 36
Willows, The. L6 —4A 46
Willows, The. L45 —2C 41
Willows, The. WA9 —4B 56
Willow Tree Av. WA9 —4B 56
Willow Way. L11 —1D 33
Willow Way. L23 —3C 7
Wills Av. L31 —3B 4
Wilmere La. WA8 —1D 97 to 4D 77
Wilmot Av. WA5 —3B 146
Wilmslow Cres. WA4 —1A 160
Wilne Rd. L45 —3A 42
Wilsden Rd. WA8 —1A 118
Wilson Av. L44 —1C 65
Wilson Bus. Cen. L36 —2D 73
Wilson Clo. WA4 —2A 160
Wilson Clo. WA8 —4C 99
Wilson Clo. WA10 —3C 37
Wilson Gro. L19 —3B 112
Wilson Patten St. WA1 —1C 157
Wilson Rd. L35 —1B 74
Wilson Rd. L36 —2D 73 to 4A 74
Wilson Rd. L44 —4C 43
Wilson's La. L21 —3A 18
Wilson St. L8 —3D 87
Wilson St. WA5 —2C 149
Wilson Wlk. L8 —3D 87
Wilstan Av. L63 —4C 107
Wilton Grange. L48 —3A 78
Wilton Gro. L13 —2D 69
Wilton Rd. L36 —2B 72
Wilton Rd. L42 —1D 107
Wiltons Dri. L34 —3D 35
Wilton St. L44 —4A 42
Wiltshire Clo. WA1 —3A 152
Wiltshire Dri. L30 —1B 18
Wiltshire Gdns. WA10 —4C 37
Wimbledon St. L15 —4C 69
Wimbledon St. L45 —4A 42
Wimborne Av. L61 —4D 103
Wimborne Clo. L14 —3A 50
Wimborne Pl. L14 —3A 50
Wimborne Rd. L14 —3A 50
Wimborne Way. L61 —2B 102
Wimbrick Clo. L46 —3D 61
Wimbrick Hey. L46 —3D 61
Wimpole St. L7 —2A 68
Winchester Av. L10 —1B 20
Winchester Av. L22 —1B 16
Winchester Av. WA5 —4D 147
Winchester Clo. L25 —2A 114
Winchester Clo. L36 —1A 74
Winchester Dri. L44 —4D 41
Winchester Pl. WA8 —2B 118
Winchester Rd. L6 —3B 46
Winchfield Rd. L15 —1D 89
Windbourne Rd. L17 —4A 88
Windermere Av. WA2 —3A 142
Windermere Av. WA8 —3A 98
Windermere Av. WA11 —3C 27
Windermere Dri. L12 —4D 33
Windermere Dri. L31 —4C 5
Windermere Dri. L33 —4B 12
Windermere Pl. WA11 —3B 26
Windermere Rd. L43 —1B 82
Windermere St. L5 —3A 46
Windermere St. WA8 —3A 98
Windermere Ter. L8 —2A 88
Windfield Grn. L19 —1B 126
Windfield Rd. L19 —1B 126
Windle Ash. L31 —3B 4
Windle Av. L23 —4D 7
Windlebrook Cres. WA10 —1A 36
Windle City. WA10 —1D 37
Windle Ct. WA3 —3D 143
Windle Gro. WA10 —1B 36
Windle Hall Dri. WA10 —4A 26
Windlehurst Av. WA10 —1C 37
Windle Pilkington Cen. WA10 —2D 37
Windleshaw Rd. WA10 —1B 36
Windle St. WA10 —2D 37
Windle Vale. WA10 —2C 37
Windmill Av. L23 —3D 7
Windmill Clo. L33 —3C 13
Windmill Clo. WA4 —1A 162
Windmill Gdns. L43 —3A 62
Windmill Hill Av. E. WA7 —3B 134
Windmill Hill Av. N. WA7 —1B 134
Windmill Hill Av. S. WA7 —3B 134
Windmill Hill Av. W. WA7 —2A 134
Windmill La. WA4 —1A 162
(Appleton)
Windmill La. WA4 —4D 135 & 1B 140
(Preston on the Hill)
Windmill La. WA5 —4B 146
Windmill St. WA7 —2A 132
Window La. L19 —1B 126
Windscale Rd. WA2 —4C 143
Windsor Av. L21 —3D 17
Windsor Clo. L30 —3D 9
Windsor Clo. L49 —3C 81
Windsor Clo. L62 —2A 108
Windsor Ct. L20 —1A 30
Windsor Dri. L36 —1A 72
Windsor Dri. WA4 —2C 159
Windsor Gro. WA7 —4A 132
Windsor Pk. Rd. L10 —1C 21
Windsor Rd. L9 —1B 30
Windsor Rd. L13 —3C 47
Windsor Rd. L20 —1A 30
Windsor Rd. L23 —4C 7
Windsor Rd. L31 —1B 10
Windsor Rd. L35 —4C 53
Windsor Rd. L36 —2A 72
Windsor Rd. L45 —1A 42
Windsor Rd. WA8 —3D 97
Windsor Rd. WA10 —3B 36
Windsor St. L8 —1D 87
Windsor St. L41 —1B 84
Windsor St. WA5 —3B 148
Windsor View. L8 —4A 68
Windus St. WA10 —3C 37
Windy Arbor Brow. L35 —3B 74
Windy Arbor Clo. L35 —3B 74
Windy Arbor Rd. L35 —2B 74 to 4B 74
Windy Bank. L62 —3A 108
Wineva Gdns. L23 —1D 17
Winford St. L44 —1B 64
Winfrith Clo. L63 —2A 124
Winfrith Dri. L63 —2A 124
Winfrith Rd. L25 —3B 92
Winfrith Rd. WA2 —1C 151
Wingate Av. WA9 —2B 54
Wingate Clo. L43 —3C 83
Wingate Rd. L17 —4C 89
Wingate Rd. L33 —4D 13
Wingate Towers. L36 —4B 50
Wingate Wlk. L33 —1D 23
Wingfield Clo. L29 —1B 8
Wingrave Way. L11 —4C 33
Winhill. L25 —3D 91
Winifred Rd. L10 —4A 22
Winifred St. L7 —2A 68
Winifred St. WA2 —3D 149
Winkle St. L8 —1D 87
Winmarleigh St. WA1 —4C 149
Winnington Rd. L48 —2A 78
Winnows, The. WA7 —3B 132
Winser St. L62 —3A 108
Winsford Rd. L13 —3C 47
Winsham Clo. L32 —3C 23
Winsham Rd. L32 —3C 23
Winskill Rd. L11 —1D 47
Winslade Ct. L4 —4C 31
Winslade Rd. L4 —4C 31
Winslow Clo. WA7 —3B 134
Winslow St. L4 —1D 45
Winstanley Clo. WA5 —4D 147
Winstanley Ind. Est. WA2 —1D 149
Winstanley Rd. L22 —2C 17
Winstanley Rd. L62 —2A 108
Winster Dri. L27 —2D 93
Winston Dri. L43 —2B 82
Winstone Rd. L14 —4D 49
Winston Gro. L46 —3C 61
Winterburn Cres. L12 —2B 48
Winterburn Heights. L12 —2B 48
(off Winterburn Cres.)
Winter Gdns., The. L45 —1A 42
(off Atherton St.)
Winterhey Av. L44 —1A 64
Winter St. L6 —1D 67
Winthrop Pk. L43 —1C 83
Winton Clo. L45 —1D 41
Winton Gro. WA7 —3B 134
Winwick Link Rd. WA2 —2D 141
Winwick Quay Employment Area. WA2 —3C 141
Winwick Rd. WA2 —3C 141
Winwick St. WA2 & WA1 —4D 149
Winwood Hall. L25 —1A 114
Wirral Bus. Cen. L44 —2B 64
Wirral Bus. Pk. L49 —3D 81
Wirral Clo. L63 —1A 124
Wirral Gdns. L63 —1A 124
Wirral Mt. L45 —3D 41
Wirral Mt. L48 —4B 78
Wirral Retail Pk. L62 —1D 125
Wirral View. L19 —3D 111
Wirral Vs. L45 —3C 41
Wirral Way. L43 —1B 82
Wirral Way. L60 —4A 122
Wisenholme Clo. WA7 —2A 138
Witham Clo. L30 —4D 9
Withburn Clo. L49 —1C 81
Withensfield. L45 —3A 42
Withens La. L45 & L44 —3A 42
Withens Rd. L31 —3B 4
Withens, The. L28 —2A 50
Withers Av. WA2 —2A 150
Withert Av. L63 —1C 107
Withington Rd. L24 —2D 129
Withington Rd. L44 —1B 64
Within Way. L24 —4A 130
Withnell Clo. L13 —2A 70
Withnell Rd. L13 —2A 70
Withycombe Rd. WA5 —1B 154
Witley Av. L46 —2C 61
Witley Clo. L46 —2C 61
Witney Clo. L49 —3B 80
Wittenham Clo. L49 —2D 81
Wittering La. L60 —4A 122
Witton Rd. L13 —2C 47
Witt Rd. WA8 —2D 119
Wivern Pl. WA7 —2A 132
Woburn Clo. L13 —4D 47
Woburn Dri. WA8 —1B 96
Woburn Grn. L13 —4D 47
Woburn Hill. L13 —4D 47
Woburn Pl. L42 —4D 85
Woburn Rd. L45 —3A 42
Woburn Rd. WA2 —3C 141
Wokefield Way. WA10 —2A 36
Wokingham Gro. L36 —3C 73
Wolfenden Av. L20 —1A 30

Wolfe Rd. WA9 —4C **39**
Wolferton Clo. L49 —4A **62**
Wolfe St. L8 —1C **87**
Wolfrick Dri. L63 —3B **124**
Wolseley Rd. WA10 —2C **37**
Wolsey St. L20 —1B **44**
Wolstenholme Sq. L1
—3B **66** & 3C **67**
Wolverton Dri. WA7 —3B **134**
Wolverton St. L6 —3A **46**
Woodall Dri. WA7 —3A **132**
Wood Av. L20 —2A **30**
Woodbank Clo. L16 —3D **71**
Woodbank Pk. L43 —2C **83**
Woodbank Rd. WA5 —1C **155**
Woodberry Clo. L43 —2B **82**
Woodbine St. L5 —2B **44**
Woodbourne Rd. L14 —4C **49**
Woodbridge Av. L26 —4C **93**
Woodbrook Av. L9 —4D **19**
Woodburn Boulevd. L63 —2C **107**
Woodchurch Ct. L42 —3B **84**
Woodchurch La. L42 —4A **84**
Woodchurch La. L49 —1B **104**
Woodchurch Rd. L13 —1A **70**
Woodchurch Rd. L42 & L41
—3B **84**
Woodchurch Rd. L49, L43 & L42
—4A **82** to 4A **84**
Wood Clo. L32 —2B **22**
Wood Clo. L41 —4C **65**
Woodcock St. WA9 —2C **57**
Woodcote Bank. L42 —2D **107**
Woodcote Clo. WA2 —1A **150**
Woodcot La. L60 —3A **122**
Woodcroft Dri. L61 —2B **122**
Woodcroft La. L63 —2C **107**
Woodcroft Rd. L15 —4C **69**
Woodcroft Way. WA9 —4B **56**
Woodend. L35 —3C **75**
Woodend. L61 —4D **103**
Woodend. WA7 —4C **135**
Woodend Av. L23 —3C **7**
Woodend Av. L25 & L24
—3B **114**
Woodend Av. L31 —2A **10**
Woodend Ct. WA8 —4B **98**
Woodend La. L24 —1B **128**
Woodend La. WA3 —4D **145**
Woodfarm Hey. L28 —1A **50**
Woodfield Av. L63 —2C **107**
Woodfield Rd. L9 —1B **30**
Woodfield Rd. L36 —1A **72**
Woodfield Rd. L61 —4C **103**
Woodfield Rd. L63 —1B **124**
Woodford Clo. WA4 —1D **159**
Woodford Clo. WA7 —1C **137**
Woodford Rd. L14 —4C **49**
Woodford Rd. L62 —2A **108**
Woodford Rd. WA10 —1A **36**
Woodgate. L27 —1B **92**
Woodger St. L19 —3B **112**
Wood Grn. L34 —3B **52**
Wood Grn. L43 —3B **62**
Woodgreen Rd. L13 —1A **70**
Wood Gro. L13 —2D **69**
Woodhall Av. L44 —4B **42**
Woodhall Clo. WA5 —2C **147**
Woodhall Rd. L13 —1A **70**
Woodhatch Rd. WA7 —2C **139**
Woodhead Rd. L62 —3B **108**
Woodhead St. L62 —2A **108**

Woodhey Ct. L63 —2D **107**
Woodhey Gro. L63 —2D **107**
Woodhey Rd. L19 —2D **111**
Woodhey Rd. L63 —2D **107**
Woodhill. L49 —2A **82**
Woodhouse Clo. L4 —2C **45**
Woodhouse Clo. WA3 —4B **144**
Woodin Rd. L42 —1A **108**
Woodkind Hey. L63 —2B **124**
Woodland Av. L47 —3B **58**
Woodland Av. WA8 —1D **119**
Woodland Dri. L45 —2B **42**
Woodland Dri. L49 —3D **81**
Woodland Gro. L42 —1D **107**
Woodland Rd. L4 —1B **46**
Woodland Rd. L21 —4C **17**
Woodland Rd. L26 —2C **115**
Woodland Rd. L31 —4A **12**
Woodland Rd. L42 —1D **107**
Woodland Rd. L48 —4C **79**
Woodland Rd. L49 —3D **81**
Woodlands Dri. L61 —4B **104**
Woodlands Dri. WA4 —2A **160**
Woodlands Pk. L12 —3A **48**
Woodlands Rd. L17 —4C **89**
Woodlands Rd. L36 —2A **72**
Woodlands Rd. L61 —4C **103**
Woodlands Rd. WA11 —4C **27**
Woodlands Sq. L27 —3D **93**
Woodlands, The. L34 —2D **53**
Woodlands, The. L41 —1C **85**
Woodlands, The. L49 —1D **81**
Woodland View. L23 —2D **7**
Woodland Wlk. L62 —3C **125**
Woodland Wlk. WA7 —3D **133**
Wood La. L27 —2D **93**
Wood La. L34 —3A **52**
Wood La. L36 —2A **74**
Wood La. L45 —3C **41**
Wood La. L49 —2C **81**
Wood La. WA4 —4B **158**
Wood La. WA7 —3B **138**
(Beechwood East)
Wood La. WA7 —1D **139**
(Murdishaw)
Wood Lea. L12 —3A **34**
Woodlee Rd. L25 —2B **92**
Woodleigh Clo. L31 —1A **4**
Woodley Fold. WA5 —1B **154**
Woodley Rd. L31 —2B **10**
Woodpecker Clo. L12 —4B **34**
Woodpecker Clo. L49 —1B **80**
Woodpecker Clo. WA3 —3B **144**
Woodpecker Dri. L26 —4C **93**
Woodridge. WA7 —3A **134**
Wood Rd. L26 —2C **115**
Woodrock Rd. L25 —4A **92**
Woodruff St. L8 —2D **87**
Woodside Av. L46 —4C **61**
Woodside Av. WA11 —3B **26**
Woodside Bus. Pk. L41 —4D **65**
Woodside Clo. L12 —1A **48**
Woodside Ferry App. L41 —4D **65**
Woodside Rd. L61 —3C **103**
Woodside Rd. WA5 —3B **146**
Woodside St. L7 —3A **68**
Woodsorrel Rd. L15 —4A **70**
Woodsorrel Rd. L41 —4D **63**
Woodstock Rd. L44 —1A **64**
Woodstock St. L5 —4B **44**
Wood St. L1 —3C **67**
Wood St. L19 —3B **112**
Wood St. L21 —4A **18**

Wood St. L34 —3B **52**
Wood St. L41 —4C **65**
Wood St. L47 —4A **58**
Wood St. L62 —4A **108**
Wood St. WA1 —3A **150**
Wood St. WA8 —1B **120**
Wood St. WA9 —2B **38**
Woodvale Clo. L43 —4B **62**
Woodvale Clo. WA2 —1A **150**
Woodvale Ct. L49 —4A **82**
(off Childwall Grn.)
Woodvale Rd. L12 —3B **34**
Woodvale Rd. L25 —4A **92**
Woodview. L34 —3D **35**
Woodview Av. L44 —2C **65**
Woodview Cres. WA8 —1D **117**
Wood View Rd. L25 —2D **91**
Woodview Rd. WA8 —1D **117**
Woodville Av. L23 —1B **16**
Woodville Pl. WA8 —4B **96**
Woodville Rd. L42 —2B **84**
Woodville St. WA10 —2A **38**
(in two parts)
Woodville Ter. L6 —4A **46**
Woodward Rd. L33 —4B **14**
Woodward Rd. L42 —1D **107**
Woodway. L49 —2C **81**
Woodyear Rd. L62 —4D **125**
Woolacombe Av. WA9 —4B **56**
Woolacombe Clo. WA4 —2A **158**
Woolacombe Rd. L16 —1C **91**
Wooler Clo. L46 —3B **60**
Woolfall Clo. L36 —4A **50**
Woolfall Cres. L36 —4A **50**
Woolfall Heath Av. L36 —4A **50**
Woolfall Heights. L36 —4B **50**
Woolhope Rd. L4 —4C **31**
Woolmer Clo. WA3 —2D **145**
Woolston Grange Av. WA2 & WA1
—4D **143** to 2C **153**
Woolton Hill Rd. L25 —2C **91**
Woolton M. L25 —4D **91**
Woolton Mt. L25 —3A **92**
Woolton Pk. L25 —3D **91**
Woolton Pk. Clo. L25 —3D **91**
Woolton Rd. L15, L16 & L25
—1A **90**
Woolton Rd. L19 & L25 —3B **112**
Woolton St. L25 —4A **92**
Woolton Views. L25 —1B **114**
Worcester Av. L13 —2C **47**
Worcester Av. L22 —1B **16**
Worcester Clo. WA5 —4D **147**
Worcester Ct. L20 —3A **30**
Worcester Dri. L13 —2C **47**
Worcester Dri. N. L13 —2C **47**
Worcester Rd. L20 —2A **30**
Worcester Rd. L43 —3C **63**
Wordsworth Av. L42 —4D **85**
Wordsworth Av. WA4 —2D **157**
Wordsworth Av. WA8 —1D **119**
Wordsworth Av. WA9 —1D **77**
Wordsworth St. L8 —4A **68**
Wordsworth St. L20 —2C **29**
Wordsworth Wlk. L48 —2A **100**
Wordsworth Way. L36 —3D **73**
Worrow Clo. L11 —3C **33**
Worrow Rd. L11 —3C **33**
Worsborough Av. WA5 —4C **147**
Worsley Av. WA4 —1B **158**
Worsley Brow. WA9 —1C **57**
Worsley Rd. WA4 —4C **157**
Worsley St. WA5 —2C **149**

Worsley St. WA11 —1D **39**
Worthing St. L22 —1A **16**
Worthington Clo. WA7 —4D **133**
Worthington St. L8 —1C **87**
Wortley Rd. L10 —4C **21**
Wray Av. WA9 —4B **56**
Wrayburn Clo. L7 —3B **68**
Wrekin Clo. L25 —1A **114**
Wrekin Dri. L10 —2C **21**
Wrenbury Clo. L43 —4D **83**
Wrenbury Clo. WA7 —3A **138**
Wrenbury St. L7 —2B **68**
Wren Clo. WA3 —3B **144**
Wren Clo. WA7 —1C **139**
Wrenfield Gro. L17 —4B **88**
Wren Gro. L26 —1C **115**
Wrexham Clo. WA5 —1B **148**
Wrexham St. L5 —3C **45**
Wright Cres. WA8 —4D **119**
Wright's La. WA5 —4D **99**
Wrights Ter. L15 —4D **69**
Wright St. L5 —4B **44**
Wright St. L44 —4C **43**
Wroxham Clo. L49 —2A **82**
Wroxham Ct. L49 —2A **82**
Wroxham Dri. L49 —2A **82**
Wroxham Rd. WA5 —3A **146**
Wroxham Way. L49 —2A **82**
Wryneck Clo. WA10 —2A **54**
Wrynose Rd. L62 —3D **125**
Wulstan St. L4 —2B **44**
Wycherley Rd. L42 —3C **85**
Wycherley St. L34 —2B **52**
Wychwood Av. WA13 —2D **161**
Wycliffe Rd. L4 —2B **46**
Wycliffe St. L42 —4D **85**
Wye Clo. L42 —3D **85**
Wye St. L5 —3D **45**
Wykeham St. L4 —2B **44**
Wykeham Way. L4 —2C **45**
Wyken Gro. WA11 —1B **38**
Wyke Rd. L35 —4C **53**
Wyllin Rd. L33 —1D **23**
Wylva Av. L23 —1D **17**
Wylva Rd. L4 —2A **46**
Wyncroft Clo. WA8 —2A **118**
Wyncroft Rd. WA8 —2A **118**
Wyncroft St. L8 —3D **87**
Wyndale Clo. L18 —3A **90**
Wyndcote Rd. L18 —2A **90**
Wyndham Av. L14 —2D **71**
Wyndham Rd. L45 —3C **41**
Wyndham St. L4 —4B **30**
Wynne Rd. WA10 —2C **37**
Wynnstay Av. L31 —3B **4**
Wynnstay St. L8 —1A **88**
Wynstay Rd. L47 —3B **58**
Wynwood Pk. L36 —2B **72**
Wyre Rd. L5 —2D **45**
Wyrescourt Rd. L12 —3B **48**
Wyresdale Av. WA10 —4A **26**
Wyresdale Rd. L9 —4A **20**
Wyswall Clo. L26 —4C **93**
Wythburn Cres. WA11 —3C **27**
Wythburn Gro. WA7 —2A **138**
Wyvern Rd. L46 —3C **61**

Yanwath St. L8 —4A **68**
Yarcombe Clo. L26 —1D **115**
Yardley Av. WA5 —2B **148**
Yardley Dri. L63 —3B **124**
Yardley Rd. L33 —2B **24**

Yarmouth Rd. WA5 —4B **146**
Yarrow Av. L31 —3D **5**
Yates Ct. L34 —3B **52**
Yates St. L8 —2C **87**
Yates Wlk. L8 —2C **87**
Yeadon Wlk. L24 —1A **128**
Yeald Brow. WA13 —2D **161**
Yelverton Clo. L26 —1D **115**
Yelverton Rd. L4 —2B **46**
Yelverton Rd. L42 —3C **85**
Yeoman Cotts. L47 —1B **78**
Yeovil Clo. WA1 —2D **151**
Yew Bank Rd. L16 —4B **70**
Yewdale Av. WA11 —3C **27**
Yewdale Pk. L43 —3A **84**
Yewdale Rd. L9 —2C **31**
Yew Tree Av. WA9 —3B **56**
Yew Tree Clo. L12 —3C **49**
Yew Tree Clo. WA4 —4A **82**
Yew Tree Grn. L31 —4A **12**
Yew Tree La. L12 —3C **49**
Yewtree La. L48 —4A **78**
Yew Tree Rd. L9 —2B **30**
Yew Tree Rd. L18 —4B **90**
Yew Tree Rd. L25 —2B **114**
Yew Tree Rd. L31 —1C **11**
Yew Tree Rd. L36 —3C **73**
Yew Tree Rd. L46 —2D **61**
Yew Tree Rd. L63 —4C **107**
Yew Way. L46 —2D **61**
Yorkaster Rd. L18 —1B **112**
York Av. L17 —1B **88**
York Av. L22 —3C **17**
York Av. L23 —4B **6**
York Av. L44 —1B **64**
York Av. L48 —1A **100**
York Av. WA5 —3A **146**
York Clo. L30 —3D **9**
York Clo. WA10 —2C **37**
York Cotts. L25 —2A **92**
York Dri. WA4 —3C **159**
York Ho. L17 —1C **89**
York Pl. L22 —3C **17**
York Pl. WA7 —2A **132**
York Rd. L23 —4C **7**
York Rd. L31 —2B **10**
York Rd. L36 —1D **73**
York Rd. L44 —1B **64**
York Rd. WA4 —3C **159**
York Rd. WA8 —2B **118**
York St. L1 —3B **66**
York St. L9 —3B **30**
York St. L19 —1B **126**
York St. L22 —3C **17**
York St. L62 —4B **108**
York St. WA4 —1D **157**
York St. WA7 —2D **131**
York Ter. L5 —3C **45**
York Way. L19 —1B **126**
York Way. L36 —1A **74**
Youatt Av. L35 —4C **53**
Youens Way. L14 —4C **49**

Zander Gro. L12 —3B **34**
Zetland Rd. L18 —2D **89**
Zetland Rd. L45 —2D **41**
Zig Zag Rd. L12 —3B **48**
Zig Zag Rd. L45 —3A **42**

AREAS COVERED BY THIS ATLAS

with their map square reference

Names in this index shown in CAPITAL LETTERS, followed by its Postcode district, are Postal addresses.

AIGBURTH. (L17 & L19)
—1C **111**
Aigburth Vale. —4C **89**
AINTREE. (L9 & L10) —1B **20**
Allerton. —1C **113**
ANFIELD. (L4 to L6) —2A **46**
Appleton. —4A **98**
Appleton Park. —3A **162**
APPLETON. (WA4) —1A **162**
Arpley Meadows. —2C **157**
Arrowe Hill. —3D **81**
Ashton's Green. —2D **39**
ASTMOOR. (WA7) —1C **133**
Aston Heath. —4A **140**

Ball O'Ditton. —1C **119**
Bank Quay. —4B **148**
BARNSTON. (L61) —1D **123**
Barrow's Green. —2C **99**
BEBINGTON. (L63) —4C **107**
Beechwood. —4B **62**
BEECHWOOD. (WA7) —2A **138**
BEWSEY. (WA5) —2B **148**
Bidston. —3B **62**
BIRCHWOOD. (WA2 & WA3)
—3A **144**
BIRKENHEAD. (L41 to L43)
—1D **85**
Blackbrook. —1D **39**
(St Helens)
Blackbrook. —4B **142**
(Warrington)
Blundellsands. —1A **16**
Bold. —2D **57**
BOLD HEATH. (WA8) —1C **99**
BOOTLE. (L20) —2C **29**
BOWRING PARK. (L14 & L16)
—3A **72**
Brighton le Sands. —1B **16**
Broad Green. —2C **71**
Broad Oak. —2C **39**
BROMBOROUGH. (L62 & L63)
—4C **125**
BROMBOROUGH POOL. (L62)
—4B **108**
Bromborough Port. —1D **125**
Brookfields Green. —1D **5**
BROOKVALE. (WA7) —2C **139**
Brown Edge. —2C **55**
Bruche. —2B **150**

Cabbage Hall. —3B **46**
Calderstones. —3B **90**
CALDY. (L48) —2C **101**
Carr Mill. —3C **27**
CASTLEFIELDS. (WA7) —2D **133**
Chadwick Green. —1D **27**
CHILDWALL. (L16 & L25)
—4C **71**
Cinnamon Brow. —3C **143**
Claughton. —2D **83**
Clifton Park. —2B **84**
CLIFTON. (WA7) —2D **137**
Clinkham Wood. —3C **27**
CLOCK FACE. (WA9) —4B **56**
CLUBMOOR. (L13) —2C **47**
Cobbs. —4A **158**
Court Hey. —3D **71**
Cowley Hill. —2C **37**
Cressington Park. —3A **112**
CROFT. (WA2 & WA3) —1D **143**
CRONTON. (WA8) —2B **96**
CROSBY. (L23) —3B **16**
Crow Wood. —4B **98**
CROXTETH. (L11) —2A **34**
Croxteth Park. —3B **34**
Cuerdley Cross. —4D **99**

Dacre Hill. —1D **107**
Dallam. —1B **148**
DENTON'S GREEN. (WA10)
—1C **37**
Derbyshire Hill. —4D **39**
Devonshire Park. —3B **84**

DINGLE. (L8) —3D **87**
Ditton. —2A **118**
Doe Green. —1A **154**
Dog & Gun. —3C **33**
DOVECOT. (L14) —1D **71**
Dudlow's Green. —2A **162**
DUTTON. (WA4) —3B **140**

ECCLESTON PARK. (L34)
—2D **53**
ECCLESTON. (WA10) —2D **39**
EDGE HILL. (L7) —3A **68**
Egremont. —3C **43**
Elm Park. —1B **68**
EVERTON. (L5 & L6) —4D **45**

FAIRFIELD. (L6 & L7) —1C **68**
Farnworth. —3D **97**
FAZAKERLEY. (L9) —2D **31**
FEARNHEAD. (WA2) —4C **143**
Fiddler's Ferry. —3A **154**
Fincham. —3A **50**
Ford. —1B **82**
FORD. (L21) —1A **18**
Frankby. —4A **80**
FRODSHAM. (WA6) —4D **137**

GARSTON. (L19) —3C **113**
GATEACRE. (L25) —2B **92**
Gayton. —4D **123**
Gerard's Bridge. —1D **37**
Gillmoss. —1D **33**
Gorse Covert. —1D **145**
Grange. —4B **78**
Grange Park. —1A **54**
GRAPPENHALL. (WA4)
—3C **159**
Grassendale. —2D **111**
GRASSENDALE PARK. (L19)
—3D **111**
GREASBY. (L49) —2B **80**
Great Crosby. —4C **7**
Great Meols. —3D **59**
GREAT SANKEY. (WA5)
—3C **147**
Green Bank. —4C **37**
Greenfields. —3B **62**
Green Leach. —4B **26**
Greystone Heath. —1B **154**

HALE BANK. (WA8) —4A **118**
Hale Heath. —3D **129**
HALE. (L24) —3A **130**
Halewood Green. —4C **93**
HALEWOOD. (L26) —1A **116**
HALTON BROOK. (WA7)
—3C **133**
HALTON LODGE. (WA7)
—4B **132**
Halton View. —1A **120**
Halton Village. —3D **133**
Haresfinch. —4C **27**
Hartley's Village. —1C **31**
HESWALL. (L60 & L61)
—4B **122**
HIGHER BEBINGTON. (L63)
—3B **106**
Higher Runcorn. —3D **131**
HIGHER WALTON. (WA4)
—4B **156**
Hillcliffe. —4D **157**
Holt. —4A **54**
Holt Green. —1D **5**
Hough Green. —4A **96**
Houghton Green. —3B **142**
Howley. —4D **149**
HOYLAKE. (L47) —3A **58**
Hulme. —4D **141**
HUNTS CROSS. (L25) —2A **114**
HUYTON. (L14 & L36) —1C **73**

Irby Heath. —3B **102**

Irby Hill. —2B **102**
IRBY. (L61) —3C **103**
Irbymill Hill. —1B **102**

Keckwick. —1D **135**
Kennesse Green. —1C **11**
KENSINGTON. (L6 & L7)
—2A **68**
KINGSWOOD. (WA6) —1C **147**
KIRKBY. (L32 & L33) —1B **22**
Kirkby Park. —1B **22**
KIRKDALE. (L4, L5 & L20)
—1C **45**
KNOTTY ASH. (L12 & L14)
—1B **70**
KNOWSLEY. (L34) —2D **35**

Landican. —2B **104**
LATCHFORD. (WA4) —2A **158**
Lea Green. —3D **55**
Leasowe. —4A **40**
Lingley Green. —3A **146**
Liscard. —4D **41**
LITHERLAND. (L21) —3A **18**
Little Bongs. —4B **48**
Little Crosby. —1C **7**
LIVERPOOL. (L1 to L29, L31 to
L33, L36 to L38 &
L67 to L69) —3A **66**
Locking Stumps. —2A **144**
Longford. —1D **149**
Longview. —3D **51**
Lower Bebington. —4D **107**
Lower Walton. —4C **157**
Lugsdale. —2B **120**
Lunt. —1C **9**
Lunts Heath. —2A **98**
LYDIATE. (L31) —1A **4**
LYMM. (WA13) —2D **161**

MAGHULL. (L31) —4A **4**
Manor Green. —4B **62**
Marshall's Cross. —3A **56**
Martinscroft. —3B **152**
MELLING. (L31) —3D **11**
Melling Mount. —2B **12**
Micklehead Green. —1D **77**
Mill Yard. —4C **49**
Moor Park. —3C **7**
Moreton Common. —1C **61**
MORETON. (L46) —2C **61**
Moss Bank. —2B **26**
(St Helens)
Moss Bank. —2B **120**
(Widnes)
MOSSLEY HILL. (L18) —3D **89**
Moss Nook. —1C **57**
Moss Side. —4D **5**
(Maghull)
Moss Side. —4B **154**
(Warrington)
MURDISHAW. (WA7) —1A **140**

NETHERTON. (L30) —3D **9**
New Brighton. —1B **42**
NEW FERRY. (L62) —2B **108**
Newton. —4D **79**
Newtown. —4A **138**
Noctorum. —2C **83**
NORRIS GREEN. (L11) —4A **32**
North End. —3C **93**
Northwood. —1D **23**
NORTON. (WA7) —3B **134**
Nutgrove. —3B **54**

Oak Hill Park. —2A **70**
Oak Vale Park. —2A **70**
Oakwood. —3B **144**
Oglet. —3C **129**
OLD HALL. (WA5) —2A **148**
OLD SWAN. (L13) —1D **69**
Orford. —1A **150**

Orrell. —1A **30**
ORRELL PARK. (L9) —1A **30**
OTTERSPOOL. (L17) —1B **110**
Oxton. —2D **83**

PADDINGTON. (WA1) —2C **151**
PAGE MOSS. (L14) —1A **72**
PALACE FIELDS. (WA7)
—1C **139**
Parr Stocks. —4B **38**
PARR. (WA9) —3B **38**
Peasley Cross. —1B **56**
PENKETH. (WA5) —1B **154**
PENSBY. (L61) —1B **122**
Pewterspear. —3B **162**
Pewterspear Green. —4B **162**
Pocket Nook. —2A **38**
Portico. —2A **54**
PORT SUNLIGHT. (L62)
—4A **108**
Poulton. —2A **64**
(Wallasey)
Poulton. —3B **124**
(Bromborough)
PRENTON. (L42) —1D **105**
PRESCOT. (L34 & L35)
—3B **52**
PRESTON BROOK. (WA7)
—1B **140**
PRESTON ON THE HILL. (WA4)
—1B **140**
PRINCES PARK. (L8) —1A **88**

Raby. —4A **124**
Raby Mere. —4B **124**
RAINHILL. (L35) —1B **76**
Rainhill Stoops. —2C **77**
Ravenhead. —1C **55**
RISLEY. (WA3) —1B **144**
ROBY. (L36) —2B **72**
Rock Ferry. —4D **85**
RUNCORN. (WA7) —2C **131**

St Anns. —4B **36**
ST HELENS. (WA9 to WA11)
—2A **38**
St Michael's Hamlet. —4A **88**
SANDFIELD PARK. (L12)
—3A **48**
Sandown Park. —3D **69**
Sankey Bridges. —1A **156**
Saughall Massie. —1B **80**
Seacombe. —2C **65**
SEAFORTH. (L21) —4C **17**
SEFTON. (L29) —2C **9**
SEFTON PARK. (L8 & L17)
—2C **89**
Sefton Town. —3B **8**
Shell Green. —1C **121**
Shopping City. —4D **133**
Simm's Cross. —2A **120**
SIMONSWOOD. (L33) —3B **14**
Southdene. —3D **23**
SOUTHGATE. (WA7) —1A **138**
SPEKE. (L24) —1A **128**
SPITAL. (L62) —1B **124**
Stanley. —2C **69**
Stanley Park. —3B **18**
Statham. —1D **161**
STOCKBRIDGE VILLAGE. (L28)
—1A **50**
STOCKTON HEATH. (WA4)
—3A **158**
Storeton. —4A **106**
Storeton Brickfields. —4C **105**
STRETTON. (WA4) —4A **162**
Sutton. —2C **57**
Sutton Heath. —3C **55**
SUTTON LEACH. (WA9)
—3C **57**
SUTTON MANOR. (WA9)
—2D **77**
SUTTON WEAVER. (WA7)
—3C **139**

Swanside. —2C **71**

TARBOCK GREEN. (L35)
—3B **94**
THATTO HEATH. (WA9) —1B **54**
The Brow. —3C **133**
THELWALL. (WA4) —2A **160**
The Marsh. —4C **119**
THINGWALL. (L61) —4A **104**
THORNTON. (L23 & L29) —2A **8**
Three Lanes End. —2A **80**
Thurstaton. —4A **102**
Tower Hill. —3D **13**
Town End. —1A **96**
TOXTETH. (L8) —2D **87**
Trafalgar. —4A **108**
TRANMERE. (L42) —3D **85**
Tue Brook. —3C **47**

Upper Bidston Village. —3B **62**
Upton. —3C **97**
UPTON. (L49) —2A **82**

Vauxhall. —1B **66**
Victoria Park. —3D **69**
(Wavertree)
Victoria Park. —4C **19**
(Orrell)

Waddicar. —4A **12**
WALLASEY. (L44 & L45)
—4C **41**
WALTON. (L4 & L9) —3C **31**
WALTON. (WA4) —4C **157**
Warbreck Park. —4D **19**
WARRINGTON. (WA1 to WA6)
—4D **149**
WATERLOO. (L22) —2C **17**
Waterloo Park. —2D **17**
Wavertree Green. —4A **70**
WAVERTREE. (L13 & L15)
—4C **69**
West Bank. —4A **120**
Westbrook Centre. —1D **147**
WESTBROOK. (WA5) —2D **147**
WEST DERBY. (L11 to L13)
—2B **48**
West Derby Village. —2A **48**
WEST KIRBY. (L48) —4A **78**
WESTON POINT. (WA7)
—4B **130**
WESTON. (WA7) —1B **136**
West Park. —4B **36**
Westvale. —2B **22**
Westy. —1C **159**
Whiston Cross. —1B **74**
WHISTON. (L35) —1C **75**
Whiston Lane Ends. —1C **75**
Whitfield's Cross. —4D **99**
Whittle Hall. —3B **146**
WIDNES. (WA8) —1C **119**
Wilderspool. —3D **157**
Windlehurst. —4A **26**
Windles Green. —3B **8**
WINDMILL HILL. (WA7)
—2B **134**
Windy Arbor. —3A **74**
Winwick Green. —1C **141**
WINWICK. (WA2) —1D **141**
Woodchurch. —4B **82**
Woodend. —3A **120**
Wood End Park. —2D **111**
Woodhey. —2C **107**
Woolfall Heath. —4B **50**
WOOLSTON. (WA1 & WA3)
—2D **151**
Woolton Hill. —3D **91**
WOOLTON. (L25) —4A **92**
Woolton Park. —2D **91**
Worsley Brow. —1C **57**

HOSPITALS and major CLINICS in the area covered by this atlas.

N.B. Where Hospitals and Clinics are not named on the map, the reference given is for the road in which they are situated.

Arrowe Park Hospital —4D **81**
Arrowe Park Rd.,
Upton, L49 5PE
Tel. (0151) 678 5111

Ashton House Hospital —2A **84**
Village Rd., Oxton,
Birkenhead, L43 6TU
Tel: (0151) 653 9660

Broadgreen Hospital —1B **70**
Thomas Dri., Liverpool, L14 3LB
Tel: (0151) 228 4878

BUPA Hospital Wirral —3B **104**
Holmwood Dri., Thingwall, L61 1AU
Tel: (0151) 648 7000

Clatterbridge Hospital —3A **124**
Clatterbridge Rd.,
Bebington, L63 4JY
Tel: (0151) 334 4000

Crow Wood Hospital —4B **98**
Crow Wood La.,
Widnes, WA8 0LZ

Eccleston Hall Hospital —3A **36**
Holme Rd., St Helens, WA10 5NW

Fairfield Hospital —1A **26**
Crank Rd., St Helens, WA11 7RS
Tel: (01744) 39311

Fazakerley Hospital —4C **21**
Lower La., Fazakerley, L9 7AL
Tel (0151) 525 5980

Forensic Psychiatric Outpatients Department
—3C **67**
36 Rodney St., Liverpool, L1 9AA
Tel: (0151) 709 7010

Halton General Hospital —1B **138**
Hospital Way, Runcorn, WA7 2DA
Tel: (01928) 714567

Highfield Hospital —4D **97**
Highfield Rd., Widnes, WA8 7DJ
Tel: (0151) 424 2103

Hoylake Cottage Hospital —3B **58**
Birkenhead Rd., Meols, L47 5AG
Tel: (0151) 632 3381

Liverpool Marie Curie Centre —4A **92**
Speke Rd., Woolton, L25 8QA
Tel: (0151) 428 1395/6

Liverpool Maternity Hospital —3D **67**
Oxford St., Liverpool, L7 7BN
Tel: (0151) 709 1000

Liverpool University Dental Hospital —2D **67**
Pembroke Pl., Liverpool, L3 5PS
Tel: (0151) 706 2000

Lourdes Hospital —2D **89**
57 Greenbank Rd.,
Liverpool, L18 1HQ
Tel: (0151) 733 7123

Mossley Hill Hospital —3C **89**
Park Av., Liverpool, L18 8BU
Tel: (0151) 250 3000

Olive Mount Hospital —3A **70**
Old Mill La., Liverpool, L15 8LW
Tel: (0151) 250 3000

Park Hospital —4C **47**
Orphan Dri., Liverpool, L6 7UN
Tel: (0151) 260 8787

Rathbone Hospital —2D **69**
Mill La., Liverpool, L13 4AW
Tel: (0151) 250 3000

Royal Liverpool Childrens Hospital (Alder Hey)
—4B **48**
Eaton Rd., Liverpool, L12 2AP
Tel: (0151) 228 4811

Royal Liverpool University Hospital —2D **67**
Prescot St., Liverpool, L7 8XP
Tel: (0151) 706 5806

Saint Bartholomews Day Hospital —2B **72**
Station Rd., Liverpool, L36 4HU
Tel: (0151) 489 6241

Saint Catherine's Hospital —3C **85**
Church Rd., Birkenhead, L42 0LQ
Tel: (0151) 678 5111

Saint Helens Hospital —1B **56**
Marshalls Cross Rd., St Helens, WA9 3DA
Tel: (01744) 26633

Scott Clinic —3B **54**
Rainhill, Prescot, L35 4PQ
Tel: (0151) 426 6511

Sefton General Hospital —1B **88**
Smithdown Rd., Liverpool, L15 2HE
Tel: (0151) 250 3000

Sir Alfred Jones Memorial Hospital —3B **112**
Church Rd., Garston, L19 2LP
Tel: (0151) 427 5111

Thorn Road Clinic —4B **132**
Thorn Road, Runcorn, WA7 5HQ
Tel: (01928) 575073

Victoria Central Hospital —1A **64**
Mill La., Wallasey, L44 5UP
Tel: (0151) 678 5111

Walton Hospital —3B **30**
Rice La., Liverpool, L9 1AE
Tel: (0151) 525 3611

Warrington District General Hospital —3B **148**
Lovely La., Warrington, WA5 1QC
Tel: (01925) 35911

Waterloo Day Hospital —2C **17**
Haigh Rd., Waterloo, L22 3XR
Tel: (0151) 928 7243

Whiston Hospital —4D **53**
Warrington Rd., Prescot, L35 5DR
Tel: (0151) 426 1600

Widnes Mental Illness Resource Centre —2D **119**
Chapel St., Widnes, WA7 5AW
Tel: (0151) 424 2156

Windsor Day Hospital —4D **67**
40 Upper Parliament St.,
Liverpool, L8 7JF
Tel: (0151) 709 9061

Winwick Hospital —2C **141**
Winwick, Warrington, WA2 8RR
Tel: (01925) 55221

Women's Hospital —3D **67**
Catharine St., Liverpool, L8 7NJ
Tel: (0151) 709 1000